Aasgier van de golven

Wilbur Smith

Aasgier van de golven

2000 – De Boekerij – Amsterdam

Oorspronkelijke titel: Hungry as the Sea (Heinemann)
Vertaling: Emma Havander
Omslagontwerp: Hesseling Design, Ede

zevende druk

ISBN 90-225-2707-7

Dit boek draag ik op
aan mijn vrouw Daniëlle

Nicholas Berg stapte uit de taxi op de kade en bleef staan om de in strijklicht badende *Warlock* in zich op te nemen. Op dit uur van het tij dreef zij hoog op het water, zodat ze zelfs vergeleken bij boven haar uit torenende kranen een machtige indruk maakte.
Ondanks de uitputting die zijn geest vertroebelde en zijn spieren zo verkrampte dat ze pijn deden, voelde hij toen hij naar het schip opkeek weer die oude trots, het gevoel dat hij echt iets had bereikt.
De *Warlock* deed denken aan een oorlogsschip met die hoge buitenwaarts rondende boeg en fraaie stroomlijn, die te zamen ervoor zorgden dat zelfs bij woeste zee het schip optimaal veilig was.
De bovenbouw was van staal en glinsterend gewapend glas dat nu feestelijk oplichtte. De vleugels van de brug bogen sierlijk terug en waren overdekt om de bemanning te beschermen die ook in de slechtst denkbare omstandigheden en bij zware zeegang moest kunnen werken.
De tweede navigatiebrug keek uit over het immense achterdek. Een ervaren zeeman kon vandaar af de grote lieren en trossen in werking stellen, de tros vieren en inhalen over de hydraulisch op en neergaande sleden, maar ook een stuurloos geworden boorinstallatie in veiligheid brengen of een schip in nood bij storm of windstilte hulp bieden.
Hoog tegen de nachtlucht staken de twee gelijke torens af die de plaats hadden ingenomen van een lage forse schoorsteen zoals op ouderwetse sleepboten. De indruk van een oorlogsschip werd nog versterkt door de kanons op de hoogste platformen waarmee de *Warlock* vijftienhonderd ton zeewater per uur op een brandend vaartuig kon spuiten. Vanaf de torens konden de enterladders worden uitgezet waarlangs de matrozen aan boord van het in nood verkerende schip konden klauteren en tussen die twee in was op het dek een opvallend gekleurde cirkel geschilderd, een miniatuur landings-

veld voor helikopters. De hele opbouw, waaronder de dekken, was onbrandbaar gemaakt zodat ze de hel van brandende olie uit een tanker met averij of de steekvlammen van een vrachtvaarder met licht brandbare stoffen, konden weerstaan.
Nicholas Berg voelde iets van de moedeloosheid en de geestelijke uitputting van zich afglijden hoewel zijn lichaam nog altijd pijn deed en hij zijn voeten moeizaam voortbewoog toen hij de loopplank naderde.
Laat ze allemaal naar de hel lopen, dacht hij, ik heb haar gebouwd en ze is sterk en goed.
Hoewel het al bij elven was, bespiedde de bemanning hem uit ieder denkbaar hoekje dat deze had kunnen vinden. Zelfs de oliemannen waren uit de machinekamer naar boven gekomen toen ze hoorden dat het zover was. Ze hielden zich zo onopvallend mogelijk op het achterdek op.
De eerste officier, David Allen, had een matroos bij de ingang van de havens gestationeerd met een portret van Nicholas Berg en een munt voor de telefoon in de cel naast de ingang. Vandaar dat het hele schip nu al op de hoogte was.
David Allen stond met de eerste machinist achter het glas van de hoofdbrug en sloeg de eenzame figuur gade die met zijn koffer in de hand zijn weg zocht over de slecht verlichte kade.
'Dat is hem dus!' Davids stem klonk schor van ontzag en respect. Hij leek wel een schooljongen onder zijn naar voren vallende kuif van door de zon en wind gebleekte haren.
''t Is zo'n vervloekte filmheld!' De eerste machinist Vinny Baker sjorde met zijn ellebogen zijn afzakkende broek op. Zijn bril gleed iets van zijn lange magere neus toen hij verachtelijk en met de grootste minachting herhaalde: 'Een vervloekte filmster!'
'Hij is eerste officier bij Jules Levoisin geweest,' wees David hem terecht en weer klonk er ontzag in zijn stem bij het uitspreken van die naam, 'en hij is al van oudsher een sleper.'
'Dat was vijftien jaar geleden.' Vinny Baker verminderde de druk van zijn ellebogen op zijn broek en duwde zijn bril terug op zijn neus. Onmiddellijk zakte zijn broek langzaam maar onverbiddelijk richting dek. 'Nadien is hij zo'n vervloekte mooie fat geworden – en eigenaar.'
'Ja,' gaf David Allen toe en hij dacht aan die twee legendarische dieren, kapitein en eigenaar, in één monster verenigd. Een monster dat op het punt stond de loopplank naar het dek van de *Warlock* te betreden.

'Zou je niet naar beneden gaan en hem aan je hart drukken?' bromde Vinny plagerig en maakte dat hij wegkwam. Twee dekken lager was zijn heiligdom, de machinekamer, waar noch kapiteins noch eigenaars hem konden bereiken. Daar vluchtte hij heen.
David Allen was buiten adem en rood aangelopen toen hij de plaats bereikte waar de nieuwe kapitein aan boord zou komen. Die was nog maar halverwege de loopplank. Hij keek naar boven en richtte toen hij aan boord stapte zijn blik strak op de stuurman.
Hoewel Nicholas Berg slechts iets meer dan de gemiddelde lengte had, leek hij hoog boven iedereen uit te torenen. Zijn schouders in het blauwe kasjmier jasje leken breed en sterk. Hij droeg geen hoed zodat zijn dikke donkere haardos zichtbaar was, die van zijn rimpelloze voorhoofd naar achteren was geborsteld. In zijn mager, benig gezicht stak de neus opvallend naar voren. Hij had zware kaken die nu met een blauw waas waren overtrokken en de ogen lagen diep in de kassen, nog onderstreept door donkere paarsblauwe kringen die in een gevecht leken te zijn toegebracht.
David Allen schrok echter het meest van de bleke gelaatskleur van deze man. Het was de bleekheid van een heel ernstig zieke of van een ten dode opgeschrevene, nog opvallender door de donkere wallen onder de ogen. Dit was beslist niet het beeld dat David Allen had van de 'gouden prins' van Christy Marine. Het was bepaald ook niet het gezicht dat hij zo dikwijls in kranten en tijdschriften had gezien. De verrassing maakte hem sprakeloos. De kapitein bleef staan en keek op hem neer.
'Allen?' vroeg Nicholas Berg vermoeid. Zijn stem was laag en vlak, zonder accent, maar wel met een verwonderlijk timbre en resonantie.
'Ja, meneer. Welkom aan boord, meneer.'
Toen Nicholas Berg glimlachte, verdwenen de scherpe vouwen bij zijn ogen en mondhoeken, die op ziekte of uitputting wezen. Zijn hand voelde zacht en koel aan, maar de greep was zo krachtig dat David met zijn ogen knipperde.
'Ik zal u naar uw hut brengen, meneer.' David nam het koffertje van hem over.
'Ik weet de weg,' zei Nick Berg, 'ik heb haar zelf ontworpen.'
Hij stond midden in de daghut van de kapitein en voelde het dek onder zijn voeten bewegen hoewel de *Warlock* vast gemeerd aan de stenen kade lag. De spieren in zijn dijen trilden.
'De begrafenis is volgens plan verlopen?' vroeg Nick.

'Hij is gecremeerd, meneer,' zei David. 'Zo heeft hij het gewild. Ik heb maatregelen getroffen dat de as naar Mary thuis wordt gestuurd. Mary is zijn vrouw, meneer,' legde hij vlug uit.
'Ja,' zei Nicholas Berg, 'dat weet ik. Ik ben nog bij haar geweest voordat ik uit Londen vertrok. Mac en ik hebben ooit samen gevaren.'
'Dat heeft hij me verteld, hij was er trots op.'
'Heb je al zijn spullen opgeruimd?' vroeg Nick en keek om zich heen in de kapiteinshut.
'Ja, meneer, we hebben het allemaal ingepakt. Er is hier niets van hem achtergebleven.'
'Het was een goed mens.' Nick stond op zijn benen te tollen en keek verlangend naar de divan. In plaats daarvan liep hij naar de patrijspoort en keek naar de kade. 'Hoe is het gebeurd?'
'Mijn verslag –'
'Vertel het!' zei Nicholas Berg en zijn stem klonk als een zweepslag.
'De grote sleepkabel brak, meneer. Hij stond op het achterdek. Zijn hoofd werd in één keer van de romp gescheiden.'
Nick stond een ogenblik doodstil en dacht na over die bondige beschrijving van de tragedie. Hij had een kabel al eens eerder onder zware belasting zien knappen en toen waren er drie matrozen gedood.
'Goed.' Nick aarzelde even, de uitputting had hem traag en slap gemaakt zodat hij op het punt stond uit te leggen waarom hij persoonlijk het bevel over de *Warlock* op zich had genomen in plaats van een ander als plaatsvervanger voor Mac aan te stellen.
Misschien zou het hem goeddoen zich tegen iemand te kunnen uiten, juist op dit ogenblik, nu hij aan het eind van zijn Latijn was, verslagen, doodmoe. Hij wiegde heen en weer, maar wist zich weer te vermannen en de verleiding te weerstaan. Hij had nooit eerder in zijn leven om sympathie gejengeld.
'Goed,' zei hij nogmaals. 'Verontschuldig me alsjeblieft bij je medeofficieren. Ik heb de laatste twee weken niet veel slaap gehad en de vlucht van Heathrow hierheen was zoals gewoonlijk een verschrikking. Ik zie hen morgen wel. Vraag de kok mijn eten op een blad boven te brengen.'
De kok was een zwaargebouwde kerel die zich als een danser met een sneeuwwit schort voor en een echte koksmuts op voortbewoog.

Nick Berg staarde hem aan toen hij het blad op het tafeltje bij zijn elleboog zette. De man droeg zijn glanzende en goed verzorgde haren in een staartje dat op zijn rechterschouder viel. Zijn linkerwang was daardoor goed zichtbaar en Nick ontdekte een diamanten oorringetje in het doorboorde lelletje van zijn oor.
De kok trok de doek die het eten bedekte weg. Zijn stem was zo hoog als van een lyrische sopraan en zijn wimpers krulden zacht en donker op zijn wangen.
'Ik heb een heerlijke kop soep en een *pot-au-feu* voor u meegebracht. Dat is een van mijn specialiteiten. U zult ervan smullen,' zei hij en deed een stap achterwaarts. Met zijn handen op zijn heupen nam hij Nick Berg in zich op. 'Ik keek maar even naar u toen u aan boord kwam en ik wist meteen waaraan u het meest behoefte hebt.' Met het zwierige gebaar van een goochelaar haalde hij een half flesje Pinch Haig uit zijn schortzak. 'Neem hiervan een slok bij uw eten en dan meteen het bed in, arme schat.'
Nog nooit eerder had een man Nicholas Berg 'schat' genoemd, maar zijn tong was te zwaar en te traag om de kok van repliek te dienen. Hij staarde de man na toen die met een gracieuze zwaai van zijn witte schort en geschitter van diamantjes verdween. Hij grinnikte even en schudde zijn hoofd.
'Of ik dit ook nodig heb!' mompelde hij en stond op om een glas te zoeken. Hij schonk het halfvol en nam een slok op de terugweg naar de divan. Hij nam het deksel van de soepterrien. De geur deed hem watertanden.
Het warme eten en de whisky in zijn maag ontnamen hem zijn laatste reserves. Nicholas Berg schopte zijn schoenen uit en wankelde zijn slaaphut binnen.

Hij werd wakker en voelde boosheid. Hij was in twee weken niet boos geweest en dat was de graadmeter van zijn moedeloosheid.
Toch kwam zijn gezicht hem in de spiegel toen hij zich ging scheren nog onbekend voor, te bleek en zo ingevallen en strak. De lijnen om zijn mond waren te diep geëtst en het vroege zonlicht dat door de patrijspoort viel verlichtte zijn haren bij de slapen, zodat hij daar iets van rijp zag waarop hij zich naar voren boog. Dit was de eerste keer dat hij wat zilverkleurige haren ontdekte – misschien had hij nooit

zo nauwkeurig gekeken, maar mogelijk was het een nieuwe ontwikkeling.
Veertig, dacht hij. In juni word ik al veertig.
Hij was altijd van mening geweest dat je als je niet voor je veertigste je slag sloeg, gedoemd was nooit iets te bereiken. Maar wat waren de regels voor iemand die het voor zijn dertigste gemaakt had, snel en krachtig omhoog was gekomen en het daarna weer was kwijtgeraakt voor hij veertig was en in de grote massa ten onder was gegaan? Was hij eveneens gedoemd daar te blijven? Nick staarde naar zijn spiegelbeeld en voelde dat de woede in hem veranderde, een directe functionele vorm aannam. Hij stapte onder de douche en liet het gloeiende water zijn borst prikkelen. Ondanks de vermoeidheid en de desillusie werd hij zich voor het eerst na weken bewust dat er nog kracht in hem school waaraan hij al was gaan twijfelen. Hij voelde hoe die in hem omhoogkwam en weer bedacht hij wat een echte zeeman hij was, dat hij eigenlijk alleen maar een dek onder zijn voeten en de prikkeling van de zee in zijn keel nodig had.
Hij stapte onder de douche vandaan en droogde zich vlug af. Dit was voor hem de juiste plek. Hier zou hij weer bij moeten komen – hij realiseerde zich dat zijn besluit Mac niet te vervangen door een aan te monsteren schipper een besluit vol lef was geweest. Hij had het zelf nodig hier aan boord te zijn.
Hij had altijd wel begrepen dat je wanneer je hoog op de golven wilde varen, moest zorgen daar te zijn waar de opwaartse kracht begon. Dat is iets instinctiefs, een man weet onbewust waar dat is. Nick Berg voelde ergens diep in hem verscholen dat dit hier de plek was en met het terugkeren van zijn krachten voelde hij ook weer de oude opwinding, dat oude gevoel 'ik zal die schoften eens laten zien wie er gebroken is.' Hij kleedde zich vlug aan en liep over de kapiteinsbrug naar het bovenste dek.
Onmiddellijk kreeg de wind vat op hem en sloeg zijn vochtige donkere haren in zijn gezicht. Windkracht vijf uit het zuidoosten, rechtstreeks over de reusachtige afgeplatte berg die boven de stad en de haven uitstak. Nick keek in die richting en zag de zware witte wolk die ze het 'tafellaken' noemen over de kammen zakken en rondom de grijze rotsen vegen.
'De kaap der stormen,' mompelde hij. Zelfs het water in de beschermde haven was erg onrustig en vertoonde witte koppen die als rookwolkjes werden weggeblazen.

De uiterste zuidpunt van Afrika wordt omspoeld door de meest verraderlijke zeeën ter wereld. Hier klotsen twee oceanen heftig over de rotsachtige klippen van de Naaldenkaap en golfden over de ondiepten van de Agulhas zandbank.
Hier voerden wind en tij een voortdurende strijd. Dit was het broedgebied van die grillige roller die door matrozen de *honderd jaar golf* wordt genoemd omdat hij statistisch éénmaal in die tijdsduur hoort voor te komen. Maar aan de andere kant van de Agulhas zandbank lag hij altijd op de loer, te wachten op de juiste combinatie van wind en stroom, te wachten op die speciale rollerformatie die de schuimtop van de golf tot wel een dertig meter de hoogte in stuwt, even steil als de grijze rotsen van de Tafelberg zelf.
Nick had verslagen van zeelieden gelezen die een dergelijke golf hadden overleefd en niet in staat waren onder woorden te brengen wat ze hadden doorgemaakt, dat geweldige gat in de zee waarin een schip hulpeloos verdween. Als het gat weer sluit, maakt de kracht van het neerstortende water dat het schip volledig onder water verdwijnt. Misschien was de *Waratah Castle* dat lot ten deel gevallen in een golfdal. Het zou altijd een raadsel blijven – een sterk schip van negenduizend ton en een bemanning van 211 koppen spoorloos in de oceaan verdwenen.
Toch was dit een van de drukste vaarroutes van de hele wereld waar reuzentankers als het ware in processie statig om die rotsachtige Kaap voortploegden op hun eindeloze pendel tussen het westen en de Perzische Golf. Ondanks hun omvang zijn deze reuzentankers misschien wel de meest kwetsbare schepen die ooit door mensen zijn ontworpen.
Nick draaide zich om en keek over het door de wind opgestuwde water hier in het Duncan Dock naar een van hen. Hij kon de naam op de spiegel zien staan, een flatgebouw van vijf verdiepingen dat op en neer bewoog. Ze was het eigendom van de Shell, 250 000 bruto registerton, en toonde nu ze hier leeg lag een groot deel van haar roestrode bodem. Ze lag voor reparatie in het dok, hier op de rede van Tafelbaai. Nog twee andere monsters wachtten geduldig op hun beurt. Zo reusachtig en indrukwekkend. Kwetsbaar... en waardevol. Nick likte onwillekeurig zijn lippen – schip en lading samen waren zeker dertig miljoen dollar waard, letterlijk een berg geld.
Dat was dan ook de reden dat hij de *Warlock* hier in Kaapstad, op het zuidelijkste puntje van Afrika, had gestationeerd. Hij voelde

kracht en opwinding in hem omhoogschieten.
Goed, hij had dan de opgaande roller gemist, hij stormde niet langer voort op de top van de golven. Hij zat wat vast in ondiep water, maar hij voelde zijn hoofd weer boven water komen en nog altijd was daar beweging in. Hij wist dat er een nieuwe golf achter hem kwam aanstormen. De opwaartse beweging was net begonnen en hij wist dat hij nog altijd de kracht had mee te gaan, opnieuw omhoog te komen en voort te ijlen.
'Het is me eens gelukt – het zal me verdomme opnieuw lukken,' zei hij hardop en liep naar beneden om te ontbijten.
Hij stapte de grote kajuit binnen. Het duurde een tijdje voordat hij werd opgemerkt. Ze hadden het te druk met commentaar en speculaties.
De eerste machinist had een oud exemplaar van *Lloyd's List* opengeslagen op de voorpagina voor zich boven zijn bord met spiegeleieren en las voor. Nicholas vroeg zich verbaasd af waar de man dat oude exemplaar had gevonden.
De bril was naar het puntje van de neus van de machinist gegleden zodat hij zijn hoofd schuin omhoog moest houden om erdoor te kijken. Het Australische accent deed aan de tonen van een gitaar denken.
'In een gezamenlijke verklaring van de nieuwe president en nieuwe leden van de Raad van Bestuur werd lof toegezwaaid aan Nicholas Berg voor zijn vijftienjarige staat van dienst bij Christy Marine.'
De vijf officieren luisterden gretig en vergaten hun ontbijt totdat David Allen opeens de stille figuur in de deuropening in de gaten kreeg.
'De kapitein,' schreeuwde hij en vloog overeind. Hij graaide Vinny Baker de krant uit de hand en frommelde die onder de tafel in elkaar.
'Mag ik u de officieren van de *Warlock* voorstellen, meneer.'
Schoorvoetend en verlegen kwamen de jonge officieren naar voren en schudden hem de hand. Zwijgend wijdden ze zich weer met zoveel aandacht aan hun inmiddels op het bord gestolde eieren dat het bij voorbaat iedere conversatie uitsloot, terwijl Nick Berg zijn plaats als kapitein aan het hoofd van de tafel innam. De stilte hing loodzwaar om hen heen toen David Allen op de verkreukelde krant ging zitten.
Een steward offreerde de nieuwe kapitein het menu en keerde onmiddellijk daarop terug met een bord gestoofde vruchten.

'Ik heb een gekookt ei besteld,' zei Nick goedaardig. Er kwam iemand in smetteloos wit uit de kombuis te voorschijn, de koksmuts zwierig schuin op het hoofd.
'De vloek van de zeeman is verstopping, kapitein. Ik zorg voor mijn officieren – dat fruit is verrukkelijk en goed voor u. Ik ben met uw eitje bezig, schat, maar eerst dat fruit opeten.' De diamanten schitterden weer toen hij zich omdraaide.
Nick staarde hem na in de gespannen stilte.
'Een fantastische kok,' flapte David Allen eruit met een rood aangelopen hoofd terwijl *Lloyd's List* onder zijn zitvlak kraakte. 'Die zou op ieder passagiersschip worden aangenomen, die Angel.'
'Als die ooit de *Warlock* verlaat, gaat de halve bemanning met hem mee,' bromde de eerste machinist somber en sjorde met zijn ellebogen zijn broek onder tafel op. 'Ik zal me er beslist bij aansluiten.'
Nick Berg keerde zich beleefd naar de machinist om de conversatie te volgen.
'Hij is bijna klaar voor dokter,' ging David Allen door tegen de eerste machinist.
'Ja, vijf jaar college medicijnen in Edinburgh,' gaf de machinist toe. 'Weet je nog hoe hij het been van de tweede zette? Erg handig als er een dokter aan boord is.'
Nick nam zijn lepel op en bracht aarzelend een schepje fruit naar zijn mond. De officieren namen hem aandachtig op terwijl hij kauwde. Nick nam nog een lepel vol.
'U moet zijn jam beslist proeven,' zei David Allen ten slotte rechtstreeks tegen Nick. 'Beslist iets voor een Blauwe Wimpel.'
'Dank u voor het advies, heren,' zei Nick. De glimlach reikte net niet tot zijn mond, beperkte zich tot wat rimpeltjes om zijn ogen. 'Zou iemand zo vriendelijk willen zijn Angel een persoonlijke boodschap van mij te geven, dat als hij me nog eens "schat" noemt, ik zijn belachelijke muts over zijn oren zal slaan?'
In het opgeluchte gelach dat daarop volgde, wendde Nick zich tot David Allen en maakte dat de goede man opnieuw in vuur en vlam kwam te staan toen Nick hem vroeg: 'U hebt dat oude exemplaar van *Lloyd's List* blijkbaar uit. Zou ik dat even mogen inkijken?'
Met tegenzin kwam David overeind en haalde de krant te voorschijn. Weer drukte de stilte zwaar op de aanwezigen toen Nick Berg de verkreukelde pagina's glad streek en de oude krantekoppen zonder enige zichtbare emotie doornam.

MET DE GOLDEN PRINCE VAN CHRISTY MARINE
IS HET AFGELOPEN

Nicholas had het land aan die naam. Het was een eigenaardigheid van de oude Arthur Christy geweest om al zijn schepen het voorvoegsel Golden te geven en toen Nick twaalf jaar geleden als een komeet omhoogkwam en uitvoerend directeur bij Christy Marine werd, had de een of andere grappenmaker hem dat label opgeplakt.

ALEXANDER PRESIDENT-DIRECTEUR VAN CHRISTY

Nicholas verwonderde zich over de intensiteit van de haat die hij in verband met deze man voelde. Ze hadden als een stel hertebokken gevochten om de heerschappij over de kudde en de tactiek van Duncan Alexander had gewonnen. Arthur Christy had eens gezegd: 'Er is geen mens te vinden die zich nog wat aantrekt van moraal of eerlijkheid, het gaat er alleen nog maar om of je succes hebt en of je het aan kunt.' Wat Duncan betreft had het succes gebracht en het was gebleken dat hij er in de grootst denkbare stijl tegen opgewassen was.

> 'Als directeur heeft Nicholas Berg ertoe bijgedragen Christy Marine uit te bouwen van een kleine kustvaart- en bergingsmaatschappij tot een van de vijf grootste scheepvaartmaatschappijen met vrachtvaarders op alle wereldzeeën.
> Na de dood van Arthur Christy in 1968 is Nicholas Berg hem als president opgevolgd en heeft hij de spectaculaire groei van het bedrijf weten te handhaven.
> Op het ogenblik heeft Christy Marine elf vrachtgiganten en tankers in actieve dienst, van ruim 250 000 ton elk en laat zij een 1 000 000 ton reuzentanker, de *Golden Dawn* bouwen. Het zal het grootste schip worden dat ooit op stapel werd gezet.'

Daar had je het in zo sober mogelijke bewoordingen: het levenswerk van een man. Voor meer dan een biljoen dollar aan schepen, allemaal ontworpen, gefinancierd en gebouwd met de energie, het enthousiasme en de goede trouw van Nicholas Berg.

'Mr. Nicholas Berg huwde mejuffrouw Chantelle Christy, de enige dochter van mr. Arthur Christy. Het huwelijk liep echter uit op een echtscheiding in september van het afgelopen jaar en de gewezen mevrouw Berg trad vervolgens in het huwelijk met mr. Duncan Alexander, de huidige president-directeur van Christy Marine.'

Hij had weer dat nare holle gevoel in zijn maag en voor zijn geestesoog verscheen het bijzonder levendige beeld van een vrouw. Hij wilde juist niet aan haar denken, maar was ook niet in staat haar beeld te verdringen. Ze was stralend en mooi als een vlam en net als vuur kon je haar niet vasthouden. Toen zij verdween nam ze alles mee, alles. Hij zou haar ook moeten haten, ja dat zou werkelijk moeten. Alles, dacht hij weer, het bedrijf, zijn levenswerk en zijn kind. Toen hij aan hun kind dacht, lukte het hem bijna haar te haten en de krant trilde in zijn hand.
Hij werd zich er weer van bewust dat vijf mannen hem aandachtig gadesloegen en hij realiseerde zich zonder verwondering dat er niets van al deze emoties op zijn gezicht te lezen was geweest. Om vijftien jaar in een van 's werelds grootste kansspelen mee te spelen, was ondoorgrondelijkheid een eerste vereiste.

'In een gezamenlijke verklaring van de nieuwe president en nieuwe leden van de raad van bestuur werd lof toegezwaaid...'

Duncan Alexander zwaaide hem die lof toe om maar één reden, dacht Nick grimmig. Hij wilde de 100 000 Christy Marine aandelen hebben die Nick bezat. Die aandelen waren bij lange na niet voldoende om invloed te hebben. Chantelle had een miljoen aandelen op haar eigen naam en dan zaten er nog een miljoen in de Christy Trust. Hoe onbelangrijk ze op zichzelf ook waren, ze gaven Nick toch een stem en inzicht in de gang van zaken van het bedrijf. Nick had al die aandelen stuk voor stuk gekocht en betaald. Er was hem niet één aangeboden, nooit. Hij had gebruik gemaakt van ieder contractueel recht op nieuwe aandelen, had bonussen en salaris voor die aankopen gebruikt en nu waren die 100 000 aandelen drie miljoen dollar waard, een schriele beloning voor het werk waardoor een fortuin van zestig miljoen dollar was vergaard voor vader en dochter Christy.

Het had Duncan Alexander bijna een jaar gekost die aandelen in zijn bezit te krijgen. Hij en Nicholas hadden met kille afschuw onderhandeld. Ze hadden een hevige antipathie gevoeld al vanaf die eerste dag dat Duncan Alexander het gebouw van Christy aan Leadenhall Street was binnengelopen. Hij was daar als het nieuwste wonderkind van die oude Arthur Christy binnengekomen. Het financiële genie dat net triomfen had gevierd als financieel directeur van International Electronics. Het was haat op het eerste gezicht, intens en wederkerig, een felle smeulende chemische reactie.
Ten slotte had Duncan Alexander gewonnen, alles gewonnen, alleen die aandelen niet en hij had ook daarover willen onderhandelen omdat hij zich de sterkste voelde. Geduldig en handig had hij de besprekingen gevoerd en zodoende zijn tegenstander langzaamaan de grond in geboord. Hij had alle reserves van Christy Marine gebruikt om Nicholas te blokkeren en te frustreren, hem stap voor stap achteruit te dwingen, zijn krachten dusdanig op de proef te stellen dat Nicholas uiteindelijk gedwongen was voor hem te buigen en een gevaarlijke prijs voor zijn aandelen te accepteren. Hij had als volledige betaling de dochtermaatschappij van Christy Marine, Christy Towage en Salvage met alle activa en passiva geaccepteerd.
Nick had zich een bokser gevoeld die vijftien ronden lang in elkaar was geslagen en nu wanhopig in de touwen hing, zonder benen, verblind door zijn eigen zweet en bloed en gezwollen vlees zodat hij niet meer kon zien van welke kant de volgende stoot zou komen. Hij had het alleen maar lang genoeg uitgehouden. Hij had Christy Towage en Salvage gekregen – en hij was verdwenen met iets dat geheel van hem was.
Nicholas Berg liet de krant zakken, waarop zijn medeofficieren onmiddellijk als uitgehonderd op hun ontbijt aanvielen. Het enige geluid was nog het gekletter van messen.
'Er ontbreekt een officier,' zei hij.
'Het is de Hol maar, meneer,' legde David Allen uit.
'De Hol?'
'De radiotelegrafist Speirs, meneer. We noemen hem de holbewoner.'
'Ik heb graag alle officieren bij elkaar.'
'Hij komt nooit uit zijn hol,' legde Vinny Baker behulpzaam uit.
'Laat maar,' knikte Nick, 'ik spreek nog wel met hem.'
Ze wachtten nu allemaal, vijf geïnteresseerde jongemannen, zelfs

Vin Baker kon zijn belangstelling niet helemaal verbergen achter zijn vettige brilleglazen en het wat ruwe Australische vernis.
'Ik wilde jullie de verandering in de structuur uitleggen. De Eerste is zo vriendelijk geweest jullie dit artikel voor te lezen, vermoedelijk ten dienste van hen die niet in staat waren een jaar geleden dit zelf te lezen.'
Het was muisstil, alleen Vin Baker speelde met zijn paplepel.
'Jullie zijn er dus van op de hoogte dat ik niet langer op welke wijze dan ook betrokken ben bij Christy Marine. Ik heb Christy Towage en Salvage overgenomen, het sleep- en bergingsbedrijf van de oude firma. Het wordt een volledig zelfstandige maatschappij. De naam zal veranderd worden.' Nicholas had zijn eigen ijdelheid weerstaan en het niet Bergs sleep- en bergingsbedrijf genoemd. 'Het zal werken onder de naam Oceaan Sleep- en Bergingsbedrijf.'
Hij had er dik voor betaald, misschien te veel. Hij had zijn belangen ter waarde van drie miljoen dollar in aandelen Christy prijsgegeven voor God weet wat, maar hij was zo hondsmoe geweest.
'We bezitten twee schepen, de *Golden Warlock* en haar zusterschip dat bijna toe is aan haar eerste proefvaart, de *Golden Witch*.'
Hij wist precies hoeveel geld geïnvesteerd was in die twee schepen, in lange slapeloze nachten had hij die bedragen steeds weer voor zich gezien. Op papier was de nettowaarde van het bedrijf ongeveer vier miljoen dollar. Hij had op papier een voordelig saldo van een miljoen dollar na zijn onderhandelingen met Duncan Alexander, maar dat was alleen op papier, het bedrijf had schulden ter grootte van nog eens vier miljoen dollar. Als hij één maand de rente van die schuld niet zou kunnen betalen... hij liet die gedachte vlug weer varen, want als hij tot liquidatie werd gedwongen, zou zijn aandeel in het bedrijf nul komma nul repetent zijn. Hij zou dan volledig aan de grond zitten.
'De namen van beide schepen zijn eveneens gewijzigd. Het wordt alleen maar *Warlock* en *Seawitch*. Van nu af aan zal 'Golden' een vies woord zijn bij Oceaan Sleep- en Bergingsbedrijf.'
Ze lachten waardoor de spanning brak. Nick glimlachte mee en stak een dun zwart sigaartje op dat hij uit zijn krokodilleleren koker haalde.
'Ik zal het commando over dit schip op mij nemen totdat de *Seawitch* in de vaart komt. Dat zal niet zo lang meer duren en dan zijn er promoties op til.'

Nick, ondanks zichzelf bijgelovig, klopte deze woorden op de mahoniehouten tafel van de mess af. De havenstaking stond al tijden op een laag pitje. De *Seawitch* was nog steeds in opbouw, extra rente door verder uitstel zou de nekslag voor Nick zijn.
'Ik heb een langdurige sleep met een olieplatform, uit een baai in Australië naar Zuid-Amerika. Dat geeft ons allen de gelegenheid aan het schip te wennen. Jullie zijn allemaal slepers, ik hoef niet te vertellen dat de grote klap zich nooit van te voren aankondigt.'
Er ontstond een lichte beroering, ze voelden de spanning *van* en het verlangen *naar* het grote werk. Zelfs de zijdelingse aanduiding van het prijsgeld had hen wakker geschud.
'Chef?' Nick keek de eerste machinist aan die gromde alsof de vraag een belediging inhield.
'In ieder opzicht zeilree,' zei hij en trachtte zowel zijn broek als zijn bril op hun plaats te brengen.
'Stuurman?' Nick keek naar David Allen. Hij was nog niet gewend aan het jongensachtige uiterlijk van zijn eerste officier. Hij wist dat hij al tien jaar het gezagvoerdersdiploma in zijn zak had, dat hij ruim dertig was, dat MacDonald hem had uitgezocht – en dat hij dus goed moest zijn. Toch had hij door dat gladde gezicht en dat snelle blozen onder de slordige blonde kuif het uiterlijk van een schooljongen.
'Ik zit nog te wachten op wat voorraad, meneer,' antwoordde David vlug. 'De leveranciers hebben beloofd vandaag te leveren, maar er is niet iets van vitaal belang bij. Zo nodig kan ik binnen het uur vertrekken.'
'Mooi.' Nick stond op. 'Ik zal het schip om 09.00 inspecteren. Zorg dat de vrouwen van boord zijn.' Gedurende het ontbijt waren hoge vrouwenstemmen en gelach van de bemanning zo nu en dan tot hen doorgedrongen.
Nick wandelde de grote kajuit uit. Vinny Baker wist met zijn stem precies die toonhoogte te bereiken dat Nick hem kon verstaan. Het was een bijzonder knappe imitatie van zijn opvatting van een Koninklijke Marine-accent. '09.00. Sterke vertoning, wat?'
Nick had het zuiver gehoord en hij grinnikte in zichzelf. Dat was een oude gewoonte van die Australiërs, je jaagt iemand net zo lang op stang totdat er wat gebeurt. Er zit geen greintje kwaad bij, het is alleen maar een methode om de ander te leren kennen. En zodra de lucht opgeklaard is, kun je op een blijvende basis hetzij vijanden

hetzij vrienden zijn. Wat was het lang geleden dat hij zo'n elementair contact met fysiek sterke mensen had gehad, recht-voor-zijn-raap mensen die uitvluchten en aanstellerij schuwen. Hij vond deze hernieuwde ervaring stimulerend. Misschien was dat het wat hij nu het hardst nodig had, de zee en het gezelschap van echte mannen. Hij voelde dat hij zijn pas versnelde en het vooruitzicht van fysieke confrontatie met gelijkwaardigen maakte dat hij weer moed en zin kreeg.

Hij liep de kajuitstrap naar het navigatiedek met drie treden tegelijk op toen de deur tegenover zijn hutten openzwaaide. Er kwam de dichte grijze stinkende rook van goedkope Hollandse sigaren naar buiten, evenals een hoofd dat goed gepast zou hebben bij het een of ander voorwereldlijk reptiel. Het was eveneens grijs en bovendien gegroefd en gerimpeld, de kop van een zeeschildpad of van een leguaan met die typische donkere glinsterende oogjes.

Het was de hut van de radiotelegrafist die uitkwam op de grote navigatiebrug, nog geen twee stappen verwijderd van het dagverblijf van de kapitein.

Al had het de schijn tegen, het was toch een menselijk hoofd en Nick herinnerde zich heel precies hoe Mac zijn radiotelegrafist eens had beschreven. 'Het is de meest asociale schobbejak met wie ik ooit heb gevaren, maar hij kan acht verschillende frequenties tegelijk in de gaten houden, zowel telefonie als morse, waarschijnlijk zelfs in zijn slaap. 't Is een schriele, vreugdeloze sodemieter – maar waarschijnlijk de beste radiotelegrafist die er bestaat.'

'Kapitein,' zei de Hol met een schelle, kribbige stem. Nick stond niet stil bij het feit dat de Hol hem onmiddellijk als de nieuwe kapitein herkende. Sommige mensen hebben die uitstraling vanzelfsprekend.

'Kapitein, ik heb een "alle schepen attentie".'

Nick voelde dat zijn ruggegraat begon te gloeien. Het is niet voldoende als je in de branding staande de grote roller zich ziet krommen, het is ook nodig dat je jouw speciale golf herkent tussen de honderden die rondom je spoelen.

'Positie?' snauwde hij en liep met grote passen het gangetje naar de radiokamer door.

'72°16' zuid, 32°12' west.'

Nick voelde een druk op zijn borst en de hitte die langs zijn ruggegraat omhoogkroop. Die hoge breedtegraden daar in de uitgestrekte en eenzame watervlakte. Er was iets sinisters en dreigends in die

cijfers. Welk schip zou zich daar bevinden?
De coördinaten pasten precies op de kaart die Nick in zijn hoofd had als een oorlogskaart in een stafkamer. Ze bevond zich ten zuiden en westen van Kaap de Goede Hoop, een stuk zuidelijker dan Gough en Bouvet-eiland, in de Weddell Zee.
Hij volgde de Hol in de radiokamer. Op deze heldere, zonnige en winderige morgen was de kamer donker en somber als een onderaardse grot. De dikke groene rolluiken waren voor de patrijspoorten neergelaten. Het enige licht kwam van de verlichte bedieningspanelen van het schuin oplopende communicatiesysteem, het modernste apparaat dat het rijke Christy Marine had kunnen krijgen, een elektronisch wonder ter waarde van zeker honderdduizend dollar. Toch overheerste de stank van goedkope sigaren.
De andere kant van deze hut was het privé-gedeelte van de radiotelegrafist. Nick zag een onopgemaakte kooi, een blad met vuil serviesgoed op de vloer ernaast.
De Hol ging in de draaistoel zitten en duwde met zijn elleboog een koperen granaathuls die als asbak dienst deed opzij en knoeide asdeeltjes en een aantal koude, natgekauwde sigarestompjes op het bureau.
Als een verschrompelde gnoom staarde de Hol naar de verlichte vensters van het apparaat. Een kakofonie van statische en elektronische geluiden vermengde zich met het scherpe gehuil van het morsetoestel.
'Het afschrift?' vroeg Nick en de Hol duwde hem een bloknoot toe. Nick las vlug:

> C T M Z 0603 G M T (Greenwich-tijd) 72°16'Z 32°12'W. Alle schepen die in de buurt assistentie kunnen verlenen, attentie, meldt u alstublieft CTMZ.

Hij hoefde het handboek niet te raadplegen om de radioroepletters te herkennen.
Met een geweldige wilskracht wist hij de druk die op zijn borst lag alsof een reus zijn vuist daar geplant had, te verwerken. Hij had het gevoel of hij dit al eens eerder had meegemaakt. Hij dwong zichzelf zijn instinct te wantrouwen, zijn hersens te gebruiken en niet zijn lef of branie of hoe je dat wilde noemen.
Achter zich hoorde hij de stemmen van zijn officieren op de naviga-

tiebrug, rustige stemmen – toch met een zekere opwinding erin, een bepaalde spanning. Ze waren nu al hier uit de kajuit beneden.
Christus nog aan toe, dacht hij verwilderd. Hoe weten ze het? Zo vlug? Het leek wel of de schuit zelf onder zijn voeten tot leven was gekomen en trilde van verwachting.
De deur gleed open en David Allen stond daar met een exemplaar van Lloyd's Register in zijn hand.
'CTMZ zijn de radioroepletters van de *Golden Adventurer*, tweeëntwintigduizend ton, ingeschreven Bermuda 1975. Eigenaars Christy Marine.'
'Dank je nummer Een,' knikte Nick. Nicholas kende haar zo goed. Hij had persoonlijk de bouwopdracht verstrekt vóór de ineenstorting van het grote passagiersverkeer. Zijn bedoeling was geweest haar in te zetten op de vaart van Europa naar Australië.
Ze had ten slotte een bedrag van tweeënzestig miljoen dollar gekost, een mooi en sierlijk schip onder haar licht gelegeerde opbouw. Ze had luxueuze accommodatie, dezelfde klasse als de *France* of de *United States*, maar ze was een van de weinige miscalculaties van Nick geweest.
Toen de uitvoerbaarheid van deze voorgenomen route hoe langer hoe minder aantrekkelijk bleek te zijn nu de kosten alleen maar stegen en de vraag naar dergelijke reizen afnam, had Nick haar op andere wijze ingezet.
Het was juist dit soort beweeglijk en intuïtief plannen maken en improviseren dat Christy Marine had gemaakt tot de Goliath die ze nu was.
Nick had nieuw leven geblazen in het idee van avontuurlijke cruises – en had in verband daarmee de naam van het schip veranderd in *Golden Adventurer*. Nu bracht ze rijke passagiers naar de meest woeste en exotische uithoeken van de wereld, van de Galapagos Eilanden naar het Amazonegebied, van de verre eilanden in de Pacific naar Antarctica, op jacht naar het uitzonderlijke.
Er voeren gastsprekers mee, experts in dat speciale gebied en op de hoogte van de ecologie van de streken die bezocht werden. Er waren voorzieningen getroffen zodat de passagiers de monolieten op de Paaseilanden konden gaan bekijken of de balts van de albatros op de Falkland Eilanden konden bestuderen.
Waarschijnlijk was ze een van de weinige cruiseschepen die winst maakten en nu had ze hulp nodig.

Nicholas keerde zich weer tot de Hol. 'Heeft ze zich al eerder laten horen?'
'Ze zendt al vanaf vannacht in huiscode uit. Ze had zoveel te melden dat ik haar in de gaten hield.'
De groenachtige uitstraling van de apparatuur gaf de kleine man iets galachtigs en deed zijn tanden zwart lijken, zodat hij eruitzag als een acteur in een griezelfilm.
'Vastgelegd?' vroeg Nick en de Hol schakelde de automatische teruggave van zijn tape-monitoren in die iedere boodschap die het schip in nood had verzonden of ontvangen herhaalde. De rommelig lijkende codeletters kwamen de kamer weer in en de papierstrip werd steeds langer.
Had Duncan Alexander de code van Christy Marine veranderd, vroeg Nick zich af. Dat zou de normaal gevolgde procedure zijn, volkomen logisch voor iedereen die het vak kende. Als je een man kwijtraakt die de code kent, dan verander je onmiddellijk. Dat was doodeenvoudig. Duncan was Nick Berg kwijtgeraakt en had moeten veranderen, maar Duncan was geen man van de praktijk. Hij was iemand voor cijfers en papieren, hij dacht in getallen, niet in staal en zout water.
Als Duncan de code had veranderd, dan kwamen ze er niet achter, zelfs niet met de Decca. Nick had de sleutel van de code bedacht. Het kwam erop neer dat hij het alfabet een mathematische functie gaf, gebaseerd op een willekeurig getal van zes cijfers, waarbij de waarde van iedere letter in een reeks veranderde zodat het voor niet-insiders niet te decoderen was.
Nick haastte zich uit de drukkende sfeer van de hut van de radiotelegrafist met de print-out in zijn hand.
De navigatiebrug van de *Warlock* bestond uit glanzend chroom en glas, zo helder en functioneel als een moderne operatiekamer of een futuristische keukeninrichting.
Het essentiële controlepaneel strekte zich over de volle breedte van de brug uit, onder de geweldige ramen van gewapend glas. Het ouderwetse stuurwiel was vervangen door een enkele stalen hefboom en de afstandsbediening kon verplaatst worden naar de vleugels van de brug door een lange kabel, zoals dat ook wel bij de televisie gebeurt, zodat de roerganger op afstand roercommando's kon geven vanaf iedere positie.
Verlichte digitaalvensters informeerden de kapitein onmiddellijk

over alles wat het schip betrof, de stroomsnelheid onder tegen het schip van boeg tot achtersteven, halverwege bij de waterlijn, windrichting en windkracht, samen met alle andere technische informaties over al dan niet functioneren. Nick had het schip met geld van Christy gebouwd en hij had nergens op beknibbeld.
De achterkant van de brug was het navigatiegedeelte, door de kaartentafel keurig in tweeën gedeeld waarboven rekken waarin de 106 dikke blauwe delen van de *Globe Zeemansgidsen* en nog vele andere maritieme publikaties. Onder de tafel waren vele laden, allemaal breed en ondiep om de zeekaarten die alle hoeken en gaten van het bevaarbare water op aarde weergeven, te bergen.
Tegen het waterdichte schot aan de achterkant stond een batterij elektronische navigatiehulpmiddelen, die deden denken aan een rij fruitmachines in een speelhal in Las Vegas. Nick schakelde de geweldige Decca Satellite Navaid in op de computer en de rode controlelampjes flitsten uit en aan.
Hij gaf het uit zes cijfers bestaande codegetal, nummers die ingegeven werden door maanfases en het uur van afzenden. De computer verwerkte dit onmiddellijk en Nick voerde het ontvangen bericht in... en wachtte op de wartaal die de computer zo dadelijk zou uitbraken. Duncan moest de code wel veranderd hebben. Hij staarde op de print-out.

> Christy Hoofdkantoor van de kapitein van de *Adventurer*. 2216 GMT 72°16'Z 32°05'W. Onder water ijsschade midscheeps stuurboord opgelopen. Uit voorzorg hoofdmotoren gestopt. Hulpgeneratoren aangezet gedurende inspectie schade. Stand by.

Duncan had dan toch de code in stand gehouden. Nick greep zijn krokodilleleren sigarenkoker. Zijn hand was vast en zeker toen hij een vlammetje bij de punt van de dunne zwarte sigaar hield. Hij voelde een sterke drang hard te gaan schreeuwen, maar hij wist zich te beheersen en inhaleerde in plaats daarvan de rook diep in zijn longen.
'In kaart gebracht,' zei David Allen achter hem. Op de uitgespreide kaart van Antarctica had hij de aangegeven positie al gemarkeerd. Er had een volledige transformatie plaatsgevonden, de eerste officier was een grimmige voor zijn taak berekende vakman geworden, geen spoor meer te bekennen van de blozende schooljongen.

Nick keek naar de plek, zag de gestippelde ijslijn een heel stuk hoger dan de opgegeven positie van de *Adventurer*, zag de omtrek van het onaanlokkelijke Antarctica lange genadeloze vingers van ijs en rotsen naar het schip uitstrekken.
De Decca drukte het antwoord af:

Kapitein *Adventurer* van Christy Hoofdkantoor 2222 GMT Standing by.

De volgende boodschap was twee uur later binnengekomen, maar volgde bijna onmiddellijk op de vorige in het systeem van de Hol.

Christy Hoofdkantoor van kapitein *Adventurer* 0005 GMT 72° 18′ Z 32° 05′ W Water bedwongen. Motoren weer gestart. Nieuwe koers rechtstreeks Kaapstad. Snelheid 8 knopen. Stand by.

David Allen rekende snel met parallelliniaal en graadboog.
'Toen de machines stillagen dreef ze vierendertig zeemijlen zuid-zuid-oost – het moet daar behoorlijk stormen of er moet een sterke stroming staan,' zei hij. Zijn medeofficieren zwegen gespannen. Hoewel zij zich er wel voor wachtten te dicht om hun kapitein op te dringen, hadden ze naar anciënniteit voordelige posities op de brug ingenomen om zodoende het drama van een groot schip in nood zo goed mogelijk te volgen.
De volgende boodschap kwam onmiddellijk daarop uit de computer hoewel hij vele uren later was verzonden.

Christy Hoofdkantoor van kapitein van *Adventurer* 0546 GMT 72° 16′ Z 32° 15′ W Ontploffing in ondergelopen deel. Alles gestopt, waterdichte deuren en luiken gesloten. Waterpeil stijgt. Verzoeke toestemming 'alle schepen attentie' te laten uitgaan. Houden ons gereed.

Kapitein *Adventurer* van Christy Hoofdkantoor 0547 GMT. Toestemming voor ASA. NB. NB. Uitdrukkelijk verboden sleep of redding te vragen zonder ruggespraak met Christy Hoofdkantoor. Bevestig ontvangst.

Duncan gebruikte niet eens de overbekende frase: 'Behalve wan-

neer er onmiddellijk gevaar voor passagiers en bemanning dreigt.'
De reden daarvan was zonder meer duidelijk. Christy Hoofdkantoor verzekerde haar meeste schepen bij een van de dochtermaatschappijen, De Londense en Europese Verzekerings- en Financieringsmaatschappij. Dat eigen verzekeringsbedrijf was een geesteskind van Alexander Duncan zelf toen hij zijn intrede deed bij Christy Marine. Nick Berg was er heel ernstig op tegen geweest en misschien kreeg hij nu de gelegenheid te ervaren dat zijn argumenten juist waren geweest.
'Melden we ons?' vroeg David Allen rustig.
'Geen radio,' snauwde Nick geïrriteerd en ijsbeerde op het brugdek. De kurken vloerbedekking dempte zijn voetstappen.
Is dit nu mijn speciale roller, vroeg Nick zich af en paste de oude stelregel toe die hij zichzelf jaren geleden had gesteld namelijk, eerst bewust denken en dan pas doen.
De *Golden Adventurer* zwalkte doelloos ruim tweeduizend mijlen ten zuiden van Kaapstad rond, dat betekende vijf dagen en vijf nachten topsnelheid voor de *Warlock*. Als hij besloot tot dit avontuur, liep hij de kans dat ze tegen de tijd dat hij in de buurt was, zelf al reparaties had uitgevoerd en weer in staat was op eigen kracht en onder eigen commando te varen. Maar zelfs wanneer ze nog steeds hulpeloos rondzwalkte, was het mogelijk dat de *Warlock* wanneer zij haar bereikte tot de ontdekking kwam dat een andere zeesleepboot haar net voor was geweest. Dit was dus het ogenblik om appel te houden. Hij bleef midden in zijn geijsbeer voor de deur van de radiokamer staan en zei onbewogen tegen de Hol:

'Zend een telex naar Bach Wackie op de Bermuda's om opgave van posities zeeslepers.'

Toen hij zich weer omdraaide voelde hij voldoening over het feit dat hij zelf het telex – via satelliet – systeem had laten inbouwen waardoor hij nu in staat was contact op te nemen met zijn agent op de Bermuda's of met welk ander speciaal telexstation dan ook. Dan werd zijn boodschap tenminste niet over de open radio-frequenties uitgezonden waardoor die zou kunnen worden opgevangen door iedere mededinger of concurrerende partij. Zijn mededelingen werden via de stratosfeer gestuurd waar ze niet konden worden onderschept.

Hij wachtte op antwoord en piekerde intussen. Wanneer hij zou besluiten naar het zuiden te gaan betekende het dat hij het slepen van het Esso olieboorplatform misliep. Het sleeploon was een essentieel punt geweest toen hij de stand van zijn liquide middelen had bekeken. Een bedrag van tweehonderdtwintigduizend pond sterling, dat hij niet kon missen in verband met de rentebetaling binnen zestig dagen. Hij goochelde in gedachten met cijfertjes, maar de grootte van het risico werd hem met de minuut duidelijker. Hij had die sleep voor Esso nodig.
'Hier is Bach Wackie,' riep de Hol boven het geratel van de telex uit en Nick draaide zich op zijn hielen om.
Hij had Bach Wackie als agenten voor Oceaan Berging aangesteld omdat ze hadden bewezen snel en accuraat te werken. Hij wierp even een blik op zijn Rolex Oyster en berekende dat het ongeveer twee uur in de morgen op de Bermuda's was en desondanks was zijn verzoek om opgave van de posities van zijn grootste concurrenten binnen enkele minuten beantwoord.

Voor kapitein *Warlock* van Bach Wackie, laatst opgegeven posities *John Ross* droogdok Durban. *Woltema Wolteraad* Esso sleep Torresstraat naar Alaska – plat.

Daarmee waren die twee giganten van de baan, de helft van de tegenstanders was geëlimineerd.

Witte Zee Shell boorplatform Galveston naar Noordzee. *Grote Zee* haven Brest –

Die twee Hollanders lagen dus ook buitenspel. De namen en posities van de andere grote reddingssleepboten kwamen uit de telex rollen. Nicholas kauwde op zijn sigaar en staarde met half dichtgeknepen ogen naar het nieuws en voelde steeds weer opluchting zodra een van zijn mededingers zich ergens in verre wateren bevond.
La Mouette, Nick balde onwillekeurig zijn handen tot vuisten toen die naam op het witte papier verscheen, leverde een Brazgas sleep in de Golfo San Jorge op de 14de af en voer vermoedelijk richting Buenos Aires.
Nick gromde als een bokser die een stoot onder de gordel heeft gekregen. Hij keerde zich af van de machine en liep naar de open vleu-

gel van de brug. De wind rukte aan zijn haren en kleding.
La Mouette, de zeemeeuw, een wat grillige naam voor die zwarte gedrongen schuit, die ouderwetse hoge vierkante opbouw, de traditionele enkele schoorsteen. Nick zag het allemaal achter zijn gesloten oogleden.
Het leed geen enkele twijfel. Die Jules Levoisin was al als een jachthond die een vers spoor ruikt in allerijl op weg naar het zuiden.
Jules had drie dagen geleden een sleep afgeleverd in het zuiden van de Atlantische Oceaan. Ongetwijfeld had hij gebunkerd in Comodoro.
Hij wist dat *La Mouette* achttien maanden geleden was opgekalefaterd en van nieuwe motoren voorzien. Hij had een nostalgisch steekje gevoeld toen hij een berichtje in Lloyd's List had gelezen. Maar zelfs negenduizend paardekrachten konden die corpulente schuit niet harder dan achttien knopen laten lopen. Maar ondanks de grotere snelheid die de *Warlock* kon ontwikkelen, lag *La Mouette* een kleine duizend mijl voor. Er was geen enkele aanleiding voor zelfingenomenheid. Stel je bovendien eens voor dat *La Mouette* was uitgevaren met het plan Kaap Hoorn te ronden in plaats van de noordelijke route op de Atlantische Oceaan te nemen. Als dat zo zou zijn en gezien het geluk dat Jules Levoisin altijd had, zou dat wel het geval zijn, dan was *La Mouette* hem nu de baas. Desnoods ieder ander, dacht Nick, maar niet Jules Levoisin. En God nog aan toe, waarom op dit ogenblik? Waarom op het moment dat ik emotioneel, fysiek en financieel zo kwetsbaar ben?
Hij merkte dat het gevoel van opgewektheid en welbehagen dat hem die morgen zo geholpen had als een jas van hem afgleed.
Ik ben nog niet klaar, dacht hij en realiseerde zich dat dit de eerste keer was dat hij zo iets tegen zichzelf zei. Hij was altijd klaar geweest, wat er ook op hem af kwam, maar nu niet.
Opeens voelde Nicholas Berg zich angstiger als nooit tevoren. Hij was leeg, realiseerde hij zich, geen kracht, geen vertrouwen, geen besluitvaardigheid. De zware nederlaag die hij tegen Duncan Alexander had geleden, de wanhoop over de afwijzing van de vrouw die hij liefhad, hadden hem gebroken. Hij constateerde dat de angst tot paniek uitgroeide toen hij zich realiseerde dat zijn krachtige golf kwam aanrollen en langs zou zwiepen omdat hij de kracht miste zich erop te werpen en mee omhoog te gaan.
Een stem diep in hem waarschuwde dat het misschien de laatste zou

zijn, dat er hierna nooit meer een zou komen. Hij stond voor de keus nú te gaan of nooit, en hij wist dat hij het niet kon, dat hij niet opkon tegen Jules Levoisin, dat hij zijn oude kapitein niet kon uitdagen. Hij mocht de zekerheid van de Essosleep niet laten lopen, hem ontbrak op dit ogenblik de moed om alles wat hem nog restte op één kaart te zetten. Hij had al zoveel verloren, hij kon niet weer risico's nemen.

Het liefst was hij naar zijn eigen kajuit gegaan, op zijn kooi gaan liggen slapen en nog eens slapen, hij hunkerde naar de vergetelheid van de slaap.

Hij liep de brug weer in, uit de wind. Een gebroken man, verslagen, krachteloos. Toen hij in de richting liep van zijn heiligdom, passeerde hij het commandopaneel en bleef onwillekeurig staan.

Zijn officieren sloegen hem zwijgend en gespannen gade.

Zijn rechterhand raakte de telegraaf en zette die van de ruststand op attentie.

'Machinekamer,' hoorde hij een rustige stem zo onbewogen zeggen dat het de zijne niet kon zijn, 'motoren starten.' Als van verre zag hij de gezichten van zijn officieren aan dek van vreugde gaan stralen, en er was iets heidens in, iets van oude piraten die in gedachten al hun prijs binnenhalen.

De vreemde stem vervolgde weer en de echo ervan dreunde vreemd in zijn oren: 'Nummer Een, vraag havenmeester permissie de haven onmiddellijk te verlaten – en, roerganger, koers naar de laatst doorgegeven positie van de *Golden Adventurer* alsjeblieft.'

Uit zijn ooghoeken zag hij David Allen de derde zachtjes maar stralend opgewekt op de schouder kloppen voordat hij zich naar de radiotelefoon haastte.

Nicholas voelde opeens de neiging tot braken. Doodstil en rechtop stond hij aan het navigatiepaneel en trachtte de golven misselijkheid die in hem opwelden te onderdrukken terwijl de officieren zich naar hun diverse posten begaven.

'Brug, hier is de eerste machinist,' zei een ontmenselijkte stem uit de luidspreker boven Nicks hoofd. 'De hoofdmotoren draaien.' Even een stilte en dan dat woord dat iedere Australiër gebruikt als hij bijval wil betuigen "Prachtig!", maar dan uitgesproken in drie lettergrepen 'perachtig!'

De buitenwaarts rondende boeg was ontworpen om het water te doorklieven en zo een doorgang te krijgen. Beneden de 40ste breedtegraad stormde de *Warlock* als een oude mannetjesotter, glad en nat zuidwaarts.
De cyclus van grote atmosferische depressies joeg niet gehinderd door landobstakels in het oneindige voort over deze koude wijde oceanen. Het patroon van de golven deed denken aan steeds na elkaar oprijzende bergkammen.
De *Warlock* nam hen aan stuurboordboeg. Ze stortte zich door iedere golftop in een wolk van wit schuim als van een torpedotreffer. Groen helder water stroomde over het hoge voordek en golfde van voor- naar achtersteven zodra ze weer omhoogworstelde en te voorschijn kwam voordat ze opnieuw steil naar beneden dook in het dal dat zich voor haar ontsloot. Haar twee mangaan-bronzen schroeven kwamen boven water te voorschijn, het dreunende vibreren werd onmiddellijk opgevangen door het vernuftige omkeerbare versnellingsmechanisme totdat ze weer als een roofvogel neerschoot en de schroeven opnieuw weerstand voelden. De twee Mirrlees dieselmotoren stuwden haar dan weer voort naar de helling van de volgende golf.
Iedere keer was het net of ze niet op tijd omhoog zou kunnen komen om de watermassa af te schudden. Onder de grijze zonloze hemel leek het water inktzwart. Nick had menige wervelstorm en Caribische orkaan overleefd, maar nooit nog had hij zulk dreigend en wreed water gezien.
In de diepe dalen tussen de toppen viel de wind volledig weg zodat ze zich dan in een onnatuurlijke stilte bevonden, een lugubere stilte die de dreiging van het zich torenhoog verheffende water nog vergrootte.
Op het dieptepunt maakte de *Warlock* slagzij, gooide haar hoofd omhoog en klom zo angstig snel naar boven dat wie op de uitkijk stond zich door zijn knieën moest laten zakken. Bij het omhoogkomen lag de brug steil naar achteren en tegen de sombere lichtloze lucht staken donkere wolkenformaties af die langs de ramen van de brug stoven.
De wind rukte aan de schuimkoppen van de golven en trok er plukken schuim uit als kapok uit een puilende naad van een zwarte matras, en smeet die tegen het gewapende glas. Daarop zette de *Warlock* haar scherpe stalen neus er weer diep in, holde een brede sleuf

stromend groen water uit, dat langzaam van haar afgleed, verzette zich heftig trillend, wist over de top heen te komen, zich vrij te vechten en zo steeds weer een volgende aanval te pareren.
Nick zat in zijn eigen canvas stoel in een hoek van de brug. Hij deinde als een kameeldrijver heen en weer en rookte zwijgend en stil zijn dunne zwarte sigaartjes. Steeds weer keerde hij zijn hoofd naar het westen alsof hij daar de zwarte lelijke romp van *La Mouette* bovenop de top van de volgende roller zou ontdekken. Toch wist hij dat ze nog altijd een duizend zeemijlen van de *Warlock* verwijderd was, zich voorthaastend langs een been van de driehoek die als toppunt het in nood verkerende cruiseschip had.
Als ze onderweg is, dacht Nick, maar hij wist dat die twijfel ongegrond was. *La Mouette* stormde even doldriest als de *Warlock* voort – en even stil. Jules Levoisin had Nick dat trucje met die stilte geleerd. Hij zou zijn radio niet eerder gebruiken dan wanneer hij de boot op zijn radarscherm had. Dan zou hij duidelijk doorkomen: 'Ik kan binnen twee uur vastmaken. Accepteert u Lloyd's Open Form?'
De kapitein van het schip in nood die zich al reddeloos verloren waande, zou happig reageren op een reddingskans en als *La Mouette* dan aan de horizon opdoemde, zou de kapitein vermoedelijk dankbaar ingaan op het aanbod 'Lloyd's Open Form' – een beslissing die door de eigenaars in de kille omgeving van een Hof van Arbitrage beslist betreurd zou worden.
Toen Nick de supervisie had bij het ontwerp van de *Warlock*, had hij erop gestaan dat ze er zowel goed uit zou zien als in staat haar werk goed te doen. De kapitein van een schip met averij was als regel nogal geëmotioneerd. Puur uiterlijke aantrekkingskracht zou de doorslag kunnen geven wanneer het ging om twee schepen die terzelfder tijd redding kwamen brengen. De *Warlock* zag er fantastisch uit; zelfs in deze koude sombere oceanen leek ze een oorlogsschip. Het trucje zou moeten zijn dat hij haar de kapitein van de *Golden Adventurer* vertoonde voordat die een overeenkomst afsloot met *La Mouette*.
Nick zag geen kans nog langer werkeloos op zijn stoel toe te zien. Hij mat de hoogte van de naderende watermuur en stak in zes vlugge passen het brugdek over toen de *Warlock* net even vlak lag in het dal. Hij greep zich vast aan de verchroomde handreling boven de Decca.

Hij sloeg op het toetsenbord de functiecode aan, het naast elkaar stellen van de gegevens die ze verkreeg van de hoog boven de aarde rondcirkelende satellieten. Daaruit werd de exacte positie van de *Warlock* op het aardoppervlak bepaald met een precisie die geen vijfentwintig meter speling liet.
Nick gaf de computer die positie en liet die vergelijken met de opgave die hij vier uur geleden had gekregen. Daaruit bleek onmiddellijk welke afstand was afgelegd en de gemiddelde snelheid. Boos fronste hij zijn wenkbrauwen en draaide zich op zijn hielen om naar de roerganger.
Bij deze zware zeegang kon een goede kracht de *Warlock* doelmatiger op koers houden dan een automatische roerganger. Hij kon op de toppen en dalen anticiperen en voorkomen dat de schuit afzakte door de richting van de rollers.
Nick sloeg de roerganger gade evenals de zeeën die overkwamen en hij hield de koers van het schip in de gaten op het grote kompas boven het hoofd van de man. Na tien minuten kwam Nick tot de conclusie dat er niets werd verspild. De *Warlock* lag zo goed op koers als in deze omstandigheden maar mogelijk was.
De telegraaf stond binnen de veiligheidsgrens op haar maximale vermogen, de koers was goed en toch maakte de *Warlock* niet die paar extra knopen waarop Nick Berg had gerekend toen hij die kritieke beslissing nam een wedstrijd met *La Mouette* aan te gaan.
Nick had gerekend op achtentwintig knopen tegen de achttien van de Fransman, maar dat haalde hij nu niet. Onwillekeurig keek hij weer naar het westen toen de *Warlock* uit een waterdal opdook. Door de kleine cirkels schoon glas waar de draaiende ruitenwissers hun werk deden in de watermassa's op de ramen, keek Nick uit over een eindeloze zwarte watervlakte.
Abrupt liep hij naar de R/T microfoon.
'Machinekamer, bevestig dat we "bovenaan groen" zijn.'
'"Bovenaan groen", exact, kapitein,' klonk het luchtig.
'Bovenaan groen' was het maximale vermogen dat veilig gehanteerd kon worden volgens de makers van de gigantische Mirrlees dieselmotoren. Het lag heel wat hoger dan het economisch vermogen. Er werd dan ook verkwistend met de brandstof omgesprongen. Nick liet de motoren zo snel mogelijk lopen zonder in de rode gevarenzone te komen, boven de tachtig procent, waardoor op de lange duur blijvende schade aan de motoren werd toegebracht.

Nick keerde weer terug naar zijn stoel en ging er schrijlings in zitten. Hij tastte naar zijn sigarenkoker van krokodilleleer, maar bedacht zich, zijn aansteker al in de hand. Zijn tong en verhemelte voelden beslagen en droog aan. Hij had zonder onderbreking elke minuut dat hij wakker was sinds ze Kaapstad hadden verlaten gerookt en God wist dat hij maar bitter weinig had geslapen. Hij liet zijn tong door zijn mond gaan voordat hij het zwarte sigaartje weer in de koker borg. Ineengedoken op zijn stoel staarde hij voor zich uit en probeerde te begrijpen waarom de *Warlock* zo betrekkelijk traag vorderde.

Opeens ging hij rechtop zitten en overdacht een mogelijkheid die een metaalachtige groene glans van kwaadheid in zijn ogen bracht.

Hij gleed weer uit zijn stoel, gaf de derde die dienst had op de brug een seintje en schoot door de deur achterop de brug in zijn daghut. Het was een list. Hij wilde niet dat zijn bezoek daar beneden van te voren werd aangekondigd en vanuit zijn eigen vertrekken liep hij erheen.

De machinecontrolekamer zag er al even modern en glanzend uit als de navigatiebrug van de *Warlock*. Hij werd aan alle kanten omsloten door dubbel glas om het gestamp van de machines buiten te sluiten. Het controlepaneel stond onder de ramen opgesteld en alle functies van het schip waren af te lezen op rode en groene digitaalschijven.

Het uitzicht op de grote machinekamer was indrukwekkend, de twee Mirrlees diesels vulden de hele wit geschilderde ruimte onder het dek zodat er alleen maar een gangpad overbleef. De lengte van de machtige motoren was zeker vijftien à twintig meter en de hoogte zeven à acht.

Boven de zesendertig cilinders van ieder blok bevond zich een bewegend woud van kleppen en verbindingsstangen. De beide krachtstations waren in staat ieder elfduizend bruikbare paardekrachten af te leveren.

Het was van oudsher gebruikelijk dat iedere bezoeker, inclusief de kapitein zijn komst in de machinekamer van te voren aan de chef meldde. Nick negeerde dit gebruik en slipte kalm door de glazen schuifdeuren uit de hete stank van brandende olie van de machinekamer naar de koelere en beter geventileerde lucht van de controlekamer.

Vin Baker was in een diepgaande discussie met een van zijn elektriciens. Nick was al bij het controlepaneel toen de eerste machinist zijn lange, lenige lichaam rechtte en zich op zijn hielen omdraaide om hem recht in het gezicht te kijken.
Als Nick erg boos was werden zijn lippen tot een smalle witte streep, de donkere wenkbrauwen leken elkaar boven de samengeknepen groene ogen en de grote wat gebogen neus te raken.
'Je hebt me tien percent snelheid onthouden,' beschuldigde hij op effen, ongeëmotioneerde toon waaruit totaal geen woede bleek. 'Je gebruikt maar zeventig procent van haar vermogen.'
'Dat is "bovenaan groen" in mijn boek,' legde Baker hem uit. 'Ik laat mijn motoren in deze zee geen tachtig percent lopen. Ze zou zich uit de naad werken.' Hij wachtte even en de achtersteven kwam met donderend geraas omhoog toen de *Warlock* de volgende golvenberg nam. De controlekamer trilde door de vibratie van de schroeven die het wateroppervlakte hadden doorbroken en nu woest in de lucht ronddraaiden voordat ze weer houvast in de volgende golf konden vinden.
'Hoor haar eens te keer gaan! Wou u dat ik nog meer gaf?'
'Ze is ervoor gebouwd.'
'Er is geen schip bestand tegen die snelheid in deze zee.'
'Ik wil die tien percent extra,' zei Nick onbewogen en wees op de verchroomde hendel en wijzer waarmee de machinist het door de brug opgegeven vermogen buiten werking kon stellen. 'Het kan me niet schelen wanneer je het doet – als het maar binnen de eerstvolgende vijf seconden gebeurt.'
'Maak dat je uit mijn machinekamer komt – zoek je eigen speelgoed boven maar op.'
'Goed dan,' knikte Nick, 'dan zal ik het wel zelf doen.' Hij reikte naar de versnellingshendel.
'Je blijft met je tengels van mijn machines af,' schreeuwde Vin Baker en greep de ijzeren afsluitstang die op de vloer lag. 'Raak je mijn spullen aan dan sla ik je tanden uit je bek, ijzige Britse buldog.'
Ondanks zijn eigen woede deed deze scheldnaam hem even opschrikken. Als hij dacht aan de steeds weer oplaaiende spanningen en emoties die binnen in hem woedden, lachte hij bijna hardop. *IJzig*, dacht hij, zo zie je me dus.
'Bundaberg zuiper,' zei hij kalm en reikte naar de hendel. 'Het zal

me een zorg zijn als ik je eerst moet vermoorden, maar we gaan naar tachtig percent.'

Nu was het de beurt aan Vin Baker met zijn ogen achter zijn vettige brilleglazen te knipperen. Hij had niet verwacht dat hij zo met gelijke munt betaald zou worden voor zijn belediging. Hij liet de zware afsluitstang op de grond vallen.

'Die heb ik niet nodig,' zei hij, klapte zijn bril in en stopte die in zijn achterzak. Hij hees met twee ellebogen zijn broek op. 'Ik heb meer plezier als ik je met mijn handen in stukken breek.'

Pas op dat ogenblik realiseerde Nick zich hoe lang de eerste machinist was. Op zijn magere armen zag je duidelijk de soepele, krachtig ontwikkelde spieren liggen. Zijn nu gebalde vuisten vertoonden knobbeltjes van allerlei littekens en deden aan ouderwetse kolenschoppen denken. De man dook in de echte vechtershouding ineen en danste op het wiebelende dek met zijn soepele, lange krachtige benen.

Toen Nick de verchroomde versnellingshendel aanraakte, kwam de eerste stoot ter hoogte van Bakers knieën en zo vlug dat Nick maar net tijd had die te ontwijken. Hij voelde de luchtdruk bij zijn wang en een ontvelling aan de buitenkant van zijn oogkas – maar hij reageerde instinctief met een tegenstoot waarvoor hij even naar achteren zwaaide en die toen onder de oksel plaatste. De klap kwam hard aan. De adem van de chef leek een fluitconcert, maar hij reageerde met een linkse stoot. Zijn benige vuist trof een spieraanhechting op Nicks schouder, schoot door en dreunde hoog tegen diens slaap.

Hoewel het eigenlijk een schampstoot was, kreeg Nick het gevoel dat er een deur tegen zijn hoofd werd dichtgeslagen. Hij omstrengelde het harde pezige lichaam in een knellende greep in afwachting van het optrekken van die mist in zijn hoofd. Hij voelde dat de chef zijn gewicht verplaatste en was verbaasd hoeveel kracht er in dat magere lichaam school. Oog in oog met de man zag Nick witte huidrimpels van littekenweefsel half verscholen onder de weerbarstige kuif zandkleurig haar op het voorhoofd van de machinist. Die herinneringen aan vroegere kloppartijen waarschuwden Nick.

Vin Baker leunde achterover als een cobra die zich opricht om toe te slaan, en stootte toen krachtig zijn hoofd naar voren. Het was de klassieke aanval bestemd voor Nicks gezicht, maar die had het zien aankomen. Hij trok zijn kin in en kwam eveneens naar voren zodat hun voorhoofden op elkaar sloegen.

De klap dwong Nick zijn tegenstander los te laten en beiden wankelden achteruit. Vin Baker jammerde en greep met beide handen naar zijn hoofd.
'Eerlijk vechten, bastaard!' schreeuwde hij verontwaardigd. Hij kwam vlak bij de stalen kasten terecht, vanwaar een verbaasde elektricien ter dekking onder het controlepaneel schoot en zijn gereedschappen links en rechts kletterend op het dek liet vallen.
Vin Baker had wel even tijd nodig om zijn magere gestalte overeind te krijgen. Op het ogenblik dat de *Warlock* na een golfdal naar boven kroop en heftig tekeerging in de woeste zee, nam Baker die impuls te baat extra vaart te krijgen op het steil aflopende dek. Met zijn hoofd als een stormram naar voren kwam hij op Nick af om diens ribben in elkaar te drukken.
Nick draaide zich bliksemsnel om. Hij gooide een arm om Vin Bakers nek en holde samen met hem over de volle lengte van de controlekamer. Zo bereikten ze het gewapende glas aan de andere kant en de kruin van Vin Bakers hoofd moest de klap die het gewicht van hun beider lichamen in beweging veroorzaakte, opvangen.

De eerste machinist kwam bij kennis van de prik die Angel met zijn naald gaf in de dikke lap open vlees boven op 's mans hoofd. Hij probeerde overeind te komen, maar de kok hield hem met zijn harige arm omlaag.
'Kalm aan, schat.' Angel haalde de naald door de gescheurde bloedende lap vlees en knoopte het draadje.
'Waar is ie, waar zit die schoft?' klonk het onduidelijk uit de mond van de chef.
'Het is allemaal voorbij, cheffie,' zei Angel zachtjes. 'Je hebt geluk dat hij je hoofd raakte – anders zou je er misschien niet zo best zijn afgekomen.' Hij maakte weer een steek.
De chef kreunde toen Angel de draad optrok en dichtknoopte. 'Hij wilde zich met mijn machines bemoeien. Ik heb hem een lesje gegeven.'
'Je hebt hem bang gemaakt,' gaf Angel liefjes toe. 'Neem hier een slok van en lig stil. Je blijft twaalf uur in je kooi – ik kom kijken en je instoppen.'

'Ik ga terug naar mijn machines,' zei de chef en sloeg het medicijnglaasje met bruine vloeistof achterover. Hij floot even tussen zijn tanden toen de bijtende damp van de vloeistof zijn keel schroeide.
Angel keerde zich om en liep naar de telefoon. Hij zei heel vlug iets en toen de chef moeizaam overeind stommelde, kwam Nick de kajuit al binnen en knikte tegen de kok.
'Dank je, Angel.'
Angel maakte dat hij weg kwam en liet hen met zijn tweeën achter.
De chef opende zijn mond om tegen Nick uit te vallen.
'Jules Levoisin is met zijn *La Mouette* vermoedelijk vijfhonderd mijlen op ons uitgelopen terwijl jij hier voor prima donna speelde,' zei Nick effen en Vin Bakers mond bleef openhangen.
'Ik heb dit schip gebouwd om snel en goed in dit soort wedrennen te kunnen varen en jij tracht ons het prijsgeld door de neus te boren.'
Nick draaide zich op zijn hielen om en liep de kajuitstrap weer op naar het navigatiedek. Hij kroop weer in zijn canvas stoel en voelde met zijn vingertoppen aan de grote paarsrode zwelling op zijn voorhoofd. Hij had het gevoel of er een touw om zijn hoofd was gedraaid en stevig aangetrokken. Hij was het liefst naar zijn hut gegaan om daar iets tegen de pijn in te nemen, maar hij wilde het telefoontje dat ieder ogenblik kon komen voor geen goud missen.
Hij stak een vers zwart sigaartje op dat naar verbrand teertouw smaakte. Hij liet het in de bak met zand vallen en op dat ogenblik rinkelde de telefoon.
'Brug, hier is de machinekamer.'
'Ga je gang, chef.'
'We gaan nu naar tachtig percent.'
Nick gaf geen antwoord, maar hij voelde het verschil in de trillingen van de motoren.
'Niemand heeft me verteld dat *La Mouette* ons de loef tracht af te steken. In geen geval zal die kikkervretende bastaard als eerste vastmaken,' zei Vin Baker grimmig en toen werd het stil.
'Ik zet een pond tegen een snuifje kangoeroemest,' daagde de chef hem uit, 'dat je niet weet wat een "galah" is en dat je nog nooit van je leven een Bundaberg rum hebt geproefd.'
Nick voelde dat hij moest lachen al verrekte hij van de pijn in zijn hoofd.

'Per-ach-tig!' zei Nick in drie duidelijke lettergrepen. Hij wist de lach uit zijn stem te houden en hing de hoorn op.

David Allens stem klonk verontschuldigend. 'Het spijt me u te moeten wekken, meneer, maar de *Golden Adventurer* meldt zich.'

'Kom eraan,' mompelde Nick en zwaaide zijn benen uit zijn kooi. Hij was midden in die diepe slaap die door uitputting teweeg wordt gebracht, maar hij had maar enkele seconden nodig om de zwarte gordijnen voor zijn geest weg te schuiven. Dat kwam door zijn oude training als officier van de wacht.

Hij wreef de laatste resten slaap uit zijn ogen en voelde het rasperige zwarte stoppelveld onder zijn vingers toen hij zich vlug naar de badkamer begaf. Het kostte hem veertig seconden zijn gezicht te wassen en zijn weerbarstige haren te kammen. Tot zijn spijt moest hij besluiten dat tijd om te scheren hem ontbrak. Dat was ook weer een van zijn stelregels: zorg er zo goed mogelijk uit te zien in een wereld die een man zo dikwijls naar zijn uiterlijk beoordeelt.

Toen hij de brug op liep wist hij meteen al dat de wind was aangewakkerd. Hij had zo'n idee dat het nu wel windkracht 6 zou zijn, de bewegingen van de *Warlock* waren heftiger en abrupter. Buiten de warme, zwak verlichte capsule van de brug maakten de elementen, het ijskoude water en de verraderlijke stormwind de inktzwarte nacht tot een huilende razernij.

De Hol zat gekromd over zijn apparatuur. Hij nam niet de tijd om zijn hoofd om te draaien toen hij Nick het strookje met tekst overhandigde.

'Kapitein van *Golden Adventurer* aan Christy Hoofdkantoor,' decodeerde de Decca vliegensvlug en Nick gromde toen hij de laatst opgegeven positie zag. Er moesten drastische wijzigingen in de omstandigheden van het cruiseschip zijn gekomen. 'Machines nog steeds buiten werking. Stroom wordt oostelijk en neemt toe tot acht knopen. Aanwakkerende wind, windkracht 6 NW. IJsgevaar hachelijk voor schip. Welke hulp kan verwacht worden?'

Er klonk iets paniekerigs door in die laatste vraag en Nick begreep ook waarom toen hij de nieuwe positie van de boot op de uitgespreide kaart vergeleek met de oude.

'Ze komt snel aan lagerwal,' mompelde David toen hij de situatie in

zich opnam. 'Stroom en wind werken dezelfde richting uit. Ze is nu nog 80 mijl van het land verwijderd. Gezien de snelheid waarmee ze voortdrijft, zal het nog maar een kwestie van een uur of tien zijn en ze loopt aan de grond.'
'Als ze tevoren niet op een ijsberg loopt,' zei Nick. 'Uit het laatste bericht van de kapitein maak ik op dat ze al midden in het ijs zitten. Hoe laat kunnen we bij haar zijn?'
'Nog veertig uur, meneer.' David aarzelde en streek de dikke witblonde haarlok van zijn voorhoofd. 'Als we deze snelheid kunnen aanhouden – maar ook wij zullen vaart moeten minderen als we in het ijs komen.'
Nick had er behoefte aan te ijsberen, maar iedere beweging op deze zware, stampende zee was niet alleen uiterst moeilijk maar ook gevaarlijk, zodat hij zijn stoel maar weer opzocht en er schrijlings op ging zitten, starend in de zwarte ziedende nacht.
Hij dacht aan de verschrikkelijk kritieke situatie waarin de kapitein van het cruiseschip zich bevond. Zijn schip verkeerde in levensgevaar en daarmee ook de bemanning en de passagiers.
Om hoeveel mensenlevens ging het? Nick zocht in zijn geheugen. De volledige bezetting van de *Golden Adventurer* was, officieren en bemanning samen, 235 en er was accommodatie voor 375 passagiers, een mogelijk totaal van ruim zeshonderd zielen. Als het schip verloren zou zijn, dan zou de *Warlock* bijzonder veel moeite krijgen die grote mensenmassa aan boord te nemen.
'Tja, meneer, ze hebben voor avontuur geboekt,' merkte David Allen op alsof hij gedachten kon lezen, 'en ze krijgen waar voor hun geld.'
Nick keek hem even aan en knikte.
'Met permissie, kapitein.' David aarzelde en bloosde voor het eerst weer nadat ze de haven hadden verlaten, 'zou de kapitein weten dat er hulp op komst is, dan wordt hij daardoor misschien weerhouden van ondoordachte dingen.'
Nick zweeg. De stuurman had zonder meer gelijk. Het was wreed hen in wanhoop te laten denken dat ze helemaal alleen in die ontstellende ijsvelden zaten. De kapitein van de *Adventurer* zou in paniek een besluit kunnen nemen, dat kon worden voorkomen wanneer hij zou weten hoe dicht zijn redding nabij was.
'De temperatuur van de lucht is buiten min vijf graden en als de windkracht dertig mijl per uur is, dan zijn dit twee factoren die

grote invloed op het dodental zullen hebben. Als ze boten strijken –"
David werd onderbroken door de Hol uit de radiokamer.
'Antwoord van de eigenaars.'
Het was een lang verhaal dat Christy Hoofdkwartier aan zijn kapitein zond. Het stond vol van holle geruststellingen maar één alinea was van belang voor Nick: 'Stellen alles in het werk contact op te nemen met zeesleepboten die naar verluidt in het zuiden van de Atlantische Oceaan opereren.'
David Allen keek hem verwachtingsvol aan. Het was menselijke plicht hun te vertellen dat hij nog geen achthonderd mijlen van hen verwijderd was en snel naderbij kwam.
Nerveuze prikkelingen joegen door Nicks bloed en maakten hem rusteloos en kwaad. Impulsief stond hij uit zijn stoel op en stak het op en neergaande dek voorzichtig over naar de stuurboordvleugel van de brug.
Hij schoof de deur open en stapte naar buiten. De plotselinge ijskoude lucht benam hem de adem. Hij voelde tranen over zijn wangen stromen en bevroren opspattende waterdeeltjes geselden als stalen pijltjes zijn gezicht.
Voorzichtig snoof hij lucht in zijn longen en zijn neusgaten spreidden zich wijd open toen hij het ijs rook. Het was die onmiskenbare onaangenaam vochtige lucht die hij zich zo goed herinnerde uit de Noordelijke Poolzeeën. De schrik van de echte zeeman sloeg om zijn hart.
Hij kon het nog enkele seconden uithouden maar stapte toen terug in de warme, groenig verlichte brug. Zijn geest was weer helder zodat hij kon denken.
'IJs vooruit, stuurman.'
'De radar is bemand, meneer.'
'Mooi.' Nick knikte. 'Maar we moeten terug naar vijftig percent vermogen.' Hij aarzelde even en vervolgde toen: 'Radiostilte blijft gehandhaafd.'
Het was een moeilijke beslissing en Nick zag de beschuldiging in Davids ogen voordat hij zich omdraaide en bevel gaf terug te schakelen op vijftig percent. Hij voelde opeens de voor hem weinig karakteristieke neiging zijn besluit te verklaren, maar op datzelfde ogenblik zag hij dit als een symptoom van zijn zwakheid en kwetsbaarheid. Hij had nooit eerder behoefte aan sympathie gehad en nu hardde hij zich daartegen.

Zijn beslissing het radiocontact nog uit te stellen was juist geweest. Hij had te maken met twee mannen van staal. Hij wist dat hij geen duimbreed mocht wijken voor Jules Levoisin. Hij zou hem dwingen als eerste contact via de radio te maken. Dat voordeel had hij broodnodig.
De ander waarmee hij te maken had was Duncan Alexander, deze gehate figuur, zo gevaarlijk en wraakgierig. Die had eens getracht Nick de grond in te boren – en misschien was hem dat al gelukt. Nick moest zichzelf beschermen, hij moest het ogenblik waarop hij onderhandelingen zou beginnen met Christy Marine en de man die zijn plaats aan het hoofd daarvan had ingenomen, heel voorzichtig kiezen. Hij moest vanuit een ijzersterke positie ageren.
Jules Levoisin moest gedwongen worden als eerste zich te melden, besloot Nick. De kapitein van de *Golden Adventurer* moest nog even langer de folteringen van onzekerheid doorstaan. Nick troostte zich met de gedachte dat iedere drastische verandering in de omstandigheden van het cruiseschip of een besluit van de kapitein zijn schip te verlaten en in de reddingboten te gaan, rechtstreeks over de vrije radiokanalen zou worden uitgezonden zodat hij dan nog altijd tussenbeide zou kunnen komen.
Nick stond op het punt de Hol te waarschuwen kanaal 16 zeer speciaal in de gaten te houden in verband met *La Mouette's* eerste sein, maar hij weerstond die verleiding. Dat was weer zo iets wat hij nooit deed – onnodige bevelen uitvaardigen. Het gerimpelde hoofd van de Hol was omwolkt door kwalijk stinkende blauwe sigaredamp, zijn lichaam was gekromd over zijn elektronische apparatuur en liefdevol verstelde hij iets aan een schijf. Zijn oogjes schitterden binnen de rode randen ten gevolge van een tekort aan slaap.

Het radarscherm vertoonde vreemde buitenissige kapen en voorgebergten boven de razende stormachtige zee, vreemde eilanden, afwijkingen van de admiraliteitskaarten. Tussen deze vreemde gevaarten schitterden miljarden andere kleine puntjes, helder als vuurvliegjes, die stuk voor stuk de echo van de in nood verkerende oceaanstomer zouden kunnen zijn – maar het niet waren.
Terwijl de *Warlock* heel voorzichtig haar weg zocht door deze betoverde zee, was de dageraad langzaam boven de horizon opengebloeid, schuchter als een bruid, gekleed in goud en roze dat in de

kristallen van de ijsbergen schitterend weerkaatste.
Al het water voor hen uit was bezaaid met ijs, sommige stukken niet groter dan een biljartbal, die klotsten en schaafden langs de scheepshuid van de *Warlock* en dan hoog opsprongen en wegdeinden in haar kielzog. Er waren er ook wel zo groot als een blok huizen van een stad.
'Wit ijs is zacht ijs,' mompelde Nick tegen David Allen naast zich en zweeg abrupt. Dit waren onnodige woorden die vroegen om familiariteit. Voordat de stuurman iets kon zeggen, had Nick zich al omgedraaid naar het radarscherm. Wel een minuut bestudeerde hij de beelden in het donkere lichaam van dit instrument en liep toen terug naar zijn stoel waar hij ongeduldig voor zich uit staarde.
De *Warlock* voer te snel, dat wist Nick. Hij vertrouwde voor een veilige vaart door het ijs op de waakzaamheid van zijn dekofficieren. Toch was de snelheid veel te laag naar zijn zin.
Boven de horizon verscheen een nieuwe kustlijn, een ononderbroken rij van hoogoprijzende klippen die de lage stralen van de zon vingen en smaragd en violet kleurden, een drijvend tafelland van hard massief ijs, vierenzestig kilometer breed en wel zestig meter hoog.
Toen ze dichter bij dat massieve, doorschijnende eiland kwamen, zagen ze dat de klippen door diepe baaien gescheiden werden en doorsneden door spelonken die in hun schemerige diepten donker saffier, blauw en mysterieus leken, verblekend tot duizenden tinten groen.
'Mijn God, wat mooi,' zei David Allen vol ontzag.
De toppen van de ijsklippen gloeiden helder rood. Aan loefzij sloeg de oceaan ertegen en spatte op de klippen uiteen in geweldige uitbarstingen van wit schuimend water. De ijsberg helde niet, slingerde of bewoog niet, zelfs niet in deze ziedende zee.
'Kijk eens naar die luwte,' wees David Allen. 'Achter dat gevaarte zou je windkracht 12 kunnen doorstaan.'
Aan de lijzijde werd het water van de wind afgeschermd door die berg van zuiver ijs. Groen en rustig kabbelde het tegen die mysterieuze blauwe klippen en de *Warlock* kwam in die luwte terecht, een scheepslengte verwijderd van de woeste ziedende zee, in de kalmte van een bergmeer, glad, rimpelloos en onnatuurlijk.
In deze rustperiode bracht Angel bladen met knapperige versgebakken Cornwall pasteitjes en dampende mokken romige chocolade-

melk. Zo ontbeten ze om drie uur in de morgen en genoten van het bleek gouden zonlicht. De jongste officieren schreeuwden en lachten toen een school van vijf stormvissen zo dichtbij passeerde dat je hun witte wangvlekken en brede open bekken met de gezaagde tanden door het ijskoude heldere water heen kon zien.
De grote zoogdieren cirkelden om het schip, doken onder de romp door en kwamen aan de andere kant weer met hun reusachtige driehoekige vinnen door het water klieven wanneer ze ademden door de spleten boven op hun kop. De sterke vislucht van hun adem drong door tot de brug. Even plotseling als ze te voorschijn waren gekomen, waren ze ook weer verdwenen en de *Warlock* stoomde rustig door in de luwte van de ijsberg.
Nicholas Berg had geen deel aan de spontane vrolijkheid. Hij ergerde zich aan de goede stemming onder zijn officieren. Het gelach kwetste hem nu zijn leven aan een dun zijden draadje bungelde. Hij voelde de neiging met een paar scherpe woorden een eind aan de vrolijkheid te maken.
Nick luisterde naar hun zorgeloze praatjes en voelde zich oud genoeg om hun vader te zijn, al scheelden ze in feite maar enkele jaren. Hij was ongeduldig, geïrriteerd dat ze in staat waren zo te lachen terwijl er zoveel op het spel stond – zeshonderd mensenlevens, een groot schip, tientallen miljoenen dollars, zijn hele toekomst. Ze zouden waarschijnlijk nooit aan den lijve ondervinden wat het betekende je levenswerk in de waagschaal te stellen door een simpel kruis of munt – en toen opeens, zonder enige reden, voelde hij jaloezie in zich opkomen.
Hij kon niet doorgronden waarom hij opeens zo verschrikkelijk graag aan hun vrolijkheid wilde deelhebben, opgenomen zijn in hun midden, en even bevrijd wilde zijn van die druk. Vijftien jaren lang had hij niet naar zo iets verlangd.
Hij stond abrupt op en onmiddellijk verstomden het lachen en de gesprekken om hem heen. Iedere officier concentreerde zich op de hem opgedragen taak en geen van hen keek naar hem op toen hij langzaam over de brug ijsbeerde. Er waren geen woorden nodig om de stemming te doen omslaan. Nick voelde zich opeens schuldig. Dit was te gemakkelijk, te goedkoop.
Zorgvuldig wapende Nick zich weer, trachtte zijn zwakheid buiten te sluiten, versterkte zijn vastberaden besluitvorming, concentreerde al zijn krachten op de Herculestaak die hem te wachten stond.

Hij bleef even op de drempel van de radiokamer staan. De Hol keek op van zijn apparatuur en ze wisselden een blik van verstandhouding. Twee volledig toegewijde mensen die geen tijd hadden voor onbenulligheden.
Hoeveel had hij al geofferd voor wat hij had verworven, hoeveel vrolijkheid en blijdschap had hij beneden zijn waardigheid geacht om maar die hoge weg van de uitdaging te kunnen bewandelen, aan hoeveel schoonheid was hij in zijn haast onderweg voorbijgegaan zonder te zien, aan hoeveel liefde, warmte en gezelligheid? Hij dacht met een felle steek in zijn hart aan de vrouw die zijn echtgenote was geweest en die nu met het kind – zijn zoon – was verdwenen. Waarom waren ze vertrokken?
Achter hem kraakte de radio en zoemde toen de draaggolf kanaal 16 opende, even later gevolgd door een hoger geluid, een stem die duidelijk doorkwam.

'Mayday. Mayday. Mayday. Hier is de *Golden Adventurer*.'

Nick draaide zich bliksemsnel om en rende naar de radiokamer, terwijl de rustige mannenstem de positie van het schip opgaf.

'Er dreigt onmiddellijk gevaar dat wij op de rotsen lopen. We maken ons klaar het schip te verlaten. Kan enig schip assistentie verlenen? Herhaling, kan iemand hulp verlenen?'

'Lieve God.' David Allens stem klonk schor van ellende, 'de stroom heeft haar te pakken, ze vaart met een snelheid van negen knopen richting Kaap Alarm – ze is er nog maar 50 mijl van af en wij zijn nog altijd tweehonderdtwintig mijlen van haar verwijderd.'
'Waar is *La Mouette?*' gromde Nick Berg. 'Waar voor de duivel zit ze?'
'We zullen nu contact moeten opnemen, meneer.' David Allen keek op van de kaart. 'U kunt hen niet in de boten laten gaan – niet in deze weersomstandigheden, meneer. Dat zou moord zijn.'
'Dank je, Nummer Een,' zei Nick kalm. 'Je advies is altijd welkom.' David bloosde, maar nu lag er woede en geen verlegenheid aan ten grondslag. Ondanks de spanningen van het ogenblik registreerde Nick dat en hij herzag zijn oordeel over zijn eerste officier. Die had behalve hersens toch ook lef.

Natuurlijk had de stuurman gelijk. Er was nu maar één ding van belang, het behoud van mensenlevens.
La Mouette had de strijd om de stilte gewonnen. Nick staarde naar de wolken en stelde de booschap op die hij wilde uitzenden. Hij moest de kapitein geruststellen, hem ertoe brengen zijn besluit het schip te verlaten uit te stellen en de *Warlock* de tijd geven haar in te halen, mogelijk zelfs haar te bereiken voordat ze bij Kaap Alarm zou vastlopen.
De stilte op de brug werd nog nadrukkelijker nu ook de wind was weggevallen. Ze stonden allemaal naar hem te kijken, te wachten op zijn besluit en in die stilte zoemde en trilde de draaggolf van kanaal 16.
Opeens weerklonk op de stille brug een warme Franse stem, een volle melodieuze stem die Nick zich zo goed herinnerde, zelfs nu nog, na al die jaren.

> 'Kapitein van *Golden Adventurer* hier is de kapitein van zeesleepboot *La Mouette*. Ik kom u topsnelheid te hulp. Accepteert u Lloyd's Open Form "No cure no pay" (geen redding geen geld)?'

Nick zorgde ervoor dat zijn gezicht onbewogen bleef, maar zijn hart klopte als een waanzinnige tegen zijn ribben. Jules Levoisin had de stilte verbroken.
'Zet zijn positie uit,' zei hij toonloos.
'God! Ze is ons voor.' David Allens gezicht stond verslagen toen hij *La Mouette's* positie op de kaart uitzette. 'Ze heeft een voorsprong van honderd mijl.'
'Nee.' Nick schudde zijn hoofd. 'Hij liegt.'
'Wat zegt u?'
'Hij liegt, hij liegt altijd.' Nick stak een sigaartje op en toen die goed trok, vroeg hij aan zijn radio-officier: 'Heb je een peiling gekregen?'
De Hol keek op van zijn richtingzoeker waarop hij de uitzendingen van *La Mouette* trachtte op te speuren.
'Ik heb maar één coördinaat, dan krijg je geen –'
Nick viel hem in de rede. 'We zullen de gunstigste koers van Golfo San Jorge nemen.' Hij keerde zich weer tot David Allen. 'Zet dat uit.'
'Dat maakt een verschil van meer dan driehonderd zeemijlen.'
'Ja,' knikte Nick. 'Die ouwe zeerover zal nooit van zijn leven zijn

juiste positie opgeven. We liggen voor en lopen vijf knopen vlugger dan hij, wij zullen al een lijn naar de *Golden Adventurer* hebben voordat *La Mouette* radarcontact heeft.'
'Neemt u nu contact met Christy Hoofdkantoor op, meneer?'
'Nee, mr. Allen.'
'Maar ze zullen een overeenkomst met *La Mouette* sluiten, tenzij wij nu een bod doen.'
'Dat denk ik niet,' mompelde Nick en had er bijna aan toegevoegd: 'Duncan Alexander zal nooit genoegen nemen met Lloyd's Open Form als hij zelf een van de assuradeuren is en zijn schip nog vaart. Hij zal zijn best doen voor een contract op dagbasis met bonus en Jules Levoisin trapt daar niet in. Die wacht op de vette hap. Ze zullen niets doen voordat ze elkaar kunnen zien – en tegen die tijd heb ik haar al op sleeptouw en ik zal voor het prijzenscheidsgerecht met die schavuit om vijfentwintig procent van haar waarde vechten –' maar dat zei hij allemaal niet. 'Recht zo die gaat, stuurman,' was het enige dat hij zei toen hij de brug verliet.
Hij sloot de deur van zijn dagverblijf achter zich. Dat was op het kantje af geweest, een kwestie van seconden en dan zou hij zich gemeld hebben.
Door de deur heen achter zich hoorde hij David Allens stem. 'Heb je hem gezien? Hij zou die arme drommels rustig in de boten laten gaan. Die moet ijswater pissen.' De stem klonk gedempt, maar de woede erin werd getemperd door ontzag.
Nick hield zijn ogen even gesloten, daarna rechtte hij zijn rug. Hij wilde maar dat het nu begon. Al dat wachten en die onzekerheid verteerden zijn laatste krachten.
'O God, laat me hen op tijd bereiken.' Hij was er niet zeker van of hij nu bad voor de levens van de opvarenden of voor de prijs van de berging.

Basil Reilly, kapitein van de *Golden Adventurer*, was een lange man, met een mager gespierd lichaam dat reserves aan kracht en uithoudingsvermogen deed vermoeden. Zijn gezicht was getaand, zijn zware snor was zilverkleurig en hoewel zijn ogen omringd waren door een fijn gerimpelde huid met zakken, stonden ze helder, rustig en intelligent.

Hij stond aan loefzij van zijn navigatiebrug en sloeg de zware zwarte zeeën gade die op zijn hulpeloos geworden schip inbeukten. Zij nam die dwarsscheeps en bij iedere klap schokte en trilde het schip en helde het over met een ziekelijke beweging, liet zich als tegen zijn zin overspoelen door de golven die braken op zijn reling, over de dekken vloeiden en vervolgens als watervallen terug in zee stortten.

Hij trok zijn zwemvest recht, en verlichtte even de druk ervan op zijn schouders, terwijl hij zijn positie nog eens overdacht.

De *Golden Adventurer* was op de ijsberg gestoten gedurende de 8-12 wacht 's avonds die traditioneel was toevertrouwd aan de jongste van de officieren. De schok was nauwelijks merkbaar geweest, maar had toch de kapitein in zijn eerste slaap gewekt – alleen maar een lichte remming en een kleine schok.

Het bleek een bepaald soort ijsberg te zijn, een van de meest gevaarlijke, de tafelijsberg. De hoge exemplaren zijn duidelijk zichtbaar en vangen niet alleen radarstralen, maar zelfs ook de blikken van de meest onattente dekwacht en kunnen daardoor gemakkelijk worden vermeden. De lage echter, die haast niet boven water uitsteken, maar hun grootste omvang en gewicht onder de golven hebben en zich daardoor haast volledig verschuilen in het donkere woelige water, zijn levensgevaarlijk.

Dat soort ijsbergen wordt alleen zichtbaar diep in een golfdal of in de kolkingen van de stroom daaromheen. Onder de zeespiegel holt de golvenstroom de massa van de berg uit en maakt er een horizontale zwaardsnede van, een meter of drie onder de oppervlakte met een onzichtbare lengte van soms wel vijftig tot honderd meter.

Tijdens de wacht van de derde officier was de *Golden Adventurer* met een voorzichtige snelheid van twaalf knopen per uur tegen een van deze monsters opgebotst en hoewel de schok aan boord bijna niet werd gevoeld, had het ijs haar opengereten.

Het was de klassieke *Titanic*-averij, een scheur van vijf meter lengte in de huid, vier meter onder het plimsollmerk waarbij twee waterdichte compartimenten waren opengereten en één daarvan was de machinekamer.

Ze hadden het water gemakkelijk aangekund totdat er kortsluiting kwam. Sindsdien had de kapitein geworsteld om het schip drijvende te houden. Heel langzaam en geleidelijk had hij in de zee zijn meer-

dere moeten erkennen. Nog altijd werkten de lenspompen, maar het water bleef stijgen.
Drie dagen geleden had hij alle passagiers van beneden naar boven op het hoofddek gehaald en alle waterdichte luikhoofden met battings afgesloten. De bemanning en de passagiers waren ondergebracht in de conversatiezalen en rooksalons. De luxe en weelde aan boord hadden plaatsgemaakt voor de onhygiënische en snel slechter wordende omstandigheden van dicht opeengepakte mensen. De sanitaire voorzieningen waren onvoldoende. Veertien toiletpotten voor zeshonderd mensen van wie er velen zeeziek waren en last hadden van diarree. Baden en douches waren niet beschikbaar en er was niet voldoende stroom om het water voor de wasbakken warm te krijgen. De noodgeneratoren leverden amper genoeg kracht om het schip van elektriciteit te voorzien, de pompen te laten werken, wat licht te verschaffen en de communicatie- en navigatieapparatuur in stand te houden. Het schip kon niet meer verwarmd worden en de buitentemperatuur was gezakt tot min twintig graden.
Er heerste bittere kou in de grote conversatieruimtes. De passagiers zaten ineengedoken in hun bontjassen en zware zwemvesten onder stapels dekens. In beperkte mate kon er worden gekookt op gaskomforen die normaal werden gebruikt bij uitstapjes aan land. Bakken of grillen was er niet bij. Het grootste deel van het voedsel moest koud uit blik worden gegeten. Alleen soep en bouillon dampten in de koude vochtige atmosfeer.
De ontzoutingsinstallaties waren sinds de aanvaring met de ijsberg buiten werking en de drinkwaterpositie werd kritiek. Zelfs de warme dranken werden gerantsoeneerd.
Van de 368 passagiers waren er maar 48 onder de vijftig jaar en toch was het moreel uitzonderlijk goed. Mannen en vrouwen die vóór deze noodtoestand over van alles konden zeuren accepteerden nu mokken bouillon alsof het een Chateau Margaux was en lachten en babbelden geanimeerd in de koude. Door hun voorbeeld alleen voorkwamen ze dat degenen die wilden gaan jammeren hun mond opendeden. Het was een wat uitzonderlijke doorsnede van de mensheid, mannen en vrouwen die succes en veerkracht uitstraalden en die hier in deze uithoek van de aardbodem waren beland op zoek naar nieuw avontuur. Ze waren geestelijk voorbereid op avonturen, ja zelfs op gevaren.
Toch maakte de kapitein hier op de brug zich geen illusies over hun

aanpassingsvermogen, gezien de ernst van de situatie. Hij tuurde door de drijfnatte ruiten en keek hoe een aantal bemanningsleden onder commando van de eerste officier een heroïsche strijd leverde op de boeg. Vier mannen in glinsterend gele plastic pakken met capuchons doornat van het ijzige zeewater, waren met de langzame automatische bewegingen van mensen die door koude bevangen zijn, bezig een drijfanker overboord te gooien om zodoende de kop van het schip weer in de wind te krijgen zodat het wat stabieler zou komen te liggen en misschien zijn overhaaste vaart in de richting van de rotsige kust wat zou intomen. Al tweemaal in de voorafgaande dagen waren de ankers die ze hadden laten zakken losgerukt door de zee, de windkracht en het gewicht van de boot.
Drie uur geleden had hij zijn officieren-machinist naar boven geroepen omdat het risico voor hun levens daar beneden te groot werd, afgemeten naar de kleine kans de hoofdmotoren weer te kunnen starten. Hij had de strijd tegen de zee opgegeven en maakte nu plannen voor de slotfase waarin hij moest proberen zeshonderd mensen over te brengen naar de misschien nog grotere ontberingen van Kaap Alarms kale door stormen gegeselde kusten.
Kaap Alarm was een van de weinige bergtoppen van kale zwarte rots die te voorschijn kwamen uit de dikke witte mantel van de Antarctische ijskap, een aambeeld onder de voortdurende slagen van storm, zee en wind vrijgemaakt van ijs.
De lange rechte richel strekt zich bijna vijftig mijlen uit naar de oostelijke uiterste punt van de Weddell Zee, meet vijftig mijl op het breedste punt en eindigt in een paar uitlopers als de horens van een stier. Ze omsluiten een kleine beschermde baai die naar de poolonderzoeker Sir Ernest Shackleton is genoemd.
Shackleton Baai met de steile purperzwarte stranden van ronde afgeschuurde keitjes is de broedplaats van een geweldige kolonie koningspinguins. Om die reden was het een van de aanloophavens. Op iedere reis wierp het schip zijn anker uit in de baai en dan gingen de passagiers aan land om de broedende vogels te bestuderen en te fotograferen, alsmede ook de bijzondere geologische formaties.
Nog geen tien dagen geleden had de *Golden Adventurer* daar hoog boven het water van de Weddell Zee getroond. Het weer was zacht en rustig geweest met een kalme langzame golfslag en een heldere, stralende zon. Nu werd ze met windkracht 7, de temperatuur 45 graden lager, door de woeste donkere stroom voortgestuwd, terug-

gebracht naar diezelfde zwarte rotsachtige kust.
Kapitein Reilly twijfelde geen ogenblik of ze aan de grond zouden lopen bij Kaap Alarm, er was bij deze windkracht en stroom geen ontkomen aan tenzij de Franse zeesleepboot hen op tijd bereikte. *La Mouette* zou al radarcontact moeten geven als de opgegeven positie van de sleepboot juist was geweest. Een rimpel ploegde de bruine huid van het voorhoofd van kapitein Reilly en zijn ogen stonden zorgelijk.
'Weer een mededeling van het Hoofdkantoor, meneer.' Zijn tweede officier stond nu naast hem, hun adem bleef als pluimen in de kou van de navigatiebrug hangen.
'Mooi.' Reilly wierp een blik op het strookje. 'Stuur dat maar aan de kapitein van de sleepboot.' Er klonk verachting door in zijn stem, minachting voor dit gepingel tussen eigenaars en redders nu een groot schip met zeshonderd opvarenden levensgevaar liep in een ijskoude zee.
Hij wist wel wat hij zou doen als de zeesleepboot contact zou opnemen voordat de *Golden Adventurer* in de klauwen raakte van de op de loer liggende rotsen. Dan zou hij met voorbijgaan van de uitdrukkelijke orders van de eigenaars zijn rechten als kapitein laten gelden door onmiddellijk het aanbod van assistentie onder Lloyd's Open Form te accepteren.
'O, laat hij toch vlug komen,' mompelde hij. 'Lieve God, laat hem komen.' Hij bracht zijn kijker omhoog en zocht langzaam de getande horizon af waar zelfs de golfpieken zwart en hard als rotsen leken. Hij bleef met verhoogde polsslag toen er iets wits in zijn gezichtsveld schitterde even op één punt gericht staan, maar realiseerde zich met teleurstelling dat het slechts een toevallige zonnestraal was geweest die over een ijstorentje van een van de drijvende ijsbergen streek.
Hij liet de kijker zakken en liep van loef- naar lijzij van de brug. Daar had hij de kijker niet nodig. Kaap Alarm lag zwart en dreigend tegen de grijze lucht. De kammen en spleten waren afgezet met schitterend ijs en opgezweepte sneeuw, de zee schuimde en sprong in zuiver witte fonteinen hoog op tegen de steile kust.
'Zestien mijlen, meneer,' zei de eerste officier die weer naast hem was komen staan. 'Ik geloof dat de stroom een wat noordelijker tendens krijgt.' Ze zwegen beiden en balanceerden automatisch op het heftig heen en weer deinende dek.

Nog eenmaal liet de stuurman zijn stem horen. 'Waar zit die vervloekte kikker?' Ze zagen de Antarctische nacht langzaam over de wrede lagerwal nevelen trekken, als lijkwades van purper en zwart, omzoomd met hermelijnen kragen en manchetten van ijs.

Ze was nog erg jong, waarschijnlijk nog geen vijfentwintig. Zelfs de vele lagen zware kleren waarvan de buitenste een anorak van een man was die haar zeker drie maten te groot was, konden niet verhullen hoe slank ze was.
Ze droeg haar hoofdje zwierig op de lange hals, haar door de zon gebleekte lange haren vertoonden tinten tussen zilver, platina en rood koper. Het was nonchalant in een vlecht ter dikte van een mannenpols boven op haar hoofd vastgestoken. Kleine lokken waren losgesprongen, dansten over haar voorhoofd en raakten haar neus waarop ze haar lippen tuitte en die haren wegblies.
Ze had haar beide handen nodig voor het zware blad dat ze droeg en, ondanks de hevige schommelingen van het schip wist ze haar evenwicht te bewaren.
'Toe, mevrouw Goldberg,' vleide ze, 'dít zal u goed doen.'
'Ik geloof het niet, liefje,' stamelde de vrouw met het witte haar.
'Doe het dan voor mij,' pleitte het meisje.
'Goed dan,' zei de vrouw en nam een mok waarvan ze aarzelend proefde. 'Lekker,' zei ze en vervolgens snel en heimelijk: 'Samantha, is de sleepboot er al?'
'Die kan ieder ogenblik hier zijn en de kapitein is een zwierige Fransman, precies de goeie leeftijd voor u met een snoezige kriebelige snor. Ik zal u als eerste voorstellen.'
De aangesprokene was een weduwe van achter in de vijftig, een tikkeltje mollig en vreselijk bang, maar nu glimlachte ze en ging wat rechter zitten.
'Ondeugd,' lachte ze.
'Zodra ik hiermee klaar ben,' Samantha wees op haar blad, 'kom ik bij u zitten. Dan doen we een klaverjasje.' Als Samantha Silver glimlachte, zag je haar prachtige rechte tanden wit afsteken tegen haar perzikkleurige zonverbrande huid.
Ze waren allemaal blij haar te zien. Mannen en vrouwen streden om haar aandacht, want ze was een van die zeldzame schepseltjes die

een soort warmte uitstralen. Zij lachte en berispte en plaagde op haar beurt de mensen en liet hen glimlachend en opgekikkerd achter, maar wel jaloers dat ze hen weer verliet. De meesten hadden het gevoel dat ze persoonlijk bezit van hen was en ze wilden beslag leggen op al haar tijd en aanwezigheid.
'Daareven volgde een albatros ons een poosje, Sam.'
'Ja, ik zag hem door de ramen van de kombuis –'
'Een dwaalalbatros, hè Sam?'
'Och kom, mijnheer Stewart! U weet wel beter. Het was de *Diomeda melanophris*, de albatros met zwarte wenkbrauwen, eveneens een goed voorteken. Albatrossen brengen geluk – dat is zelfs wetenschappelijk bewezen.'
Samantha was als doctor in de biologie een van de gespecialiseerde gidsen aan boord. Ze gebruikte haar verlofjaar van de universiteit van Miami waar ze een toelage had gekregen voor onderzoek op het gebied van de ecologie der zeeën.
De meeste passagiers waren wel dertig jaar ouder dan zij en behandelden haar als hun lievelingsdochter. Voor hen was ze de combinatie van een geliefd kind en een kloek.
Een steward vulde haar blad weer bij met volle koppen. Samantha leunde tegen de deur van de geïmproviseerde kombuis in de cocktailzaal en keek naar de dicht opeengepakte mensen.
De stank van ongewassen lijven en tabaksrook was bijna een tastbare blauwe walm, maar ze voelde een stroom van liefde in haar hart voor al deze mensen. Ze gedroegen zich zo geweldig, vond ze en ze was trots op hen.
Goed zo, jongens, dacht ze en grinnikte. Het gebeurde niet dikwijls dat ze sympathie voelde voor een mensenmassa. Ze had vaak gepiekerd hoe het toch kwam dat een zo fijne, nobele schepping, zo de moeite waard als een mens individueel kan zijn, zo onaantrekkelijk werd door de massa.
Ze dacht heel even aan de concentraties van mensen in overvolle steden. Ze had het land aan dierentuinen en dieren in kooien, herinnerde zich dat ze eens als kind gehuild had om een beer die eindeloos tegen zijn tralies aan danste, tot krankzinnigheid gedreven door zijn opsluiting. De betonnen kooien in de steden brachten de bewoners tot gelijksoortig vreemd en uitzonderlijk gedrag. Alle schepselen moesten vrij zijn te gaan en staan waar ze wilden, meende ze en toch was de mens, die superroofridder, die dat recht zovele an-

dere schepselen ontzegde, nu bezig zichzelf te vernietigen met dezelfde doelbewustheid. Hij vergiftigde zich en sloot zich op in een orgie. Alleen wanneer ze mensen in omstandigheden als deze zag kon ze echt trots op hen zijn – en bezorgd.
Ze voelde haar eigen angst die diep in haar verscholen lag want ze was een liefhebster van de zee die ze begreep en aanvoelde en van wie ze de ontzaglijke macht erkende. Ze wist wat hun daarbuiten in de storm te wachten stond en ze was bang. Met inspanning van al haar krachten gooide ze de druk van zich af en glimlachte dapper toen ze het zware blad weer oppakte.
Op dat ogenblik knarsten de overal in de zalen ingebouwde luidsprekers. De beschaafde en afgemeten stem van de kapitein drong vervolgens door tot het zo plotseling verstomde gezelschap.
'Dames en heren, hier is uw kapitein die u het volgende wil meedelen. Het spijt me u te moeten zeggen dat we tot nu toe nog geen radarcontact met de zeesleepboot *La Mouette* hebben en dat ik nu het ogenblik gekomen acht waarop alle opvarenden in de reddingssloepen moeten gaan.'
Boven de geluiden van de storm uit waren het zuchten en de opschudding die deze mededeling teweegbracht hoorbaar. Samantha zag een van haar favoriete passagiers zijn arm om zijn vrouw heenslaan en haar zilvergrijze hoofd tegen zijn schouder drukken.
'U hebt allemaal vele keren de gang van zaken met de reddingsvlotten geoefend en u weet allemaal met wie u en waar u zich moet vervoegen. Ik weet zeker dat ik u niet nogmaals hoef te verzoeken rustig en beheerst naar de uw aangewezen plek te gaan en de bevelen van de officieren stipt te gehoorzamen.'
Samantha zette haar blad weg en liep vlug naar mevrouw Goldberg. De vrouw huilde heel stilletjes, volkomen van de kaart en doodsbenauwd. Samantha sloeg een arm om haar schouders.
'Kom, kom,' zei ze, 'laat de anderen niet merken dat u huilt.' Ze hielp haar overeind. 'Het komt allemaal in orde – u zult het zien. Denk eens aan alle verhalen die u de kleinkinderen zult kunnen vertellen wanneer u weer thuis bent.'

Kapitein Reilly liep nog eens alle maatregelen na met betrekking tot het verlaten van het schip. Hij kende nu de lange lijst die hij dagen

geleden had opgesteld uit zijn hoofd.
Het allerbelangrijkste punt was dat geen van de hem toevertrouwde mensen in zee mocht vallen, of zelfs maar gedurende de overtocht blootgesteld worden aan het zeewater. In deze wateren bleef men niet langer dan vier minuten in leven, zelfs wanneer het slachtoffer direct uit de zee werd getrokken. Bij deze windkracht, toenemend tot 8 op de schaal van Beaufort, 40 mijl per uur, en een temperatuur van min twintig graden, betekende het dat de factor kou het uiterste stadium 7 had bereikt en dat wilde zeggen dat een mens die daaraan enige minuten werd blootgesteld, verdoofd en uitgeput raakte.
De daarop volgende belangrijkste overweging was de fysiologische crisis van de passagiers wanneer ze de betrekkelijk warme behaaglijkheid en veiligheid van het schip verlieten en zich bloot moesten stellen aan de bijtende kou en de afschuwelijke primitieve omstandigheden van een vlot dat in een Antarctische storm wordt voortgejaagd.
Ze waren goed geïnstrueerd en er geestelijk zo goed mogelijk op voorbereid. Een van de officieren had de kleding en overlevingsuitrusting van iedere passagier geïnspecteerd. Ze hadden allemaal hoogwaardige suikertabletten geslikt om de kou te weerstaan en de indeling in de reddingsvlotten was zorgvuldig berekend om een zo goed mogelijk uitgebalanceerde ligging te krijgen terwijl een lid van de bemanning het commando per vlot opgedragen had gekregen. Meer kon hij niet voor hen doen. Hij richtte zijn aandacht weer op de volgorde van de verscheping.
Eerst zouden reddingssloepen worden uitgezet – er waren er zes, drie aan elke kant van het schip, bemand met een navigatieofficier en vijf schepelingen. Zolang het zware drijfanker de kop van het schip in de wind en de stroom hield, zouden de boten via de hydraulische davids overboord worden gezet en de lieren zouden hen snel naar het zeeoppervlak brengen dat tijdelijk door de uit de boeg over de golven te pompen olie vrij glad zou zijn.
Hoewel ze overdekt waren, op eigen kracht konden varen en uitgerust waren met radio-installatie, waren het toch niet de ideale vaartuigen voor overleving in deze barre omstandigheden. Binnen enkele uren zouden de bemanningsleden door de kou bevangen raken. Om die reden zouden daar dan ook geen passagiers aan boord gaan, maar wel in de grote opblaasbare reddingsvlotten, die zelfs in de zwaarste zeeën zelfrichtend waren en omgeven met een dubbele iso-

lerende laag. Ze waren uitgerust met noodrantsoenen en op batterijen werkende opsporingsbakens en ze zouden de zwarte woeste baren gemakkelijker bevaren. Twintig personen konden er een schuilplaats vinden die met hun lichaamswarmte de temperatuur binnenin draaglijk zouden houden, althans gedurende de tijd dat ze naar land zouden worden gesleept.
De motorsloepen waren eigenlijk de herders van de kudde vlotten. Ze zouden hen samen drijven en hen dan in een lange rij achter elkaar binnen de beschuttende armen van Shackleton Baai brengen. Zelfs in dit zware weer zou de sleep niet meer dan twaalf uur nodig hebben. Iedere boot kon vijf vlotten trekken en hoewel de bemanning ervan moest worden afgelost en ondergebracht in de vlotten om uit te rusten zouden er zich geen onoverkomelijke moeilijkheden voordoen. Kapitein Reilly hoopte op een sleepsnelheid van drie à vier knopen.
De reddingssloepen hadden instrumenten, brandstof en voldoende voedsel aan boord om dit schipbreuk lijdende gezelschap een maand, misschien zelfs wel twee wanneer er gerantsoeneerd werd, in leven te houden. Zodra ze de kalmere wateren van de baai zouden hebben bereikt zouden de vlotten aan land worden gebracht en versterkt met blokken paksneeuw getransformeerd worden tot een soort iglo's, hutten waarin de overlevenden beschutting konden vinden. Misschien dat ze vrij lang in de Shackleton Baai zouden moeten blijven want zelfs als de Franse sleepboot hen zou bereiken, zou die beslist geen zeshonderd man aan boord kunnen nemen.
Kapitein Reilly wierp nogmaals een blik op het land. Dat was nu heel dichtbij en zelfs in het halfduister van de snel vallende avond schitterden de pieken van sneeuw en ijs als de klauwen van een verschrikkelijk, vraatzuchtig monster.
'Goed,' knikte hij tegen zijn eerste officier, 'we beginnen.'
De stuurman bracht zijn walkie-talkie naar zijn lippen. 'Voordek hier is de brug. Begin de olie maar te verspreiden.'
Aan weerszijden van de boeg, werd de dieselolie rechtstreeks uit de ruimen van het schip op de golven gespoten. De taaie massa werd niet door de wind uiteengeslagen, maar bleef als een dikke deklaag op het zeeoppervlak drijven. Het strijklicht van de *Golden Adventurer* toverde alle kleuren van de regenboog erin te voorschijn.
Onmiddellijk kalmeerde de zee, het door de wind opgezwiepte water vervlakte onder de druk van de olie zodat de golven soepel en

rustig langs de romp van het schip kabbelden.
'Boten strijken,' zei de kapitein en de stuurman gaf de bevelen over de radio rustig en onbewogen door.
De hydraulische armen van de davids tilden de zes boten van hun stoelen en zwaaiden ze over de zijboorden van het schip waar ze even hoog boven het zeeoppervlak bleven zweven. Toen het schip uit een volgend golvendal omhoogkwam gleden de met olie bedekte golftoppen nog geen halve meter onder hun kiel door. De bevelvoerende officier van iedere reddingboot moest beoordelen wanneer de lier de boot zo zacht mogelijk op de achterzijde van een passerende golf moest laten zakken, dan zelf de automatische klampen vlug losmaken en zien weg te komen van de dreigende stalen klip, die het schip voor de kleine sloep betekende.
In het strijklicht schitterden fel geel de kleine boten, nat van het opspattende water en met ijsslingers versierd als kerstbomen.
Opeens brak met het geluid van een kanonschot de zware nylon kabel die aan het kegelvormige deel van het drijfanker vastzat. De kabel kronkelde en floot door de lucht, een venijnige zweepslag die een man in tweeën kon splijten.
De *Golden Adventurer* gooide haar boeg omhoog, alsof zij blij was dat ze niet langer werd tegengehouden. Ze maakte een halve slag door de stuwkracht van de golven en lag onmiddellijk daarop hulpeloos dwarsscheeps, haar stuurboord naar de wind en de drie reddingssloepen nog altijd hangend aan hun kabels.
Een geweldige golf kwam uit het donker opzetten. Toen die het schip bereikte, braken de kabels van een van de reddingssloepen die daardoor naar beneden smakte, terwijl haar schroef als een waanzinnige ronddraaide in de hoop dat ze weerstand zou vinden in de golven – maar ze werd opgenomen en tegen de stalen huid van het schip gesmakt.
Ze barstte als een rijpe meloen en haar inhoud vloog in het rond. Vanaf de brug zagen ze hoe de bemanning wegkolkte in de duisternis. De kleine lichtbakentjes aan hun zwemvesten gloeiden als vuurvliegjes op in het donker en verdwenen in de storm.
De voorste reddingboot werd tegen het schip heen en weer gezwiept, waardoor een van haar kabels brak en ze aan haar achtersteven bungelde. De golven beukten tegen haar aan en steeds weer klapte ze tegen de romp. Ze konden de bemanning horen schreeuwen en dat duurde vele minuten terwijl de sloep langzaam tot een bundel

wrakhout sloeg. Ook de derde boot werd venijnig tegen het schip gesmeten, de ontspanners van de klampen sloegen los en de boot viel zes meter naar beneden in het ziedende water waarin ze totaal verdween en weer opdook. Ze was lek en zonk snel, wegglijdend in de helse nacht.
'O mijn God,' fluisterde kapitein Reilly en in het onbarmhartige licht van de brug was zijn gezicht opeens oud en afgetobd. Met één klap was hij de helft van zijn boten kwijt. Nog kon hij niet treuren om de bemanningsleden die door de zee waren opgeslokt, dat kwam straks wel – nu ging het om het verlies van de sloepen want dat bedreigde direct het leven van zeshonderd anderen.
'De andere boten' – de stem van de eerste officier klonk schril van schrik – 'zijn goed weggekomen, meneer.'
In de luwte van de scheepsromp waren de drie andere boten voorzichtig op de baren terechtgekomen en voeren nu in cirkels rond. Hun zoeklichten leken lange witte vingers op het water. Eén ervan dobberde heftig op de hoog opkruivende golven om de bemanning van een gezonken reddingssloep op te nemen. Ze lieten het misvormde scheepje achter dat snel zonk en door de stroom werd meegesleurd.
'Drie boten,' fluisterde de kapitein, 'voor dertig vlotten.' Hij wist dat er te weinig herders waren voor zijn kudde en toch moest hij hen wegzenden, want zelfs nu kon hij boven het gehuil van de wind uit de branding horen neerslaan.
'Vier de vlotten,' zei hij gelaten en bijna onhoorbaar liet hij erop volgen: 'en God zij ons genadig.'

'Kom mee, nummer 16,' riep Samantha. 'Hier zijn we, nummer 16.'
Ze verzamelde de mensen om zich heen, de achttien passagiers die de bezetting gingen vormen van het haar toegewezen reddingsvlot.
'Hier zijn we dan – allemaal bij elkaar, geen uitvallers.'
Ze stonden dicht opeen voor de zware mahoniehouten deuren die toegang gaven tot het open voordek.
'Houdt u gereed,' zei ze tegen hen, 'zodra we bevel krijgen, moeten we zien er zo vlug mogelijk te komen.'
Met de zee dwarsscheeps op het schip was het onmogelijk in de aanstormende golven die aan lijzijde weer in watervallen van het schip

spoelden, vanaf landingsnetten in een dansend vlot langszij te embarkeren.
De vlotten waren op het open dek opgeblazen, de passagiers moesten zich erheen haasten en in het overdekte binnenste kruipen. Vervolgens werden de volgeladen vlotten over boord getild door de ratelende lieren en in het wat rustiger water achter de hoge opbouw van het schip neergelaten. Onmiddellijk nam een van de reddingssloepen daar het vlot op sleeptouw.
'Nu!' de derde officier klapte de mahoniehouten deuren open en hield ze wijd uiteen. 'Vlug!' schreeuwde hij, 'allemaal tegelijk.'
'Kom mee, jongens!' riep Samantha en moeizaam tornde iedereen over het natte gladde dek. Het was niet meer dan dertig stappen naar de plek waar het vlot lag, maar de wind sloeg toe. Samantha hoorde rechts en links kreten van ontzetting. Er waren er die wankelden door de plotselinge genadeloze kou.
'Vooruit!' schreeuwde Samantha en duwde wie voor haar liep terwijl ze mevrouw Goldbergs zware lichaam half ondersteunde. 'Doorlopen.'
'Laat *mij* maar,' schreeuwde de derde officier en hij greep de andere arm van mevrouw Goldberg. Samen wisten ze haar door de ingang van het vlot te wurmen.
'Goed gedaan, meiske,' de officier lachte even kort tegen Samantha, vriendelijk en vol warmte. Hij was echt mannelijk en aantrekkelijk, heette Ken en was vijf jaar ouder dan zij. Misschien zouden ze al gauw verliefd op elkaar worden, daarvan was Samantha overtuigd, want hij had haar hevig achternagezeten sinds ze in New York aan boord was gekomen. Hoewel ze wist dat ze niet van hem hield, had hij toch kans gezien haar wat verliefd te maken en langzaam aan bezweek ze voor zijn zo duidelijke charme. Nu realiseerde ze zich met schrik dat het er misschien nooit van zou komen.
'Ik zal je met de anderen helpen.' Ze trachtte zich boven het gehuil van de storm verstaanbaar te maken.
'Naar binnen,' schreeuwde hij terug en duwde haar hardhandig naar het vlot. Ze kroop in het al overvolle binnenste en keek om naar het stralend verlichte dek dat glinsterde onder de booglampen.
Ken was al onderweg naar de plek waar een van de dames was uitgegleden en gevallen. Ze krabbelde hulpeloos op het sliknatte dek terwijl haar echtgenoot zich over haar heenboog en haar overeind trachtte te hijsen.

Ken was met een paar stappen bij hen en hielp de vrouw zonder moeite overeind. Die drie waren als enigen op het open dek achtergebleven. De twee mannen namen de vrouw tussen zich in en worstelden tegen de zware deining van het schip in, naar het vlot.
Samantha zag de volgende golf omhoogkomen en ze schreeuwde om hen te waarschuwen.
'Terug Ken, om Godswil ga terug Ken!' Blijkbaar hoorde hij haar niet. De golf kwam op en sloeg aan de windzij zonder veel extra lawaai over de reling.
'Ken!' schreeuwde ze. Hij keek even over zijn schouder voordat de zee over hem heen kwam. De toppen waren hoger dan zijn hoofd. Ze konden noch het vlot noch de beschutting van de mahoniehouten deuren meer bereiken. Ze hoorde het geratel van de hulplier en voelde dat het vlot los van het dek kwam, begeleid door een zuigend geluid binnenin. De man aan de lier kon niet toestaan dat de forse kracht van de overkomende golf het hulpeloze vlot in zijn macht zou krijgen, haar tegen de opbouw van het schip zou smakken of de bodem zou openscheuren langs de reling, want dan zou de tere plastic huid opensplijten en het hele vlot in elkaar zakken.
Samantha vloog naar de ingang en keek naar beneden. Ze zag hoe de zee de drie mensen met een zwarte, glinsterende golf overspoelde. Ze werden tegen het dek gesmeten en meegeveegd. Even zag ze Ken zich nog aan de reling vastklampen terwijl het water over hem heen spoelde zodat zijn hoofd verdween in het kolkende witschuimende water. Toen het schip moeizaam weer overeind rolde en het water van zich af schudde, was er geen mens meer op de dekken te bespeuren.
Bij de volgende slingering van het schip liet degene die hoog in zijn glazen hut de lier bediende het bungelende vlot buiten boord zwaaien en vervolgens snel en handig naar de zeespiegel zakken waar een van de sloepen al rondcirkelde, klaar om het vlot op sleeptouw te nemen.
Samantha deed de plastic deurafsluiting secuur dicht. Ze zocht voorzichtig haar weg tussen de dicht op elkaar gepakte angstige mensen totdat ze mevrouw Goldberg vond.
'Huil je, liefje?' vroeg de bejaarde vrouw met trillende stem en greep zich in wanhoop aan Samantha vast.
'Nee,' zei deze en sloeg een arm om mevrouw Goldbergs schouders. 'Nee, ik huil niet.' Met haar vrije hand wiste ze de ijskoude tranen weg die langs haar wangen stroomden.

De Hol zette zijn koptelefoon af en keek door de stinkende sigarerook Nick aan.
'Hun radiotelefonist heeft zijn seinsleutel vastgezet. Er wordt nu alleen nog een ononderbroken signaal uitgezonden.'
Nick wist wat dat betekende – ze hadden de *Golden Adventurer* verlaten. Geleidelijk aan liet hij de omvang van deze mislukking tot zich doordringen. Het lot had zich tegen hem gekeerd want zijn gok was juist op dat overleven gericht geweest. Het stond wel absoluut vast dat de *Golden Adventurer* aan de grond zou lopen en door deze storm in een wrak zou worden veranderd. Hij mocht alleen nog maar verwachten dat Christy Hoofdkwartier hem zou opdragen *La Mouette* te helpen de overlevenden mee te nemen naar Kaapstad, maar het loon daarvoor zou slechts een fractie zijn van de sleepgage voor Esso die hij had laten lopen voor deze wilde wanhopige sprong zuidwaarts.
De gok was mislukt en hij was een geruïneerd man. Natuurlijk zou het nog maanden duren voordat het effect van zijn dwaasheid duidelijk zou zijn, maar de aflossingen van zijn leningen en de bouwrekeningen van zijn andere boot zouden hem geleidelijk aan de das omdoen en aan de rand van de afgrond brengen.
'Er is nog altijd een kans dat we haar bereiken voordat ze aan de grond loopt,' zei David Allen stoer, maar niet een van de officieren op de brug reageerde. 'Ik bedoel dat de mogelijkheid openblijft dat er vlak bij de kust een stroming naar zee staat die haar lang genoeg van stranden afhoudt om ons een kans te geven –.' Zijn stem stierf weg toen Nick zijn ogen naar hem opsloeg en zijn wenkbrauwen fronste.
'We zijn nog altijd tien uren van haar verwijderd. Het feit dat Reilly besloten heeft het schip te verlaten, betekent dat het te dicht op de kust zit. Reilly is een uitstekend kapitein. ' Nick had hem persoonlijk uitgekozen om het commando over de *Golden Adventurer* op zich te nemen. Hij liep naar de radarscoop, stelde die in op een zo groot mogelijke afstand en scherpte voordat hij zich bukte om te kijken. De zee gaf allerlei onscherpe signalen, maar aan de uiterste zuidelijke punt van het ronde scherm waren duidelijk de vaste heldere lichtpunten van de klippen en rotspieken van Kaap Alarm te zien. Met goed weer zouden ze een uur of vijf varen ervan verwijderd zijn, maar ze hadden de beschutting van de reusachtige ijsberg verlaten en ze tornden nu met moeite door de woeste nacht. Ze zou-

den wel iets vlugger kunnen, want de *Warlock* was gebouwd voor woeste zeegang, maar hier was de dodelijke dreiging van ijs, reden waarom Nick haar deze voorzichtige snelheid moest laten houden en dat betekende dat het nog wel een uur of tien zou duren voordat ze de *Golden Adventurer* in het vizier zouden krijgen – als ze dan tenminste nog drijvende was.

Achter zich hoorde hij de van opwinding schelle stem van de Hol zeggen: 'Ik hoor een stem – zwak en steeds onderbroken op sterkte 1. Een van de sloepen zendt uit op een door batterijen gevoede zender.' Hij drukte zijn oorstukjes met beide handen vaster in zijn oren terwijl hij luisterde.

'Ze slepen een groep reddingsvlotten met overlevenden naar de Shackleton Baai, maar één is er verloren gegaan,' zei hij. 'Die is losgebroken van de sleepkabel en ze hebben niet voldoende boten om te gaan zoeken. Ze vragen *La Mouette* ernaar uit te kijken.'

'Reageert *La Mouette?*'

De Hol schudde het hoofd. 'Die kan vermoedelijk op die afstand dit geluid niet opvangen.'

'Mooi.' Nick liep weer naar de brug. Hij had nog steeds zijn radiostilte niet verbroken en voelde de zwijgende, maar sterke afkeuring van zijn officieren. Weer voelde hij die behoefte aan menselijk contact, de warmte en de troost van gesprekken met medemensen en hun vriendelijke aanmoedigingen. Hij voelde zich nog niet sterk genoeg om zijn mislukking alleen te dragen.

Hij bleef naast David Allen staan en zei: 'Ik heb de zeemansgidsen van de Admiraliteit in verband met de vaarroute bij Kaap Alarm bestudeerd, David.' Hij deed of hij niet merkte dat het gebruik van de voornaam een verwonderde blik in de ogen van de stuurman had teweeggebracht. Op effen toon ging hij door: 'De kust is daar erg steil en ligt open naar deze westerstorm, maar er zijn ook kiezelstranden en de barometer loopt weer sterk vooruit.'

'Ja, meneer,' knikte David enthousiast, 'dat heb ik gezien.'

'In plaats van te hopen op een tegenstroom die haar van de kust zou moeten houden, zou ik je willen voorstellen te bidden dat ze op een van die stranden terechtkomt en dat het weer bedaart voordat ze door midden breekt.'

'Ik zal tien weesgegroetjes zeggen, meneer,' grinnikte David.

'En dan graag nog eens tien dat we onze voorsprong op *La Mouette* behouden,' zei Nick en glimlachte. Het was een van de weinige ke-

ren dat David Allen hem had zien glimlachen en hij verwonderde zich over de verandering die het teweegbracht in de zo strenge trekken. Opeens straalde het gezicht charme en warmte uit.
'Recht zo die gaat,' zei Nick. 'Roep me als er iets verandert.' Hij draaide zich om en verdween in zijn hut.
'Recht zo die gaat, blijven we, meneer,' zei David Allen met een nieuwe, vriendelijke klank in zijn stem.

De vreemde en verbazingwekkende kleuren van het zuiderlicht trilden en flikkerden in lange rode en groene strepen even boven de horizon en vormden een onwaarschijnlijke achtergrond voor de doodsstrijd van een machtig schip.
Kapitein Reilly keek terug door de kleine patrijspoorten van de voorste reddingssloep en zag het zijn noodlot tegemoet gaan. Hij kreeg het gevoel dat het nog nooit zo hoog en mooi was geweest als in deze laatste afschuwelijke ogenblikken. Hij zag hoe het van koers veranderde. De zee onderging de nabijheid van het land, de steile oevers van Kaap Alarm, en het was net of het schip bang terugdeinsde voor de nieuwe aanval van golven en wind, alsof het wist welk lot het daar wachtte.
Het maakte dertig graden slagzij waarbij het steeds de saaie rode verf van zijn kiel vertoonde wanneer het even omhoogkwam aan het einde van iedere heftig slingerende beweging. Daar lag het voorgebergte, hoge zwarte klippen die bijna loodrecht uit de woelige zee oprezen en het leek wel of de *Golden Adventurer* er recht op af stevende, maar op het allerlaatste ogenblik gleed ze erlangs, gedragen door de tegenstroom onder de kust waardoor ze de klippen vermeed en haar boeg de ondiepe baai binnendreef waar ze aan het oog van kapitein Reilly werd onttrokken.
Hij bleef nog enige minuten staan staren over de hoog opspattende golftoppen in het vreemde onnatuurlijke licht van het uitspansel waardoor zijn gezicht groenig grijs werd verlicht.
Hij zuchtte eens diep en keerde zich af om al zijn aandacht te wijden aan zijn zielig naar de veiligheid van Shackleton Baai voortsukkelend konvooi.
Het was op dat ogenblik duidelijk dat het lot medelijden had gekregen en gezorgd had voor een gunstige stroom landwaarts om hen

naar de kust te brengen. De reddingssloepen lagen verspreid over drie mijl, ieder met een rij opgezwollen en lompe vlotten achter zich aan waggelend. Kapitein Reilly stond via een walkie-talkie in direct radiocontact met de beide andere sloepen en ondanks de bijtende koude maakten ze het allemaal goed en schoten ze onverwacht vlug op. Ze hadden al zovele levens verloren en hij kon niet eerder zekerheid krijgen dat niet nog meer verliezen geleden zouden worden dan nadat hij het hele convooi aan land in een soort kampement had.
Misschien was er dan toch een keer gekomen in de tragische aaneenschakeling van ongelukken, dacht hij en hij nam zijn hoogfrequente zender op. Misschien was die Franse sleepboot nu binnen bereik. Hij begon haar op te roepen.
'*La Mouette*, kunt u mij horen? Geef antwoord, *La Mouette*...'
De sloep lag laag op het water en de reikwijdte van het apparaatje was zeer beperkt in deze uitgestrekte zeeën en ijsvlaktes. Toch bleef hij oproepen.

Ze hadden zich aangepast aan de vreemde zeegang van het beschadigde cruiseschip. Ze waren gewend geraakt aan de kou van de onverwarmde zalen en aan alle ongemakken van de overbezetting en de slechte sanitaire voorzieningen.
Ze hadden zich gehard en getracht zich geestelijk voor te bereiden op nog meer gevaren en grotere ontberingen, maar niet een van de overlevenden in vlot 16 had zich iets dergelijks voorgesteld. Zelfs Samantha, de jongste, waarschijnlijk fysiek de sterkste, die hield van de zee waarvan ze zoveel wist, had geen idee gehad hoe het op het vlot zou zijn.
Het was er aardedonker, geen straaltje licht drong door de geïsoleerde koepelvormige dakbedekking, zodra de ingang veilig was afgesloten voor zee en wind.
Samantha realiseerde zich bijna onmiddellijk hoezeer deze duisternis hun moreel zou aantasten en desoriëntatie en duizeligheid in de hand zou werken, zodat ze steeds twee mensen opdracht gaf de kleine oriënteringslichtjes op hun zwemvesten aan te doen. Dat gaf een zwak schijnsel juist genoeg om elkaars gezichten te zien en wat troost te vinden uit de nabijheid van andere mensen.
Nu Ken er niet meer was, had zij het commando overgenomen en

vanzelfsprekend hadden de anderen haar leiding aanvaard en zochten troost bij haar. Ze liet hen een kring vormen, allemaal met hun voeten naar het midden waardoor het vlot goed uitgebalanceerd lag en iedereen ruimte genoeg had. Samantha was het geweest die weer door de opening naar buiten was gegaan om de sleeptros van de reddingssloep aan te pakken en vast te zetten. Half bevroren en rillend van de verlammende kou kwam ze weer binnen, en had bijna een halfuur stevige massage nodig voordat het gevoel terugkeerde en ze er zeker van was dat ze bevriezing had voorkomen.
Toen begon de tocht in sleepformatie, een nachtmerrie van ongecoördineerde bewegingen. Iedere gril van zee en wind werd onmiddellijk overgebracht op de dicht op elkaar zittende kring overlevenden en steeds wanneer het vlot van koers veranderde of zijwaarts wegtrok, bracht de sleeptros het weer met een heftige ruk in het spoor. De door de wind opgezweepte golven waren hier in de branding wel zes meter hoog. De vlotten werden hoog opgetild en vielen dan steil omlaag in het dal dat volgde. Ze misten de zijdelingse stabiliteit van een kiel, zodat ze om hun as draaiden totdat de tros hen voortrukte en ze de andere kant om kantelden. De eerste die begon over te geven was mevrouw Goldberg. Het kwam in een warme golf over Samantha's anorak heen.
Het binnenste van het opblaasbare vlot was afgezien van enige ventilatiegaatjes zo goed als geheel van de buitenlucht afgesloten, zodat de bitterzoete stank van het braaksel tot iedereen doordrong.
Toch maakte Samantha zich de meeste zorgen over de kou, die stille moordenaar. Die drong door de soepele geïsoleerde dubbele huid van het vloeroppervlak en trok in hun billen en benen. Ook de plastic overkoepeling koelde de lucht binnenin af zodat de vochtafzetting van hun adem aan rijp deed denken. Ja, zelfs het braaksel op hun kleren en op de vloer sloeg wit uit.
'Zingen!' commandeerde Samantha. 'Vooruit zingen! Laten we met Yankee Doodle Dandy beginnen. U als eerste, meneer Stewart, vooruit. Klap in uw handen en dan tegen die van uw buurman.' Ze liet niet toe dat een van hen wegzakte in een staat van verdoving. Ze kroop tussen hen door, porde hen wakker en stopte gerstesuiker uit de noodvoorraad in hun monden.
'Zuigen en zingen!' beval ze. De suiker bestreed zowel kou als zeeziekte. 'In de handen klappen, blijf in beweging, we zullen er zo zijn.'

Toen ze niet meer konden zingen, vertelde zij hun verhalen en iedere keer dat ze het woord 'hond' gebruikte, moesten ze allemaal blaffen en in hun handen klappen, bij 'haan' kraaien en bij 'ezel' balken.
Samantha's keel was schor geworden van het zingen en praten. Ze voelde zich duizelig van moeheid en ziek van de kou. Ze herkende bij zichzelf de eerste symptomen van onverschilligheid en sloomheid. Ze dwong zich weer overeind te komen uit de halfliggende houding waarin ze was weggezakt.
'Ik ga proberen een primus aan te steken om iets warms te drinken te maken,' vertelde ze opgewekt. 'Wie heeft er trek in een mok bouillon? –' Ze zweeg plotseling. Er was iets veranderd. Het gehuil van de wind was verstild en het vlot schommelde veel minder. Het bewoog nu in een regelmatiger ritme van golftop naar golfdal zonder die afschuwelijke ruk van de reddingssloep die haar steeds weer voorttrok.
Snel kroop ze naar de ingang van het vlot en peuterde met ijskoude onhandige vingers aan de afsluiting.
Buiten was de ochtendschemering overgegaan in een heldere koude, roze lucht. Hoewel de wind was afgenomen, was de zee nog onrustig en woest.
De sleeptros was losgescheurd van de verbindingsbeugel en had alleen maar een wapperend stuk plastic achtergelaten. Nummer zestien was het laatste vlot van de sleep die de derde reddingssloep achter zich had genomen. Samantha zag nergens meer een glimp van het convooi – hoewel ze helemaal naar buiten kroop en zich vastklampte aan de zijkant van het vlot. Ze tuurde wanhopig over de toppen van de golven.
Nergens een spoor van een reddingssloep, maar ook niet van de met ijs bedekte kusten van Kaap Alarm. Ze waren gedurende de nacht weggedreven op de wijde en eenzame uitgestrektheid van de Weddell Zee.
De wanhoop gaf als lijfelijke reactie een kramp in haar buikspieren en ze voelde de neiging luid te protesteren tegen deze wreedheid van het lot, maar ze wist zich te beheersen en bleef even in de heldere vrieslucht staan die ze voorzichtig inademde omdat ze wist dat het longweefsel erdoor kon worden beschadigd. Ze speurde de horizon af totdat haar ogen traanden van kou, wind en inspanning. Uiteindelijk dreef de kou haar terug in het donkere, stinkende binnenste van het vlot. Ze wist dat het nu niet lang meer zou duren of er zou-

den mensen sterven en ergens kon het haar niet meer zoveel schelen. Haar wanhoop was zo hevig dat ze zich liet wegzinken in het moeras van moedeloosheid dat ook alle anderen al in zijn greep had. Ze sloot haar ogen, maar ze opende die even later weer met inspanning van al haar krachten.
'Ik ga niet sterven,' zei ze flink tegen zichzelf. 'Ik weiger te gaan liggen en zo weg te zakken.' Ze wist weer op haar knieën overeind te komen. Ze had het gevoel dat ze een met lood gevulde rugzak torste.
Ze kroop op handen en voeten naar het kastje in het midden dat al hun noodrantsoenen en apparatuur bevatte.
De noodzender was verpakt in polyurethaan. Met haar van koude verstijfde onhandige vingers wist ze met moeite het apparaat uit te pakken. Het had de grootte van een sigarenkistje en de instructies stonden aan de buitenkant. Ze bracht het toestel aan de praat en zette het vast. Het zou nu achtenveertig uur, of althans totdat de batterij op was, een bakensignaal op 121.5 megahertz uitzenden.
Er was een kleine kans dat de Franse zeesleepboot dat zwakke signaal zou opvangen en op onderzoek gaan. Ze zette die gedachte weer van zich af en wijdde zich aan de taak een halve kan water op het kleine vaste-brandstofkacheltje op haar schoot te warmen zonder zich te branden. Terwijl ze daarmee bezig was, zocht ze naar woorden om de anderen de precaire situatie te beschrijven.

De *Golden Adventurer* dreef door iedereen verlaten, de motoren afgezet maar de deklichten op volle sterkte, het stuurwiel vastgezet en het morsetoestel in de radiokamer ingesteld op één ononderbroken signaal, snel op de rotsen van Kaap Alarm af.
De klippen rezen bijna verticaal omhoog en behielden ondanks de nooit aflatende aanvallen van deze woeste baren nog altijd hun scherpe, verticale hoeken en hun gladde breukvlakken.
De golven liepen hier rechtstreeks zonder afgeremd te worden op de klippen en sprongen in een witte razernij huizenhoog op voordat ze terugrolden en een tegenstroom vormden. Hierdoor werd de *Golden Adventurer* van de rotsen afgehouden. De kust liep zo steil op dat het water vlak onder de rotsen zeker wel vijfenzeventig meter diep was, niet een zeebodem waarop een schip averij kon oplopen.
De wind werd door de klip tegengehouden en in die wat lugubere windstilte dreef ze steeds dichter naar de rotsen en slingerde tot het

uiterste nu ze dwarsscheeps door de golven werd gepakt. Eenmaal raakte ze de rotsen met haar bovenbouw, maar de terugkaatsende golf stootte haar er vanaf. De volgende golf duwde haar opnieuw naar de kant en de minder krachtige echo daarvan zette haar weer af. De klip eindigde in een onverwacht verticaal voorgebergte, drie hoge zuilen, even sierlijk als de gebeeldhouwde zuilen van een aan Zeus gewijde tempel.
Ook hier raakte de *Golden Adventurer* een van de zuilen zachtjes met haar achtersteven. Er schraapte wat verf van haar zijkant en de reling verboog, maar toen was ze er ook voorbij.
Dat tikje was juist voldoende om haar van achteren wat af te zetten zodat ze haar boeg precies op de brede ondiepe baai richtte aan de andere zijde van de klippen.
Hier was een zachtere rotsformatie uitgehold door wind en zee waardoor een breed strand bestaande uit purperzwarte keien was ontstaan.
Iedere keer als de golven over dit stenenstrand klotsten, stootten de forse keien met een ratelend geluid op elkaar. De *Golden Adventurer* had de klip omzeild en werd nu weer een speelbal van de wind, die langzamerhand ging liggen. Ze werd vrij snel dieper de baai ingestuwd, haar boeg recht gericht op het strand.
In tegenstelling tot de kust bij de klip, liep de baai heel geleidelijk over in het strand en dat maakte dat de zware golven hier lang konden uitrollen. Ze kruifden niet op en braken niet in schuimend wit water uiteen, zodat de golfbeweging samen met de wind het schip steeds sneller naar de kust toe drukte.
Het liep aan de grond met een scherp schurend geluid van zijn stalen platen en helde langzaam over, maar het beweeglijke keienstrand paste zich vrij snel aan zijn romp aan, geleidelijk wijkend toen de golven en de wind het hoger en hoger opduwden totdat het stevig vastzat. Toen de nacht ten slotte eindigde, nam ook de wind af. De golfslag matigde en het werd eb.
Tegen de middag zat de *Golden Adventurer* met 10 graden slagzij stevig met haar boeg op het schuinlopende purperkleurige strand. Alleen haar achtersteven was nog vrij; die rees en daalde op de eeuwige golfslag hoewel de snel dalende temperatuur het losse drijfijs rondom aan elkaar vast vroor tot een stevige laag.
Het schip leek nog extra hoog zoals het daar lag op het glinsterend natte strand. Het bovenwerk was berijpt en lange puntige stalactie-

ten van doorzichtig ijs hingen uit zijn spuigaten en ankerkluizen. Zijn noodgenerator werkte nog steeds en hoewel er niemand aan boord was, brandden zijn lichten vrolijk en verspreidden de luidsprekers zachte muziek over het verlaten schip.
Afgezien van de scheur in de scheepshuid waardoor de golven in en uit spoelden, was er uiterlijk geen schade aan het schip te bekennen. De pieken en scherpe insnijdingen van Kaap Alarm deden zijn sierlijke lijnen alleen maar extra voordelig uitkomen en onderstreepten nog eens wat een rijke buit het zou zijn.
Beneden in de radiokamer bleef de seinsleutel een ononderbroken signaal uitsturen dat binnen een reikwijdte van 500 mijl kon worden ontvangen.

Na twee uur bodemloze slaap werd Nick Berg met een schok wakker, maar het duurde wel tien volle seconden voordat hij zich realiseerde waar hij was.
Hij stommelde uit zijn kooi en voelde dat hij niet lang genoeg had geslapen. Hij stond op zijn benen te zwaaien toen hij zich onder de douche schoor in de hoop dat hij zichzelf wakker kon stomen met het gloeiende water.
Toen hij op de brug kwam, zat de Hol nog altijd achter zijn apparaten. Hij keek even met zijn waterige, roodomrande ogen naar hem op en het was zonder meer duidelijk dat hij helemaal niet had geslapen. Nick voelde zich enigszins beschaamd.
'We liggen nog altijd op *La Mouette* voor,' zei de Hol. 'Ik vermoed dat we hem bijna honderd mijl de baas zijn.'
Angel kwam met een groot blad de brug oplopen.
'Ik heb wat speciaals voor u klaargemaakt, kapitein,' zei Angel. 'Ik noem het "eieren op engelenvleugels".'
Nick keerde zich weer naar de Hol, met volle mond kauwend. 'Hoe staat het met de *Adventurer?*'
'Ze zendt nog steeds een bakensignaal uit, maar haar positie is de laatste drie uur niet meer veranderd.'
'Hoe bedoel je?' vroeg Nick en slikte moeilijk.
'Geen verandering van positie.'
'Dan zit ze aan de grond,' mompelde Nick, vergat het ontbijt en zag toen David Allen de brug komen ophollen terwijl hij zich intussen in zijn pijjekker worstelde. Zijn ogen waren nog dik van de slaap. Hij had al gauw gehoord dat de kapitein op de brug was.

'...En gaaf als die zender nog in de lucht is.'
'Het ziet ernaar uit dat die weesgegroetjes succes hebben gehad, David.' Nick schonk hem een van zijn zeldzame glimlachjes. David klopte op de glanzende teakhouten bovenkant van de kaarttafel.
'Klop het af en lok niets uit.'
Nick voelde de wanhoop en zijn vermoeidheid van zich afglijden. Hij nam weer een stevige hap en genoot ervan toen hij naar de ramen aan de voorkant liep en in de verte staarde.
De zee was gekalmeerd, maar de zwakke botergele zon, laag aan de horizon, gaf nog weinig warmte. Nick wierp een blik op de thermometer die een buitentemperatuur van min dertig graden aangaf.
Hier beneden de 60° zuid was het weer erg onstabiel, het werd bepaald door de keten van eeuwig rondcirkelende atmosferische depressies zodat een storm in enkele minuten kon opsteken en even vlug weer verdwijnen. Zwaar weer overheerste. Zeker wel honderd dagen per jaar was de wind stormachtig tot storm.
Nick vertrouwde deze kalmte niet, maar bad inwendig dat die nog even aanhield. Hij wilde hun snelheid zo graag opvoeren en stond op het punt zijn kans waar te nemen toen de officier van de wacht een onmiddellijke koersverandering beval.
Voor hen uit zag Nick de plotselinge kolking van ijs onder de waterspiegel, een monster dat op de loer lag en toen de *Warlock* van koers veranderde om een aanvaring te vermijden, kwam er ijs boven water, zwart glas leek het wel, doorgroefd door strepen gletsjermodder, een afschuwelijk dodelijk gevaar. Nick gaf het bevel snelheid te meerderen niet door.
'We kunnen binnen een uur Kaap Alarm in het vizier krijgen,' glunderde David Allen naast hem. 'Als het zicht zo goed blijft tenminste.'
'Dat blijft het niet,' zei Nick, 'we krijgen zo dadelijk mist,' en hij wees naar het zeeoppervlak dat begon te dampen en spookachtige slierten en warrelingen zeevlam opstuwde al naarmate het verschil tussen de temperatuur van het zeewater en van de lucht groter werd.
'We zullen de *Golden Adventurer* in een uur of vier hebben bereikt,' zei David opgewonden. 'Met uw permissie, meneer, ga ik naar beneden en controleer de reddingslijnraketten en het sleepgerei.'
Binnen de kortste tijd dikte de lucht om hen heen in tot een spookachtige witte wade die slechts een paar honderd meter zicht toestond. Nick ijsbeerde als een gekooide leeuw over de brug, zijn han-

den op de rug gevouwen en een verse sigaar onaangestoken tussen zijn tanden geklemd. Iedere keer dat de Hol óf een bericht van Christy Hoofdkantoor, óf van Jules Levoisin óf van kapitein Reilly op de VHF band onderschepte, onderbrak Nick zijn heen-en-weer-geloop.
In de loop van de morgen deelde Reilly mee dat hij en zijn langzame convooi zonder verdere verliezen Shackleton Baai hadden bereikt en dat ze van de verbeterde weersomstandigheden volop gebruikmaakten om een kamp in te richten. Hij eindigde met *La Mouette* op het hart te drukken te letten op 121,5 megahertz om te trachten het vermiste vlot dat in de nacht was losgeslagen, op te sporen. *La Mouette* bevestigde dit niet.
'Ze luisteren niet naar deze hoogfrequente zender,' bromde de Hol.
Nick moest even aan die ongelukkige schepsels in deze kou denken, maar liet iedere gedachte aan de schipbreukelingen gauw weer varen en concentreerde zich op de uitwisselingen tussen Christy Hoofdkantoor en *La Mouette*.
Beide partijen hadden hun onderhandelingsstandpunt voor 100% gewijzigd.
Zolang de *Golden Adventurer* op drift was op de open zee en reddingspogingen beperkt zouden blijven tot het overschieten van een reddingslijn, het zenden van een boodschap dat ze de zware stalen tros moesten vastmaken en haar vervolgens op sleeptouw nemen, had Jules Levoisin aangedrongen op Lloyd's Open Form 'no cure no pay'.
Aangezien de redding zo goed als zeker was, zou de betaling vanzelfsprekend volgen. Het bedrag zou bij arbitrage door Lloyd's in Londen worden vastgesteld volgens de richtlijnen van de internationale zeewetten, een percentage van de waarde van het geredde vaartuig, afhankelijk van de moeilijkheden en gevaren die de redder had doorstaan.
Christy Hoofdkantoor had wanhopig getracht dit 'no cure no pay' – contract te vermijden. Ze hadden geprobeerd Levoisin te bepraten om een contract voor huur per dag en bonus af te sluiten, aangezien dat de totale kosten van de berging aanzienlijk zou beperken, maar ze hadden te maken gekregen met een typisch Franse hebzucht – tot aan het ogenblik waarop het duidelijk werd dat de *Golden Adventurer* aan de grond was gelopen.
Toen dat was gebeurd, waren de rollen volledig omgedraaid. Jules

Levoisin had op paniekerige toon in zijn radioboodschap onmiddellijk zijn aanbod Lloyd's Open Form ingetrokken. Nu was de 'redding' namelijk helemaal niet zeker meer en de *Adventurer* zou allang een wrak kunnen zijn, in elkaar geramd op de rotsen van Kaap Alarm, en dan zou er geen 'betaling' volgen.
Nu was Jules Levoisin er hevig op gebrand een contract voor dagelijkse huur af te sluiten, waarin begrepen de tocht vanaf Zuid-Amerika en het vervoer van overlevenden terug naar de beschaafde wereld. Hij bood zijn diensten aan tegen $ 10 000 dollar per dag, plus een bonus van 2½% van elke geredde waarde van het schip. Het waren billijke voorwaarden want Jules Levoisin had de schone droom over miljoenen opgegeven en was in de werkelijkheid teruggekeerd.
Maar Christy Hoofdkwartier dat tevoren een vorstelijke som voor dagelijkse huur had geboden, had nu halsoverkop dat aanbod tenietgedaan.
'Wij accepteren Lloyd's Open Form, inclusief het vervoer van de overlevenden,' lieten ze via kanaal 16 weten.
'Omstandigheden ter plaatse veranderd,' zond Jules Levoisin terug en de Hol had opnieuw een duidelijke peiling.
'We lopen aardig uit,' zei hij voldaan en knipperde met zijn ogen.
Nick gaf de nieuw opgenomen positie op de kaart weer.
De brug van de *Warlock* krioelde weer van de officieren die met goed fatsoen daar iets te zoeken hadden. Ze staken allemaal in werkpakken, dikke blauwe ketelpakken, opgestopt met wollen truien, zware zeelaarzen aan, en bivakmutsen op en ze sloegen deze intrige met intense aandacht gade terwijl ze zachtjes met elkaar discussieerden.
David Allen kwam met een bundel kleren aanlopen. 'Ik heb werkkleren voor u, meneer. Ik heb die bij de hoofdmachinist geleend. U hebt zo ongeveer hetzelfde postuur.'
'Goedzo, David, wil je die alsjeblieft in mijn daghut leggen?'
'Kapitein,' riep de Hol er opeens tussendoor, 'ik krijg hier iets anders door. Kracht 1 op de 121,5 megahertz.'
'O, verdomme!' David Allen bleef op de drempel van de daghut van de kapitein staan. 'Verdomme!' herhaalde hij en hij zag er vertwijfeld uit. 'Dat is dat vervloekte afgedreven vlot.'
'Relatieve peiling!' snauwde Nick boos.
'280 relatief en 045 magnetisch,' antwoordde de Hol onmiddellijk

en Nick voelde zijn woede weer oplaaien.
Het vlot dreef ergens aan bakboord, tachtig graden uit hun directe koers naar de *Golden Adventurer*.
De consternatie op de brug ontlaadde zich in een druk stemmengeroes dat door Nick met één enkele blik achterom werd onderdrukt. Wanhopig staarden ze in stilte naar de opgegeven positie.
De positie van de zeesleepboten was met een gekleurd pennetje aangegeven, de positie van de *Golden Adventurer* met een rood vlaggetje. Die laatste was nu zo dichtbij en hun voorsprong op *La Mouette* betrekkelijk zo gering dat een van de jonge officieren zijn mond niet kon houden.
'Als we naar dat vlot gaan, dan bieden we die vervloekte Fransen die schuit wel op een presenteerblaadje aan.'
Deze woorden maakten een eind aan hun volledige terughoudendheid. Ze begonnen onderling weer te praten, maar nu op zachte beheerste toon. Nick Berg keek niet naar hen om. Hij bleef over de kaart gebogen staan, zijn vuist op het tafelblad stijf dichtgeknepen.
'Christus, ze zullen zo langzamerhand wel allemaal om zeep zijn. We zouden alles opgeven voor een stelletje bevroren lijken.'
'Je kunt met geen mogelijkheid zeggen hoever ze uit de koers zijn geraakt, die toestellen hebben een reikwijdte van honderd mijl.'
'*La Mouette* gaat ermee strijken.'
Nick rechtte langzaam zijn rug en nam het sigaartje uit zijn mond. Hij keek David Allen aan toen hij op vlakke toon zonder veel ophef zei: 'Nummer Een, wilt u uw officieren de wet van de zee bijbrengen.'
David Allen zweeg even en antwoordde toen zachtjes: 'Op zee gaat het behoud van mensenlevens altijd voor.'
'Uitstekend, meneer Allen.' Nick knikte. 'Verander 80° koers naar bakboord en houd de peiling van de noodzender aan.'
Hij draaide zich om en liep naar zijn hut. Hij wist zich te beheersen totdat hij alleen was, maar toen draaide hij zich om en stootte zijn vuist met kracht tegen het hout boven zijn bureau.
Buiten op de brug achter hem werd er eerst geen woord gesproken. Toen protesteerde de derde officier zwakjes: 'Juist nu we er zo dichtbij zijn!'
David Allen kwam overeind en zei nijdig tegen de roerganger: 'Nieuwe koers 045 magnetisch.'
Toen de *Warlock* licht helde door de koersverandering, gooide

Allen de armvol kleren verbitterd op de kaarttafel en liep naar de Hol toe.
'Moeten er nog koerscorrecties worden toegepast?' vroeg hij.
'Ga maar naar 050,' zei de Hol en liet er met zijn wat schelle stem op volgen: 'Eerst zeg je dat hij ijswater pist – nu jank je als een baby dat hij op een s.o.s. reageert.'
David Allen zweeg toen de *Warlock* afdraaide en de mist in stevende. Iedere omwenteling van haar verstelbare schroeven bracht haar weer af van de buit. De triomfantelijke seinen van *La Mouette* klonken als schimpscheuten in hun oren toen de Fransman zich naar Kaap Alarm haastte en driftig marchandeerde met de eigenaars van de *Adventurer* in Londen.

De mist was zo dik dat het op de brug al niet meer mogelijk was de slanke boeg van de *Warlock* te onderscheiden. Nick zocht tastend zijn weg er naartoe en rondom drong het ijs hoe langer hoe meer op. Ze zaten weer in een zone waar veel tafelijsbergen voorkwamen. De echo's flitsten groen en venijnig op het radarscherm op en de afschuwelijke stank van het ijs drong met iedere ademhaling diep in hun neus en keel.
'Radio-officier?' vroeg Nick gespannen, zijn blikken strak gericht op de mistgordijnen voor hem uit.
'Nog steeds geen contact,' antwoordde de Hol en Nick schuifelde voort. Hij voelde zich duizelig. Een ogenblik had hij de indruk dat het schip overhelde naar één kant, zo iets als een ruimteschip in de bocht. Met kracht onderdrukte hij die hallucinatie en staarde strak voor zich uit, bedacht op een vage groene vorm, een ijsberg, die uit de mist kon opdoemen.
'Al bijna een uur geen contact meer,' mompelde David naast hem.
'Óf de batterij van hun noodzender is leeg, óf ze zijn op het ijs gelopen en gezonken –' veronderstelde de derde officier met stemverheffing, zodat Nick hem kon horen.
'– Óf hun zender wordt door een ijsberg tussen hen en ons afgeschermd,' eindigde Nick de zin voor hem. Wel tien minuten werd er op de brug niet meer gesproken, afgezien dan van de rustig aangegeven koersveranderingen waardoor de *Warlock* tussen de alomtegenwoordige, maar onzichtbare ijsbergen heen laveerde.

'Goed,' besloot Nick ten slotte, 'we zullen moeten accepteren dat het vlot is lek geslagen. We geven het zoeken op.' Er ontstond opschudding door de hernieuwde belangstelling en groot enthousiasme. 'Roerganger, nieuwe koers, recht naar *Golden Adventurer*.'
'We kunnen die kikker nog steeds voor zijn.' Speculaties en nieuwe hoop deden de jonge officieren opbloeien. 'Zij kan toch ook last van het ijs krijgen en haar snelheid moeten aanpassen –' Ze wensten *La Mouette* en haar kapitein alle ongelukken van de wereld toe. Het kwam Nick voor of het schip onder zijn voeten zijn lichte, soepele gang terugvond toen het zijn steven wendde voor de laatste wanhopige run naar de buit.
'Mooi zo, David,' zei Nick rustig. 'Eén ding staat wel vast, we zullen de buit niet voor de neus van Levoisin weg kunnen pikken. We zullen nu onze grootste troef moeten uitspelen –' hij wilde zich net nader verklaren toen de van opwinding krakende stem van de Hol hem onderbrak.
'Opnieuw contact op 121,5 megahertz!' schreeuwde hij.
'Christus!' zei de derde officier. 'Waarom willen ze niet rustig blijven liggen en zo het hoekje omgaan?'
'De zender werd afgeschermd door die reusachtige ijsberg noordelijk van ons,' veronderstelde de Hol. 'Ze zijn nu dichtbij, het zal niet lang meer duren.'
'Lang genoeg om zekerheid te krijgen dat ons de buit zal ontgaan.'
De berg was zo omvangrijk dat hij een eigen weersysteem veroorzaakte, dwarrelingen en stromingen zowel van de lucht als van het water maakten dat de mistgordijnen verjaagd werden.
Het leek wel of het doek voor een toneel werd opgetrokken. Vlak voor hen uit lag een adembenemend schouwspel van groen en blauw ijs met donkere strepen tot rots verharde gletsjermodder. De zee had reusachtige bogen en diepe grotten in het ijs aan de voet van de berg uitgehold.
'Daar heb je ze!'
Nick griste de kijker uit de canvas huls en stelde in op de donkere streepjes die zo duidelijk afstaken tegen de glanzende achtergrond.
'Nee,' bromde hij. Vijftig keizerpinguins vormden een compact groepje op een van de vlakke ijsschotsen, reusachtige zwarte vogels, die zelfs door de kijker bedrieglijk veel op mensen leken.
De *Warlock* voer er dicht langs. Verschrikt lieten ze zich op hun buik vallen en gebruikten hun korte vinnen om van de schots af te

schuifelen en in het rustige water onder de rotsen te duiken. De schots draaide en wiegde heen en weer doordat de *Warlock* passeerde.
Het schip zocht zijn weg door dichte mistbanken en plotselinge open plekken waar de lucht volkomen helder was en de wonderen en optische illusies van de Antarctische openbrekende lucht hen gek maakte, schijnrotsen en ijsbergen, die even snel verdwenen als ze te voorschijn kwamen.
De noodpeilingen van het vlot verzwakten en verdwenen helemaal om even later weer luid de stilte van de brug te doorbreken.
'Verdomme,' vloekte David verbitterd en verslagen. 'Waar voor de duivel zitten ze? Waarom geven ze geen signaalvlam of een vuurpijl?' Er kwam geen antwoord. Een volgende mistvlaag sloeg over het schip en verstikte alle geluiden aan boord.
'Ik zou ze wel willen wakker schudden met de hoorn, meneer,' zei hij toen de *Warlock* voor de zoveelste maal in een plek stralend en verblindende zonlicht terechtkwam. Nick bromde toestemmend zonder zijn kijker van zijn ogen te halen.
David reikte naar de roodgeschilderde misthoornhendel boven zijn hoofd en het zware dreunende geluid, de karakteristieke stem van een zeesleepboot die op de oceanen opereert, weerklonk door de mist. Het was net of de lucht trilde door de sterkte van het geluid. De echo's keerden terug van de ijsbergen zoals de donder door de wolken wordt weerkaatst.

Samantha hield de vaste brandstofprimus op haar schoot en gebruikte het fiberglazen deksel van het kastje als blad. Ze verwarmde een halve liter water in de aluminium kroes en trachtte het geheel zo goed mogelijk in evenwicht te houden ondanks het slingeren van het vlot.
Het blauwe vlammetje van het verwarmingsapparaatje verlichtte het duistere binnenste en straalde een zwakke warme gloed uit die echter onvoldoende was om de mensen in leven te houden. Ze waren al stervende.
Gavin Stewart hield het hoofd van zijn vrouw tegen zijn borst en zijn eigen zilverwitte haren vielen eroverheen. Ze was al een uur of twee dood. Samantha kon die aanblik niet verdragen; ze boog zich

dieper over het kacheltje en gooide een bouillonblokje in het water dat ze langzaam omroerde. Ze voelde dun waterig slijm uit haar neus druipen. Het kostte haar moeite haar arm op te heffen en haar neus met de mouw van haar anorak af te vegen. De bouillon was niet veel warmer dan de normale lichaamstemperatuur, maar ze wilde tijd en brandstof niet verspillen om hem warmer te maken.
Het metalen kroesje ging langzaam van gehandschoende tot verstijfde hand. Ze slurpten de warme vloeistof en gaven die met tegenzin door, hoewel er onder hen ook waren die noch de krachten noch de belangstelling hadden er iets van te proeven.
'Toe, mevrouw Goldberg,' fluisterde Samantha moeilijk. Het leek wel of de kou haar keel had afgesneden en de stank maakte dat haar hoofd pijnlijk klopte en bonsde. 'U moet wat drinken –' Samantha raakte even het gezicht van de vrouw aan en trok verschrikt terug. De huid deed aan stopverf denken en koelde snel af. Het duurde wel enige minuten voordat ze deze schok had verwerkt. Toen haalde Samantha heel voorzichtig de capuchon van de parka over het gezicht van de vrouw.
'Hier,' fluisterde Samantha tegen de man naast haar – ze duwde het kroesje stevig in zijn handen en vouwde zijn vingers eromheen om zeker te zijn dat hij het beet had. 'Drink het voordat het koud is.'
Opeens leek de lucht om hen heen te trillen door een geweldige uitbarsting van geluid. Gedurende enige minuten dacht Samantha dat haar geest wat in de war raakte. Pas toen ze dat gebrul weer hoorde, hief ze haar hoofd op.
'God,' fluisterde ze, 'daar zijn ze. Alles komt nu goed. Ze komen ons redden.'
Ze kroop langzaam en stijf als een oude vrouw naar de uitgang.
'Daar zijn ze. Nu is het in orde, jongens,' mompelde ze en ze ontstak het lampje op haar reddingsvest. Bij dat zwakke schijnsel vond ze het pak fosfortoortsen.
'Kom, jongens. Laat nummer 16 eens horen.' Ze trachtte hen allemaal te wekken terwijl ze de afsluiting van het vlot lospeuterde. 'Nog eens roepen,' fluisterde ze, maar er kwam geen geluid, geen reactie. Toen ze zich naar buiten worstelde in de mistige vrieskou, stroomden de tranen langs haar wangen en dat was niet alleen van kou.
Ze keek niet begrijpend om zich heen. Het leek wel of er uit de lucht om haar heen reusachtige watervallen ijs naar beneden

stroomden, pure gordijnen van doorzichtig, dreigend groen ijs. Het duurde even voordat ze begreep dat het vlot dicht onder de steile luwte van een tafelberg was gedreven. Ze voelde zich zo verschrikkelijk klein en onbenullig naast die indrukwekkende berg van hard ijs. Het leek een eeuwigheid waarin ze met opgeheven hoofd naar boven stond te staren – maar toen resoneerde dat diepe geloei weer.
Samantha hield een van de fosforflambouwen omhoog en het kostte haar bevroren arm de grootste inspanning om het ontstekingsmechanisme in beweging te krijgen. De flambouw sputterde en liet scherpe witte rook opstijgen om vervolgens in het verblindende bloedrode vuur te ontvlammen dat nood op zee betekent. Ze stond daar als een vrijheidsbeeldje met die flambouw hoog in haar geheven hand. Ze tuurde met door tranen verblinde ogen in de dikke mistbanken.
Weer dreunde het dierlijke gebrul van een sirene door de melkachtige vrieslucht. Het was nu zo nabij dat Samantha zich erdoor heen en weer voelde wiegen. Daarna botste het als het ware tegen de ijsklip boven haar.
Het samenspel van zee en wind en de natuurlijke erosie door de steeds schommelende temperatuur hadden geweldige krachten losgemaakt binnen in de glinsterende ijsberg. Die krachten hadden een zwak punt gevonden, een verticale breuk die op het vlakke tafelland van de top, honderdvijftig meter naar beneden tot aan de uitgeholde bodem van de berg ver onder de zeeoppervlakte doorliep. De dreunende geluidsgolven van de misthoorn vonden weerklank binnenin de berg maar het ijs aan weerszijden van de insnijding kreeg verschillende trillingen.
De breuk week verder vaneen, met een scherp krakend geluid alsof glas onder druk uiteenspatte. Honderd miljoen tonnen ijs begonnen zich los te werken van de moederberg, een stuk compact ijs ter grootte van wel twee kathedralen. Toen het wegsloeg, kwamen weer nieuwe krachten vrij die kleinere breuken en spleten vonden waar ijs binnenin het ijs barstte en zich losrukte alsof er tonnen springlading in waren aangebracht.
De lucht was rondom gevuld met wegslingerend ijs, sommige stukken ter grootte van een locomotief en andere weer even klein en scherp en gevaarlijk als een zwaard. Onder al deze vallende en rondvliegende brokken dobberde het gele plastic vlot hulpeloos op de golven.

'Daar!' schreeuwde Nick, 'aan stuurboord.' De fosfor noodflambouw verlichtte de mistbanken van binnenuit met een vurige kersenrode gloed en wierp potsierlijke lichtpatronen tegen de onderzijde van laag hangende wolken. David Allen liet nog eenmaal zijn misthoorn triomfantelijk loeien.
'Nieuwe koers 150,' beval Nick de roerganger en de *Warlock* draaide luchtig bij en verscheen bijna onmiddellijk daarop uit de verhullende mistsluiers in een stuk open lucht.
Een halve mijl verwijderd danste het reddingsvlot als een dikke gele pad onderaan een glazige groene muur van ijs. De top ervan verdween in de dichte mist daarboven en het figuurtje dat rechtop op het vlot stond en de stralend rode flambouw torste was maar een nietig vlekje in deze uitgestrekte eenzaamheid van mist en zee en ijs.
'Alles in gereedheid brengen voor het oppikken van schipbreukelingen, David,' zei Nick en de stuurman haastte zich weg. Nick liep naar die zijde van de brug van waaraf hij de redding zou kunnen gadeslaan.
Opeens bleef hij stokstijf staan en hief verschrikt zijn hoofd op. Even dacht hij aan kanonvuur, maar het geluid veranderde in een scheurend en gierend gekraak. Het volume steeg tot een dreunend gebrul, het onmiskenbare gebulder van een losrakende gletsjer.
'Jezus Christus!' fluisterde Nick toen hij de ijsberg van vorm zag veranderen. Langzaam spleet hij van boven uit elkaar en het leek wel of de stukken dubbelklapten. Vlugger en vlugger kwam de top naar beneden en de losschietende splinters ijs vormden een dichte wolk terwijl de ijsberg zelf steeds verder en verder overhelde tot voorbij zijn evenwichtspunt. Ten slotte stortte hij ineen waardoor een vloedgolf ontstond, groene golven die elkaar snel opvolgden en de boeg van de *Warlock* hoog opzwiepten toen die erdoorheen wilde en diep lieten vallen in het golvendal dat volgde.
Na Nicks vloek was er op de brug geen woord meer gevallen. Ze hielden zich vast aan wat ze maar konden grijpen om in evenwicht te blijven en staarden vol ontzag naar die onbegrijpelijke uitbarsting van krachten. Het water schuimde nog steeds in heftige beroering en brokstukken scherp gepunt ijs dansten op het oppervlak.
'Dichterbij,' snauwde Nick, 'zo dicht als maar kan.'
Er was geen spoor meer te zien van het gele reddingsvlot. Scherpe ijspunten hadden de kwetsbare huid opengereten en de over elkaar heen tuimelende ijsblokken hadden het vlot en zijn droevige mense-

lijke last diep onder de zeespiegel gewalst.
'Dichterbij,' drong Nick aan. Als iemand door een wonder deze lawine zou hebben overleefd, dan zou die nog een minuut of vier te leven hebben. Nick joeg de *Warlock* tussen die nog altijd wentelende en deinende stukken ijs door en maakte een vaargeul vrij met haar op ijs berekende boeg.
Hij gooide de deuren van de brug naast zich open en stapte in de ijzige koude van het open gedeelte. Hij negeerde die vlijmende kilte, gedreven door nieuwe woede en frustratie. Hij had de hoogste prijs betaald voor deze redding, hij had zijn kans op de *Golden Adventurer* opgegeven voor het leven van een handjevol vreemden en nu werden ook die op het allerlaatste ogenblik voor zijn neus weggekaapt. Zijn opoffering was vergeefs geweest en deze afschuwelijke verspilling vervulde hem met heftige weerzin en woede. Hij schreeuwde tegen David Allen en zijn helpers op het voordek.
'Houd je ogen wijd open. Ik wil die mensen –' Iets roods trok zijn aandacht, ergens in dat groene water een vuurrode flits dat helderder en beweeglijker werd naarmate het dichter bij het zeeoppervlak kwam.
'Beide motoren halve kracht achteruit,' schreeuwde hij. De *Warlock* stopte bijna onmiddellijk toen de beide schroeven hun omwentelingssnelheid abrupt verminderden en achteruit werden geschakeld zodat ze in minder dan haar eigen lengte tot rust kwam.
In een kleine plek open groen water kwam het rode voorwerp te voorschijn. Nick herkende een rode capuchon, omhooggestuwd door een stevig opgeblazen zwemvest.
'Pak hem,' schreeuwde Nick en door de klank van zijn stem gingen de ogen in het jonge gezicht open. Nick zag dat ze mistig groen waren en onnatuurlijk groot in het kletsnatte spierwitte ovaal, omzoomd door de bloedrode capuchon.
David Allen kwam terughollen met een reddingsboei en een lijn.
'Schiet op, godverdomme.' De jongen leefde nog en Nick wilde hem redden. Hij wilde dat zo heftig als hij alles in zijn leven verlangde, hij wilde tenminste dit jonge leven in ruil voor alles wat hij had opgeofferd. Hij zag dat de jongen hem gadesloeg. 'Toe vooruit, David,' schreeuwde hij weer.
'Hier!' riep David, hield zich aan de reling vast en wierp de reddingsboei. Hij gooide hem met een resolute zwaai van zijn arm, waardoor de boei zeker twaalf meter wegkeilde naar de plek waar

het hoofd in de capuchon op het onrustige water dobberde. Hij wierp met zoveel precisie dat de boei de schouder van de jongen raakte en in het water ernaast gleed waardoor de jongen haast opzij werd geduwd.

'Pak beet,' schreeuwde Nick. 'Grijp hem!'

Het gezicht draaide er langzaam naar toe en de jongen hief een gehandschoende hand uit het water, maar die beweging was klungelig en niet gecoördineerd.

'Daar, vlakbij je,' moedigde David aan, 'grijp dan toch, man!'

De jongen lag al een minuut of twee in het water waardoor hij de controle over zijn lichaam en ledematen kwijt was. Hij maakte wat vage bewegingen met zijn opgeheven hand waarbij hij de reddingsboei wel aanstootte, maar niet kon vasthouden. Langzaam dreef de reddingsboei van hem weg.

'Vervloekte idioot,' raasde Nick. 'Grijp dan!' De wijd open groene ogen keken hem weer aan, maar er lag volledige berusting in die blik. De ene hand stak nog in de lucht – het leek wel een afscheidsgroet.

Nick realiseerde zich niet wat hij deed totdat hij zijn jas had uitgegooid en zijn schoenen uitgetrapt. Hij sprong rechtstandig naar beneden, maar zorgde ervoor flink afstand te houden zodat hij de reling van het dek onder hem omzeilde. Toen het water zich boven zijn hoofd sloot, beleefde hij een angstaanjagend ogenblik in het ijskoude water.

Het omklemde zijn borst als een schroef waardoor de lucht uit zijn longen werd geperst, het dreef scherpe naalden diep in zijn voorhoofd waardoor hij verblind van pijn naar de oppervlakte kwam. Zijn maag wilde zich omkeren. Het merg in zijn botten van zijn armen en benen was zo pijnlijk dat hij moeite had met het coördineren van zijn ledematen, maar hij dwong zich in de richting van het drijvende lichaam.

Het was niet meer dan een meter of twaalf, maar halverwege raakte hij in paniek dat hij het niet zou halen. Hij klemde zijn kaken op elkaar en vocht tegen het ijskoude water alsof het zijn doodsvijand was, maar dat kostte wel al zijn krachten en zijn lichaamswarmte.

Hij raakte de schipbreukeling met een uitgestrekte arm aan voordat hij zich realiseerde dat hij hem inderdaad had bereikt en hij klampte zich aan de jongen vast terwijl hij omkeek naar het dek van de *Warlock*.

David Allen had de reddingsboei weer aan boord gehaald en wierp hem opnieuw. De koude had Nick traag gemaakt zodat hij de boei niet kon afweren en een klap tegen zijn voorhoofd kreeg, maar het deed geen pijn meer, het gevoel was uit zijn gezicht, handen en voeten verdwenen.
De voortschrijdende seconden schakelden het laatste restje beheersing hierover uit, terwijl hij met de roerloze gestalte bezig was en met zijn gevoelloze handen de boei over het hoofd van de jongen trachtte te trekken. Het lukte hem niet. Hij zag kans het hoofd en één arm erdoor te krijgen. Toen wist hij dat verder pogen geen zin meer had.
'Trekken,' schreeuwde hij in paniek, maar zijn stem klonk als van verre en echode vreemd in zijn hoofd.
Hij maakte van de reddingslijn een lus om zijn arm, want zijn vingers konden niet meer grijpen en hij klampte zich met zijn laatste krachten vast, terwijl de lijn werd ingehaald.
Scherpe brokken ijs raakten en striemden hen, maar hij bleef de jongen met zijn vrije arm omklemmen.
'Trekken,' fluisterde hij, 'in Godsnaam, trek!' De lus van de lijn schaafde een stukje natte huid van zijn onderarm. Zijn mouw kleurde even donkerrood, dat door het zeewater onmiddellijk tot roze vervaagde. Pijn voelde hij niet.
Zijn andere arm bleef om de jongen geklemd. Hij voelde niets van de handen die hem aan dek beetgrepen. Zijn benen waren gevoelloos en hij viel naar voren maar David ving hem op voordat hij op het dek smakte. Ze sleepten hem naar de dampende warmte van Angels kombuis.
'Bent u in orde, kapitein?' vroeg David maar steeds en toen Nick antwoord trachtte te geven, bleef zijn kaak halfopen vastzitten en zijn lichaam schokte met heftige bewegingen.
'Kleren uit,' kraste Angel en met een lichte zwaai van zijn gespierde schouders tilde hij het lichaam van de jongen op de kombuistafel en legde het op de rug neer. Vastberaden sneed hij met een slagersmes de anorak van hals tot kruis open en trok hem weg.
Nick hervond zijn stem, al klonk die schor en stotend door kramp in de bevroren spieren.
'Wat doe je voor de duivel, David? Maak dat je als de bliksem aan dek komt en zet het schip op de koers naar de *Golden Adventurer*,' kraakte zijn stem. David Allen was echter al vertrokken.

'U haalt het wel.' Angel keek niet eens naar Nick op zo druk was hij bezig met zijn mes de kleren van de jongen laag na laag weg te snijden. 'Een stevige beer zoals u – maar hier hebben we volgens mij een duidelijk geval van onderkoeling.'
Twee matrozen hielpen Nick uit zijn natte plunje die al kraakte door het dunne ijslaagje dat zich erop had gevormd. Nick kreunde van de pijn nu het bloed weer door zijn ledematen stroomde.
'Mooi zo,' zei hij, naakt midden in het kombuis, en wreef zich stevig met een ruwe badhanddoek. 'Ik kan me verder wel helpen, terug naar je posten.' Hij liep naar het fornuis en liet de uitstralende warmte over zich heen komen. Hij rilde en trilde nog steeds, zijn gebruinde huid vlekkerig rood van de kou en zijn geslachtsdelen in elkaar geschrompeld en hoog opgetrokken in de dichte beharing van zijn kruis.
'De koffie staat te pruttelen, schenk je een warme mok in, kap,' zei Angel met een blik op Nick. Hij liet waarderende blikken over Nicks lichaam gaan, de brede krachtige schouders, de donkere gekrulde vochtige haren op zijn borst en de soepele lijnen van de spieren die buik en middel in bedwang hielden.
'Stop er zoveel mogelijk suiker in – dat is de beste manier om warm te worden,' vertelde Angel hem en richtte zijn aandacht weer op het slanke jonge lichaam onder zijn handen.
Plotseling hield hij op en deed een stap achteruit. 'Niet te geloven! Geen feestsigaar!' Angel zuchtte.
Nick draaide zich om op het ogenblik dat Angel een dikke wollen deken over het blanke naakte lichaam op de tafel uitspreidde en het stevig begon te masseren.
'U kunt ons meisjes maar beter alleen laten, kap,' zei Angel met een beminnelijke glimlach waarbij zijn diamanten oorring schitterde. Nick had nog de herinnering aan één enkele glimp van een onwaarschijnlijk mooi vrouwelijk naakt en een dikke bos doorweekte roodkoperen haren.

Nick Berg was helemaal gewikkeld in een grijs wollen deken over zijn pijjekker en zijn omvangrijke sporttruien. Zijn voeten staken in dikke Noorse sokken en zware rubber werklaarzen. Hij hield een porseleinen kop met gloeiend hete koffie in beide handen en boog

zich eroverheen om het aroma op te snuiven. Het was al zijn derde kop in het afgelopen uur – en toch hadden de krampen hem nog om de paar minuten in hun greep.
David Allen had zijn canvas stoel wat verzet zodat hij de Hol kon zien en tegelijkertijd het schip besturen. Nick kon de vage omtrekken van de zwarte klippen van Kaap Alarm vlakbij aan bakboord zien.
De morsezender piepte opeens, een lange zin in code waarnaar iedereen op de brug met gespannen aandacht luisterde, maar ze hadden de Hol nodig om het voor hen te vertalen.
'*La Mouette* heeft de buit bereikt.' Hij scheen er een pervers genoegen in te scheppen de uitdrukking van hun gezichten in zich op te nemen. 'Ze heeft ons verslagen, jongens. 12½% bergloon voor de bemanning –'
'Ik wil de letterlijke tekst,' snauwde Nick geïrriteerd en de Hol grinnikte hatelijk tegen hem voordat hij zich weer over zijn werk boog.

> *La Mouette* aan Christy Hoofdkantoor. *Golden Adventurer* zit vast aan de grond, in het ijs en aflopend tij. Stop. IJsschade aan de huidplaten onder de waterlijn. Stop. De romp is ondergelopen en ligt open naar de kant van de zee. Stop. Onder geen enkele omstandigheid zal Lloyd's Open Form worden geaccepteerd. Benadruk belang de berging zo vlug mogelijk te beginnen. Stop. Weers- en zeeomstandigheden verslechteren. Mijn definitief aanbod $ 8000 per dag plus 2½% van bergingswaarde, geldig tot 1435 GMT. Standing by.

Nick stak een van zijn zwarte sigaartjes op. Hij fronste zijn wenkbrauwen in de blauwe rook en trok de deken dichter om zijn schouders.
Jules Levoisin voelde zich machtig en onderhandelde keihard vanuit die positie. Hij dicteerde zijn voorwaarden en stelde ultimata. Nicks eigen politiek, je niet bloot geven, loonde dan toch. Waarschijnlijk voelde Jules zich nu volkomen zeker dat hij de enige zeesleper was binnen een straal van tweeduizend mijl.
Hij had de situatie opgenomen waarin de romp van de *Golden Adventurer* zich bevond. Als hij zeker zou zijn geweest dat de berging zou lukken – ja, zelfs als er vijftig procent kans op een goede berging zou zijn geweest, dan zou Jules Lloyd's Open Form hebben voorgesteld.

Jules zag het dus duidelijk niet zitten en hij was een berger met lef en durf. Dan moest het wel een zwaar karwei zijn. De *Golden Adventurer* werd vermoedelijk tegengehouden door het drijfzand-effect van zand en ijs samen en *La Mouette* had niet meer dan negenduizend pk. Dat betekende dat er ankergerei moest worden uitgezet, dat de pompen van de *Adventurer* aan het werk moesten – deze problemen en de oplossingen daarvan passeerden de revue in Nicks hoofd. Het zou een ontzettende toer worden, maar de *Warlock* beschikte over tweeëntwintigduizend toelaatbare pk's en had daarnaast nog wel een dozijn voordelen.
Hij wierp een blik op zijn gouden horloge en bedacht dat Jules een ultimatum van twee uur had gesteld.
'Radiotelegrafist,' zei hij kalm. Zijn andere officieren spitsten hun oren en kwamen zo onopvallend mogelijk dichterbij om maar geen woord te missen.
'Open de rechtstreekse telexlijn met Christy Hoofdkantoor, Londen en stuur het volgende telegram:

> Duncan Alexander persoonlijk van Nicholas Berg, kapitein van de *Warlock*. Stop. Ben in één uur veertig minuten langszij de *Golden Adventurer*. Stop. Ik stel de firma Lloyd's Open Form bergingscontract voor. Stop. Aanbod geldt tot 1300 GMT.

De Hol keek verschrikt naar hem op en knipperde met zijn roodomrande oogjes.
'Teruglezen,' snauwde Nick en de Hol deed het met een hoge, doordringende stem. Toen hij klaar was, wachtte hij met een spottende blik alsof hij verwachtte dat Nick het geheel weer zou intrekken.
'Verzenden,' zei Nick en stond op. 'Allen,' zei hij tegen David, 'ik zou u en de hoofdmachinist graag nu in mijn daghut zien.'
Het geroezemoes van opwinding en gissingen begon al voordat Nick de deur achter zich had gesloten.
David klopte nog geen drie minuten later aan de deur. Nick keek op van zijn aantekeningen.
'Wat zeggen ze ervan?' vroeg Nick. 'Verslijten ze me voor gek?'
'Ze zijn nog zo jong,' zei David schouderophalend. 'Weten zij veel!'
'Dat weten ze wel en ze hebben gelijk. Ik ben gek dat ik Lloyd's Open Form aanbied voor de berging van een schip waarvan ik de situatie nog niet heb gezien. Het is de waanzin van een man die geen

andere keus heeft. Ga zitten, David.'
'Toen ik in Kaapstad besloot dit karwei te gaan klaren deed ik iets waanzinnigs.' Nick was niet langer in staat die muur van stilzwijgen om zich heen op te houden. Hij moest het vertellen, erover praten.
'Ik gokte met alles wat ik had. Toen ik die Esso-sleep liet varen, zette ik alles op het spel. De *Warlock* en haar zusterschip waren tot dan afhankelijk van het geld dat ik voor dat Esso-platform zou krijgen –'
'Dat begrijp ik,' stamelde David met een hoogrode kleur, gegeneerd door deze vertrouwelijkheden van Nick Berg.
'Door wat ik nu doe, riskeer ik dus eigenlijk niets meer. Als ik nu verlies, als het me niet gelukt de *Golden Adventurer* daar weg te slepen, dan raak ik niet iets kwijt dat niet al verspeeld is.'
'We zouden een voordeliger dagprijs kunnen aanbieden dan *La Mouette*,' stelde David voor.
'Nee. Duncan Alexander is mijn vijand. De enige manier om het contract te krijgen is het zo aantrekkelijk maken dat hij geen alternatief heeft. Als hij mijn voorstel Open Form weigert, sleep ik hem voor Lloyd's commissie en zijn eigen aandeelhouders. Dan maak ik dat hij zijn hoofd in de strop steekt en springt. Hij moet me nu accepteren – maar als ik huur per dag beding en dan een paar duizend dollar minder dan *La Mouette* –' Nick onderbrak zichzelf, reikte naar zijn kistje sigaartjes dat op een van de hoeken van zijn bureau stond en bleef in dat gebaar steken toen hij met stoel en al ronddraaide om te zien wie er zo hard op de deur klopte.
'Binnen!'
Vin Bakers ketelpak was diepblauw en schoon, maar het verband om zijn hoofd zat vol smeervlekken. Hij beschikte echter weer over de brutaliteit en de zwier die Nick tijdelijk had uitgeschakeld toen hij hem met zijn kop tegen de ramen van de machinekamer had laten lopen.
'Jezus!' zei hij, 'ik heb gehoord dat u ze niet meer op een rijtje hebt zitten. Hartstikke gek sprong u overboord – en toen ze u weer hadden opgevist, bood u enthousiast Open Form aan voor een wrak dat bezig is zichzelf in elkaar te rammeien tegen Kaap Alarm.'
'Ik zal het je uitleggen,' zei Nick. 'Neem maar van mij aan dat ik met andermans fiches gok. Ik stel niet iets in de waagschaal dat ik niet al verloren heb.'

'Dat is zaken doen,' gaf de Australiër stralend toe en pikte een van Nicks kostbare sigaartjes.
'Jouw aandeel in die 12½% daghuur is nog geen droge boterham,' ging Nick door.
'Klopt,' gaf Vin Baker toe en trok met zijn ellebogen zijn broek rond zijn middel op.
'Maar als we de *Golden Adventurer* pakken, dichten, haar leegpompen en haar drijvend weten te houden over een afstand van drieduizend mijl, dan heb je aardig wat bankbiljetten – en dat is brood mèt biefstuk.'
'Zal ik je eens wat zeggen,' bromde Vin Baker. 'Voor zo'n Engelse buldog heb je geen onaardig geluid, ik begin eraan te wennen.' Hij zei het wat onwillig en schudde zijn hoofd alsof hij het zelf niet kon geloven.
'Wat ik nu van je wil,' zei Nick tegen hem, 'is een plan om de pompen en de ankerlier van de *Golden Adventurer* aan de praat te krijgen. Als ze op het strand ligt, moeten we zien haar te verhalen en daarvoor zullen we niet veel tijd hebben.'
Vin Baker zwaaide luchtig met zijn sigaartje. 'Maak je daarover geen zorgen, ik ben er toch.' Op dat ogenblik stak de Hol zijn hoofd door de deuropening, ditmaal zonder eerst te kloppen.
'Ik heb een dringende persoonlijke telex voor u, kap.' Hij wapperde met het telexvodje of hij een royal flush in schoppen had.
Nick vloog het even met zijn ogen door en las toen hardop:

> Kapitein *Warlock* van Christy Hoofdkantoor. Uw aanbod Lloyd's Open Form 'no cure no pay' geaccepteerd. Stop. Bij deze bent u aangesteld als enige berger van het wrak van de *Golden Adventurer*. Einde.

Nick grinnikte. 'Ziezo, heren, het ziet ernaar uit dat we weer zaken doen – de duivel mag weten hoe lang nog.'

De *Warlock* rondde het voorgebergte, waar de drie zuilen van zwart serpentijn uitrezen boven de kalme groene zee die in een rustige trage golfslag zachtjes tegen de zwarte rotsen kabbelde.
Opeens lag daar de brede baai vol ijs voor hen. De verlaten boven-

bouw van de *Golden Adventurer* verhief zich daar zo majestueus en mooi dat zelfs de woeste bergen haar niet kleiner deden lijken.
'Wat is ze mooi,' fluisterde de hoofdmachinist en in zijn stem trilde het medeleven met een schip dat verkeerde in zulke ernstige moeilijkheden. Voor iedere man op de brug van de *Warlock* was een schip een levend wezen waarvoor ze liefde en bewondering konden opbrengen. De *Golden Adventurer* was echter als een beeldschone vrouw, zeldzaam en bijzonder, zo voelden ze het allemaal.
Nick Berg had echter de sterkste binding. Ze was zijn geesteskind, hij had haar zien ontstaan op het tekenbord van een scheepsbouwkundig ingenieur, hij had haar kiel zien leggen en hij had de vrouw die eens zijn echtgenote was geweest gadegeslagen toen ze haar doopte, de fles tegen haar boeg aan scherven sloeg en in de warme zon lachte toen de champagne eruit spoot en tegen het schip schuimde.
Het was zijn schip en nu – en dat had hij nooit voor mogelijk gehouden – hield hij het lot ervan min of meer in handen.
Hij wendde ten slotte zijn blikken van het schip af en zag *La Mouette* in de ingang van de baai liggen aan de rand van het ijs. In tegenstelling tot het cruiseschip was zij klein en lomp en lelijk. Vettige zwarte rook steeg uit de schoorsteen rechtop in de bleke lucht. Het leek wel of haar romp eveneens saai zwart was geschilderd.
Door zijn kijker zag Nick de plotselinge drukte op haar brug toen de *Warlock* te voorschijn kwam. Het voorgebergte zou de radar van *La Mouette* wel hebben uitgeschakeld en dank zij Nicks strikte radiostilte was dit het eerste teken dat Jules Levoisin van de aanwezigheid van de *Warlock* kreeg. Nick kon zich de consternatie op de navigatiebrug goed voorstellen en hij constateerde met leedvermaak dat Jules Levoisin niet eens de moeite had genomen een lijn aan boord van de *Golden Adventurer* te brengen. Volgens het zeerecht betekende dat bepaalde rechten. Jules had het wel moeten doen.
'Roep *La Mouette* aan de telefoon,' instrueerde hij en nam de handmicrofoon op toen de Hol tegen hem knikte.
'Salut Jules, ça va? Zeg, dikbuikig piraatje, hebben ze je nog niet te pakken en aan de ra bungelen?' vroeg Nick vriendelijk in het Frans en er ontstond een lange ongelovige stilte op kanaal 16 voordat de klankrijke Franse stem uit de luidspreker boven zijn hoofd klonk.

'Admiraal James Bond, veronderstel ik?' grinnikte Jules weinig overtuigend. 'Is dat een oorlogsschip of een drijvend bordeel? Je bent altijd een mooie jongen geweest, Nicholas, waar heb je al die tijd gezeten? Ik verwachtte dat je wat meer je best zou hebben gedaan.'
'Je hebt me drie dingen geleerd, mon brave. Het eerste is dat je nooit iets voor zeker moet aannemen, het tweede dat je je grote bek moet houden als je achter buit aanzit en het derde, dat je een lijn moet overbrengen zodra je in de buurt bent – je hebt je eigen leerstellingen gebroken, Jules.'
'Die lijn zegt niets, ik ben er.'
'Ja, ik ook, ouwe makker. Het verschil is alleen dat ik de enige berger van Christy Hoofdkantoor ben.'
'Tu rigoles! Je maakt grapjes!' Jules was kennelijk geschrokken. 'Dat heb ik beslist niet gehoord.'
'Ik maak geen grapjes,' vertelde Nick hem. 'Mijn James Bond-uitrusting stelt me in staat privé-gesprekken te houden. Ga je gang, bel Christy Hoofdkantoor en vraag het hun – zou je terwijl je daarmee bezig bent, die vuile oude smeerlap van je uit de weg willen ruimen. Ik moet aan het werk.' Nick gooide de microfoon terug naar de Hol. 'Leg alles vast wat hij uitzendt,' droeg hij op en keerde zich toen tot David Allen. 'We gaan dat ijs kapot maken voordat het te vast om de *Golden Adventurer* komt te zitten. Zet de beste man aan het roer.'
Zodra hij in beweging komt, dan geeft hij ook 100%, dacht David Allen toen hij luisterde naar Nicks bevelen via de intercom aan de machinekamer.
'Ik wil zijwaartse druk van beide motoren, Chef. We gaan het ijs breken. Daarna moet je in compleet duikerpak met helm opdraven, we gaan er aan boord om haar machinekamer te inspecteren.' Hij wendde zich vervolgens tot David Allen. 'Nummer Een, blijf hier om het commando over te nemen.'
Dit was de man die eindelijk werkelijk iets kon doen na al dat afwachten. 'Zeg tegen Angel dat we een warme maaltijd willen voordat we ons in de kou begeven. Veel suiker!'
'Ik zal het de steward vragen,' zei David. 'Angel heeft er op dit ogenblik geen aandacht voor. Hij speelt met dat meisje dat u uit het water hebt gehaald als met een pop, God, hij kleedt haar helemaal aan en rijdt haar rond in een kinderwagen –'
'Je zegt tegen Angel dat ik wil eten, – behoorlijk eten,' bromde

Nick en draaide zich af naar het raam om het ijs te bestuderen dat de baai blokkeerde, 'of ik ga persoonlijk naar beneden en trap hem tegen zijn kont.'
'Dat vindt hij misschien nog prettig ook,' mompelde David en Nick draaide zich om.
'Hoe vaak heb je het bergingsspul nagekeken sinds we Kaapstad hebben verlaten?'
'Viermaal.'
'Doe het dan voor de vijfde keer. Ik wil dat alle dieselhulpmotoren worden gestart en op toeren worden gebracht, dan worden stopgezet en klaargemaakt om overgezet te worden. Tegen het middaguur morgen wil ik energie op de *Adventurer* hebben.'
Voordat hij de deur uit was vroeg Nick hem: 'Wat is de barometerstand?'
'Weet ik niet.'
'Van nu af aan tot het einde van deze berging bent u ieder ogenblik op de hoogte van de juiste druk en u rapporteert ieder verschil groter dan één millibar.'
'De stand is 1018,' zei David die het haastig had opgenomen.
'Dat is te hoog,' zei Nick, ''t is ook zo verdomd stil. Houd hem in de gaten. Ik verwacht een enorme drukstijging. Houd de barometer met arendsogen in de gaten.'
'In orde.'
De Hol riep: 'Christy Hoofdkantoor heeft daarnet *La Mouette* opgeroepen en bevestigd dat wij de bergers zijn – Levoisin heeft een dagprijs geaccepteerd voor het aan boord nemen van de overlevenden in Shackleton Baai en het vervoer naar Kaapstad. Hij wil u graag weer spreken.'
'Zeg hem dat ik bezig ben.' Nick hield zijn blikken gericht op de baai vol pakijs, maar opeens veranderde hij van mening. 'Nee, ik neem hem toch.' Hij greep de handmicrofoon. 'Jules?'
'Je speelt het niet eerlijk, Nicholas. Je konkelt achter de rug van een oude vriend, een man die als een broer van je houdt.'
'Ik heb het druk. Je belt toch niet alleen om me dat te vertellen?'
'Ik geloof dat je een blunder hebt gemaakt, Nicholas. Je moet volslagen gek zijn om Lloyd's Open Form aan te bieden. Het schip is vastgelopen – en dan het weer! Heb je het weerbericht van Gough gehoord? Je werkt je behoorlijk in de nesten, Nicholas. Luister naar een oude man.'

'Ik heb tweeëntwintigduizend pk onder me –'
'Desondanks geloof ik dat je in de fout gaat, Nicholas. Je zult er niet alleen je vingers branden.'
'Au revoir, Jules. Kom maar naar me kijken bij het Hof van Arbitrage.'
'Succes, mon vieux.'
'Hee, Jules – je wenst me succes en dat betekent niets anders dan ongeluk. Dat heb jij me tenminste geleerd.'
'Oui, dat weet ik.'
'Jij dan dat zelfde geluk, Jules.' Wel een minuut lang staarde Nick de vertrekkende zeesleper na. Ze schommelde weg op de trage golfslag, klein, breed en brutaal, precies haar kapitein – en toch was er iets neerslachtigs in haar aftocht.
Hij voelde dat hij toch gesteld was op die kleine Fransman. Het was een echte vriend geweest en een prima leermeester. Nick merkte dat zijn triomf veranderde in spijt.
Meedogenloos onderdrukte hij dat gevoel. Het was een eerlijke, open strijd geweest en Jules was wat slordig te werk gegaan. Heel lang geleden had Nick zichzelf duidelijk gemaakt dat iedere mededinger in wezen een vijand is, die je moet haten en verslaan. Is het je gelukt, dan minacht je hem alleen nog maar. Je voelt geen medelijden want daardoor verslapt je vastberadenheid.
Hij kon zich toch niet tot minachting voor Jules Levoisin opwerken. De Fransman zou zeker terugslaan, waarschijnlijk de eerstvolgende keer een karweitje onder Nicks neus weghalen. In ieder geval had hij een gunstig contract voor het vervoer van de overlevenden van Shackleton Baai naar Kaapstad. Dat zou de kosten dekken van zijn race naar het zuiden en hij zou er nog aardig wat aan overhouden.
Nicks eigen dilemma zou minder simpel op te lossen zijn. Hij zette Jules Levoisin uit zijn gedachten en keerde zich af nog voordat de Franse zeesleper het voorgebergte had gerond en bestudeerde met samengeknepen ogen en een toenemend gevoel van zorgen de met ijs volgepropte baai voor zich. Jules had toch gelijk – dit zou wel een afschuwelijke rotklus worden.
De hoge golven die de *Golden Adventurer* op het strand hadden geworpen waren nog extra opgezweept door het nachteveningsspringtij. Die waren nu gaan liggen en het schip zat muurvast.
De romp van het cruiseschip was ook nog gedraaid waardoor het

niet loodrecht op het strand stond. De *Warlock* zou het er niet recht kunnen aftrekken, maar dwarsscheeps.
Nog dichter bij het schip zag hij dat de zware stalen romp, half gevuld met water, zich had vastgewerkt in het kiezelstrand.
Hij keek naar het ijs dat niet alleen verbrokkeld was, maar ook bestond uit zware stukken vergane en verweerde ijsbergen, die de wind de baai had ingedreven.
De opgelopen temperatuur had deze ijsmassa aaneengesmolten en ondoordringbaar gemaakt en de boeg van de *Warlock* was juist voor dit soort omstandigheden extra verstrekt – al wist Nick heel goed dat hij de hardheid van het ijs niet moest onderschatten. 'Wit ijs is zacht ijs' luidde het oude gezegde, maar hier in deze massa had je desondanks flinke brokken groen, dooraderd gletsjerijs die stuk voor stuk in staat waren een bres te slaan in de romp van de *Warlock*.
Nick grijnsde bij de gedachte een s.o.s. te moeten zenden aan Jules Levoisin.
Hij zei rustig tegen de roerganger: 'Stuurboord vijf – midscheeps,' waardoor hij de *Warlock* zo opstelde dat ze een breuklijn in het ijs zou veroorzaken. Het was van het grootste belang dat ze er met een hoek van negentig graden op af stevende, zodat het ijs recht op de voorsteven zou komen. Schampen kon de voorsteven uit de koers stoten waardoor de kwetsbare romp in contact met het vlijmscherpe ijs zou komen.
'Stand by, machinekamer,' waarschuwde hij en de *Warlock* ging het ijs met een snelheid van tien knopen te lijf. Nick koos het moment waarop de stoot moest worden gegeven. Een halve scheepslengte van het ijsveld verwijderd, gaf hij zijn bevelen.
'Beide halve kracht achteruit.'
De *Warlock* stuitte haar vaart en kwam door haar snelheidsmindering met haar boeg op het ijs. Een afschuwelijk raspend geluid echode door het hele schip. Zijn boeg zakte weer neer op het ijs dat met een scheurend geluid kraakte. Grote schotsen woelden omhoog en gleden terug in het water.
'Beide volle kracht achteruit.'
De geweldige schroeven draaiden soepel de tegenovergestelde richting uit en de deining die dat veroorzaakte stuwde de brokken ijs op, zodat er open water ontstond terwijl de *Warlock* achteruitstoomde. Nick liet haar stoppen en bracht haar opnieuw in stelling.

'Beide volle kracht vooruit.'
De *Warlock* stootte naar voren en stopte op het laatste ogenblik. Weer braken grote schotsen wit ijs af en schuurden langs de flanken van het schip. Nick liet zijn achtersteven eerst naar stuurboord en vervolgens naar bakboord zwenken en maakte zo handig gebruik van de twee schroeven om het in stukken gebroken ijs weg te spoelen.
De *Warlock* werkte zich al stotend, verpletterend en draaiend dieper de baai in en veroorzaakte een zich steeds verder uitbreidend web van scheuren over de witte ijsvlakte.
David Allen kwam buiten adem de brug op hollen.
'Alle spullen nagezien en in orde bevonden, meneer.'
'Neem haar over,' zei Nick. 'Ze heeft het ijs nu gebroken – zorg dat het in beweging blijft.' Hij had er graag de waarschuwing aan toegevoegd dat de grote verstelbare schroeven de meest kwetsbare plek van de *Warlock* waren, maar hij was inmiddels overtuigd geraakt van de grote deskundigheid van zijn eerste stuurman zodat hij er alleen maar op liet volgen: 'Ik ga nu naar beneden bunkeren.'
Vin Baker was al halverwege de stevige maaltijd die Angel opdiende. Nick kwam de stalen trap af en haalde het deksel af van nog zo'n dampende schotel.
'Geweldig,' zei Nick al kon hij zich nauwelijks tot slikken dwingen aangezien de zenuwen in zijn maag te gespannen waren. Toch was voedsel de beste verdediging tegen kou.
'Samantha wil u graag spreken, kap.'
'Wie voor de duivel is Samantha?'
'Dat meisje – ze wil u bedanken.'
'Gebruik je verstand, Angel, zie je dan niet dat ik wel andere zaken aan mijn hoofd heb?'
Nick was al bezig zijn rubber duikerpak aan te trekken over een wollen hansop met lange pijpen. Hij had de hulp van een matroos nodig om door de opening in het borststuk van het pak te kruipen
Hij was het meisje alweer vergeten toen de borstopening aan de buitenkant dicht werd gemaakt met een dubbele ringafsluiting. Over de waterdichte laarzen en handschoenen ging nog een tweede pak van polyuretaan. Nick en Vin Baker leken wel een stel Michelinmannetjes toen de matrozen hen in de grote helmen met vizier rondom, ingebouwde radiomicrofoon en ademkleppen hielpen.
Nick nam het zuurstofapparaat op zijn schouders. Ze zouden niet

dieper dan een meter of tien gaan, vandaar dat Nick besloten had zuurstof te gebruiken en niet de veel omvangrijker cilinders met perslucht.
'Wegwezen,' zei hij en liep wat schommelend naar de stalen trap.

De vijf meter lange opblaasbare rubberboot zwaaide overboord met vier mannen erin, twee duikers en twee speciaal aangewezen matrozen om de boot te besturen. Vin duwde een van hen opzij en bracht de buitenboordmotor op gang.
'Hup, vooruit, schoonheid,' drong hij ernstig aan en de krachtige Johnson Seahorse pakte meteen. Behoedzaam zochten ze een weg door een vaargeul in het ijs. De twee matrozen hielden met hun bomen kleine scherpe schotsen af die het materiaal van de boot zouden kunnen beschadigen.
Opeens hoorde Nick David Allens stem in zijn koptelefoon: 'Hier is de eerste officier, kapitein. De barometerdruk is 1021 – het ziet ernaar uit dat hij de pan uit rijst.'
Jules Levoisin had hem gewaarschuwd dat het menens zou worden.
'Heb je het laatste weerbericht van het eiland Gough?'
'Ze geven dalende druk 1005 wind 320 en kracht 8.'
'Prachtig,' zei Nick. 'Dat wordt zware storm.' Door het vizier van zijn helm keek hij naar de bleke stralende zon, die niet fel genoeg was om pijnlijk aan de ogen te zijn en die omgeven was door een dunne gouden ring.
'Dichterbij kunnen we niet komen, kap,' vertelde Vin Baker hem en zette de motor in zijn vrij. De rubberboot gleed zachtjes door naar een kleine open poel in het pakijs, een meter of vijftig van de achtersteven van de *Golden Adventurer* verwijderd.
Een stevige ijsvlakte scheidde hen. Nick bestudeerde die nauwkeurig. Hij had het niet aangedurfd de *Warlock* dichterbij te brengen voordat hij de bodem hier had kunnen bekijken. Hij wilde weten welke waterdiepte hij hier had om te manoeuvreren en of er verborgen klippen, scherpe rotspunten zaten, die de romp van de *Warlock* zouden kunnen beschadigen of dat de bodem met kiezel bedekt was waarop hij een stoot kon riskeren.
Ook wilde hij de helling van de zeebodem meten en zien of hij er houvast kon vinden voor zijn ankergerei, maar bovenal wilde hij

onder water de averij aan de romp van de *Golden Adventurer* verkennen.
'Ja, Chef?' vroeg hij. Vin Baker grijnsde door zijn vizier tegen hem. 'Hee, daar herinner ik me wat – mammie heeft me gewaarschuwd voor natte voeten, ik ga terug.'
Nick begreep hoe de ander zich voelde. Het ijs tussen hen en het vastgelopen schip was behoorlijk dik. Ze moesten eronder kruipen en zwemmen. God alleen wist welke stromingen daar onder water werkten en hoe het zicht daar was. Kwam je in moeilijkheden, dan kon je niet zomaar naar de oppervlakte schieten. Je moest je weg terug zoeken naar open water. Nick voelde zijn buikspieren samentrekken en hij vocht tegen een soort ruimtevrees, het opgesloten zitten onder deze ijslaag. Hij trachtte hetgeen hij moest doen te versnellen, het controleren van zijn kompas, zijn Rolex Oyster, het waterdichte horloge om zijn pols, het openbreken van de klep op zijn zuurstoftank om de ademhalingszak op te blazen en het vastmaken aan de rubberboot van zijn 'navelstreng', de lijn waarlangs hij kon terugkeren.
'Laten we maar beginnen,' zei hij en liet zich achterwaarts in het water vallen. De kou drong onmiddellijk door de vele rubber-, stof- en polyuretaanlagen heen. Nick wachtte tot de hoofdmachinist door de oppervlakte heen zou breken in een wolk van wervelende zilveren luchtbelletjes.
Nick liet zich behoedzaam aan de lijn die achter hem gevierd werd in de nevelige groene diepte naar de bodem zakken. Vaag zag hij een kiezelstrand en hij las zijn dieptemeter af – bijna elf meter. Daarop bewoog hij zich in de richting van de kust.
Het daglicht werd sterk getemperd door de dikke laag ijs dat er groen en spookachtig uitzag op deze ijskoude diepte. Nick voelde hoe een onberedeneerde angst zich van hem meester probeerde te maken.
Er stond een bepaalde stroom onder het ijs die het afzettingsgesteente in beweging bracht waardoor het zicht nog meer werd beperkt. Ze moesten zich met hun armen voortroeien om verder over de zeebodem te komen, terwijl het vijandige plafond van somber groen ijs hen afsloot van de werkelijke wereld.
Opeens doemde de romp van de *Golden Adventurer* voor hen op, de twee identieke schroeven glansden als reusachtige bronzen vleugels in deze sombere omgeving.

Ze naderden tot op armslengte afstand van de stalen platen en zwommen er langzaam langs. Het was net of ze aan de buitenkant van een flatgebouw vlogen, een steil oprijzende stalen wand van aan elkaar geklonken platen.

De *Golden Adventurer* deinde op en neer, althans de achtersteven rees en daalde op de zware grondstroom, die onder het ijs werkte. Nick wist dat ze langzaam dieper wegzakte. Ieder uur langer betekende dat zijn taak moeilijker werd. Hij verdubbelde zijn inspanning met zijn zwemvliezen waardoor hij voor raakte op Vin Baker. Hij wist precies waar hij heen moest om de schade op te nemen. Reilly had het in bijzonderheden aan Christy Hoofdkwartier doorgegeven.

Zijn eerste indruk was dat met een monsterachtige bijl horizontaal op de romp was ingehakt. Het metaal eromheen was ingedrukt, de verf eraf gerukt zodat het staal glansde alsof het blank geschuurd was.

Op het breedste gedeelte gaapte een viereneenhalve meter lange en een meter brede scheur. Het deed aan een levende mond denken, die in- en uitademde, want door de kracht van de grondstroom kwam er druk binnenin de romp en wanneer dan de deining afnam werd het water met kracht naar buiten gestuwd.

'Het is een afgerond gat,' piepte Vin Bakers stem schel in de koptelefoon. 'Wel te lang om met een bindmiddel te dichten.'

Hij had natuurlijk gelijk, dat had Nick al direct gezien. Vloeibaar cement zou geen uitwerking hebben op deze afschuwelijke jaap, bovendien was er ook geen tijd voor.

'Ik ga naar binnen,' zei Nick hardop. De hoofdmachinist trachtte geen angst in zijn stem te laten klinken toen hij reageerde: 'Luister eens, vriend, iedere keer dat ik een dergelijke muil ben binnengegaan, betekende dat ellende. Het doet me denken aan mijn eerste vrouw –'

'Wacht hier op me,' viel Nick hem in de rede. 'Als ik over vijf minuten nog niet terug ben –'

'Ik ga met u mee,' zei de hoofdmachinist. 'Ik moet de machinekamer van binnen zien, dat kan ik dan mooi meteen doen.'

'Ik ga eerst,' zei Nick en klopte de hoofdmachinist op zijn schouder. 'Doe precies wat ik doe.'

Nick hing ruim een meter voor het gat en wist zich met zijn zwemvliezen ondanks de stroom op dezelfde plaats te houden.

Hij keek nauwlettend naar het door de opening naar binnen golvende water en de zilveren bellen even daarna, wanneer het water weer een uitweg zocht. Bij de daaropvolgende "ademhaling schoot" hij naar voren.
De stroom kreeg vat op hem en joeg hem recht op het gat af zodat hij nog maar net zijn hoofd met helm kon intrekken en de breekbare zuurstofzak op zijn borst met beide armen kon afschermen.
Het ruwe staal schuurde langs zijn been. Hij voelde geen pijn, maar vrijwel onmiddellijk daarop merkte hij dat het zeewater zijn pak binnendrong. De kou ging als een scherp mes door hem heen. Door de duisternis rondom hem wist hij dat hij zich nu in de romp bevond. Hij werd tegen een pijp aangedrukt waaraan hij zich met één hand vasthield. Met de andere hand zocht hij naar de zaklantaarn aan de riem om zijn middel.
Vin Bakers lantaarn wierp een luguber schijnsel op het zwarte water voor hen uit.
'Snel,' zei Nick, 'ik heb een scheur in mijn pak.'
Ze wisten beiden precies wat ze moesten doen. Vin Baker zwom eerst naar de waterdichte schotten en ging de afsluitingen na. Hij was in het duister in een volkomen onbekende machinekamer bezig, maar stevende rechtstreeks af op het pompsysteem, controleerde de verschillende kleppen, en zette zich toen af naar boven, langs de zware hoofdmotoren.
Nick ging voor hem uit. De machinekamer stond bijna tot aan het dek erboven onder water. Daarop dreef een vieze stinkende laag benzine en dieselolie waarin allerhande dingen meedeinden, een rubberlaars en een pot smeer. De vieze stinkende brij dobberde op en neer op het ritme van de stroom door het gat.
De vensters van hun zaklantaarns werden bevuild door de oliedeeltjes waardoor ze grillige schaduwen wierpen in de spelonkachtige ruimte. Nick kon met moeite het dek boven zijn hoofd en de donkere opening van de verticale ventilatieschacht onderscheiden. Hij wiste het vuil van zijn vizier en zag wat hij zo graag wilde bekijken. De kou klom op langs zijn benen.
'Laten we maken dat we wegkomen.'
Nick voelde af en toe een misselijk makende paniek in zich omdat hij vreesde dat ze hun 'navelstreng' kwijt waren. Die was losgeraakt en om een stoompijp blijven zitten. Nick maakte hem los en liet zich naar beneden zakken naar het lichtschijnsel in het gat.

Hij nam de tijd het juiste ogenblik zorgvuldig te kiezen, de terugweg was gevaarlijker dan het binnengaan. Het ruwe, glanzende metaal was door het ijs naar binnen gedrukt. Hij maakte gebruik van de uitgaande stroom en liet zich meezuigen door het gat zonder iets te raken. Buiten bleef hij liggen wachten op Vin Baker.
De Australiër kwam met de volgende golf water, maar Nick zag dat hij door de stroom opzij werd gedrukt waardoor hij even de gehavende rand van de ijzeren scheur raakte. Onmiddellijk volgde het daverende geluid van ontsnappende zuurstof uit de zak die door het scherpe staal doormidden was gesneden.
'O God, ik ben geraakt,' schreeuwde hij en greep hulpeloos naar zijn lege zuurstofzak terwijl hij als een schietlood naar de groene diepten zonk. De loden gordel om zijn middel was extra verzwaard om de opwaartse druk van de zuurstofzak te neutraliseren.
Nick zag onmiddellijk welk gevaar er dreigde. De stroom zou hem te pakken krijgen en hem meetronen onder de romp waar hij vastgezogen onder de tweeëntwintigduizend ton staal op de kiezels van het strand in elkaar gedrukt zou worden.
Nick dook met zijn hoofd naar voren achter hem aan en probeerde wanhopig dat ronddraaiende lichaam te pakken. Even ving hij een glimp op van Bakers gezicht, dat vertrokken was van angst en ademnood, het glazen vizier van zijn helm al kletsnat van het ijskoude water nu de lucht werd weggezogen door het terugslagventiel. Nick hoorde nog eenmaal een piepend geluid in zijn koptelefoon maar dadelijk daarop was het doodstil. Het water had kortsluiting veroorzaakt.
'Gooi je gordel af,' gilde Nick, maar Baker reageerde niet. Hij had het niet gehoord, zijn koptelefoon werkte niet meer.
Nick wist zijn hand te grijpen en probeerde uit alle macht met zijn zwemvliezen hun neerwaartse beweging te stuiten, maar nog steeds zakten ze lager. Nicks rechterhand werd stijf van kou en geremd door zijn dikke, vingerloze handschoenen. Toen graaide hij naar de veiligheidssluiting in de gordel van de hoofdmachinist.
Hij sloeg met zijn schouder tegen de afgeronde bodem van de romp en voelde dat hij onder de boot werd getrokken naar het punt waar wolken stof door het werken van de achtersteven in de bodem werden opgeworpen. Tegen elkaar aangedrukt draaiden ze rond en zagen de kiel als het mes van de guillotine hoog boven hun hoofden.

Hij had maar onderdelen van een seconde voor de enige nu nog overgebleven kans. Hij maakte zijn eigen pen los en de zware gordel waaraan nog ruim vijftien pond lood was toegevoegd verdween van zijn middel. Daarmee verloor hij ook de 'navelstreng' die hen moest brengen naar de op hun terugkeer wachtende rubberboot. Deze zat namelijk vast aan de achterkant van de gordel.
Dat plotselinge gewichtsverlies bracht hun duik tot stilstand. Met inspanning van al zijn krachten wist Nick hen door beenbewegingen te vrijwaren voor een klap van de zware kiel toen die naar beneden suisde.
Nog geen drie meter van hen af raakte het staal de stenen met een kracht die als een bronzen gong in Nicks ogen weerklonk, maar hij had het lichaam van de hoofdmachinist in de houdgreep en eindelijk vond zijn rechterhand de bevrijdingspen op diens gordel.
Hij trok hem los en weer viel er vijftien pond van hen af. Ze begonnen te stijgen langs de naar boven gekromde stalen romp en kregen steeds meer vaart doordat de zuurstof in Nicks luchtzak uitzette als gevolg van de verminderde waterdruk. Hun positie was weer even precair als daareven, want nu snelden ze met zoveel vaart naar het plafond van massief ijs dat dit gebroken botten en schedels zou kunnen betekenen.
Nick liet de lucht langzaam uit zijn longen ontsnappen, terwijl hij tegelijkertijd wat zuurstof uit zijn zak liet ontsnappen, verspilling van het zo kostbare levengevende gas om op die manier hun snelle opwaartse beweging af te remmen – desondanks kwamen ze met zo'n snelheid naar het ijs toe dat ze beiden buiten westen zouden zijn geweest als Nick zich niet had gekromd en de schok met zijn schouder en uitgestoken arm had opgevangen. Daar zaten ze als het ware onder tegen het ijs geplakt door het kurkachtige drijfvermogen van hun rubber pakken en de zuurstof die nog in Nicks zak zat.
Het ijswater was Bakers helm binnengedrongen, zijn gezicht zag donkerrood en zijn mond was tot een afschuwelijke grijns verwrongen. Zijn bewegingen werden krampachtig en ongecoördineerd terwijl hij naar adem snakte.
Nick realiseerde zich dat haastwerk hen beiden naar de andere wereld zou helpen. Hij moest vlug maar bedachtzaam te werk gaan – en hij hield Baker dicht tegen zich aan toen hij de klep van zijn stalen zuurstoffles afbrak waardoor zijn zuurstofzak weer werd gevuld.

Met zijn rechterhand begon hij de adempijpverbinding aan de zijkant van Bakers helm los te schroeven. Het ging langzaam, te langzaam. Je moest gevoel hebben voor dit netelige werk.
Het kan me mijn rechterhand kosten, dacht hij en met een nijdig gebaar trok hij de dikke handschoen van zijn hand. Nu kon hij voelen wat hij deed, maar slechts enkele seconden want dan zou de kou zijn vingers verlammen. De verbinding schoot los en al werkende vulde Nick zijn longen als een blaasbalg met zuurstof, een hyperventilatie waardoor hij zich duizelig en licht voelde.
Na nog een diepe inademing schroefde hij zijn eigen slangverbinding los. Het ijskoude water drong via de klep naar binnen, maar hij hield zijn hoofd schuin naar boven om zodoende zuurstof boven in zijn helm vast te houden en zijn ogen en neus niet in aanraking te brengen met het water. Hij schroefde met gevoelloze vingers zijn buis op Bakers helm.
Hij hield het lichaam dicht tegen het zijne en liet het laatste zuurstofgas uit zijn fles lopen. Er was nog net voldoende druk over om het water uit Bakers helm te verdrijven. Het verdween met een sissend geluid door de klep en Nick keek op slechts enkele centimeters van Bakers gezicht toe.
De hoofdmachinist snakte naar adem en hoestte terwijl hij water uitbraakte en hijgde door de binnenstromende koude zuurstof. Zijn ogen stonden waterig en uitdrukkingloos, zijn bril was zijwaarts weggedrukt en de lenzen ondoorzichtig van het zeewater, maar Nick voelde hoe de borstkas van de man rees en weer daalde. Baker ademde weer en dat is meer dan ik nu kan, dacht Nick grimmig – en op dat ogenblik realiseerde hij zich voor het eerst dat hij zijn 'navelstreng' samen met zijn gordel was kwijtgeraakt.
Hij had geen idee aan welke kant de kust lag en ook niet waarheen hij moest zwemmen om de rubberboot te bereiken. Hij was volledig gedesoriënteerd en tuurde wanhopig door zijn halfvolle vizier om een glimp op te vangen van de *Golden Adventurer* waardoor hij zich zou kunnen oriënteren. Ze was nergens te zien, verdwenen in de mistige groene duisternis en nu voelde hij zijn eigen longen die om lucht vroegen. Toen hij die steeds sterker wordende behoefte aan adem niet kon bevredigen, voelde hij de angst opnieuw de kop opsteken en heftiger worden, aangroeien tot een hevige paniek.
De neiging om het groene, dikke ijsdak boven zijn hoofd met zijn ijskoude handen open te breken om zo de kostbare lucht te berei-

ken, was bijna te sterk. Hij herinnerde zich het kompas om zijn pols. Zelfs toen was zijn verstand al traag, verlangend naar zuurstof; kostbare seconden verstreken.
Toen hij vooroverboog om het kompas af te lezen, drong er weer meer zeewater in zijn helm, en de gevoelszenuwen van zijn gezicht en voorhoofd werden geprikkeld waardoor zijn tanden in zijn kaak pijn deden. Onwillekeurig hijgde hij en verslikte zich onmiddellijk.
Hij hield nog altijd Baker tegen zich aan met wie hij nu verbonden was door de dikke zwarte navelstreng van zijn zuurstofbuis, en zwom in tegenovergestelde richting. Onmiddellijk begonnen zijn longen uit te zetten en met onwillekeurige schokken samen te trekken. Hij zwom door. Hij moest zijn hoofd wat achterover houden en zag toen dat het ijs boven zijn hoofd heel langzaam als het ware over hem heen trok maar wanneer de stroom hen tegenhield, bleven ze op één plaats en schoten geen centimeter op. Hij had al zijn zelfbeheersing nodig om toch koppig vol te houden.
Hij had ruimschoots de tijd te zien hoe prachtig dat ijsdak boven zijn hoofd was, doorschijnend, kunstig gebeeldhouwd – opeens herinnerde hij zich hoe hij hand in hand met Chantelle onder het hoge gewelfde dak van de kathedraal van Chartres in diepe bewondering had staan kijken. De pijn in zijn borst verminderde, zijn behoefte aan zuurstof verdween, maar hij herkende dit niet als symptomen van levensgevaar.
Hij zag Chantelles gezichtje voor zich, het glanzende zachte haar dat aan de vleugels van een vlinder deed denken, haar donkere ogen en haar grote mond zo vol beloften van vreugde, warmte en liefde.
'Ik hield van je,' dacht hij, 'ik hield echt van je.'
Het beeld verdween en een ander kwam ervoor in de plaats. Hij zag weer die ongelooflijk glibberige vochtuitbarsting waarmee zijn zoon werd geboren, hoorde de eerste klaaglijke kreet. Hij beleefde weer dat adembenemende wonder, die diepe vreugde.
...Je staat op het punt te verdrinken... Ineens drong het tot Nick door wat er gaande was. Hij wist dat zijn dood nabij was, maar paniek bleef uit, zoals ook de kou niet langer afschrikwekkend was. Hij bleef als in een droom voortzwemmen in deze groene mist. Opeens merkte hij dat zijn eigen benen niet meer bewogen. Ontspannen, zonder adem te halen lag hij in het water, maar Baker zwoegde en duwde hem voort.
Nick tuurde in het glazen vizier dat nog altijd maar enkele centi-

meters van hem verwijderd was en zag dat er een vastberaden uitdrukking op Bakers gezicht lag. Hij zoog met diepe teugen de pure, frisse zuurstof in waardoor hij met iedere ademhaling aan kracht won die nodig was om hen tweeën voort te bewegen.
'Wat mooi,' fluisterde Nick dromerig en voelde het water in zijn keel golven, maar het deed geen pijn.
Weer een ander beeld schoof voor zijn ogen, een jacht met spinaker, pijlsnel voortglijdend over een stralende Middellandse Zee, zijn zoon aan de helmstok, de dichte krullebol boven zijn fijne gezichtje wapperend in de wind en dezelfde fluwelige ogen als zijn moeder in het door de zon gebruinde ovale gezichtje. Het beeld verduisterde tot pikzwart. Hij dacht even dat hij het bewustzijn had verloren, maar realiseerde zich het volgende ogenblik dat het de zwarte onderkant van de rubberboot was en dat de ruwe handen die hem optrokken en de sluiting van zijn helm losmaakten werkelijkheid waren en geen onderdeel van zijn fantasie.
Hij zat rechtop tegen het dikke dolboord, overeind gehouden door de twee matrozen en zo snoof hij de ijskoude lucht in. Het was een te grote belasting voor zijn longen, zodat hij hoestte en begon over te geven.

Nick kwam van onder de douche te voorschijn. Zijn lichaam gloeide venijnig rood van het bijna kokende water. Hij knoopte de badhanddoek om zijn middel toen hij zijn slaaphut binnenging.
Baker hing uitgeput in een fauteuil in een schoon ketelpak. Zijn haren stonden in vochtige pieken recht overeind rondom de geschoren plek waar Angels catgut-steken nog altijd de wondranden bij elkaar hielden. Een van de poten van zijn bril was geknapt gedurende die verschrikkelijke minuten onder de achtersteven van de *Golden Adventurer*. Vin Baker had hem met zwart isolatieband gerepareerd. Hij had in zijn linkerhand twee glazen en in de andere een grote platte fles likeur. Hij schonk de glazen flink vol. Nick bleef in de opening van de badkamer staan kijken. Baker gaf hem een van de glazen en liet het gele etiket van de fles zien.
'Bundaberg rum,' klonk het trots, 'de enige echte, makker.'
Nick begreep onmiddellijk dat zowel het aanbod van deze drank als de aanspreektitel waarschijnlijk de grootste eerbewijzen waren die

de Hoofdmachinist ooit een ander mens zou geven.
Nick rook aan de donker goudgele likeur, sloeg het glas in één teug naar binnen, slikte, schudde zich als een drijfnatte hond die uit het water komt, ademde duidelijk hoorbaar uit en zei: 'Dat is wel de beste rum ter wereld.' Plichtsgetrouw kwam over zijn lippen wat er van hem werd verwacht. Hij hield zijn glas opnieuw bij.
'De stuurman heeft me gevraagd een boodschap over te brengen,' zei Baker en schonk nog eens in. 'De barometer is opgelopen tot 1035 – en nu al 1020. Er komt storm – er komt hier eeuwig storm!'
'We hebben al bijna twee uur verknoeid, Per-ach-tig,' zei Nick en Baker knipperde even met zijn ogen als gevolg van die benaming die hij zo helemaal niet had verwacht, maar die hij met een scheve grijns accepteerde.
'Hoe gaat u die romp dichten?'
'Daarmee zijn al tien man bezig. We zijn van plan van een dekzeil een afdichtingsmat te maken.'
Baker knipperde weer met zijn ogen en schudde toen ongelovig zijn hoofd. 'Op de manier van kapitein Hornblower –'
'De *Heks van Endor*, inderdaad,' zei Nick. 'Je kunt blijkbaar lezen!'
'U hebt niet voldoende druk om het op zijn plaats te krijgen,' noemde Baker als bezwaar. 'De samengeperste lucht in de machinekamer zal het van zijn plaats drukken.'
'Ik zal een kabel door de ventilatieschacht van de machinekamer trekken en zo via die scheur in de huid weer naar buiten. We brengen die mat aan de buitenkant van de romp aan en trekken hem met een lier op zijn plaats.'
Baker staarde hem wel vijf volle seconden aan. Je haalde duizenden stukjes uitgerafeld touw door het dikke canvas. Als je dit soort ruwe kokosmat voor een gat onder de waterspiegel hield, zorgde de waterdruk ervoor dat hij in het gat werd geduwd. Het water deed al die uitgeplozen touwtjes opzwellen totdat het geheel een bijna waterdichte bescherming bood.
Maar in dit geval was de schade aan de *Golden Adventurer* zó groot dat de ruimen al onder water stonden zodat er geen drukverschil meer was om de zaak op zijn plaats te krijgen. Nicks voorstel was dat te ondervangen door een kabel van binnenuit om zodoende de mat op zijn plaats te krijgen.
'Misschien heeft het effect.' Baker hield zich wat op de vlakte.
Nick sloeg ook het tweede glas rum achterover, liet de handdoek

vallen en greep zijn werkkleren die uitgespreid op zijn kooi lagen.
'Laten we zorgen dat we energie hebben voordat de storm losbarst,' stelde hij rustig voor. Baker rees uit de stoel op en stopte de fles Bundaberg weg in zijn achterzak.
'Luister, makker,' zei hij, 'al dat geklets dat je een buldog zou zijn, dat moet je maar niet te ernstig nemen.'
'Akkoord,' zei Nick, 'ik ben dan wel geboren en opgevoed in Blighty, maar mijn vader is Amerikaan en ik derhalve ook.'
'Christus.' Met duidelijke weerzin hees Baker zijn broek met zijn ellebogen op. 'Als er al iets ergers bestaat dan zo'n vervloekte buldog dan is het zo'n verdomde Yank.'

Nu Nick er zeker van was dat de zeebodem van de baai geen onverwachte obstakels opleverde, viel hij met de *Warlock* de dikke ijskorst langs de kust aan, maakte flinke schotsen en brokken vrij en spoelde die met haar schroeven weg zodat ze ruimte kreeg voor het werk rondom de achtersteven van het gestrande schip.
De onheilspellende kalmte van de zee en het weer verlichtte het werk, hoewel die geniepige onderstroom onder de achtersteven van de *Golden Adventurer* het overbrengen van de zware wisselstroomdynamo bemoeilijkte.
Nick liet twee Yokohama stootmatten langs de *Warlock* aanbrengen en de opgeblazen plastic ballonnen moesten de eventuele schok opvangen van staal tegen staal toen Nick de *Warlock* langszij het gestrande cruiseschip manoeuvreerde en haar daar hield door heel voorzichtig zijn motoren, het roer en de omwentelingssnelheid van zijn schroeven te bespelen.
Vin Baker en zijn mannen in zware zuidpoolpakken gestoken stonden al op de loopbrug van de voorste rijdende kraan, eenentwintig meter boven de brug en bekeken het zwaar hellende dek van de *Golden Adventurer*.
Toen Nick de *Warlock* zachtjes op het andere schip liet stoten, schoven ze de stalen enterladders over het gat dat de twee schepen scheidde en Vin Baker ging er als eerste overheen waarop de anderen één voor één volgden als apen over de stam van een boom.
'Ze zijn allemaal over,' bevestigde de derde officier Nick en voegde er nog aan toe: 'De barometer zakt nog steeds, nu tot 1005.'

'Mooi,' zei Nick, liet de *Warlock* weer loskomen van de achtersteven en bewaarde een afstand van zo'n vijftien meter. Toen pas keek hij even op naar de lucht. De middernachtzon had die boosaardig geelzuchtachtig gekleurd. De zon zelf leek een duivelse donkerrode bol boven de pieken van Kaap Alarm en het was net of de sneeuwvlakten en gletsjers met bloed overspoeld waren.
'Wat prachtig.' Het meisje stond ineens naast hem. Haar kruin reikte ter hoogte van zijn schouder en in het koperkleurige licht glansden haar dikke vlechten. Haar stem was laag, wat klankloos door verlegenheid, maar desondanks in staat ergens in Nick een gevoelige snaar te beroeren, maar toen ze haar hoofd oplichtte zag hij hoe jong ze nog was.
'Ik kwam u bedanken,' zei ze zachtjes. 'Dit is de eerste kans die ik krijg.'
Ze droeg veel te wijde geleende mannenkleren die haar er deden uitzien als een klein meisje dat meedoet aan een verkleedpartij. Haar onopgemaakte gezichtje had de wasachtige, onberoerde glans van de jeugd.
De uitdrukking van haar ogen was ernstig en ook om die ogen was haar aan te zien wat ze allemaal had doorgemaakt. Nick voelde haar spanning en nervositeit.
'Angel wilde niet dat ik eerder ging,' zei ze en opeens brak er een glimlach door. De zenuwachtigheid verdween door deze warme onbewuste lach. Nick schrok van de intensiteit van zijn eigen plotselinge begeerte naar haar, en hij voelde zijn hart onstuimig kloppen.
Van schrik werd hij kwaad, want ze zag eruit als een meisje van een jaar of veertien, vijftien. Ze zou zo ongeveer wel de leeftijd van zijn eigen zoon hebben en hij schaamde zich. Sinds de goede, stralende dagen met Chantelle had hij een dergelijke directe betrokkenheid bij een vrouw niet meer ervaren. Bij de gedachte aan Chantelle werden al zijn gevoelens een onontwarbare kluwen waaruit alleen begeerte en woede nog duidelijk herkenbaar te voorschijn kwamen.
Hij koesterde die woede zoals je het vlammetje van een aangestreken lucifer in een storm met je hand beschut, en voelde zijn krachten terugkeren, kracht om haar opzij te duwen want hij wist hoe kwetsbaar hij nog steeds was. Hij was er zich opeens van bewust dat hij al enige seconden naar haar gezichtje staarde. Ze weerstond zijn blikken, ja er veranderde zelfs iets in die ogen zoals wanneer er

schaduwen van wolken over het zonbeschenen oppervlak van een groen bergmeer glijden. Er gebeurde iets dat hij niet kon toestaan, niet mocht riskeren – en toen realiseerde hij zich ook nog dat twee jonge dekofficieren hem met onverholen nieuwsgierigheid aanstaarden. Zijn woede keerde zich tegen haar.
'Jongedame,' zei hij, 'je bent een genie in het op het verkeerde tijdstip op de verkeerde plaats zijn.' De klank van zijn stem was nog koeler en afgemetener dan zelfs hij had bedoeld.
Voordat hij zich van haar afkeerde zag hij haar verwondering in verdriet veranderen. De groene ogen leken wazig te worden. Hij stond strak te staren naar het voordek waar David Allen en zijn mannen bezig waren het voorste bergingsruim te openen.
Nicks woede verdween even snel als die was opgekomen. Er kwam een gevoel van verslagenheid voor in de plaats.
Hij realiseerde zich heel duidelijk dat hij het meisje totaal van zich had vervreemd. Toen greep hij maar de handmicrofoon en sprak tegen Baker: 'Hoe gaat het, Chef?'
Het bleef wel tien seconden stil en Nick was zich bijzonder bewust van het meisje naast hem.
'Hun noodgenerator is verbrand. Het kost zeker twee dagen die weer aan de gang te krijgen. We zullen de wisselstroomdynamo moeten gebruiken,' gaf Baker door.
'We staan klaar hem over te geven,' antwoordde Nick en riep David Allen naar het voordek. 'Klaar, David?'
'Helemaal klaar.'
Nick begon de *Warlock* weer voorzichtig te manoeuvreren naar de hoge achtersteven van het grote schip. Ten slotte keerde hij zich dan toch met een glimlach naar het meisje. Om de een of andere onverklaarbare reden verlangde hij naar een goedkeurend woord van haar, maar ze was al weg.
Nicks stem klonk scherp toen hij David Allen opdroeg: 'Doe het vlug en goed, Nummer Een.'
De *Warlock* wreef haar neus weer langs de achtersteven van de *Adventurer*, maar de stootmatten vingen de schok op. Op het voordek klonk het jankend geluid van de lier, de lijnen kermden in de blokken en uit het open bergingsruim zwaaide de vier ton zware wisselstroomdynamo te voorschijn die op een soort slee was gemonteerd. De dieseltanks zaten vol en de geweldige motor was startklaar gemaakt.

Het gevaarte kwam snel omhoog en bungelde aan de hoge loopkraan. Een onverwachte golfslag duwde de zeesleepboot op en drong haar dichter tegen de *Adventurer* aan. Door het gewicht van de dynamo maakte het schip al wat slagzij en het cruiseschip zou beslist opnieuw averij in zijn stalen wand hebben opgelopen als Nick de schroeven niet een tegengestelde kant uit had laten slaan en zodoende het schip op afstand had gehouden.

Zodra de deining over was, bracht hij het schip weer heel langzaam naar voren en liet de stootkussens van de boeg luchtig tegen de zijkant van de *Adventurer* duwen.

Wat is ie goed, dacht David Allen en keek met bewondering toe hoe Nick manoeuvreerde, beter nog dan die oude Mackintosh, de vorige kapitein van de *Warlock*. Nicholas Berg bestuurde dit schip met een flair en intuïtieve gevoeligheid die Mac ondanks zijn ruime ervaring nooit had bezeten.

David Allen keerde tot de werkelijkheid terug en gaf de man aan de lier een sein. De reusachtige bungelende machine kwam zo trefzeker als een zeemeeuw die op een passagiersschip neerstrijkt op het dek van het cruiseschip terecht. De ploeg van Baker stormde onmiddellijk toe, maakte de lierkabel los en verwijderde het hijstuig om de machine weg te kunnen slepen.

De *Warlock* stoomde iets achteruit. Toen Baker en zijn mannen klaar waren kwam ze weer langszij met een nieuwe last, dit keer een van de centrifugaalpompen met hoog toerental ter aanvulling van de eigen machines van de *Golden Adventurer* – als Baker die tenminste aan de praat zou kunnen krijgen. De pomp kwam uit een van de voordekruimen en werd tien minuten later gevolgd door een tweede gelijksoortige.

'Beide pompen in veiligheid gebracht,' er klonk een tikkeltje verrukking door in Bakers stem, maar op datzelfde ogenblik vloog er een schaduw over het schip alsof een gier met wijd gespreide vleugels over hun hoofden zwenkte.

Het was maar één enkel wolkje, niet veel groter dan de vuist van een man, dat drie- à vierhonderd meter boven hen even de dalende zon had verduisterd voordat het als het ware steels verder kroop achter de pieken van Kaap Alarm.

Er is nog altijd zoveel te doen, dacht Nick. Hij opende de buitendeur van de brug en stapte op de open vleugel. Het was nog bladstil en de kou scheen minder fel hoewel een blik op de thermometer

hem leerde dat het nog altijd dertig graden vroor. Het was windstil, maar daar hoog in de lucht begon het te spoken.
'Nummer Eén,' zei Nick kortaf in de microfoon, 'wat voeren jullie eigenlijk uit – denk je dat dit het jacht van je pappie is?'
David Allens groepje ging haastig aan de slag, sloot het voordekruim en sjouwde toen terug naar de dubbele bergingsruimen in het langgerekte achterstuk van het schip.
'Ik ga het commando voeren van de achterbrug,' zei Nick tegen zijn dekofficieren en haastte zich terug naar de tweede rondom afgeschermde brug, waar alle controle- en navigatiehulpmiddelen die de eerste had ook voorhanden waren, een uniek voordeel voor een zeesleper omdat er zoveel werk op het achterdek moest plaatsvinden.
Ditmaal tilden ze de met bergingsspullen volgeladen pallets op het dek van het cruiseschip en nog eens acht ton uitrustingsstukken ging zo aan boord van de *Golden Adventurer*. David Allen sloot de ruimen weer met schalmlatten af. Toen hij stampend en hijgend van kou weer op de brug kwam, zei Nick tegen hem: 'Neem de leiding over, David, ik ga erheen.' Nick hield het niet uit hier werkeloos te wachten.
Hoog vanaf de voorste kraan keek Nick uit over de satijnachtige onheilspellende zee. Het was even na middernacht en de zon was nog maar voor de helft zichtbaar achter de bergen, een tweedimensionale schijf die van witgloeiend bloedrood was geworden. De zee had een sombere purperen kleur en de ijsbergen schitterden kersrood. Vanaf zijn hoge standplaats kon hij zien dat de zee rimpelingen vertoonde, een lichte regelmatige deining die eroverheen trok als kringen over een vijver, maar dan in één richting ten gevolge van een verstoring voorbij de horizon.
Nick kon de nauwelijks merkbare beweging van de *Warlock* voelen toen ze op de deining reed. Opeens voelde Nick een windvlaag in zijn gezicht als het gefladder van een vleermuis en de metaalachtige glans van de zee werd verbroken door een vleugje wind. Hij trok het koord van zijn capuchon steviger aan onder zijn kin en stapte buiten op de open enterladder en liep rechtop in balans eenentwintig meter boven het traag deinende voordek van de *Warlock*. Hij kwam met een sprong neer op het schuine, spekgladde dek van de *Golden Adventurer*.

'Ik probeerde je al te waarschuwen, liefje,' zei Angel liefdevol toen ze de kombuis vol waterdamp binnenkwam, want met één oogopslag was hij zich bewust van Samantha's terneergeslagen houding. 'Hij liet je een blauwtje lopen, hè?'
'Waar heb je het over?' Ze stak haar kin naar voren en glimlachte te nadrukkelijk en te vlug. 'Wat kan ik doen?'
'Je mag die eieren breken,' zei Angel en boog zich weer over een enorm stuk rundvlees, zijn hemdsmouwen opgerold tot zijn ellebogen, de onderarmen dik en harig, een slagersmes in zijn vuist geklemd.
'Ik probeerde hem alleen te bedanken –' er lag weer een grijzige mist over haar ogen.
'Het is een zelfzuchtige, harteloze rotvent – met parvenu-achtige ideeën.'
'Hoe *kun* je dat zeggen!' Samantha's ogen spuwden vuur. 'Hij is helemaal niet zelfzuchtig – hij ging het water in om mij te redden –' Toen zag ze de glimlach om Angels lippen en de plagende, spottende uitdrukking van zijn ogen. Ze hield verward op en concentreerde zich op het breken van de eierschalen.
'Hij is oud genoeg om je vader te kunnen zijn,' tartte Angel haar en nu werd ze echt woedend. Een rode kleur onder de zachte glans van haar huid deed de sproeten als stofgoud schitteren.
'Je lult maar wat, Angel.'
'God beware me, liefje, waar heb je die taal geleerd?'
'Och, je maakt me ook gek.' Ze brak een ei met zoveel kracht in tweeën dat het vocht langs haar broek naar beneden droop. 'O, barst!' zei ze en keek hem uitdagend aan. Angel gooide haar een doek toe waarmee ze de broek afboende. Ze gingen weer verder met hun werk.
'Hoe oud is hij eigenlijk?' vroeg ze ten slotte. 'Honderdvijftig?'
'Hij is achtendertig,' Angel dacht even na, 'of negenendertig.'
'Nou dan, rotzak,' zei ze scherp, 'de ideale leeftijd is de helft van die van de man plus zeven.'
'Je bent geen zesentwintig, liefje,' zei Angel aanminnig.
'Maar wel over twee jaar,' zei ze.
'Je bent wel zwaar verkikkerd op hem hè?'
'Dat is onzin, Angel, dat weet je best. Ik ben hem toevallig nogal wat verschuldigd – hij redde mijn leven – maar ik begeer hem niet!' Ze verwierp die gedachte met een minachtende blik en een felle hoofdbeweging.

'Daar ben ik blij om,' knikte Angel. ''t Is niet zo'n aardige vent, dat kan je wel zien aan die kleine stekelige ogen...'
'Hij heeft prachtige ogen –' stoof ze op en zweeg toen plotseling want ze zag de sluwheid van zijn grijns.
'O, Angel, je bent een afschuwelijke vent en ik haat je. Hoe kun je je nu ten koste van mij vrolijk maken?'
Hij zag hoe hoog haar tranen zaten en werd opgewekt en zakelijk. 'In de eerste plaats moet je een en ander van hem weten –' en hij begon haar een kwaadaardige biografie van Nicholas Berg te vertellen, verfraaid door een levendige fantasie, een ondeugend gevoel voor humor en daarbij nog een quasi vrouwelijke roddelpraat waarnaar Samantha gretig luisterde en die ze af en toe onderbrak door uitroepen van verwondering.
'Zijn vrouw weggelopen met een andere man? Die moet toch buiten zinnen geweest zijn, dacht je niet?'
'Liefje, verandering van spijs, dat staat gelijk met twee weken kuren aan zee.'
Af en toe stelde ze een vraag. 'Is hij de eigenaar van dit schip, is dit zijn privé-bezit? Is hij niet alleen kapitein?'
'Dit schip is van hem evenals een zusterschip, hij heeft een eigen bergingsbedrijf. Vroeger noemden ze hem de *Golden Prince*. Hij heeft hoge aspiraties, liefje, heb je dat nog niet door?'
'Ik wist niet –'
'Natuurlijk wel. Je bent te veel vrouw om het niet door te hebben. Er is geen krachtiger minnedrank dan succes en macht, er haalt niets bij het gerinkel van goud als het gaat om het stimuleren van de vrouwelijke hormonen.'
'Dat is oneerlijk, Angel. Ik wist helemaal niets van hem af. Ik had nooit eerder van hem gehoord en ook niet dat hij rijk en beroemd is. Ik geef niet om geld –'
'Ho! Wacht eens even!' Angel schudde zijn krullen en de diamanten oorknopjes schitterden. Hij zag haar woede weer oplaaien. 'Rustig aan maar, liefje, ik plaag je een beetje. Wat jou in hem trekt is zijn kracht, zijn vastberadenheid, het overwicht dat hij heeft.'
'Ik wist niet –'
'Hou jezelf niet voor de gek, liefje. Het gaat er niet om dat hij je leven heeft gered, het zijn zijn mooie ogen niet, noch die bobbel in zijn spijkerbroek –'
'Je bent grof, Angel.'

'Jij bent mooi en stralend en je kan het gewoon niet helpen. Je bent net een pas volwassen geworden kleine gazelle, dartel en bereidwillig en je hebt daareven de bok van de kudde ontdekt. Het is onontkoombaar, liefje, je bent een echte vrouw.'
'Wat moet ik beginnen, Angel?'
'We zullen een plannetje uitbroeden, liefje, maar één ding staat vast. Je gaat hem niet voortdurend nalopen, niet vereren en aanbidden in deze kleren die je er doen uitzien als een ontsnapte boef. Hij heeft een geweldige klus onderhanden en moet niet voortdurend over je struikelen als hij zich omdraait. Maak het hem niet te gemakkelijk.'
Samantha dacht even na. 'Angel, ik wil het hem ook niet zó moeilijk maken dat ik mijn doel niet bereik – als je begrijpt wat dat is.'

Vin Baker had het werk dat hij onder handen had goed georganiseerd, waardoor hij zo vlug opschoot als zelfs Nick in zijn grenzeloos ongeduld maar kon verwachten.
De wisselstroomdynamo was met mankracht door de dubbele deuren naar de bovenbouw van het B-dek gesleept en tegen een stalen schot verankerd.
'Zodra ik energie heb, boren we gaten in het dek en schroeven hem met bouten vast,' legde hij Nick uit.
'Heb je hier leidingen?'
'Ik zal de kabelaansluitkast van het C-dek aftakken en dan zoek ik uit de noodkast...'
'Heb je dan al de groep van de lier op het voordek en van de pompen bepaald?'
'Jezus, makker, zou je je met je eigen zaken willen bemoeien en mij met rust willen laten?'
Op het bovendek was personeel van Baker al bezig met een snijapparaat. Ze maakten een opening in de ventilatieschacht van de machinekamer. De snijbrander siste venijnig door de laatste centimeters staal. Het uitgesneden stuk viel in de duistere holte en er kwam een opening van twee vierkante meter vrij die direct toegang gaf tot de ondergelopen machinekamer, vijftien meter lager.
Ondanks Bakers advies nam Nick hier zelf de leiding en gaf aan hoe de takelblokken en de staaldraadkabel moesten worden aangebracht om een kabel te kunnen trekken via de onder water staande

machinekamer en door dat lange afschuwelijk scherp gerande gat in de scheepsromp naar buiten.
Toen hij weer op zijn horloge keek was er een uur voorbij. De zon was verdwenen en een heldere groene lucht, overdekt met het wonderbaarlijke vuurwerk van de middernachtzon maakte dat de nacht iets angstaanjagends en mysterieus kreeg.
'Goed zo, bootsman, meer kunnen we op dit ogenblik niet doen. Laat je mensen naar de boeg gaan.'
Toen ze zich over het open voordek haastten, kreeg de wind hen te pakken, een enkele gierende stoot waardoor ze uit hun evenwicht werden gebracht, wankelden en naar steun zochten. Toen was het voorbij en de wind nam genoegen met rukken, plukken en trekken aan hun kleding. Nick gaf aanwijzingen voor de twee reusachtige ankerlieren, maar intussen hoorde hij hoe de deining het pakijs opduwde en voortstuwde. Het klonk als een dreigend gegrom en gefluister.
Ze katten de beide zeeankers en waren met twee man aan de buitenkant van het schip bezig kragen van zware kettingen aan te brengen aan de top van beide ankers. De *Warlock* zou nu in staat zijn die ankers mee te trekken door hen over de grond te slepen, maar dan in een richting tegengesteld aan die waarvoor ze ontworpen waren, waardoor de puntige ankerhanden niet konden vastgrijpen en tegenhouden.
Als dan de ankers tot de volle lengte van hun kettingen door de *Warlock* waren meegesleept, zouden ze, door de zeesleper losgelaten, zich met hun vloeien vastgraven en zo zelfs de krachtige pogingen van windkracht 12 kunnen weerstaan zodat de *Golden Adventurer* niet verder op het strand kon worden geworpen.
Zodra Baker een krachtbron op het schip zelf had, zouden de ankerlieren gebruikt kunnen worden om de *Golden Adventurer* te verhalen. Nick had bijzonder veel fiducie in deze geweldig krachtige lieren die de motoren van de *Warlock* moesten helpen. Het was inspannend en zwaar werk want er moesten enorme lasten dood gewicht, de stalen kettingen en ankersluitingen, versleept en behandeld worden.
Tegen de tijd dat ze ermee klaar waren was de wind opgelopen tot kracht 6 en gierde huilend langs de bovenbouw. De mannen waren ijskoud en moe geworden waaronder hun humeur duidelijk had geleden.

Nick liep met hen terug naar de beschutting van de bovenbouw. Het leek wel of zijn schoenen van lood waren en zijn longen snakten naar de rook van zijn zwarte sigaartjes. Hij realiseerde zich opeens dat hij in vijftig uur niet had geslapen – niet meer sinds hij dat rust verstorende meisje uit het water had gevist. Vlug duwde hij iedere gedachte aan haar van zich af want dat leidde hem af van zijn doel en toen hij over de drempel van de koude maar tegen de wind beschutte gang van het cruiseschip stapte, greep hij zijn sigarenkoker. Hij bleef halverwege dat gebaar steken en knipperde verwonderd met zijn ogen toen opeens overal op het schip de lichten aanfloepten – deklichten en binnenverlichting die de boot ogenblikkelijk iets feestelijks gaven. Uit de luidsprekers op het dek boven zijn hoofd klonk zachte muziek doordat de radio-installatie zichzelf had ingeschakeld. Het was de stem van Donna Summer, zo helder en broos als kristal. Het geluid harmonieerde helemaal niet met de omgeving en de omstandigheden.
'We hebben elektriciteit!'
Nick gaf een kreet van vreugde en holde naar het B-dek. Vin Baker stond naast zijn snorrende wisselstroomdynamo en wreef zich vergenoegd in de handen.
'Wat zeg je ervan, makker?' vroeg hij. Nick gaf hem een por tegen zijn schouder.
'Prima, Baker.' Hij verspeelde enkele ogenblikken en een kostbaar sigaartje door de laatste tussen de lippen van zijn hoofdmachinist te steken en Baker zijn aansteker voor te houden. Ze rookten twintig seconden stilzwijgend, zich bewust van hun nauwe en prettige samenwerking.
'Mooi!' Nick maakte er een eind aan. 'Pompen en lieren.'
'De twee losse noodpompen kunnen worden aangezet. Ik ga nu de hoofdpompen van het schip bekijken.'
'Het enige dat ons nu nog te doen staat is de aanvaringsmat op zijn plaats te brengen.'
'Dat is uw zaak,' zei Baker zonder omwegen. 'U krijgt mij niet weer dat water in. Ik heb zelfs het baden eraan gegeven.'
'Ja, heb je niet gemerkt dat ik bovenwinds ben gaan staan?' reageerde Nick onmiddellijk. 'Toch moet er iemand naar beneden om de kabel door te trekken.'
'Waarom stuurt u Angel niet?' grijnsde Baker vals. 'Excuseer me, makker – ik moet weer aan het werk.' Hij bestudeerde zijn sigaartje.

'Zodra we deze jongedame los hebben, hoop ik dat je in staat zult zijn behoorlijke stinkstokken te presenteren.' Met deze woorden verdween hij in de ingewanden van het cruiseschip en liet Nick alleen met die ene taak waaraan hij zelfs nog niet had durven denken. Hij kon wel aan David overlaten het ankergerei uit te slepen, maar hij kon een ander niet de aanvaringsmat laten aanbrengen. Hij zag het nu onder ogen. Hij zou nogmaals onder water moeten gaan, de kou, de duisternis, dat dodelijke gevaar tegemoet in de ondergelopen machinekamer.

Het ankergerei dat David Allen had uitgelegd hield de *Golden Adventurer* keurig op haar plaats, zelfs nu bij toenemende deining in de baai, waar de aanwakkerende wind de golven steeds hoger opzweepte.
David had Nicks vertrouwen niet beschaamd en de twee ankers keurig weggebracht en ze op ankerkettingafstand van de *Golden Adventurer* laten vallen onder een nauwkeurig berekende hoek.
Vin Baker had de twee grote centrifugaalpompen geïnstalleerd en laten proefdraaien, ja hij had zelfs kans gezien twee van de in het voorschip gemonteerde en door waterdichte schotten van zeewater gevrijwaarde pompen aan de gang te krijgen. Hij stond met dit belangrijke arsenaal pompen klaar en had uitgerekend dat hij zodra Nick die gapende wond in de romp gedicht zou hebben, binnen de vier uur in staat zou zijn de ruimen droog en schoon te pompen.
Nick had zich weer volledig in duikerspak gestoken, maar ditmaal had hij de voorkeur gegeven aan de Drager duikset met één enkele fles. Voor zijn hele verdere leven had hij genoeg van zuurstofzakken. Voordat hij het water inging, bleef hij op het open dek staan, zijn helm onder zijn arm. De wind moest al wel tot 7 zijn aangewakkerd, dacht hij, want die zweepte de toppen van de golven op tot wilde uitbarstingen van schuim. Laag hangende, voortjagende, vuilgrijze wolken hadden de opkomende zon en de pieken van Kaap Alarm aan het oog onttrokken.
Nick wierp even een blik op de *Warlock* tegenover hem. David Allen hield haar keurig in positie. Zijn eigen helpers stonden klaar rondom die lelijke nieuwe zwarte gapende wond in de schacht van

de *Adventurer*. Hij zette de helm op en controleerde de radio terwijl anderen zijn uitrusting vastschroefden en de slang bevestigden. '*Warlock* hoort u mij?'
Onmiddellijk klonk David Allens stem in zijn oortelefoon. 'De barometer is om, kapitein, gevallen naar 996 en zakt nog steeds. Windkracht 6 tot 7, krimpend. Ik heb zo de indruk dat we mooi in de gevaarlijke hoek zitten.'
'Dank je, David,' antwoordde Nick. 'Je hebt me een hart onder de riem gestoken.'
Hij deed een stap naar voren en ze hielpen hem in de canvas bootsmansstoel. Nick controleerde het gerei en de verdere uitrusting en knikte toen.
Het binnenste van de machinekamer was nu niet meer donker want Baker had hoog in de ventilatieschacht schijnwerpers gehangen, maar het water leek toch zwart van de motorolie. Nick werd met bengelende benen uit zijn bootsmansstoel langzaam naar beneden gelaten en zag het woest heen en weer zwiepende water. De door de wind opgezweepte stroom golfde door de opening naar binnen en vormde daar een eigen golvenpatroon met zijstromingen en draaikolken die dan weer gebroken werden door de stalen schotten.
'Langzamer,' riep Nick in de microfoon, 'stop.'
Zijn neerwaartse gang werd drie meter boven het stuurboord motorblok gestopt. Het samengeperste water stortte zich over de motor alsof het een koraalrif was. De kracht van dat water zou hem tegen die machines kunnen gooien waarbij hij de kans liep alle botten in zijn lijf te breken. Nick hing erboven en zocht naar houvast voor zijn blokken.
'Laat het hoofdblok zakken,' beval hij en het reusachtige stalen blok kwam uit de schaduwen te voorschijn en wiegde heen en weer in de schijnwerpers.
'Stop.' Nick trachtte het blok in positie te krijgen. 'Nog een halve meter! Stop!'
Hij stond nu tot zijn middel in het kokende met olie bezoedelde water en deed zijn uiterste best de sluitbout van een schalm vast te krijgen om zo het blok vast te zetten op een van de hoofdspanten van de romp. Om de paar minuten kwam een nog heftiger golf water over zijn hoofd heenspoelen waardoor hij genoodzaakt was zich hulpeloos vast te klampen totdat hij weer vrij van water was.

Hij moest zich na veertig minuten ingespannen arbeid laten ophalen om uit te rusten. Hij ging zo dicht mogelijk bij de warmtewisselaars van de draaiende dieselmotor van de wisselstroomdynamo zitten en dronk Angels sterke, zoete koffie. Zijn lichaam deed overal pijn, iedere spier tot het uiterste gespannen en ijzig koud door zijn pogingen in dat smerige, rusteloze water iets tot stand te brengen. Na twintig minuten kwam hij weer overeind.

'Laten we verder gaan,' zei hij en zette zijn helm weer op. Het oponthoud had hem in de gelegenheid gesteld oplossingen te zoeken voor de hem daar beneden gestelde problemen. Het was net of het werk hem nu wat gemakkelijker afging al had hij elk besef van tijd verloren. Hij wist bij benadering niet hoe laat het was en zelfs niet welk deel van de dag het was toen hij ten slotte zover was dat hij de kabelaring naar buiten door het gat kon brengen.

'Stuur die naar beneden,' beval hij in zijn microfoon en de haspel met lichte lijnen kwam dansend en draaiend naar beneden zakken. Het was een lijn van heel fijn gevlochten dacron, onwaarschijnlijk sterk en elastisch gezien de dikte en de lichtheid ervan. Een deel was vastgezet op het dek hoog boven Nicks hoofd en deze haalde hij over de blokschijven zodat de lijn vrij heen en weer kon bewegen. Daarna maakte hij de haspel met de rest van de lijn vast aan zijn gordel en liet die op zijn heup rusten waar hij hem tegen beschadiging kon beschermen als hij door het gat zou gaan.

Op dat ogenblik realiseerde hij zich hoe dicht hij een totale uitputting nabij was en hij overwoog het werk te onderbreken en weer te gaan rusten, maar de verhoogde activiteit van de zee in de romp waarschuwde hem voor langer uitstel. Over een uur zou het misschien niet meer mogelijk zijn deze taak te volbrengen, hij moest doorgaan en hij putte uit de krachtenreserve diep binnen in hem en uit zijn vastberadenheid, verwonderd dat beide nog altijd aanwezig waren. Zijn gevoel leek uitgeschakeld, maar zijn botten voelden breekbaar en zwaar aan.

Toen hij door de gapende wond in het staal licht zag realiseerde hij zich dat het buiten al dag was, een flauw licht dat nog werd verduisterd door de smerige troep olie en water die in de romp zat. Hij hield zich vast aan een van de ijzeren langsverbanden van de machinekamer, een meter of twee van de opening en langzaam en heel regelmatig zoals een ervaren duiker dat gewend is, haalde hij adem. Hij voelde het verschil tussen eb en vloed en trachtte regel-

maat te ontdekken in de beweging van het water. Op het eerste gezicht leek alles willekeurig, een sissend en borrelend opslurpen, gevolgd door drie of vier onregelmatige en zwakke slokken, dan drie felle uitbrakingen, zo krachtig dat ze een zwemmend mens onherroepelijk zouden meetrekken en vast laten lopen in die iets afstaande dolken aan de rand van het gapende staal. Hij moest een keus maken en zich met een soort golf die krachtig genoeg moest zijn om hem in één ruk eruit te laten gaan, maar niet de gevaarlijke macht en kolkingen van die venijnige grote golven bezat, laten meevoeren.
'Ik ben zover, David,' zei hij in zijn microfoon. 'Bevestig even dat de werkboot klaarligt om me buiten de romp op te pikken.'
'We staan allemaal klaar.' David Allens stem klonk gespannen.
'Daar gaan we dan,' zei Nick.
Hij controleerde de haspel aan zijn gordel en overtuigde zich dat de lijn vrij kon afrollen. Hij zag de zuiging van de open wond in het heldere groene water waarin kleine heldere bobbeltjes dreven. Het binnenstromen verminderde en hield zelfs helemaal op toen de romp geheel gevuld was en er een enorme druk ontstond van lucht en water; daarop begon een tegengestelde beweging.
Nick liet zijn greep op het ijzeren langsverband verslappen en onmiddellijk sleurde het water hem mee. Er was geen kwestie van zwemmen in deze kolkende beweging. Het enige dat hij kon doen was zijn armen en benen dicht tegen elkaar klemmen om zodoende meer stroomlijn te krijgen en trachten met zijn zwemvliezen te sturen.
De steeds toenemende snelheid beangstigde hem toen hij met zijn hoofd naar voren in de richting van de moordlustige stalen bek werd gestuwd. Hij voelde het nylonkoord langs zijn been afwinden terwijl de haspel aan zijn gordel zo wild draaide alsof een reusachtige marlijn aan het andere eind aan de haak zat. Op dat ogenblik rukte de stroom aan hem en hij merkte dat hij ging draaien. Hij vocht uit alle macht om zichzelf onder controle te krijgen en sloeg op dat zelfde moment tegen iets aan.
De klap verdoofde hem even zodat er gekleurde sterretjes voor zijn ogen dwarrelden. Hij was met zijn schouder en linkerarm tegen de rand opgebotst en het was mogelijk dat die laatste er door het vlijmscherpe staal was afgesneden.
Hij kolkte hals over kop rond en wist niet welke kant hij uitging.

Hij wist zelfs niet of hij al dan niet in de romp van de *Golden Adventurer* zat. De nylon lijn snoerde om zijn keel en borst, om de kostbare luchtdrukbuis waardoor de luchttoevoer werd afgesneden. Hij raakte weer iets, ditmaal met zijn achterhoofd en slechts de bekleding van zijn helm verhinderde dat zijn schedel werd gekraakt. Hij sloeg zijn armen uit en voelde de ruwe, onregelmatige ijskorst boven zijn hoofd.

De angst kreeg hem weer te pakken en hij schreeuwde zonder geluid te geven in zijn helm, maar opeens waren daar licht en lucht, kwam hij te voorschijn tussen het losse brokkelige ijs. Boven hem torende de stalen muur van het cruiseschip en verderop zag hij de laaghangende grijsblauwe wolken voorbijschieten. Toen hij zich inspande om zich te ontdoen van de nylonlussen om hem heen, realiseerde hij zich dat hij nog twee armen had en beide kon gebruiken. De werkboot van de *Warlock* was nog geen zes meter van hem verwijderd en kwam dwars door de vuile brokken pakijs zijn richting uit.

De aanvaringsmat leek wel een draadharige roodbruine airedale terriër van vijf ton die zich op de boeg van de werkboot had opgerold en een tukje deed.

Nick had zijn helm afgezet en een zuidpooljekker met capuchon over zijn blote hoofd en duikerpak aangetrokken. Hij hield zich achterin de werkboot in evenwicht, die stampte en slingerde als een bruinvis in de hoge golven. IJsschotsen kraakten langs haar romp en beschadigden de verf van haar stalen platen. Ze was uitgerust voor ruw weer en woeste zeeën. De roerganger kende zijn werk en stuurde haar rustig en zonder onnodige manoeuvres volgens de handgebaren van Nick. Dwars door het brokkelige ijs stevende hij af op de hoog oprijzende ronding van de achtersteven van de de *Golden Adventurer*.

De dunne witte nylonlijn was het enige fysieke contact met de mannen op een van de hoog boven hen uit torenende dekken, de kabelaring die zwaarder gerei moest verslepen. Zelfs nylon is kwetsbaar wanneer het in contact komt met de messcherpe randen van het pakijs of de slagtanden van die alles verslindende stalen muil onder water.

Nick liet de lijn uit zijn gevoelloze handen vieren en hij was beducht op iedere trek of ruk, hoe licht ook, die kon wijzen op een obstakel. Met handsignalen hield hij de boot op één plaats zodat de lijn vrij over de schijven van de blokken die hij met zo'n grote inspanning in de machinekamer had aangebracht het doorboorde ruim binnenliep, vandaar door de hoge ventilatieschacht en via de met de snijbrander gemaakte opening in die pijp naar de lier toe. Vin Baker keek gespannen toe naar het verhalen van de kabelaring.
Windstoten rukten aan Nicks hoofd zodat hij zich moest bukken om de kleine walkie-talkie op zijn borst te beschutten. Bakers stem klonk dun en ijl in het beukende gebulder van de storm.
'De lijn komt vrij.'
'Klopt, we laten de kabel nu vieren,' zei Nick. De kabel had de dikte van een wijsvinger. Nick controleerde persoonlijk de verbinding van het nylon met de kabel. De nylon kabelaring was sterk genoeg om het gewicht van de staalkabel te dragen, maar de verbinding bleef altijd een zwak punt.
Hij knikte tegen de bemanning en die liet de kabel buiten boord. Het witte nylon verdween in het koude groene water en nu liep de zwarte staalkabel langzaam af van de rondwentelende klos.
Nick voelde een rukje toen de verbinding de schijf in de machinekamer passeerde. Hij voelde zijn hart een slag overslaan. Als het koord nu brak zou alles verloren zijn. Het zou voor een mens niet mogelijk zijn in dit weer binnenin het ruim te komen, daarvoor was de zee te ruw geworden. Ze zouden hun gerei verspelen en daarmee de *Golden Adventurer*, want die zou in tweeën breken als gevolg van de komende stortzeeën.
'O God, geef dat de kabel blijft lopen!' fluisterde Nick in het loeiende gebulder van zee en wind. De klos hield plotseling stil, maakte nog een halve slag en bleef vastzitten. Ergens daar in de diepte was de kabel blijven steken. Nick gaf de roerganger een teken de werkboot wat dichter bij het cruiseschip te brengen zodat de hoek waaronder de lijn het ruim inliep werd veranderd.
Opeens zag Nick dat de klos weer begon te draaien en dat de kabel weer langzaam afliep en in zee verdween.
Nick voelde zich licht in zijn hoofd, bijna duizelig van opluchting, toen hij Bakers stem schel en triomfantelijk hoorde zeggen: 'De kabel is binnen.'
'Stand by,' zei Nick. 'We maken nu de 5 cm kabel vast.'

Weer begon dat inspannende, uiterst precaire, zenuwslopende proces toen de 5 cm dikke kabel voortgetrokken werd door de dunnere, zwakkere tweede kabel – en weer verliepen veertig vitale minuten waarin de wind aanwakkerde en de zee zwaarder spookte, voordat Baker schreeuwde: 'Hoofdkabel in veiligheid, we zijn klaar om te halen.'
'Nog niet,' zei Nick. 'Houd alleen maar strak.' Als de aanvaringsmat aan de boeg bleef haken of aan het dolboord bleef zitten, zou Baker de boeg van de werkboot mee naar beneden trekken.
Nick gaf zijn mannen in de boot een teken en alle vijf kropen onhandig in hun gele oliepakken en rubberlaarzen naar de boeg. Met gebaren gaf Nick hun aan waar ze rondom de ruige manshoge opgerolde mat moesten plaatsnemen voordat hij de roerganger beduidde achteruit te stomen en afstand te nemen van de flank van de *Golden Adventurer.*
De massa uitgerafelde touw trilde en schokte toen de 5 cm kabel strak trok en met de grootste moeite tilden de mannen de enorme rafelige massa buiten boord.
Het was bijna 5 ton aan gewicht die ze niet met handkracht zouden kunnen tillen als ze niet werden geholpen door de boot die zich afzette tegen de kabel. Langzaam wisten ze de mat op te lichten en overboord te krijgen. Als gevolg van het eenzijdige plotselinge gewichtsverlies helde de werkboot even gevaarlijk over. De boeg lag diep in het water, met 20° slagzij en de dieselmotor maakte een naargeestig geluid terwijl de propeller te keer ging om de boot weer overeind te krijgen.
De mat gleed nog een paar decimeter door en bleef toen tegen het dolboord steken. Het zeewater spoelde naar binnen en stond al tot aan hun enkels.
Een instinct voor gevaar deed Nick opkijken en over de zee turen. De *Warlock* lag een halve kilometer verderop in de baai, aan de rand van het pakijs. Daarachter zag Nick de horizon als het ware omhoog komen door een zich hoog oprichtende roller. Het was slechts een voorloper van de huizenhoge golven die de storm voor zich uit joeg, maar zelfs deze was groot genoeg om de achtersteven van de *Warlock* hoog op te zwiepen en desondanks de zee nog schuimend over de boeg van de zeesleper te slaan, waarna het water uit de spuigaten wegvloeide.

Binnen de vijfentwintig seconden zou de overhellende werkboot eraan worden blootgesteld. Dan zouden de vijf opvarenden binnen enkele minuten een wisse dood tegemoet gaan.
'Baker,' Nicks stem klonk als een schreeuw door de microfoon, 'Hijsen – trekken, verdomme, trekken.'
Bijna onmiddellijk begon de kabel te lopen, binnengehaald door de machtige lier op het dek van de *Golden Adventurer*. Door de spanning op de mat werd de werkboot nog dieper in het water getrokken en het water golfde over de dolboorden.
Nick greep een van de eikehouten riemen en duwde die onder de mat. Hij gebruikte hem als hefboom en liet zich met zijn volle gewicht erop vallen.
'Help eens even,' gilde hij tegen de man naast zich en hij spande zich zo in dat het zwart voor zijn ogen werd.
De werkboot begon te zinken, ze stonden al tot hun knieën in het water en de zware roller kwam steeds naderbij, een machtige bijna geruisloze stuwkracht, die het pakijs opstuwde, omhoogtilde en in het wilde weg rondstrooide.
Opeens werd de belemmering overwonnen en de hele logge rol geplozen touw gleed overboord. De werkboot stuiterde als het ware op en Nick gesticuleerde wild met zijn armen om de roerganger te beduiden de boeg recht op de golven te zetten.
Ze namen de roller met zo'n vaart dat ze allemaal tegen de bodem van de half ondergelopen werkboot sloegen.
Achter hen rammeide de reusachtige golf de achtersteven van de *Golden Adventurer* en duwde haar omhoog in een uitbarsting van wit als dol geworden water dat in de wind veranderde tot hoog opvliegende schuimvlokken.
De roerganger was al bezig de werkboot door het pakijs heen te sturen op de terugweg naar de *Warlock*.
'Stop,' beduidde Nick hem, 'terug!'
Hij was al bezig zich uit zijn oliepak met capuchon te werken en liep naar de achtersteven.
Hij schreeuwde in het oor van de roerganger: 'Ik ga daar beneden controleren,' en zag de ongelovige, bijna smekende blik in de ogen van de man. Die wilde duidelijk terug naar de veiligheid van de *Warlock*, maar Nick wist van geen wijken, zette zijn duikhelm weer op en bevestigde de zuurstofslang.
De aanvaringsmat werd al dobberend met kracht tegen de zijkant

van de *Golden Adventurer* gesmeten. De lucht tussen het uitgeplozen touw hield hem drijvende.
Nick dook er vlak onder, een meter of zes van de maalstroom, veroorzaakt door het gat in de romp.
Hij had maar enkele seconden nodig om zich te overtuigen dat de kabel vrijliep en hij zegende in stilte Vin Baker dat die onmiddellijk de lier had stilgezet toen de mat los van de werkboot was gekomen. Nu kon hij de laatste fase van dit werk leiden.
''t Ziet er goed uit,' zei hij tegen Baker. 'Langzaam aantrekken, vijftien meter per minuut.'
Langzaam werd de mat onder het wateroppervlak getrokken.
'Prima, houen zo!'
De druk van het open water duwde de mat diep in de gaping terwijl van binnenuit de 5 cm dikke kabel hem op zijn plaats trok. De wond werd in een ommezien gedicht. Nick liet zich wat dieper zakken en bekeek een en ander nauwkeurig.
De afwisselend zware zuiging en uitbraking door het grote gat was weggevallen. Er was nog slechts sprake van een lichte waterbeweging langs de randen van de mat. Maar nu zouden de uitgeplozen eindjes touw in het zeewater gaan zwellen en over enkele uren zou het gat zo goed als waterdicht zijn.
'Klaar,' zei Nick in de microfoon, 'laat de kabel een trekkracht van zo'n twintig ton houden – je kunt nu de pompen aanzetten en het kreng leegzuigen.'
Het gebruik van het woord 'kreng' voor het prachtige cruiseschip was een bewijs hoe gespannen en vermoeid, maar ook hoe opgelucht Nick was.

Nick hunkerde naar slaap, zijn zenuwen en spieren waren volledig op. In de spiegel van zijn badkamer zag hij hoe rood en ontstoken zijn ogen waren. De blauwe kringen onder zijn ogen wedijverden met de opgelopen kneuzingen van zijn schouders, dijen en ribben. Zijn handen trilden en prikten in een soort verdoving van vermoeidheid en zijn benen konden hem nauwelijks meer dragen toen hij zich voortsleepte naar de navigatiebrug van de *Warlock*.
'Mijn gelukwensen, meneer,' zei David Allen en uit zijn hele houding sprak oprechte bewondering.

'Wat zegt de barometer, David?' vroeg Nick en deed zijn best niet te laten blijken hoe moe hij was.
'994 en hij zakt nog steeds, meneer.'
Nick keek naar de *Golden Adventurer* die daar onder de gore laaghangende wolken vast verankerd aan de grond en zwaar door al dat water in haar ruimen als een havenhoofd lag, onbewogen door de reusachtige rollers die in eindeloze formaties kwamen aangolven. Nu werd dat water echter uit haar weggepompt en kwam in brede witte waaiers over haar reling spoelen.
De grote centrifugaalpompen van Baker werkten op volle toeren en zowel aan stuur- als aan bakboord stortte het water omlaag bij de achtersteven.
De benzine en dieselolie die meekwamen, vormden een doffe, regenboogkleurige vlek om haar romp en bezoedelden het ijs en het kiezelstrand waarop ze vastzat. De wind kreeg vat op de uitlaatgassen en maakte er lange glinsterende pluimen van die aan grote struisvogelveren deden denken.
'Chef,' riep Nick het schip op. 'Hoe groot is de waterverplaatsing?'
'We zitten zowat op 2¼ miljoen liter per uur.'
'Waarschuw me zodra er iets in haar ligging verandert,' zei hij en keek omhoog naar de wijzer van de windmeter boven het controlepaneel. De wind had kracht 8 bereikt, zag hij met moeite.
'David,' zei hij en hoorde hoe schor zijn stem klonk. 'Het duurt nog wel een uur of vier voordat ze licht genoeg zal zijn om haar te verhalen, maar ik zou graag willen dat je de grote sleepkabel overbrengt en vastmaakt, dan zijn we op alles voorbereid.'
'Ja, kapitein.'
'Gebruik er een raketlijn voor,' zei Nick en zweeg vervolgens. Hij wist dat er nog andere orders waren te geven, maar hij kon niet meer denken.
'Voelt u zich wel goed, meneer?' vroeg David onmiddellijk bezorgd. Ergernis borrelde in Nick omhoog. Hij had nog nooit in zijn leven om sympathie gevraagd, wilde zich ook nu niet zwak tonen. Hij wist nog net de scherpe woorden die op zijn lippen lagen binnen te houden.
'Je weet wat er te doen is, David. Ik zal je verder geen raad geven.' Als een dronken man wankelde hij in de richting van zijn hut. 'Roep me als je klaar bent of wanneer Baker verandering in de toestand van de *Golden Adventurer* rapporteert – of wanneer er iets verandert.'

Hij wist zijn hut te bereiken voordat zijn knieën hem begaven. Hij liet zijn badjas vallen toen hij achterover op zijn kooi viel.

Op 60° zuiderbreedte ligt de enige vaargeul die rondom de hele aarde loopt. Deze brede strook open water stroomt zuidelijk van Kaap Hoorn, Australazië en Kaap de Goede Hoop. Het is het ontmoetingsgebied van twee uitgestrekte luchtmassa's, de koude vallende antarctische lucht en de warme, wat hogere lucht uit de subtropen. Ze botsen tegen elkaar op door de middelpuntvliedende krachten die de aarde veroorzaakt door haar wentelingen om de eigen as en worden nog verder verstoord door de torsie van de coriolis-kracht. Bij de botsing splitsen de verschillende luchtmassa's zich in kleinere hoeveelheden, die elk hun eigen karakteristiek behouden. Die beginnen op hun beurt weer om elkaar heen te draaien, reusachtige wervelstormen die bij het voortvliegen winnen aan kracht, intensiteit en snelheid.
Het hogedruksysteem dat de onheilspellende kalmte en windstilte bij Kaap Alarm had veroorzaakt, had de barometer opgejaagd tot 1035 millibaren terwijl de zware depressie die daar onmiddellijk op volgde in het centrum een druk van maar 985 millibaren had. Een dergelijk groot contrast betekende dat de wind langs de drukgradiënt tot storm aanwakkerde.
De depressie had een doorsnee van bijna vijfentwintighonderd kilometer en reikte tot aan de hoge troposfeer, negen kilometer boven de zee. De windkracht naar de schaal van Beaufort berekend, lag dicht bij het maximum, 12, orkaan, ruim 190 kilometer per uur. Er werd hem geen strobreed in de weg gelegd totdat plotseling de scherpe klippen van Kaap Alarm opdoemden.
De orkaan bereikte dit laatste punt toen Nicholas Berg van pure uitputting in een bodemloze slaap was gevallen en Vin Baker druk doende was het uiterste uit zijn machines te halen in zijn poging De *Golden Adventurer* te bevrijden van haar last aan zout water.

Samantha klopte en hield door de zware zeegang haar volle blad met moeite in evenwicht. Ze bleef onzeker in het gangetje staan

toen haar kloppen niet werd beantwoord.
Dat duurde niet langer dan drie seconden, toen probeerde ze of de deur op slot zat. Die bleek open te zijn. Ze stapte de daghut van de kapitein binnen.
Hij heeft eten besteld, rechtvaardigde ze haar binnendringen en sloot de deur achter zich. Ze keek vlug in de lege hut om zich heen. Echte palissander betimmering en de bank en fauteuils van stevig bruin glanzend kalfsleer. Op de vloer lag een dik hoogpolig wollen kleed.
Samantha zette het blad op de tafel die onder de stuurboord patrijspoorten doorliep en riep zachtjes. Er kwam geen antwoord. Ze liep naar de deuropening van de nachthut.
Een witte badjas lag op de grond en even schrok ze omdat ze meende dat het lichaam op het bed naakt was, maar meteen zag ze dat hij een dun wit broekje aan had.
'Kapitein Berg,' riep ze weer, maar zo zacht dat hij er niet door gestoord kon worden en ze raapte met een vrouwelijk gebaar de badjas op. Ze was nu tot bij de slaapbank genaderd.
Ze voelde een snelle bezorgdheid in zich opwellen toen ze de blauwe plekken zag die zo afstaken tegen de gladde blanke huid. Haar zorg veranderde in schrik toen ze hem als een dode zag liggen, zijn benen over de rand van de bank en zijn lichaam in een uiterst ongemakkelijke houding. Een arm lag achterover op zijn kussen en zijn hoofd rolde van de ene kant naar de andere op het ritme van de boot.
Ze stak vlug haar hand uit en raakte zijn wang. Ze voelde zich echt opgelucht toen ze de warmte van de huid voelde en de oogleden door haar aanraking zag trillen.
Heel voorzichtig tilde ze zijn voeten op en hij rolde ontspannen op zijn zij waardoor de afschuwelijke schaafwond zichtbaar werd die over zijn rug en schouder liep. Ze raakte die met een voorzichtig onderzoekende vingertop aan. Ze deed een stap achteruit en genoot enige ogenblikken van de aanblik. Zijn lichaam liep van boven naar beneden smal toe, hij had geen onsje vet op zijn buik of heupen. Duidelijk kon ze de boog van zijn ribben door de huid heen onderscheiden en de spieren van armen en benen leken soepel maar sterk, een goed verzorgd lichaam, gestaald door zware oefening, weliswaar niet jeugdig, want die compacte schouders en nek en het duidelijk zichtbare haargroeipatroon waren typisch voor een man in de kracht van zijn leven.

Al had hij dan niet de elegantie en verfijning van de jongens die zij kende, toch straalde hij meer kracht uit. Ze dacht aan één man in het bijzonder van wie ze had gehouden. Ze hadden op een excursie twee maanden samen in Tahiti doorgebracht, ze hadden samen gesurfd, gedanst, wijn gedronken, zestig dagen en nachten achter elkaar samen gewerkt en geslapen. In die periode hadden ze zich verloofd, hadden ruzie gekregen en waren weer uit elkaar gegaan waarbij ze tot haar verwondering weinig spijt had gevoeld. Terwijl ze hier stond te kijken naar de slapende figuur op zijn kooi, wist ze dat zelfs die jongeman qua fysieke vastberadenheid en kracht niet tegen deze man op kon.
Angel had gelijk gehad. Het was zijn kracht die haar zo geweldig aantrok. Dat krachtige, slanke lichaam met de donkere stugge haargroei op zijn borst en onder zijn oksels – te zamen met zijn sterke uitstraling.
Ze had nooit eerder een dergelijke man leren kennen, ze voelde een bepaald soort ontzag voor hem. Het ging niet alleen om de legende om hem heen en ook niet om die lange lijst van talenten die Angel had opgesomd, anderzijds ook niet alleen om de fysieke kracht die hij daareven had ten toon gespreid terwijl de voltallige bemanning van de *Warlock* waaronder zijzelf, had toegekeken. Ze boog zich weer over hem heen en zag dat zijn kaaklijn zelfs nu hij sliep hard en onbuigzaam was en de kleine rimpels en vouwtjes die het leven om de ogen en bij zijn mondhoeken had gegroefd, dat effect van kracht en vastberadenheid nog versterkten, het gezicht van een man die het leven zijn eigen wetten voorschreef.
Ze wilde hem hebben, Angel had gelijk, o God, wat wilde ze graag de zijne zijn!
Ze draaide zich om en spreidde de donzen deken die aan de voet van het bed lag, over hem heen. Toen bukte ze zich weer en lichtte liefdevol de dikke lok donker haar van zijn voorhoofd en streek die met een moederlijk beschermend gebaar naar achteren.
Hoewel hij was blijven slapen toen ze zijn voeten had opgelicht en hem had toegedekt, bracht deze luchtige aanraking hem vreemd genoeg aan de rand van zijn bewustzijn. Hij zuchtte, ging verliggen en fluisterde hees: 'Ben jij het, Chantelle?'
Samantha deinsde achteruit bij het horen van de naam van een andere vrouw. Ze keerde zich af en liep weg, maar in zijn daghut bleef ze bij zijn bureau even staan.

Er lagen een paar persoonlijke bezittingen verspreid over het in leer gevatte vloeiblad – een gouden bankbiljettenknijper, een gouden Rolex Oyster automatisch horloge, een gouden Dunhill aansteker met een diamant en een portefeuille van kalfsleer. Ze vertelden wel het een en ander over de eigenaar van dit alles. Ze voelde zich een dief toen ze de portefeuille opnam en hem opende.
Er zat wel een dozijn kaartjes in plastic houders in, American Express Diners, Bank American, Carte Blanche, Hertz nr 1, Pan Am VIP enzovoorts. Daar tegenover zat een kleurenfoto waarop drie mensen stonden, Nicholas zelf, zijn gezicht gebruind en zijn haren verward door de wind, een jongetje in een zeiljak met een woeste krullebol en ernstige ogen boven een lachende mond – en een vrouw. Het was waarschijnlijk een van de mooiste vrouwen die Samantha ooit had gezien. Ze sloeg de portefeuille dicht, legde hem weer op zijn plaats en verliet stilletjes de hut.

David Allen riep al wel drie minuten lang de kapitein in zijn hut op zonder antwoord te krijgen. Ongeduldig sloeg hij zijn vlakke hand met kracht op de kaartentafel en staarde door de ramen van de brug naar het beeld van een krankzinnig geworden wereld.
Bijna twee uur lang had de wind constant vanuit het noordwesten geblazen met kracht 7, zestig kilometer per uur, en hoewel de woelige stortzeeën nog altijd de baai binnendrongen, had de *Warlock* er geen moeite mee gehad, zelfs niet nu ze met de grote sleepkabel aan de *Golden Adventurer* vastzat.
David had met een raket een kabelaring over de achtersteven van het cruiseschip aangebracht en Bakers mannen hadden de lijn te pakken gekregen en met de lier eerst deze lichte lijn en vervolgens de zware sleepkabel zelf binnengehaald.
De *Warlock* had die grote sleepkabel door de lieren van de *Golden Adventurer* laten wegtrekken van de reusachtige haspels in het ruim onder het achterdek. Ze gleden door de kabelpoorten onder de navigatiebrug op het achterdek waar David toezicht hield op het verloop en de bedieningsorganen.
Hij kon hem langs de koppelingsplaten laten glijden of vrij laten weglopen of strak trekken of hem met een kracht van vijfhonderd ton hard en snel aantrekken – of als het werkelijk niet anders kon,

dan de kapknop indrukken en de soepele staalvezelkabel doorsnijden waardoor de sleep op datzelfde ogenblik werd gelost.
Het had zeker wel een uur omzichtig werken gekost, maar nu zat de sleepkabel op zijn plaats, een dubbele kabel aan de bolders op het hoofddek van de *Golden Adventurer* vastgemaakt, één aan haar stuurboord- en één aan haar bakboordachtersteven.
De kabel had de vorm van een Y, hing slap over de hoge achtersteven naar een witte nylon veer, driemaal de dikte van een dijbeen en zo elastisch dat ze iedere plotselinge ruk, die een staalkabel misschien zou doen knappen, kon weerstaan. Daar waar de twee kabels samenkwamen, liep de hoofdkabel terug naar de zeesleper.
David Allen liet het schip een kleine kilometer van het strand bijdraaien en zorgde voor zoveel druk op de sleepkabel dat die niet naar de bodem kon zakken. Hij wist die positie te behouden door de twee schroeven voorzichtig te bespelen en zijn exacte plaats steeds te controleren op de elektronische wijzerplaten die hem de snelheid in beide richtingen aangaven.
Hij had alles goed onder controle en steeds wanneer hij een blik op het cruiseschip wierp, zag hij het water dat de pompen uit de ruimen wegzogen nog woest naar beneden storten.
Een halfuur geleden had hij zijn ongeduld niet langer kunnen bedwingen want hij wist met de intuïtie van de echte zeeman wat hun nog te wachten stond. Hij had Baker opgeroepen om hem te vragen hoe hij met zijn werk opschoot. Dat was een fout geweest.
'Heb je niets beters te doen dan me uit de machinekamer te roepen en me te vragen naar mijn aambeien en de uitslag van de voetbalcup? Ik zal je waarschuwen als ik klaar ben, jongeman, dan zal ik je laten roepen. Als je je verveelt, ga dan naar beneden en kus Angel, maar laat mij in godsnaam met rust.'
Vin Baker was met twee van zijn mannen diep in de achtersteven van het cruiseschip bezig in een smerige ijskoude stalen kast waarin de noodstuurinrichting zat. Het roer zat daar aan de buitenkant, naar bakboord omgeklapt. De *Golden Adventurer* zou vooral als ze achteruit werd vlot getrokken zo goed als onbestuurbaar zijn als ze eenmaal op sleeptouw was genomen tenzij hij kans zag energie te krijgen op haar stuurinrichting. Het was van vitaal belang dat het grote schip op haar roer zou reageren als de *Warlock* haar trachtte te verhalen.
Baker vervloekte en vleide de machine. Hij haalde zijn hand open

toen een moersleutel weggleed, maar hij werkte grimmig door en bekommerde zich niet om zijn verwonding. Hij liet het bloed rustig over de moersleutel lopen en opdrogen. Hij vloekte zachtjes toen hij zich concentreerde op de onvermurwbare stalen massa van het besturingsmechanisme. Hij wist evengoed als de eerste officier wat hun te wachten stond. De wind was afgenomen tot kracht 4, een matige koelte die een minuut of twintig duurde, lang genoeg om de toppen van de golven gelegenheid te geven niet langer op elkaar te breken. Langzaam ruimde de wind naar noord – en zonder enige verdere waarschuwing zaten ze er middenin.
Het kwam als een bloeddorstig monster op hen af en lichtte de bovenkant van het zeeoppervlak op in witte gordijnen van nevel die de indruk gaven dat er witgloeiend staal ter afkoeling in het zeewater was gedompeld. Het raakte de hele *Warlock* dwarsscheeps zodat haar bakboordreling naar beneden werd gedrukt, maar meteen werd ze zo hard door haar sleepkabel teruggetrokken dat haar achtersteven in de diepte verdween, waar het zeewater door haar spuigaten binnendrong.
David werd erdoor verrast zodat het schip gevaarlijk afzakte voordat hij bakboord volle kracht kon geven en de stuurboordschroef achteruit kon laten slaan. Toen het schip weer overeind kwam, belde hij naar de hut van de kapitein en keek met stijgend ongeloof hoe de krankzinnig geworden wereld om hem heen te keer ging.
Nick hoorde het bellen als van heel ver, het drong met veel moeite tot zijn door vermoeidheid volledig uitgeputte hersens door. De bel bleef aanhouden, een schelle, huilerige klank. Hij deed zijn best zijn ogen open te krijgen, maar het lukte niet. Toen werd hij zich vaag bewust van de wilde gekwelde bewegingen van het schip en het donderend lawaai dat hij eerst aan zijn eigen oren had toegeschreven, maar waarvan hij nu begreep dat het de bulderende storm was die aan de bovenbouw van de zeesleper rukte.
Hij dwong zich op een elleboog overeind en voelde zijn lichaam in alle gewrichten pijn doen. Hij zag nog steeds geen kans zijn ogen open te krijgen.
'Wil de kapitein naar de achterbrug komen!' Er was iets in David Allens stem dat hem overeind dwong.
Toen hij struikelend de achterbrug bereikte, keerde zijn eerste officier zich dankbaar naar hem toe. 'God zij dank dat u er bent, meneer.'

De wind had niets van het wateroppervlak heel gelaten, iedere golf was een gierende sluier van witte nevels en daar doorheen joegen hagel en sneeuw horizontaal over de baai.
Nick wierp een snelle blik op de windmeter, maar hij hechtte weinig geloof aan de stand. De naald was boven aan de schaal blijven staan. Dat kon toch niet, een windkracht van 195 kilometer per uur. Het instrument was vermoedelijk defect geraakt door de eerste windstoten. Als hij nu zou geloven dat de stand juist was, zou hij moeten toegeven dat het noodlot hen te pakken had, want een oceaanstomer kon niet geborgen worden bij een windkracht die de schaal van Beaufort te boven ging.
De *Warlock* stond op haar staart zoals een om eten smekende dolfijn in een show, toen de kabel haar strak trok. Het dek van de brug leek een verticale klip waarlangs Nick naar beneden stormde. Hij bleef steken tegen het bedieningspaneel en greep zich om steun aan de stormreling vast.
'We zullen de kabel moeten kappen en zee kiezen,' klonk Davids stem te schril en zelfs te hard in dit tumult van wind en storm.
Er waren mannen aan boord van de *Golden Adventurer*, Baker en nog zestien anderen, dacht Nick haastig en zelfs de twee ankers waren er niet op berekend in dit noodweer te houden.
Nick klampte zich aan de reling vast en tuurde in de storm. Bevroren neveldeeltjes, hagel en sneeuw werden voortgezwiept door de wind en kwamen met de kracht van een schot hagel tegen het gewapende glas van de brug aan waarop ze in dikke klompen en brokken vast bleven kleven in weerwil van de inspanningen van de wissers van de 'helderzicht'-panelen.
Hij staarde over een kilometer afstand naar de romp van het passagiersschip.
'Baker?' vroeg hij in zijn handmicrofoon. 'Hoe sta je ervoor?'
'De wind heeft haar te grazen, ze draait, het stuurboordanker krabt,' en terwijl Nick vlug alles op een rijtje zette, liet Baker er nog op volgen: 'Met dit weer krijg je ons hier niet weg.' Het was het constateren van de werkelijkheid, het aanvaarden van het feit dat het lot van Baker en zijn zestien man onverbiddelijk verbonden was met het ten ondergang gedoemde schip.
'Nee,' moest Nick wel beamen, 'we kunnen jullie niet eraf komen halen.' Het gestrande schip nu naderen betekende een ramp voor iedereen.

'Kap de kabel en kies zee,' adviseerde Baker. 'We zullen zien aan land te komen als ze doormidden breekt.' Met een sardonisch gevoel voor humor liet hij erop volgen: 'Vergeet niet ons op te komen halen als het weer klaart – als er dan nog iemand te halen valt.'
Opeens drong Nicks woede weer door zijn vermoeidheid heen, woede over het feit dat alles wat hij had geriskeerd en doorgemaakt nu vergeefs bleek te zijn geweest, dat hij toch de *Golden Adventurer* ging verliezen en daarbij vermoedelijk nog zeventien man waarvan er één zijn vriend was geworden.
'Klaar om op de ankers te verhalen?' vroeg hij. 'We gaan het kreng vlot trekken.'
'Jezus,' liet Baker zich ontvallen, 'ze staat nog half onder water –'
'We wagen een gokje, makker,' zei Nick kalm.
'Het roer is geblokkeerd, je zult niet kunnen manoeuvreren. Straks gaat de *Warlock* er ook nog aan –' Nicholas viel Baker in de rede.
'Luister liever, stomme Queenslander schapenscheerder, maak dat je bij je ankerlieren komt.' Terwijl hij dat zei, werd de *Golden Adventurer* helemaal aan het gezicht onttrokken.
'Machinekamer,' zei Nick energiek tegen de tweede machinist, 'schakel de overbelasting-beveiliging uit en geef mij directe besturing van vermogen en schroefbladenstand.'
'Besturing overgegeven aan brug, meneer,' bevestigde de tweede machinist en Nick greep de glanzende roestvrij stalen hendels. De *Warlock* reageerde onmiddellijk. Ze draaide scherp en sloeg daarbij een glibberig groene golf water op die zijwaarts over haar heen kwam.
'Ankerlieren bemand,' klonk Bakers stem bijna onverschillig.
'Stand by,' zei Nick en zocht tastend zijn weg door die witte hel. Het was onmogelijk iets te onderscheiden, alles om hen heen wervelde rond in de verblindende sneeuwstorm. Zelfs de zwaartekracht leek in de war gebracht door het zware stampen en slingeren van het schip.
Nick voelde dat zijn uitgeputte hersens door een aanval van duizeligheid wat zweverig werden. Hij richtte zijn aandacht vlug op het grote kompas en de richtingwijzer.
'David,' zei hij, 'neem het stuur over.' Hij wilde dat een vlugge en heldere geest met vaste hand koerste.
De *Warlock* dook zo onverwacht dat Nicks al gekneusde ribben in onzacht contact met de rand van het stuurpaneel kwamen. Hij

kreunde onwillekeurig van de pijn. De *Warlock* voelde de trekkracht van de kabel, met moeite kwam ze weer overeind.
'Stuurboord 10,' zei Nick tegen David om de boeg recht tegen die orkaan in te krijgen.
'Chef,' zei hij in de microfoon en uit de klank van zijn stem bleek hoeveel pijn hij in zijn borst had. 'Volle kracht stuurboordlier halen.'
'Volle kracht stuurboord.'
Nick zette de schroefstand op maximum stuwkracht en zette toen heel langzaam de gashendel open waardoor hij tweeëntwintig duizend paardekrachten in beweging bracht.
De aan haar staart vastgehouden *Warlock* ging, gebeukt door de zee en opgezweept door haar reusachtige schroeven wild tekeer. Ze rees en dook als een bruinvis omlaag en iedere spant van haar romp trilde door het gedaver van de schroeven toen die boven water uitkwamen en wild door de lucht draaiden.
Nick wierp een blik op de voor- en zijwaartse snelheidsmeters. Het viel hem op dat David Allens gezicht spierwit was en zo strak als een doodskop.
De *Warlock* draaide langzaam weg waarbij ze een boog naar links beschreef onder de druk van motoren en wind.
'Stuurboord twintig,' snauwde Nick om het draaien tegen te gaan en ondanks de verstarde gelaatstrekken antwoordde David Allen onmiddellijk:
'Twintig graden stuurboord, meneer.'
Nick zag de zijwaartse uitslag op de snelheidsmeter wegvallen en tot zijn niet te beschrijven opluchting de snelheid-vooruit-meter naar groen flitsen. De elektronische cijfers flitsten op en veranderden onmiddellijk weer, ze voeren nu met een snelheid van vijfenveertig meter per minuut.
'We hebben beweging,' riep Nick hardop en hij griste de microfoon naar zich toe.
'Volle kracht beide lieren.'
'Beide volle kracht,' antwoordde Baker onmiddellijk.
Nick keek weer naar de snelheidsmeter, 45 meter, 33 meter, 23 meter per minuut. De voorwaartse snelheid zakte dus duidelijk af en Nick realiseerde zich teleurgesteld dat het alleen maar de elasticiteit van de nylon veer was geweest die haar die snelheden had gegeven.

Twee of drie seconden lang noteerde de wijzer snelheid 0. De *Warlock* lag stil, de kabel tot de volle lengte uitgetrokken, daarop flikkerde de wijzer vurig rood op. De *Warlock* werd teruggetrokken naar die afschuwelijke kust.
Nog wel vijf minuten lang hield Nick de gashendels in zijn gebalde vuisten en drukte die met alle kracht die in hem was naar hun maximale uitslag waardoor de motoren nog meer lawaai maakten en de naalden op de verschillende verlichte wijzerplaten doorliepen tot ver in het rode 'niet overschrijden' gedeelte.
Hij voelde hoe tranen van woede en frustratie zijn gezwollen oogleden deden branden en het schip schokte en schudde en gilde onder hem.
De *Warlock* werd door de sleepkabel tegengehouden zodat ze niet omhoog kon om de zeeën die uit die razende witte wereld kwamen aanrollen hoog te rijden. Ze kwamen over haar heen, de een over de ander, waardoor ze dieper en dus gevaarlijker kwam te liggen.
'In godsnaam, meneer.' David Allen zag geen kans zich nog langer in te houden. Zijn ogen leken wel twee keer zo groot als anders in zijn ivoorwitte gezicht. 'U jaagt haar naar de bodem.'
'Baker.' Nick negeerde zijn stuurman: 'is er beweging?'
'Op geen van beide lieren verhaal,' gaf Baker ten antwoord, 'ze beweegt niet.'
Nick liet de stalen hendels weer teruglopen, de naalden liepen eveneens terug en de *Warlock* reageerde daar dankbaar op en schudde al het water van zich af.
'U zult de sleep moeten kappen.' Bakers microfoonstem werd nog verzwakt door het geraas van de storm. 'We zien wel hoe we eruit komen.'
Naast hem reikte David Allen naar de roodgeschilderde stalen trommel waarin de knop zat waarmee de sleepkabel gekapt kon worden, maakte hem open en keek vol verwachting, ja bijna smekend naar Nick.
'Laat zitten!' snauwde Nick en vervolgens tegen Baker: 'Ik maak de sleepafstand korter. Houd je gereed bij de lieren wanneer ik positie heb gekozen.'
David Allen staarde hem aan, zijn rechterhand nog altijd op het open deksel van de stalen trommel.
'Doe dat vervloekte ding dicht,' zei Nick en keerde zich naar het besturingsmechanisme van de hoofdsleepkabel. Hij bewoog de

groene hendel terug. Hij voelde hoe het dek trilde toen onder hem in het ruim de geweldige klossen begonnen te draaien en de dikke met ijs bedekte kabel over de achtersteven van de *Warlock* inhaalden.
Zoals een wild paard zich verzet tegen zijn hoofdhalster, zo werd de *Warlock* door haar eigen lieren achteruitgetrokken. De officieren keken met stijgende angst toen uit de witte verschrikkingen van de sneeuwjacht de met ijs bedekte opbouw van de *Golden Adventurer* opdoemde.
Ze lag zo dichtbij dat de sleepkabel niet meer in het water lag maar rechtstreeks van het passagiersschip naar de massieve verhaalkammen op het achterdek van de zeesleper liep.
'Nu kunnen we tenminste zien wat we doen,' zei Nick grimmig. Hij begreep dat hij een groot gedeelte van de pk's van de *Warlock* had verspild omdat hij zijn oriëntatie in die witte hel van de sneeuwjacht was kwijtgeraakt en de *Warlock* onder een hoek had laten trekken. Dat kon nu niet meer gebeuren.
'Chef,' zei hij, 'trek, trek uit alle macht!' Weer zette hij de gashendels op maximaal vermogen.
De *Warlock* zette zich als het ware af bij de elastische dubbelkabel en Nick zag het water uit de gevlochten vezels spatten en in de huilende wind onmiddellijk tot ijskristallen bevriezen.
'Geen beweging, meneer,' schreeuwde David naast hem.
'Geen van beide lieren beweegt,' bevestigde Baker bijna direct daarop. 'Ze ligt muurvast!'
'Nog te veel water binnenin,' zei David en Nick keerde zich naar hem toe alsof hij hem tegen het dek wilde slaan.
'Geef mij het stuur,' zei hij met een stem die schel klonk van woede en teleurstelling.
De beide schroeven zweepten het zeewater tot wit schuim op en raasden toen Nick het stuur scherp naar bakboord draaide.
De *Warlock* zette woest haar schouders in de golven. Het water stroomde over haar heen toen ze door de golven stampte. Nick draaide vliegensvlug naar stuurboord zodat het schip als het ware voor de sleep uit overstag ging en er daardoor een extra ton druk bijkwam.
Boven het geluid van de orkaan uit hoorden ze de *Golden Adventurer* grommen, het staal van haar romp protesteerde tegen het gewicht van al dat water daar binnenin en de onverdraaglijke druk van de

ankerlieren en de sleepkabel van de *Warlock*. Het gegrom werd een krakend gekras toen de kiezelbodem meegaf.
'Christus, ze komt!' schreeuwde Baker en Nick gooide het stuur weer om naar bakboord waardoor de *Warlock* in een diepe trog tussen de golven terechtkwam. Een machtige rug van nevelwater overdekte haar en de golven sloegen groen en glibberig over de bovenbouw. Ze schokte vermoeid terwijl ze langzaam en log reageerde, maar opeens lichtte ze haar boeg weer op en schudde zich vrij van water.
'Trekken, liefste, trekken,' vleide Nick haar.
Met een langzaam gerommel begon de romp van de *Golden Adventurer* als tegen haar zin te glijden over de zuigende haar vastklampende bodem.
'Beide lieren halen,' brulde Baker opgewekt en de wijzers van *Warlocks* bodemsnelheid flikkerden in het groen, de kleine hoekige cijfertjes veranderden steeds toen de *Warlock* enige vaart kreeg.
Ze zagen allemaal de achtersteven van de *Golden Adventurer* heen en weer wiegen voordat ze de volgende golvenrug opving. Ze dreef en enige ogenblikken voelde Nick zich verlamd bij het aanschouwen van dat wonder, dat grote en prachtige schip dat weer tot leven kwam, op de golven danste en hoog oprees om de volgende roller te nemen.
'Het is gelukt, Christus, het is gelukt!' schreeuwde Baker, maar het was nog wat vroeg om te juichen. Toen de *Golden Adventurer* los van de bodem kwam en achteruit vaart kreeg door de sleepkabel van de *Warlock* pakte haar roer en draaide haar hoge achtersteven dwars op de wind.
Ze keerde de reusachtige windvang van haar stuurboordzijde recht naar de volle kracht van de storm. Het had het effect van het hijsen van het grootzeil zodat de wind haar vliegensvlug afdreef naar de ingang van de baai.
Nicks eerste ingeving was te trachten haar af te houden, direct de kracht van de wind te bestrijden en hij zette de *Warlock* met kracht aan die taak waarbij hij vertrouwde op haar grote dieselmotoren en op de twee ankers die moesten voorkomen dat het passagiersschip weer op de kust liep – maar de wind was spelbreker, die rukte de ankers los uit de kiezelbodem en de *Warlock* werd achteruit meegesleept door het water, recht op de scherpe rotsen van het voorgebergte af.

'Chef, haal de ankers op,' beet Nick de hoofdmachinist door de microfoon toe. 'Dat redden ze niet in dit weer.'
Twintig jaar geleden was Nick eens toen hij aan een eenzaam strand zwom, door een van die moordzuchtige stromingen gegrepen en meegesleurd naar open zee. Hij had getracht zich tegen die stroom te verzetten door er tegenop te zwemmen. Toen hij een totale uitputting nabij was, had hij pas zijn verstand gebruikt en had zich met de stroom mee laten drijven, althans onder een zekere hoek waardoor hij de kracht daarvan in zijn voordeel aanwendde. De les die hij die dag had geleerd, herinnerde hij zich terdege en toen hij Baker de ankers van de *Golden Adventurer* uit het woeste water zag binnenhalen, joeg hij de *Warlock* rond aan haar kabel zodat de wind niet langer recht van voren kwam, maar dwars op haar achtersteven.
Nu waren de krachten van wind en schroeven niet langer elkaars tegengestelden. Hij liet haar twee streken onder de wind varen, een koers die naar Nicks oordeel moest leiden tot het juist omzeilen van de uiterste punt van de schildwachten. Het vastzittende roer van het passagiersschip hield het voortdurend voor de wind – dat betekende ook strijd met de pogingen van de *Warlock* haar af te buigen van het land.
Het was een probleem van eenvoudige krachtvectoren dat Nick uit zijn hoofd trachtte te berekenen en dan in praktijk probeerde te brengen door zorgvuldig de hoek waaronder hij moest slepen aan te passen aan de windrichting, rekening houdend met de ontzaglijke kracht van het vastzittende roer van het passagiersschip, het roer dat het schip tot zelfmoord op de kust dwong.
Grimmig staarde hij voor zich uit naar waar de zwarte klippen nog altijd schuilgingen achter de witte oneindigheid. Ze waren volmaakt onzichtbaar, maar hun aanwezigheid lag duidelijk vast op het overvolle radarscherm.
Gedreven door de wind en de kracht van de motoren voeren ze zo hard dat de *Golden Adventurer*, als ze op de klippen sloeg, als een watermeloen tegen een muur uit elkaar zou barsten.
Het duurde nog wel vijf minuten voordat Nick absoluut zeker was dat het hun niet zou lukken. Ze waren nog maar drie kilometer van de klippen verwijderd, zag hij met één blik op het radarscherm en ze zouden de *Golden Adventurer* tenminste een kilometer dwars tegen de wind in moeten slepen wilden ze het land vermijden. Ze zouden het niet halen.

Hulpeloos stond Nick daar in de storm door de sneeuwjacht en het bevroren opspattende water heen te turen naar de eerste glimp van de zwarte rotsen. Nooit had hij zich zo moe en ontmoedigd gevoeld als op dit ogenblik waarop hij naar de knop liep waarmee hij de sleep kon kappen en de *Golden Adventurer* haar noodlot tegemoet kon laten gaan.
Zijn officieren stonden gespannen zwijgend om hem heen, terwijl onder hun voeten de *Warlock* wild trilde en stampte, tot het uiterste gedreven door de wind en haar eigen motoren. Het land zoog hen desondanks naar zich toe.
'Kijk eens!' schreeuwde David Allen opeens en Nick reageerde onmiddellijk op de felheid van die kreet.
Even begreep hij niet wat er gebeurde. Hij zag alleen dat de vorm van de achtersteven van de *Golden Adventurer* plotseling was veranderd.
'Het roer,' schreeuwde David Allen weer en Nick zag het langzaam aan de roerkoning draaien toen het schip door een geweldige golf werd opgetild.
Bijna onmiddellijk daarop voelde hij dat de *Warlock* de ruimte koos en wegliep van lagerwal. Hij gaf haar een streek erbij in de wind waarop de *Golden Adventurer* gehoorzaam volgde. Nog altijd bewoog het roer langzaam.
'Ik heb stroom op het noodstuurapparaat,' zei Baker.
'Roer midscheeps,' beval Nick.
'Midscheeps,' herhaalde Baker. Nick trok haar nu recht aan haar achtersteven achteruit, bijna loodrecht op de windkracht.
Door de witte hel kwam ineens de vage besneeuwde omtrek van de wachters aan de ingang van de baai te voorschijn. De zee sloeg ertegenaan met het geluid van een hevig onweer.
'Grote goden, wat zijn die dichtbij,' fluisterde David. Zo dichtbij dat de terugkaatsing van de storm tegen de hoge steile rotsen voldoende was om het hun mogelijk te maken langs de drie hongerige rotsformaties te glippen.
'We hebben het gehaald. Nu hebben we het echt gehaald,' zei Baker alsof hij het niet geloofde. Nick zette de gashendels terug waarmee hij de overbelasting van de motoren wegnam.
'Compleet met ankers,' antwoordde Nick. Het was een erezaak ook de ankers te bergen.
'Chef,' zei hij, 'wat zou je ervan zeggen als je in plaats van jezelf te omhelzen haar vol Tannerax pompte?' Het antiroestmiddel zou

haar motoren redden en ook verschillende andere vitale onderdelen beschermen tegen de schadelijke invloed van het zeewater waardoor haar bergingswaarde belangrijk werd verhoogd.
'U houdt nooit op, wel?' vroeg Baker beschuldigend.
'Geloof dat maar niet,' zei Nick. Hij voelde zich enerzijds wat wezenloos en anderzijds lichtzinnig door uitputting en triomf. Zelfs de storm die voort bleef razen leek zijn moorddadige intensiteit te hebben verloren. 'Ik ga nu naar kooi om twaalf uur aan één stuk te slapen – en ik vermoord ieder die me tracht te wekken.' Hij hing de handmicrofoon op de haak en legde zijn hand op David Allens schouder. 'Goed gedaan – jullie allemaal. Neem haar over, nummer Eén en zorg voor haar.'
Met slepende voeten verliet hij de brug.

Het duurde acht dagen voordat ze weer land zagen. Ze reden de storm af op open zee, acht dagen niet aflatende spanning en zware arbeid.
Hun eerste taak was het overbrengen van de sleepkabel naar de boeg van de *Golden Adventurer*. In deze kokende zee nam dat overbrengen bijna vierentwintig uur in beslag voordat ze met haar kop in de wind dreef. Nu lag ze gemakkelijker in het water en de *Warlock* hoefde maar als zeeanker te dienen en alleen dan haar volledige krachten te gebruiken als een van die reusachtige ijsbergen te dichtbij kwam en het noodzakelijk bleek de sleep snel weg te trekken.
Toch bleef de spanning en Nick bracht bijna al zijn dagen op de brug door, geplaagd door zijn angst dat de aanvaringsmat het niet zou houden. Baker gebruikte hout van het schip om de tijdelijke dichting te stutten, maar hij kon er geen nieuwe stalen platen inzetten zolang de *Golden Adventurer* stampte en slingerde op de zware zeeën.
Langzaam draaide het reusachtige wiel van de depressie over hen heen, de wind veranderde van richting en kromp geleidelijk aan naar west. Eindelijk was dan het slechte weer voorbij.
Nu kon de *Warlock* haar krachten gaan wijden aan het slepen. Zelfs in de hoge glasachtig zwarte golven die de storm hun als erfenis naliet, was ze in staat vier knopen te lopen.

Op een heldere winderige morgen bracht ze in de stralen van een koude gele zon de *Golden Adventurer* in de beschutte wateren van de Shackleton Baai.
Toen de twee schepen het rustige water binnen de beschuttende arm van de baai invoeren, kwamen de overlevenden uit hun kampement naar het strand. Hun geroep en juichkreten van opluchting werden door de wind verzwakt naar de officieren op de brug van de *Warlock* gevoerd.
Nog voordat de twee ankers van het passagiersschip in het heldere groene water plonsden, was de boot van kapitein Reilly al onderweg naar de *Warlock* en toen hij aan boord kwam, was aan zijn ogen duidelijk te zien wat hij had doorgemaakt. Toen hij handen schudde met Nick, was zijn greep stevig en hartelijk.
'Mijn dank en gelukwensen, meneer!'
Hij was zich als geen ander bewust van de geweldige omvang van deze berging. Uit zijn hele houding bleek een groot respect.
'Het is me een genoegen je weer te zien,' zei Nick, 'vanzelfsprekend kun je gebruikmaken van de communicatiemogelijkheden van het schip voor een verslag aan de eigenaren.'
Hij keerde onmiddellijk terug naar zijn taak de *Warlock* langszij te manoeuvreren zodat er staalplaten uit haar bergingsruimen konden worden overgebracht naar het dek van het passagiersschip. Na een uur kwam kapitein Reilly weer te voorschijn uit de radiokamer.
'Mag ik je iets te drinken aanbieden, kapitein?' Nick bracht hem in zijn daghut en begon tactvol de honderden kleinigheden te bespreken die ze samen moesten oplossen. Het was een precaire situatie want Reilly was nu niet meer kapitein op zijn eigen schip. Het bevel was overgedragen aan Nick als berger.
'De accommodatie aan boord van de *Golden Adventurer* is nog aardig goed en naar mijn idee heel wat warmer en comfortabeler dan waar je passagiers nu zitten –' Nick maakte het hem gemakkelijk al liet hij hem geen ogenblik uit het oog verliezen wie er het bevel voerde. Reilly reageerde dankbaar.
Binnen een halfuur hadden ze alle noodzakelijke maatregelen getroffen om de overlevenden aan boord van het cruiseschip te brengen. Levoisin had op *La Mouette* maar honderdtwintig mensen extra kunnen opnemen. De oudsten en zwaksten waren dus al verdwenen en Christy Marine onderhandelde over een charter van Kaapstad naar Shackleton Baai om de overigen weg te halen. Nu

was dat charter niet meer nodig, maar de kosten ervan zouden deel uitmaken van de som die Nick voor de berging zou eisen.
'Ik wil je niet langer ophouden.' Reilly stond op. 'Je hebt meer te doen.'
Er volgden nog vier dagen en nachten van hard zwoegen. Nick ging aan boord van de *Golden Adventurer* en zag de spelonkachtige machinekamer, die verlicht werd door de blauwe gloed van de elektrische lasapparaten die de stalen platen vastklonken. Maar zelfs toen was noch Baker noch Nick helemaal tevreden en zij rustten niet voordat de nieuwe platen geschoord en gestut waren met zware balken. Ze hadden nog een moeilijke weg af te leggen door die stormachtige streek tussen 39° en 50° Z.B., de gordel der westenwinden en zolang ze de *Golden Adventurer* niet veilig en wel hadden afgemeerd in het dok bij Kaapstad, was de berging nog niet compleet.
Ze zaten naast elkaar tussen de vettige machines in de stank van het antiroestmiddel en dronken dampende koffie met een scheut Bundaberg rum.
'We krijgen dit liefje wel in Duncan Docks en jij zult een rijk man zijn,' zei Nick.
'Ik ben al eens eerder rijk geweest. Dat duurt bij mij nooit zo lang – ik vind het altijd een opluchting als het spul weer uitgegeven is.' Vin Baker gorgelde voldaan de koffie met rum in zijn mond en ging toen olijk verder: 'Maak je dus geen zorgen dat je de beste hoofdmachinist ter wereld kwijtraakt.'
Nick lachte inderdaad opgelucht. Baker had zijn diepste gedachten geraden. Nick verliet hem om het cruiseschip goed in zich op te nemen, en gebruikte zijn ervaringen van de laatste dagen om de beste bevestigingspunten voor de sleepkabel te vinden.
Ze moesten nog olie overbrengen uit de bunkers van het passagiersschip om die van de *Warlock* bij te vullen voor de lange sleep die haar te wachten stond en Bach Wackie in Bermuda hield de telex aan de gang met heruitzendingen van zeeassuradeuren en van Lloyd's en met de eerste aarzelende avances van Christy Marine. Duncan Alexander probeerde een royale schikking te vinden voor Nicks eisen zonder, zoals hij het uitdrukte, al die onkosten van een arbitrage.
'Vertel hem maar dat ik hem zal laten bloeden,' antwoordde Nick met grimmig genoegen. 'Herinner hem er maar aan dat ik als president van Christy Marine tegen het zelf verzekeren van onze

eigen schepen was – ik zal hem nu met zijn neus door de stront halen.'
De dagen en nachten regen zich aaneen en die illusie werd nog versterkt door het gebrek aan evenwicht in de tijd hier op deze hoge zuiderbreedte, zodat Nick dikwijls noch zijn eigen tijdsgevoel noch zijn horloge vertrouwde als hij achttien uren aan één stuk had gewerkt en de zon nog altijd scheen.
Al evenmin leek het werkelijkheid toen zijn naaste officieren rapporteerden dat het werk klaar was – de reparaties en voorbereidselen, het overbunkeren van de olie, het embarkeren van de passagiers – en de *Warlock* gereed was voor haar zware sleep, duizenden mijlen over die onvoorspelbare zee.
Nick liet de kist sigaren rondgaan en met de blauwe walm om hun hoofden liet hij hen enige minuten genieten van dat gevoel dat het werk is geklaard en goed geklaard.
'We geven de hele bemanning vierentwintig uur rust,' kondigde hij in een opwelling van edelmoedigheid aan. 'Maandag 0800 varen we af. Ik hoop dat we een snelheid van 6 knopen halen – eenentwintig dagen naar Kaapstad, heren.'
Toen ze overeind kwamen om huns weegs te gaan, bleef David Allen wat verlegen achter. 'De officierskajuit organiseert vanavond een kerstfeest, meneer. We zouden het op prijs stellen als u onze gast wilt zijn.'

De officierskajuit was de club van de officieren aan boord waar traditioneel de kapitein geen toegang had. Hij mocht de kleine betimmerde ruimte alleen als speciaal uitgenodigde gast betreden, maar de warmte van het welkom dat ze hem bereidden kon niet worden misverstaan. Zelfs de Hol zat er. Ze rezen overeind en applaudisseerden toen hij binnenkwam en het was direct al duidelijk dat de meesten al vroeg met de gin waren begonnen. David Allen hield een speech die hij hokkend voorlas van een stukje papier dat hij in de palm van zijn hand trachtte te verbergen. Het was een speech vol stijlbloempjes, clichés en superlatieven. Hij zag er danig opgelucht uit toen hij het geheel tot een eind had gebracht.
Angel bracht vervolgens een taart binnen die hij speciaal voor deze gelegenheid had gebakken. Die was geglazuurd in de vorm van de

Golden Adventurer, een kunstwerkje met de cijfers 12½% goud omrand op de romp. Hij kreeg een warm applaus. Die 12½% was een gemeenschappelijk belang. Ze grinnikten allemaal en juichten. Daarop vroegen ze Nick het woord te nemen. Die deed dat ontspannen en gemakkelijk. Binnen enkele minuten gilden ze van plezier – enkel en alleen het noemen van het prijsgeld dat hun toekwam wanneer ze de *Golden Adventurer* naar Kaapstad sleepten, bracht hen in extase.
Het meisje zat in een hoek tussen hen. Ze lachte helder, een natuurlijke vrolijkheid, zodat Nick het moeilijk vond niet voortdurend haar kant uit te kijken. Ze droeg een jurk van een groene soepele stof. Nick vroeg zich af waar die vandaan kwam, maar opeens herinnerde hij zich dat de passagiersaccommodatie van de *Golden Adventurer* intact was en dat hij die ochtend het meisje met een koffer aan haar voeten, naast David Allen in de achtersteven van de werkboot had zien staan toen die terugkeerde van het passagiersschip. Ze had klaarblijkelijk haar spulletjes opgehaald al had ze eigenlijk aan boord van dat schip moeten blijven.
Nick beëindigde zijn toespraak nadat hij alle officieren afzonderlijk had genoemd en ieder lof had toegezwaaid. David Allen duwde hem nog een glas whisky in de ene en een onfatsoenlijk groot stuk taart in de andere hand en verdween toen vlug om zich te scharen bij de dichte kring om het meisje. Met tegenzin schoven de anderen iets opzij, mede in verband met zijn rang aan boord. Nick kreeg het gevoel dat hij op een eiland zat.
Hij keek met een toegeeflijke glimlach naar de open strijd om haar aandacht. Ze was kleiner dan al de anderen zodat Nick alleen het topje van dat prachtige door de zon gebleekte haar zag.
Aan de ene kant van haar zat Vin Baker, in een confectiepak van glanzend imitatiehaaievel dat fel contrasteerde met zijn geruite hemd en zijn gifgele das. De broek van zijn pak moest iedere paar minuten worden opgehaald.
David Allen zat aan de andere kant dicht tegen haar aan en bloosde iedere keer als ze zich naar hem toekeerde en hij haar overstelpte met taart en drank – Nick merkte dat zijn toegeeflijkheid veranderde in ergernis.
Hij ergerde zich over de aanwezigheid van de vierde officier die met de mond vol tanden naast hem zat, hoewel hij juist aangewezen was om hem bezig te houden.

Hij ergerde zich aan het potsierlijke gedrag van de voornaamste officieren die daar streden om de aandacht van het meisje.
Een ogenblik opende de nauwe kring om het meisje zich en Nick kreeg een duidelijk beeld van haar. Het groen van haar jurk paste uitstekend bij het stralende glanzende groen van haar ogen. Haar tanden waren hagelwit en haar tong zo roze als van een poes. Ze was dus niet zo'n kind als hij zich van vorige ontmoetingen herinnerde. Met wat lippenstift op en parels om haar hals maakte ze de indruk even in de twintig te zijn, misschien een- of tweeëntwintig, wel volwassen, een volwassen vrouw.
Ze keek op en hun blikken ontmoetten elkaar dwars door de officierskajuit. De lach verstilde op haar lippen en ze bleef hem aanstaren. Het was een plechtige, raadselachtige blik en hij kwam tot de ontdekking dat hij wederom spijt had van zijn grofheid jegens haar enige tijd geleden.
Hij liet haar blikken los en zag nu dat in de nauwsluitende groene japon haar lichaam slank en prachtig gevormd was en een atletische lenige gratie had. Hij herinnerde zich levendig die ene blik die hij op haar naakte lichaam had kunnen werpen. Hoewel de groene japon hooggesloten was, zag hij dat haar borsten groot en puntig waren en dat ze niet door het een of andere kledingstuk werden opgehouden.
Hij voelde zich boos worden. Het deed er niet toe dat ieder jong meisje in New York en Londen op straat zonder bh liep, hier maakte het hem woedend en hij keek haar weer aan. Er gebeurde iets in haar ogen. Was het een uitdaging of de weerspiegeling van zijn eigen woede? Hij wist het niet. Ze hield haar hoofdje een tikkeltje scheef, dus toch uitnodigend – of leek dat maar zo? Hij had vele vrouwen leren kennen en de omgang was hem altijd erg makkelijk afgegaan. Maar deze ene maakte hem onzeker en dat was een rot gevoel.
David Allen haastte zich alweer met iets te eten en te drinken naar haar toe en sneed zodoende de uitwisseling van hun blikken af. Nick merkte dat hij zat te staren naar de slanke jongensachtige rug van zijn eerste officier en te luisteren naar het hoge lieve gelach van het meisje. Op de een of andere wijze leek dat hem te beschimpen. Nick wendde zich tot de jonge officier naast hem en vroeg: 'Wil je vragen of Allen een ogenblikje voor me heeft?' Zichtbaar opgelucht ging de jongeman de stuurman halen.

'Dank voor je gastvrijheid, David,' zei Nick toen die aan kwam lopen.
'U gaat toch nog niet weg, meneer?' Nick genoot een beetje sadistisch van de duidelijke teleurstelling bij zijn stuurman.

Hij was aan zijn bureau in zijn daghut gaan zitten en trachtte zich te concentreren. Dit was eigenlijk de eerste gelegenheid die zich voordeed om eens te piekeren over het schrijfwerk dat nog verzet moest worden. De gedempte geluiden van het feest een dek lager leidden hem af en hij merkte dat hij zat te wachten op haar lach terwijl hij eigenlijk alle bescheiden bij elkaar moest zoeken voor zijn advocaten in Londen, die op hun beurt dat dan weer mee moesten nemen naar het scheidsgerecht van Lloyd's. Een document, een verslag van het allerhoogste belang, de basis van zijn eisen aan de verzekeraars van de *Golden Adventurer*. Toch lukte het hem niet zich te concentreren.
Hij duwde zijn stoel weg van het bureau en begon te ijsberen op het dikke geluiddempende kleed. Eenmaal bleef hij staan om te luisteren toen hij het meisje vrolijk iets hoorde roepen, onverstaanbare woorden, maar de klank kon niet missen.
Hij begon weer te ijsberen en opeens realiseerde Nick zich dat hij eenzaam was. Bij die gedachte bleef hij stokstijf staan. Nooit eerder had hij dit gevoel gehad, maar nu voelde hij een wanhopige behoefte zijn triomf met iemand te delen. Het was een triomf, zonder meer. Tegen alle waarschijnlijkheidskansen in had hij een spectaculaire overwinning behaald. Langzaam liep hij naar een van de patrijspoorten en keek uit over de duistere baai naar de *Golden Adventurer* die daar stralend verlicht voor anker lag.
Toen hij meende de top te hebben bereikt, was hij volledig van zijn voetstuk geslagen, beroofd zowel van zijn levenswerk, als van zijn vrouw en zoon – en toch had hij maar enkele maanden nodig gehad om die top opnieuw te bereiken.
Met deze simpele operatie had hij Oceaan Bergingsbedrijf van een gevaarlijk onzeker waagstuk gemaakt tot een waardevolle onderneming. Hij zat weer in het zadel, had een eigen onderdak en bestaansmiddelen. Waarom was dat allemaal opeens zo weinig meer waard? Hij speelde even met de gedachte terug te gaan naar het feest in de officierskajuit.

Hij keerde zich weer af van de patrijspoort, schonk een glas whisky in, stak een sigaartje op en liet zich in een stoel vallen. De whisky smaakte naar tandpasta en het sigaartje was bitter. Hij liet het glas op zijn bureau staan en drukte zijn sigaar uit voordat hij de hut verliet en naar buiten op de brug ging.
De nachtverlichting was zo zwak vergeleken bij zijn helder verlichte hut, dat hij Graham, de derde officier, niet zag voordat zijn ogen gewend waren aan het flauwe schijnsel.
'Goedenavond, Graham,' zei hij, liep naar de kaartentafel en controleerde het logboek. Graham hing er wat troosteloos rond en Nick zocht naar een onderwerp van gesprek.
'Mis je het feest?' vroeg hij ten slotte.
'Ja, meneer.'
Ondanks Nicks gevoel van eenzaamheid enige ogenblikken geleden, verlangde hij ernaar hier alleen te zijn.
'Ik neem de rest van de wacht wel van je over. Ga maar en amuseer jezelf.'
De derde officier keek hem met open mond aan.
'Je hebt drie seconden voordat ik van mening verander.'
'Dat is reuze vriendelijk van u, meneer,' riep Graham over zijn schouder en maakte dat hij weg kwam.
Het feest in de officierskajuit was afgezakt tot een open strijd om Samantha's aandacht en bijval.
David Allen stond met een lampekap op zijn hoofd en om de een of andere onverklaarbare reden met zijn rechterhand op Napoleontische wijze in zijn jasje gestoken op de bar en declameerde de woorden van Henry V bij Azincourt. Maar toen Tim Graham binnenstapte, werd hij onmiddellijk weer de eerste officier. Hij nam de lampekap af en informeerde ijzig: 'Heb ik het juist, Graham, als ik aanneem dat je officier van de wacht bent? Je hoort op dit ogenblik op je post op de brug te zijn –'
'De ouwe kwam boven en bood aan mijn wacht te lopen,' zei Tim Graham.
'Grote goden!' David zette de lampekap weer op en schonk zijn derde officier een groot glas whisky in. 'Die ouwe schoft moet opeens gevoel hebben gekregen.'
Vin Baker richtte zich met waardigheid rechtop, haalde zijn broek op en kondigde onheilspellend aan: 'Als iemand die ouwe een schoft noemt, zal ik hem persoonlijk zijn tanden en kiezen uit zijn mond

slaan.' Hij liet zijn blikken oorlogszuchtig en vechtlustig over de aanwezigen dwalen totdat ze bleven rusten op Samantha. Onmiddellijk verzachtten zijn trekken zich. 'Dit geldt niet, Sammy!' zei hij.
'Natuurlijk niet,' gaf Samantha toe. 'Je mag opnieuw beginnen.'
Vin Baker keerde weer terug naar het beginpunt van de hindernisrace, versterkte zijn maag met een slok rum, duwde met zijn duim zijn bril op zijn plaats en spuwde in zijn handpalmen.
'Eén... klaarmaken, twee, klaar...? drie... weg!' zong Samantha en drukte haar stopwatch in. Vin Baker zwaaide duizelig aan het plafond en werkte zich zo door de kajuit zonder de vloer aan te raken, toegejuicht door het hele gezelschap.
'Acht komma zes seconden!' Samantha drukte de stopwatch in toen hij eindigde op de bar, het eindpunt. 'Een nieuw wereldrecord.'
Het waren net schooljongens. 'Hé, opletten, Sammy!' Na een minuut of tien gaf ze de stopwatch aan Tim Graham die nog nuchter was.
'Ik kom zo terug,' loog ze, pakte een schoteltje met een nog onaangeroerde taartpunt van Angel op en was verdwenen voordat iemand het in de gaten had.

Nick Berg zat over de kaartentafel gebogen en was zo ingespannen bezig dat hij haar enige seconden lang niet opmerkte. In het geconcentreerde licht van het lampje boven zijn hoofd werd de strengheid van zijn trekken nog benadrukt. Ze zag de strakke kaaklijn, de zware wenkbrauwen en de felle ver uit elkaar staande ogen. Zijn neus was omvangrijk en enigszins krom en om zijn mondhoeken liepen lijnen evenals om zijn ogen die diep in de donkere kassen lagen. Door zijn volledige aandacht voor de kaarten en de *Zeemansgids*, was zijn mond ontspannen en vormde niet zoals gewoonlijk een strenge lijn.
Ze stond doodstil, volkomen in zijn ban totdat hij opeens opkeek en die uitdrukking van vervoering op haar gezichtje zag.
Ze deed haar best niet verrast te doen, maar zelfs zij vond dat haar stem ademloos klonk.
'Het spijt me dat ik u stoor. Ik kwam wat taart voor Timmy Graham brengen.'
'Ik heb hem naar beneden gestuurd om mee te feesten.'
'O, ik heb hem niet gezien, ik dacht dat hij hier was.'

Ze maakte geen aanstalten te vertrekken. Ze hield het schoteltje in haar hand en beiden zwegen.
'Ik denk dat u geen zin in een stukje hebt, is het wel? Het vindt geen aftrek meer!'
'Laten we delen,' stelde hij voor. Ze kwam op de kaartentafel toelopen.
'Ik ben je nog excuses schuldig,' zei hij en was zich onmiddellijk bewust van de strengheid van zijn stem. Hij had het land aan excuses maken en dat merkte ze heel duidelijk.
'Ik had een verkeerd ogenblik gekozen,' zei ze en brak een stuk van de taart af. 'Dit lijkt een geschikter ogenblik. Nogmaals dank. Het spijt me dat ik u zoveel last heb bezorgd. Ik begrijp nu dat het u bijna de *Golden Adventurer* heeft gekost.'
Ze keerden zich beiden om en keken uit de grote ramen van gewapend glas naar het passagiersschip.
'Ze is mooi, vind je niet?' vroeg Nick en zijn stem had de scherpe klank verloren.
'Ja, ze is prachtig,' gaf Samantha toe en opeens voelden ze zich tot elkaar aangetrokken in de intieme rossige gloed van de nachtverlichting.
Hij begon eerst nog wat stijf en zelfbewust te praten, maar ze wist hem er al gauw overheen te krijgen en met heimelijke vreugde merkte ze dat hij zichzelf werd en ontspande. Op dat ogenblik ontvouwde ze hem haar eigen ideeën.
Nick was verwonderd over en een beetje van de wijs gebracht door de scherpzinnigheid van haar oordeel en haar gemakkelijke en duidelijke wijze van zich uitdrukken want nog altijd voelde hij een groot leeftijdsverschil. Hij had lichtzinnigheid, oppervlakkigheid en slecht geïnformeerde onrijpheid verwacht, maar dat was er niet en opeens was het verschil in leeftijd van geen enkel belang meer. Ze voelden zich die avond geestelijk nauw verwant zodat ze de tijd volkomen vergaten. Ze hadden het over de zee want ze waren allebei kinderen van dat element en toen ze tot die ontdekking waren gekomen, groeide hun wederzijdse sympathie.
Van beneden kwamen de onmelodieuze klanken van Vin Bakers stem die het koor van officieren leidde:

...laat d'arbeiders mijn kont maar kussen,
ik heb mijn 12½ procent intussen!

Een hele tijd later kwam een erg bezorgde Tim Graham de brug op hollen. Hij struikelde bijna over zijn woorden: 'Kapitein, doctor Silver wordt vermist. Ze is niet in haar hut en we hebben gezocht –' Hij zag haar daar opeens in de stoel van de kapitein zitten en zijn zorgen veranderden in verwarring. 'O, daar is ze. We wisten niet – ik bedoel dat we niet hadden verwacht – het spijt me, meneer. Wel te rusten, meneer.' Hij maakte dat hij wegkwam.
'Doctor?' vroeg Nick.
'Ja,' glimlachte ze en ging verder met haar verhalen over de universiteit, legde het onderwerp van haar onderzoekingen uit en wat ze nog van plan was te gaan doen. Nicholas luisterde zwijgend want hij had respect voor prestaties en eerzucht.
De kloof die hij meende dat er tussen hen gaapte, verdween al gauw, zodat ze het als een storing ervoeren toen de acht-tot-twaalf wacht ten einde was, waardoor anderen op de brug kwamen.
'Goedenacht, kapitein Berg,' zei ze.
'Goedenacht, doctor Silver,' antwoordde hij wat onwillig. Tot vanavond had hij niet eens geweten hoe ze heette en nu zou hij zoveel meer willen weten, maar ze was al van de brug verdwenen.
Toen hij zijn hut binnenging, keerde die eenzaamheid van eerder op de avond terug, nu zelfs nog schrijnender.
Gedurende de lange dag waarin de *Golden Adventurer* sleepklaar werd gemaakt had Nick zo nu en dan aan het meisje gedacht, maar toen hij in de eetzaal in plaats van in zijn eigen hut ging eten en haar omringd zag door een groot aantal gedienstige jongemannen realiseerde Nick zich, als hij eerlijk was, dat hij echt jaloers op hen was. Tweemaal gedurende de maaltijd moest hij de scherpe hatelijkheden die in hem omhoogrezen moeizaam onderdrukken.
Nick zag af van het dessert en liet de koffie in zijn daghut brengen. Hij zou genoten hebben van het gezelschap van Baker, maar de Australiër was aan boord van de *Golden Adventurer* met de motoren bezig. Ondanks de spanningen en inspanningen van die dag had zijn bed nog geen enkele attractie voor hem. Hij wierp een blik op de klok en zag dat het vijf minuten over acht was.
In een opwelling liep hij naar de brug waar Tim Graham schuldig overeind veerde. Hij had zich genesteld in de stoel van de kapitein, een vrijpostigheid die op zijn minst een scherpe reprimande verdiende, maar Nick deed of hij niets zag en maakte langzaam de ronde op de brug, controleerde elk detail, van de spanning van de

sleepkabels en de energievoorziening van de motoren van de *Warlock* tot de ankerlichten van beide schepen en de laatste gegevens in het logboek.
'Graham,' zei hij en de jonge officier ging in de houding staan als een slachtoffer voor een vuurpeloton. 'Ik neem deze wacht over – je kunt gaan en zien iets te eten te krijgen.'
De derde officier was zo verbaasd dat hij een stevig glas gin nodig had voordat hij zijn geluk in de officierskajuit kon rond vertellen.
Samantha keek niet op van het schaakbord, maar plaatste een loper heel duidelijk voor David Allens dame. Toen David zich er met een kreet van vreugde op stortte, viel ze met haar toren van achter uit het veld aan en zei: 'Mat in drie zetten, David.'
'Nog eentje, Sam, geef me een revanche,' vroeg David dringend.
Samantha schudde haar hoofd en verliet de kajuit.
Nicholas werd zich bewust van een vleug parfum die langs hem streek. Hij keerde zich naar haar toe en pas toen was hij zo eerlijk zichzelf te bekennen dat hij zijn derde officier had vervangen met de vooropgezette bedoeling het meisje naar de brug te lokken.
'Walvissen in zicht,' zei hij en vertoonde haar een van zijn zeldzame onweerstaanbare lachjes, die ze zo had leren waarderen. 'Ik hoopte dat je hier boven zou komen.'
'Waar? Waar zijn ze?' vroeg ze met ongeveinsde belangstelling en op dat moment zagen ze allebei een kilometer of drie verderop de waterstraal, een goudkleurige uitwaaierende nevel in de stralen van de middernachtzon.
'Balaenoptera musculus!' juichte ze.
'Dat wil ik graag geloven, doctor Silver, voor mij is het nog altijd vinvis.' Nick glimlachte nog steeds en zij keek even beschaamd. 'Het spijt me, het was niet mijn bedoeling u te intimideren met mijn kennis.' Ze richtte haar blikken weer op de bultige, weinig uitnodigende koude zee toen de walvis opnieuw spoot.
'Maar één,' zei ze, 'één alleen.' De opwinding was nu uit haar stem verdwenen. 'Er zijn er nog maar zo weinig over – misschien is dit wel de laatste die we ooit zullen zien.'
'Zo weinig dat ze elkaar in deze uitgestrekte wateren van de oceanen niet kunnen vinden om te paren.' Nick lachte niet meer en weer spraken ze over de zee, over hun eigen betrokkenheid daarbij, hun wederzijdse zorgen over wat de mensen de zeeën hadden aangedaan en nog steeds aandeden.

'Toen de marxistische regering van Moçambique het beheer overnam van de Portugese kolonisten, gaven ze de Russen toestemming met baggermachines te vissen – geen treilers maar baggermachines – en die baggerden de wierbegroeiing uit de Delagoa Baai. Daarmee baggerden ze letterlijk de broedplaatsen van de Moçambiquese steurgarnaal. Ze haalden wel duizend ton garnalen op en vernietigden de gronden voorgoed – en ze roeiden binnen zes maanden een speciale soort helemaal uit.' Haar stem verried haar woede toen ze het hem vertelde.
'Twee maanden geleden hielden de Australiërs een Japanse treiler aan in hun territoriale wateren. In de vrieskasten aan boord zat het vlees van 120 000 reuzen mosselen die de bemanning met koevoeten van het koraal had gestoten. De mosselbevolking van een enkel rif zal de 20 000 niet overschrijden. Dat betekende dat ze zes riffen in de oceaan in één enkele expeditie hadden leeggehaald – de kapitein kreeg duizend pond boete.'
'De Japanners hebben de zogenaamde beug geperfectioneerd,' vertelde Nick, 'die eindeloze drijvende lijn waaraan speciaal geconstrueerde haakjes zitten die wordt uitgelegd over de trekroutes van de grote diepzeevissen die zich aan de oppervlakte voeden, de tonijn en de marlijn. Ze verdelgen hele scholen op de trek – verdelgen ze tot de laatste vis.'
'Je kunt een bepaalde soort dieren dan ook niet weer doen herleven wanneer je te veel daarvan hebt vernietigd.' Samantha leek ineens een stuk ouder toen ze haar gezicht naar Nick toekeerde. 'Kijk maar wat ze de vinvissen hebben aangedaan.'
Samen liepen ze weer naar het raam en tuurden naar buiten in de hoop nog een glimp op te vangen van dat vriendelijke monster, dat tot uitsterven was gedoemd.
'Weer die Japanners en Russen,' zei Nick. 'Ze wilden het walvisverdrag pas ondertekenen toen er nog maar twee- of drieduizend vinvissen in alle oceanen bij elkaar over waren.'
'Nu zullen ze wel op de andere variëteiten gaan jagen totdat ook die zijn uitgeroeid.'
Toen ze naast elkaar stonden te staren in de vreemdsoortige door de zon verlichte nacht en vergeefs naar dat vonkje leven in de waterwoestenij zochten, lichtte Nick zonder erbij te denken zijn arm op. Hij zou hem om haar schouders hebben geslagen als hij zich niet op het allerlaatst had bedacht. Ze had de beweging gevoeld en

gespannen gewacht, bij voorbaat al licht naar hem toe gebogen, maar hij deed een stap opzij, liet zijn arm zakken en boog zich over de radarscoop. Toen realiseerde ze zich pas hoezeer ze gehoopt had dat hij haar zou aanraken, maar de rest van de avond bleef hij binnen de grenzen die hij zichzelf blijkbaar had gesteld.

De volgende avond wees ze alle dringende uitnodigingen van de officieren aan boord af en wachtte na het eten in haar eigen hut, de deur een paar centimeter open om Tim Graham de brug te horen verlaten, en luidruchtig de trap te horen afklauteren, voor de zoveelste maal vrij van wacht. Op het ogenblik dat hij de kajuit binnenging, glipte Samantha uit haar hut en holde naar de brug. Al enkele minuten nadat hij de wacht had overgenomen was ze bij hem. Ze grinnikten tegen elkaar als schoolkinderen die samen met succes kattekwaad uitvoeren.

Voordat het licht verdween passeerden ze een van de tafelijsbergen van heel nabij en ze wees naar de donkere lijn die over het witte ijs liep.

'Paraffine,' zei ze, 'en onverzadigde koolwaterstof.'

'Nee,' zei hij, 'dat zijn gletsjerstrepen.'

'Het is ruwe olie,' antwoordde ze, 'ik heb er een monster van. Dat is een van de redenen dat ik die gidsenbaan op de *Golden Adventurer* heb aangenomen, ik wilde zelf meer te weten komen van deze streken.'

'Maar we zitten wel tweeduizend mijlen ten zuiden van de tankerroutes.'

'Het strand van Shackleton Baai ligt vol met smeer- en olieresten. We hebben met olie besmeurde pinguins bij Kaap Alarm gevonden, dode en stervende. Ze kwamen in aanraking met een olievlek binnen de vijftig mijl van de geïsoleerde kust.'

'Ik kan nauwelijks geloven –' begon Nick, maar ze viel hem in de rede.

'Dat is het juist!' zei ze. 'Er is geen mens die dat wil geloven.'

'Je hebt gelijk,' gaf Nick tegen zijn zin toe. 'Er zijn maar heel weinig mensen die het werkelijk wat kan schelen.'

'Een paar dode pinguins, een paar teerbolletjes die aan je voeten blijven kleven op het strand. Het is niet iets om van de daken te schreeuwen, maar dat wat we niet kunnen zien, dat zou ons angstig moeten maken. Die miljoenen tonnen giftige koolwaterstof die in de zee oplost en ons langzaam en verraderlijk, maar zeker ver-

moordt. Dat zou ons echt aan het schrikken moeten maken, Nicholas!'
Ze had voor het eerst zijn voornaam gebruikt en ze waren er zich beiden erg van bewust. Ze zwegen weer en staarden aandachtig naar de grote ijsberg die langzaam voorbijgleed. De zonnestralen maakten het wit tot zachtroze en violet, maar de donkere lijn van het giftige vuil zat er nog steeds op.
'De wereld moet nu eenmaal fossiele brandstof gebruiken en wij zeelieden moeten voor het transport zorgen,' zei hij ten slotte.
'Maar niet met die verschrikkelijke risico's, niet met alleen maar oog voor geldelijk gewin. Niet op diezelfde inhalige, onnadenkende manier als van de mensen die de walvis uitmoordden, niet ten koste van de zee die zo een stinkende, rottende beerput wordt.'
'Je hebt inderdaad gewetenloze reders –' gaf hij toe, maar ze viel hem boos in de rede.
'Onder goedkope vlag, zonder controle, schepen zonder veiligheids eisen gebouwd, uitgerust met één enkele ketel –' ze raffelde al die beschuldigingen af en hij zweeg.
'Toen lieten ze die winter-laadlijn voor tankers die om Kaap de Goede Hoop varen los om vijftigduizend ton ruwe olie extra mee te kunnen nemen. Langs de Agulhas zandbank, 's winters de gevaarlijkste zee van de wereld, sturen ze hun te zwaar geladen tankers.'
'Dat was misdadig,' gaf hij toe.
'Toch was jij president van Christy Marine, had je een vertegenwoordiger in de Commissie van Toezicht.'
Ze zag dat ze een fout had gemaakt. De uitdrukking van zijn gezicht was ineens woest. Zijn woede knetterde als elektriciteit in de roodachtige gloed van de brug. Ze voelde een onverklaarbare angst. Ze had uit het oog verloren welk type man hij was.
Hij had zich afgewend en drentelde langzaam over de brug, controleerde aandachtig meters en instrumenten. Helemaal aan de andere kant stak hij een sigaar op. Ze verlangde er verschrikkelijk naar een verzoenend gebaar te maken, maar ze wist instinctief dat ze dat beter niet kon doen.
Ten slotte keerde hij weer bij haar terug en het gloeiende puntje van zijn sigaar verlichtte zijn trekken zodat ze wist dat de woede gezakt was.
'Christy Marine lijkt me nu een vorig leven,' zei hij zachtjes en ze

voelde hoe fel de pijn nog schrijnde van de niet-geheelde wonden.
'Neem me niet kwalijk,' zei hij, 'je verwijzing daarnaar bracht me wat uit mijn evenwicht. Ik had me niet gerealiseerd dat je mijn verleden kent.'
'Dat weet iedereen aan boord.'
'Ja natuurlijk,' knikte hij en zoog de rook van zijn sigaar diep in zijn longen voordat hij voortging: 'Toen ik aan het hoofd van Christy Marine stond, stelde ik de hoogste eisen van veiligheid en zeevaardigheid voor elk van onze schepen. Wij hebben ons verzet tegen de beslissing over die winterlijn en geen van onze tankers laadde tot de zomer-laadlijn op de route om Kaap de Goede Hoop. Geen enkele van mijn schepen heeft het ooit met één ketel moeten stellen, het ontwerp en de uitvoering van ieder schip van Christy Marine hadden hetzelfde niveau als die boot daar,' hij wees naar de *Golden Adventurer*, 'of deze hier,' en hij tikte met zijn voet op het dek van de *Warlock*.
'Zelfs de *Golden Dawn*?' vroeg ze zachtjes en riskeerde zijn woede weer – maar hij knikte alleen maar.
'*Golden Dawn*,' herhaalde hij eveneens zachtjes. 'Wat klinkt dat toch belachelijk arrogant he? Maar ik zag haar werkelijk zo toen ik haar ontwierp. De eerste tanker van een miljoen ton, met alle ingebouwde beveiligingen die de mensen tot nu toe hebben uitgevonden en beproefd, losse tanks, niet één maar vier ketels – ze moest werkelijk de *Golden Dawn* van het ruwe-olietransport worden.'
'Maar ja, ik ben nu niet langer president van Christy Marine en ook niet meer verantwoordelijk voor de *Golden Dawn* noch voor het ontwerp, noch voor de uitvoering.' Zijn stem klonk hol en in het wegstervende licht leken zijn ogen dieper in hun kassen te zijn gezonken.
Het liep allemaal zo verkeerd. Ze had helemaal geen onenigheid met hem willen hebben en nog minder hem ongelukkig willen maken. Toch had ze herinneringen in hem gewekt, spijtige herinneringen. Haar instinct waarschuwde haar hem nu verder met rust te laten.
'Wel te rusten, doctor Silver,' knikte hij wat vaag toen ze opeens over moeheid klaagde.
'Ik heet Sam,' zei ze en wilde wel dat ze hem op de een of andere manier, welke dan ook, kon troosten, 'of Samantha, als u daar de voorkeur aan geeft.'
'Dat doe ik inderdaad,' zei hij zonder glimlach. 'Wel te rusten, Samantha.'

Ze was kwaad zowel op zichzelf als op hem, kwaad dat de prettige verstandhouding tussen hen beiden verstoord was en ze vuurde op hem af:
'U bent echt van de oude stempel hè?' en haastte zich weg van de brug.
De volgende avond had het maar weinig gescheeld of ze was niet naar de brug gegaan, want ze schaamde zich voor die afscheidswoorden, voor het feit dat ze hun leeftijdsverschil zo agressief had benadrukt. Ze wist dat hij zich heel goed bewust was van dat verschil en dat ze hem daaraan niet had hoeven te herinneren.
Toen ze onder de douche in haar hut stond, hoorde ze Tim Graham de trap komen afstormen aan de andere kant van het dunne beschot. Ze begreep dat Nicholas hem had vervangen.
'Ik ga niet naar boven,' zei ze flink tegen zichzelf en nam de tijd om zich af te drogen, te poederen en haar haren te borstelen voordat ze naakt en nog rozig van het warme water in haar kooi kroop. Ze bleef een halfuur liggen lezen in een wild-westroman die Baker haar had geleend. Het kostte haar alle moeite en concentratie het verhaal te volgen want haar gedachten dwaalden steeds af... Ten slotte gooide ze de dekens van zich af en begon zich aan te kleden. Zijn opluchting en vreugde toen ze naast hem opdook, waren overduidelijk en zijn glimlach was een vorstelijk welkom voor haar. Opeens was ze verschrikkelijk blij dat ze toch was gegaan en die avond laveerde ze zonder enige moeite langs alle klippen.
Ze vroeg hem haar uit te leggen hoe Lloyd's Open Form werkte en ze volgde zijn uitleg op de voet.
'Als zij het gevaar en de moeilijkheden in aanmerking nemen waarmee de berging gepaard is gegaan,' peinsde ze, 'dan zou je een geweldige beloning kunnen vragen.'
'Ik zal twintig procent van de waarde van het casco vragen –'
'Wat is die waarde van de *Golden Adventurer*?'
'Dertig miljoen dollar.'
Zij zweeg even en rekende uit wat hij dan zou krijgen.
'Dat is zes miljoen dollar,' fluisterde ze vol ontzag, 'zoveel geld, dat bestaat toch niet!' Ze keerde zich om en keek vol ontzag naar het passagiersschip.
'Duncan Alexander zal het wel met je eens zijn.' Nick lachte wat sardonisch.
'Maar,' ze schudde haar hoofd, 'wat zou iemand met zoveel geld moeten doen?'

'Ik vraag zes – maar dat zal ik niet krijgen. Ik zal er uitkomen met drie of vier miljoen en dat is al uitgegeven. Het zal me net zowat in staat stellen mijn schulden af te betalen, mijn andere zeesleper van stapel te laten lopen en Oceaan Sleep- en Bergingsbedrijf nog een paar maanden aan de gang te houden.'
'Heb je drie à vier miljoen dollar schuld?' ze staarde hem openlijk verwonderd aan. 'Ik zou geen oog dicht doen, ik zou nooit meer een minuut kunnen slapen –'
'Geld is niet alleen om uit te geven,' legde hij uit. 'Er is een grens aan de hoeveelheid voedsel die je kunt opeten, of kleren die je kunt dragen. Geld verdienen is een spel, het grootste, meest opwindende spel dat er bestaat.'
Ze luisterde aandachtig naar hem, blij dat hij vanavond vrolijk was, vol vuur over zijn grote toekomstdromen en vooral omdat hij haar er deelgenoot van maakte.
'Weet je wat we van plan zijn? We gaan met beide slepers hierheen en vangen een ijsberg.'
Ze lachte. 'Och kom, toe nou!'
'Ik maak geen grapjes,' verzekerde hij haar, maar lachte toch. 'We maken de sleep vast aan een reusachtige berg. Misschien hebben we wel een week nodig om snelheid te krijgen, maar dan zullen we hem door de Gordel der Westenwinden brengen en net als de oude wolklippers op de Australië-route zullen we een oostelijke koers aanhouden.' Hij liep naar de kaartentafel, haalde een kaart op grote schaal van de Indische Oceaan te voorschijn en wenkte haar naar zich toe.
'Je meent het ernstig.' Ze hield op met lachen en keek hem onderzoekend aan. 'Je meent het echt serieus, hè?'
Hij knikte nog altijd glimlachend en wees de route met zijn vinger op de kaart aan. 'Dan zwenken we naar het noorden met de Westaustralische stroom mee en laten ons met een boog naar het noorden meedrijven totdat we op de oost-moesson stuiten en de noordequatoriale stroming.' Hij gaf de boog op de kaart aan, maar zij keek naar zijn gezicht. Ze stonden vlak naast elkaar zonder contact weliswaar, maar ze voelde zich lichamelijk reageren op de klank van zijn stem. 'We zullen dan de Indische Oceaan oversteken naar de oostkust van Afrika, steeds met de stroom mee om precies op tijd de zuidwestelijke moesson mee te pikken – rechtstreeks naar de Perzische Golf.' Hij richtte zich in zijn volle lengte op en glimlachte weer.

'Honderd miljard ton vers water leveren we dan af op de droogste en rijkste plek ter wereld.'
'Maar – maar –' ze schudde haar hoofd, 'dat gaat smelten.'
'Vanuit een helikopter besproeien we hem met een de zon terugkaatsende polyuretaanlaag en we meren hem af in een ondiep speciaal geprepareerd dok waar hij de naaste omgeving koelt. Natuurlijk zal hij op den duur smelten, maar dan gaan we gewoon weer op weg en halen een nieuwe in zijn plaats.'
'Hoe denk je zo'n gevaarte te verplaatsen,' bedacht ze als bezwaar, 'ze zijn toch veel te omvangrijk en te zwaar?'
'Mijn twee zeeslepers hebben bij elkaar een vermogen van zo'n vierenveertigduizend pk – we zouden de Mount Everest kunnen verslepen, als we dat wilden.'
'Alles goed en wel, maar als je dan in de Perzische Golf bent aangeland?'
'Dan snijden we hem met een laserstraal in stukken en tillen die brokken in een smeltbekken met een brugkraan.'
Ze dacht erover na. 'Dat zou kunnen,' gaf ze toe.
'Het kan,' zei hij beslist. 'Ik heb het idee al aan Saoedi-Arabië verkocht. Ze zijn er bezig met de bouw van het dok en het smeltbekken.'
Ze werd volledig in beslag genomen door zijn toekomstvisie, zoals ook hij geïnteresseerd raakte in haar plannen. Al die uren gedurende de 8–12 wacht waarin ze samen praatten, brachten hen geestelijk dichter bij elkaar.
Hoewel ze allebei die gezamenlijk doorgebrachte uren bijzonder op prijs stelden, kon geen van beiden de nauwe kloof tussen vriendelijkheid en werkelijke intimiteit overbruggen. Ze was zich instinctief bewust van zijn terughoudendheid. Ze veronderstelde dat hij pas reageerde als hij werkelijk diep van binnen was getroffen en dat een terloopse fysieke relatie geen enkele attractie voor hem had. Ze was op de hoogte van zijn ontreddering en wist dat hij bezig was zich op eigen kracht omhoog te werken, maar dat hij allergisch was voor nog meer ellende. Ze hadden de tijd, zei ze tegen zichzelf, meer dan voldoende tijd – al reed de *Warlock* een regelmatige koers noordnoord-oost en sleepte ze haar gehavende beschermeling door de Gordel der Westenwinden. Die beruchte wind behandelde haar schappelijk zodat ze de zes knopen, waarop Nick had gehoopt, waarmaakte.
Aan boord van de zeesleper veranderde de houding van de officieren

ten opzichte van Samantha Silver van flikflooierige bewondering in spijtige eerbied. Ze wisten allemaal af van het avondlijk ritueel gedurende de 8–12 wacht.
'Vervloekte kinderdief,' mopperde Tim Graham.
'Je boft, Graham, dat ik die opmerking niet heb gehoord,' waarschuwde David Allen hem ijzig koel – maar in wezen namen ze het Nicholas Berg allemaal kwalijk, het was geen faire strijd. Toch bewaarden ze allemaal een eerbiedige afstand tot het meisje omdat ze geen van allen de bok van deze kudde durfden te tarten.

De tijd die Samantha zo eindeloos had toegeschenen liep ten einde, maar ze wilde het niet beseffen. Zelfs toen David Allen haar de pluizige luminescentie van het Afrikaanse continent op de uiterste rand van het radarscherm wees, maakte ze zichzelf wijs dat het steeds zo door zou gaan – zo niet eeuwig, dan toch in ieder geval totdat er iets bijzonders gebeurde.
Gedurende de lange reis van Shackleton Baai had Samantha een fijnmazig net van de achtersteven van de *Warlock* in het water laten hangen waarin ze een ongelooflijke verzameling plankton en ander microscopisch zeeleven had verzameld. Angel had haar mopperend een hoekje van zijn kombuis afgestaan voor haar diensten als honorair assistent hulpkok en onbetaald dienstertje. Ze bracht er vele uren door waarin ze met volle overgave haar vangst identificeerde en conserveerde en was daar aan het werk toen de helikopter de *Warlock* naderde. Ze keek op toen ze de rotoren snelheid hoorde minderen om op het helidek te landen. Even voelde ze de verleiding om zoals alle luierende en nieuwsgierige schepelingen naar boven te gaan, maar ze was net bezig een objectglaasje van onderzoekmateriaal te voorzien en bovendien voelde ze zich ontstemd over deze landing op haar eilandje van geluk. Ze bleef werken, maar haar vreugde erover was weg en ze spitste haar oren toen ze het geraas van de rotoren opnieuw hoorde.
Angel kwam van het dek naar binnen lopen, veegde zijn handen aan zijn voorschoot af en bleef in de deuropening staan.
'Je hebt me helemaal niet verteld dat hij ervandoor ging, liefje.'
'Wat bedoel je?' Samantha keek hem verschrikt aan.
'Je vriendje, lieveling. Met tandenborstel en al.' Angel hield haar

nauwkeurig in de gaten. 'Kom me nu niet vertellen dat hij je zelfs geen afscheidszoentje heeft gegeven.'
Ze liet het glaasje in de roestvrij stalen aanrechtbak vallen waar het in tweeën brak. Ze hijgde toen ze de reling op het bovendek beetgreep en de gedrongen gele machine nastaarde.
Het toestel vloog laag over de groene door de wind opgezweepte zee, een gebochelde romp met de neus naar beneden, maar al gauw werd hij kleiner en kleiner en verdween achter de blauwe bergen in de verte.

Nick Berg zat op het klapstoeltje tussen de twee piloten van de grote S 58T Sikorsky in en tuurde vooruit naar het afgeplatte silhouet van de Tafelberg, bekroond door een dikke laag sneeuwwitte wolken die door de wervelende zuidoostenwind er overheen werd gejaagd. Vanaf deze hoogte van zo'n duizend voet kon je wel vijf grote tankers onderscheiden die in hun eindeloze zwerftocht strak door de groene zee voortploegden. Ze maakten de indruk strijdig met hun element te zijn, niet ontworpen om in harmonie ermee te leven, eerder om zich te verzetten tegen iedere beweging van het water. Zelfs in dit rustige water hadden ze brede witte schuim-guirlandes om hun lage, dikke, ronde boeg. Eigenlijk was de hele vorm een aanfluiting van het begrip schip. Hij draaide zich in zijn stoeltje om en keek terug.
Ver achter hen was de *Warlock* nog altijd zichtbaar. Zelfs op deze afstand en ondanks het feit dat ze kleiner leek door de reusachtige sleep die ze voerde, deden lijn en vorm de zeeman in hem goed. Ze was mooi, maar deze terugblik gaf hem een steek van spijt in zijn hart over iets dat hij koppig getracht had te negeren – een levendig beeld van groene ogen en goudblond stralend haar.
Zijn spijt werd nog verergerd door het feit dat hij zich eigenlijk voortdurend bewust was dat hij laf was geweest. Hij had de *Warlock* verlaten zonder afscheid van het meisje te nemen en hij wist ook waarom. Hij wilde de kans niet lopen dat hij zich belachelijk maakte. Hij dacht met afschuw aan haar uitspraak die hij zich woordelijk herinnerde. 'U bent van de oude stempel hè?'
Er was iets nogal weerzinwekkends in een man van middelbare leeftijd die een jong meisje begeerde – en hij meende dat hij zichzelf

nu wel onder de middelbare leeftijd moest rangschikken. Over een maand of zes zou hij de veertig bereiken.
Hij verachtte altijd die grijze, gerimpelde, kalende, onaantrekkelijk kleine mannen met grote sigaren die in dure restaurants met knappe jonge meisjes plegen te zitten. Die jonge dingen deden of ze ieder woord dat tegen hen werd gesproken als een parel koesterden, maar intussen keken ze over de schouder van hun partner naar een veel jongere man.
Toch was het lafheid geweest. Ze waren in die paar weken bevriend geraakt en ze kon beslist niets gemerkt hebben van de emoties die ze in hem gedurende die lange uren in het zwakke schijnsel op de brug van de *Warlock* had gewekt. Ze had hem op geen enkele manier aangemoedigd te veronderstellen dat hij meer voor haar betekende dan zomaar een ouder iemand met wie je de anders zo lege tijd kon doorkomen. Ze was even vriendelijk en vrolijk met ieder ander aan boord geweest, van de stuurman tot en met de kok. Hij was haar werkelijk de niet meer dan burgerlijke beleefdheid van een handdruk en de verzekering hoezeer hij had genoten van haar aanwezigheid verschuldigd geweest, maar hij vreesde dat hij het daarbij niet zou hebben kunnen laten.
Hij huiverde onwillekeurig als hij dacht aan haar afgrijzen wanneer hij er een soortement liefdesverklaring uitgeflapt zou hebben, een voorstel om hun relatie voort te zetten, aan haar ontnuchtering als ze zich realiseerde dat achter die façade van rijpe, ontwikkelde man zo'n doodgewone vieze oude snoeper schuilging.
'Laat maar schieten,' had hij besloten. Het deed er niet toe dat hij fysiek gesproken nu misschien in betere conditie was dan toen hij vijfentwintig was, voor doctor Samantha Silver was hij een oude man – en hij herinnerde zich met afschuw een episode uit zijn eigen jeugd.
Een vrouw, een vriendin van zijn moeder, had hem toen hij negentien was eens gestrikt op een regenachtige dag in het oude strandhuis. Hij kon zich zijn eigen weerzin nog precies voor de geest roepen van dat slappe witte vlees, van het feit dat ze zo *oud* was. Ze zal toen misschien een vrouw van een jaar of veertig zijn geweest, net als hij nu en hij had haar de dienst die ze van hem verlangde verleend uit een soort medelijdend schuldgevoel, maar na afloop was hij wel een halfuur onder de douche blijven staan.
Dat was een van die wrede bedrieglijkheden van het leven, dat een

mens van buiten naar binnen oud werd. Hij had gemeend dat hij op het toppunt van zijn lichamelijke en geestelijke vermogens stond, vooral nu, nadat hij de *Golden Adventurer* had geborgen. Hij stond klaar om de draak te verslaan, om met zijn blote handen het monster te kelen – en toen had zij hem 'van de *oude* stempel' genoemd, en hij had zich gerealiseerd dat de seksuele fantasieën, die geleidelijk aan een obsessie werden, in verband met de mannelijke menopauze moesten worden gebracht, een droevig symptoom van het ouder worden waarvan hij zich tot dan toe nog niet bewust was geweest. Hij grinnikte wat bitter bij de gedachte daaraan.

Het meisje zou misschien nauwelijks hebben gemerkt dat hij het schip had verlaten, op zijn allerergst was ze wat gepikeerd over zijn gebrek aan manieren, maar binnen de week zou ze zijn naam wel zijn vergeten. Wat hem zelf betrof, er was genoeg en meer dan dat om de dagen die kwamen te vullen zodat het beeld van een slank jong lichaam en die kostelijke platinablonde haren met hun gouden gloed wel zou vervagen...

Vastberaden ging hij weer recht op zijn klapstoeltje zitten en keek voor zich uit.

Ze kwamen binnen over de Valsbaai, dwars over de smalle landengte van het Kaapse schiereiland langs de reuzengestalte van de Tafelberg waarvan de top in de wolken stak, van de Indische Oceaan naar de Atlantische Oceaan in minder dan tien minuten.

Hij zag het oploopje, als gieren afgekomen op de geschoten leeuw, toen de Sikorsky naar haar thuishaven zakte in de buurt van de havens in de Tafelbaai.

Toen Nick naar beneden sprong en zich instinctief bukte onder de nog ronddraaiende rotoren, kwam de hele groep naar voren en negeerde de pogingen van de man van de helihaven om het platform vrij te houden. Ze werden aangevoerd door een zware man met een rood gezicht.

'Larry Fry, meneer Berg,' gromde hij. 'Kent u me nog?'

'Hallo Larry.' Het was de plaatselijke vertegenwoordiger van Bach Wackie & Co, Nicks agenten.

'Ik dacht dat u de pers wel even te woord zou willen staan.' De journalisten zwermden al om Nick heen, vuurden vragen af, drongen op, duwden elkaar opzij en hun slaafs volgende fotografen werkten met flitsapparaten.

Nick voelde de ergernis in zich oplaaien. Hij moest diep ademhalen

en zich verschrikkelijk inspannen om zijn woede in bedwang te houden.
'Goed, mannen en dames.' Hij stak zijn beide handen in de hoogte en grinnikte dat karakteristieke jongensachtige lachje. Zij deden ook niets anders dan hun plicht, moest hij zichzelf wel bekennen.
'Laten we een eerlijke afspraak maken en er ons wederzijds aan houden,' riep hij en even bedacht hij hoe het zou zijn als ze hem helemaal niet zouden zien, als ze niet zouden weten wie hij was en niet de minste belangstelling voor hem zouden hebben.
'Waar heb je me ondergebracht?' vroeg hij nu aan Larry Fry en keerde zich weer naar de nieuwsjagers. 'Over twee uur zal ik jullie ontvangen in het Mount Nelson Hotel. Dit is een uitnodiging, ik zorg voor whisky.'
Ze lachten en probeerden nog een paar vage vragen af te vuren, maar ze hadden zich al verzoend met het compromis – en ze hadden tenminste plaatjes geschoten.
Toen ze de door palmen omzoomde oprit naar het oude hotel opreden, voelde Nick hoe de herinnering aan zijn vorige bezoek hier hem besprong. Hij trachtte het te onderdrukken door aandachtig te luisteren naar de lijst afspraken, die Larry Fry hem voorlas. De verandering in 's mans houding was bepaald opvallend. Toen Nick hier de eerste keer was aangekomen om het bevel over de *Warlock* op zich te nemen, had hij hem als kapitein van een kleine boot met minimale beleefdheid behandeld, maar nu deed hij met limousine en kruiperige aandacht of er koninklijk bezoek was gekomen.
'We hebben een 707 van de South African Airways gecharterd om de passagiers van de *Golden Adventurer* naar Londen te brengen. Vandaar zullen ze met lijntoestellen naar hun verschillende bestemmingen vliegen.'
'Hoe zit het met het dokken van de *Golden Adventurer*?'
'De havenmeester zal een inspecteur aan boord sturen om de romp te bekijken voordat hij haar de haven binnenlaat.'
'Heb je dat allemaal geregeld?' vroeg Nick scherp. Hij had de berging niet voleindigd voordat hij het passagiersschip officieel had overgedragen aan de firma die opdracht had het herstel ter hand te nemen.
'*COURT* is met de man onderweg,' stelde Larry Fry hem gerust. 'We horen het definitieve besluit voordat de avond valt.'

'Hebben de verzekeraars een bedrijf aangewezen voor het herstel?'
'Ze hebben aanbiedingen gevraagd.'
De hotelmanager heette Nicholas welkom op de overdekte stoep van de ingang.
'Het is me een genoegen u weer te zien, meneer Berg.' Hij wuifde de inschrijfformaliteiten van de hand. 'Dat komt wel als meneer Berg zich heeft geïnstalleerd.' Hij verzekerde Nick: 'We hebben u dezelfde suite gegeven.'
Nick had willen protesteren, maar ze lieten hem al de zitkamer binnen. Als het een kamer zou zijn geweest zonder enig karakter en smakeloos, dan zou de herinnering misschien niet zo onuitwisbaar zijn geweest. Maar deze kamer was, in afwijking van die zielloze plastic en vinyl 'kippenhokken' gemeubileerd met antieke meubels, schilderijen en bloemen. De herinneringen waren even vers als de bloemen, maar niet even aangenaam.
De telefoon rinkelde toen ze binnenkwamen en Larry Fry greep onmiddellijk de hoorn. Nick stond midden in de kamer. Er waren twee jaren verlopen sinds hij hier de laatste keer had gestaan, maar het leken even zovele dagen, zo duidelijk stond alles hem nog voor de geest.
'De havenmeester heeft de *Golden Adventurer* toestemming gegeven de haven binnen te lopen.' Larry Fry grijnsde triomfantelijk tegen Nick en stak zijn duim zegevierend op.
Nick knikte, het nieuws was een anticlimax na de uitputtende inspanningen van de laatste weken. Nick liep door naar de slaapkamer. Het behang was rustig en smaakvol en vanuit het hemelbed, herinnerde Nick zich, had je een uitzicht op de tuin. Hij zag Chantelle daar weer in een luchtige doorschijnende nachtjapon onder dat baldakijn zitten en dunne flinters toost met marmelade eten waarna ze haar lange slanke vingers met een puntig roze tongetje aflikte. Nicholas was toen hier naar toe gekomen om te praten over het vervoer van Zuidafrikaanse kolen van Richards Bay en ijzererts uit de Saldanha Baai naar Japan. Hij had erop gestaan dat Chantelle hem zou vergezellen. Misschien had hij al een voorgevoel van een naderend verlies, in ieder geval had hij haar tegenwerpingen weten te ontzenuwen.
'Maar Afrika is zo primitief, Nicky.'
Ten slotte was ze dan toch met hem meegegaan. Hij was ervoor beloond met vier dagen zeldzaam geluk. De allerlaatste vier dagen,

want hoewel hij dat toen nog niet eens vermoedde, deelde hij haar bed en lichaam al met Duncan Alexander. Hij had in al die dertien jaren nooit genoeg gekregen van dat beeldschone gladde, roomkleurige lichaam, integendeel, hij had genoten van het langzame zinnelijke rijpen tot volwassen vrouw in de vaste veronderstelling dat ze de zijne was.
Chantelle was een van de weinige vrouwen die bij het klimmen der jaren steeds mooier werd. Zonder enige aanleiding stelde hij zich ineens Samantha Silver naast zijn vrouw voor, de kalverachtige gratie van het meisje zou slungelachtigheid worden naast Chantelles houding, een warm lief konijntje naast een sluwe, slanke prachtige hermelijn –
'Meneer Berg, hier is Londen voor u,' riep Larry Fry vanuit de zitkamer door Nicks dromen heen. Opgelucht nam Nick de telefoon op. Zorg alleen maar vooruit te gaan, hield hij zich weer voor en alvorens hij iets zei, dacht hij weer aan de twee vrouwen en hij vroeg zich af of die dikke platinakleurige haren van Samantha zouden verbleken bij het glanzende zwart van Chantelle.
'Berg,' zei hij ineens in de telefoon.
'Goedemorgen, meneer Berg. Kunt u de heer Duncan Alexander van Christy Marine even te woord staan?'
Nick zweeg wel vijf volle seconden. Hij had die tijd nodig om aan de naam te wennen, al was Duncan Alexander eigenlijk het natuurlijke verlengstuk van zijn voorafgaande gedachten. In de stilte hoorde hij het slaan van deuren en het aanzwellende stemmengeroezemoes van de journalisten die samenstroomden naar het drankje in de kamer ernaast.
'Bent u daar, meneer Berg?'
'Ja,' zei hij en zijn stem klonk vast en koel, 'verbind maar door.'
'Nicholas, beste kerel.' De stem klonk zo glad als satijn, Eton en King's College, honderdduizend pond accent, niet te imiteren. 'Het blijkt onmogelijk een werkelijk talent tegen te houden.'
'Je deed je best, Duncan,' antwoordde Nick luchtig. 'Trek het je niet aan, je hebt het wel geprobeerd.'
'Vooruit, Nicholas, het leven is te kort voor verwijten. Dit is een nieuw spel kaarten, we beginnen weer gelijk.' Duncan gniffelde wat. 'Wees in ieder geval zo goed mijn gelukwensen te aanvaarden.'
'Aanvaard,' zei Nicholas, 'waar hebben we het over?'
'Ligt de *Golden Adventurer* al in het dok?'

‘Ze heeft toestemming gekregen. Binnen de vierentwintig uur zal ze er vast liggen – leg jij maar vast je chequeboek klaar.’
‘Ik hoop dat we kunnen voorkomen de zaak voor de arbitragecommissie te brengen. Er is al te veel verbittering geweest in het verleden. Laten we trachten het nu eens onder ons te houden Nicholas, en famille!’
‘Familie?’
‘Christy Marine is de familie – jij, Chantelle, ouwe Arthur Christy – en Peter.’
Het was de meest vuile manier van strijd leveren en Nick ontdekte opeens dat hij stond te rillen als iemand die een koortsaanval heeft. Het was het noemen van de naam van zijn zoon waardoor hij zo van streek raakte.
‘Ik maak niet langer deel uit van die familie.’
‘In zekere zin zul je altijd deel ervan uitmaken. Het is net zo goed jouw werk als van anderen en je zoon –’
Nick viel hem abrupt in de rede en zijn stem klonk nu scherp en hard: ‘Chantelle en jij hebben een vreemdeling van me gemaakt. Behandel me als zodanig. Oceaan Bergingsbedrijf, de enige berger van de *Golden Adventurer* staat open voor aanbiedingen.’
‘Nicholas.’
‘Doe een bod.’
‘Zo kortaf?’
‘Ik wacht.’
‘Goed dan. Onze raad van toezicht heeft de hele operatie diepgaand bestudeerd en heeft mij gemachtigd je een bod ineens te doen van driekwart miljoen dollar.’
Nick veranderde niet van intonatie. ‘De eerste behandeling van deze zaak dient bij Lloyd’s, de zevenentwintigste van de volgende maand.’
‘Er valt binnen redelijke grenzen nog wel te praten over dit voorstel, Nicholas –’
‘Je spreekt een taal die ik niet versta,’ viel Nick hem in de rede. ‘Onze standpunten liggen zover uiteen dat we alleen maar elkaars tijd verknoeien.’
‘Ik weet, Nicholas, wat je gevoelens ten opzichte van Christy Marine zijn en jij weet dat de maatschappij zelf de verzekering...’
‘Nu verknoei je toch echt mijn tijd.’
‘Het gaat niet om derden, Nicholas, niet om het een of andere gigantische verzekeringsconsortium, het gaat om Christy Marine –’

'Duncan,' hij sprak hem zo weer aan hoewel hij een vieze smaak in zijn mond kreeg, 'je breekt mijn hart. Ik zie je de zevenentwintigste van de volgende maand bij het Hof van Arbitrage.' Hij legde de hoorn op de haak en liep naar de spiegel. Met een vlugge beweging streek hij zijn haren naar achteren. Hij trachtte zijn gezicht weer in de plooi te krijgen, maar schrok van zijn harde, kille trekken, de woeste blik in zijn ogen.
Maar toen hij in de richting van de pers liep, was hij weer ontspannen en hoffelijk en er lag een glimlach om zijn lippen.
'Goed dan, dames en heren, hier ben ik dan te uwer beschikking.'

De *Golden Adventurer* lag daar hoog en statig tegen de achtergrond van de kade van de haven van Kaapstad en wachtte op haar beurt in het droogdok.
Globe Engineering, het bedrijf dat aangewezen was voor reparatie, had voor haar getekend en wettelijk de aansprakelijkheid overgenomen van de eerste officier van de *Warlock*. Toch voelde David Allen zich op een bepaalde manier nog steeds haar trotse eigenaar. Vanaf de brug van de *Warlock* kon hij over het havencomplex kijken en de hoge sneeuwwitte bovenbouw van het schip zien glinsteren in de stralende warme zomerzon. Ze deed in hoogte niet onder voor de giraffenekken van de kranen op de kade. Met wellust verdiepte David zich in een herinneringsbeeld van het passagiersschip, helemaal overdekt met sneeuw, wazig door de striemende hagel- en sneeuwbuien, alsmede door verwaaid zeewater, dat daar lag te slingeren op de huizenhoge zwarte golven van Antarctica. Het gaf hem echt het gevoel iets bereikt te hebben. Hij duwde zijn handen diep in zijn zakken en floot zachtjes voor zich uit. Glimlachend bleven zijn ogen op het passagiersschip gericht.
De Hol stak zijn gerimpeld kopje uit de radiokamer.
'Telefoon voor je van de wal,' zei hij en David nam de handmicrofoon op.
'David?'
'Ja, meneer.' Hij richtte zijn rug toen hij de stem van Nicholas Berg herkende.
'Klaar voor vertrek?'
David verslikte zich haast en wierp een blik op de klok. 'We hebben

de sleep één uur en tien minuten geleden overgegeven.'
'Ja, dat weet ik. Wanneer kun je vertrekken?'
David voelde een neiging te liegen, maar zijn instinct waarschuwde hem Nicholas Berg niet opzettelijk te bedriegen.
'Twaalf uur,' zei hij.
'Het gaat om het slepen van een olieplatform van Rio naar de Noordzee, een semi-verzinkbaar platform.'
'Ja, meneer.' David paste zich vlug aan. Goddank had hij nog niemand van de bemanning aan wal laten gaan. Hij had een afspraak voor bunkeren om 1 uur. Het zou dus wel lukken. 'Wanneer komt u aan boord, meneer?'
'Ik kom helemaal niet,' zei Nick. 'Jij bent de nieuwe kapitein. Ik neem het toestel van 5 uur naar Londen. Ik kom je zelfs niet uitzwaaien. Ze is helemaal van jou, David.'
'Dank u, meneer,' stamelde David en hij voelde dat hij bloosde tot onder zijn haarwortels.
'Bach Wackie zal je alle bijzonderheden over de sleep onderweg per telex zenden en jij en ik zullen je eigen contract later uitwerken. Ik heb graag dat je morgen bij het aanbreken van de dag zo economisch mogelijk op weg gaat naar Rio.'
'Ja, meneer.'
'Ik heb je nauwkeurig gadegeslagen, David.' Nicks stem veranderde, werd persoonlijker, warmer. 'Je bent een verdomd goeie zeesleper. Zeg dat steeds tegen jezelf.'
'Dank u, meneer Berg.'

Samantha had de halve middag doorgebracht met de voorbereidingen voor het vertrek van de nog overgebleven passagiers van de *Golden Adventurer* en had hen vervolgens van boord in de rij bussen gebracht die hen naar de verschillende hotels in de stad zouden brengen waar ze in afwachting van de chartervlucht naar Londen zouden logeren.
Het was een trieste aangelegenheid, afscheid nemen van velen die haar vrienden waren geworden en daardoor weer herinnerd worden aan hen die niet van Kaap Alarm waren teruggekeerd – Ken, die misschien haar minnaar zou zijn geworden en de bemanning van de reddingboot nummer 16 waarvoor zij de zorg op zich had genomen.

Toen de laatste bus was vertrokken, voelde ze zich net zo alleen en eenzaam als het stille schip. Ze stond een hele tijd te kijken naar de hoge boeg, draaide zich om en liep terneergeslagen langs de rand van het dok. Ze negeerde het fluiten en de schunnige opmerkingen van vissers en zeelui aan boord van de vrachtvaarders die er gemeerd lagen.
De *Warlock* gaf haar hetzelfde vertrouwde gevoel als vroeger haar ouderlijk huis. Ze lag er slank en fier, en ze leek zich ongeduldig los te willen maken van de haar terughoudende meerkabels. Op dat ogenblik herinnerde Samantha zich opeens dat Nicholas Berg niet meer aan boord was en haar stemming zakte weer.
'God,' zei Tim Graham, die haar op de loopplank tegenkwam, 'wat ben ik blij dat je weer terug bent. Ik wist niet wat ik met je spullen moest beginnen.'
'Wat bedoel je?' vroeg Samantha. 'Word ik van het schip gebonjourd?'
'Tenzij je zin hebt mee te gaan naar Rio.' Hij dacht er even over na en begon te grinniken. 'Hee zeg, dat is lang geen slecht idee, wat vind je ervan? Het carnaval in Rio, jij en ik –'
'Sla niet op hol, Timothy,' waarschuwde ze hem. 'Waarom naar Rio?'
'De kapitein –'
'Kapitein Berg?'
'Nee, David Allen, hij is de nieuwe baas.' Haar belangstelling was verdwenen.
'Wanneer varen jullie af?'
'Vannacht.'
'Laat ik dan maar gauw gaan pakken.' Ze liet hem op het achterdek staan en Angel schoot op haar af toen ze langs de kombuis liep.
'Waar zat je toch?' Hij was helemaal opgewonden en alles aan hem bewoog. 'Ik ben helemaal van streek, lieveling.'
'Wat is er dan, Angel?'
'Het is misschien al te laat.'
'Wat?' Ze voelde hoe dringend het was. 'Zeg het dan!'
'Hij is nog in de stad.'
'Wie?' Ze wist het antwoord wel, want ze spraken maar over één enkele persoon in deze emotionele termen.
'Doe niet zo traag van begrip, liefje. Jouw kloris, hij zal er niet zo

lang meer blijven. Zijn toestel vertrekt om vijf uur, naar Johannesburg en daar stapt hij over op de aansluiting naar Londen.'
Ze stond hem aan te staren.
'Hee, waarop sta je nog te wachten?' jammerde Angel. 'Het is al bijna vier uur en je hebt zeker een halfuur nodig om op het vliegveld te komen.'
Nog bewoog ze niet. 'Maar Angel,' ze stond bijna handenwringend voor hem, 'wat moet ik doen als ik daar aankom?'
Angel schudde wanhopig zijn hoofd waardoor zijn diamanten schitterden. Hij zuchtte. 'Toen ik nog een jongetje was, had ik twee Guinese biggetjes die er ook niets van wisten te maken. Ik heb van alles geprobeerd, zelfs hormonen, maar geen van beide overleefde de injecties. Helaas is hun liefde nooit in vervulling gegaan –'
'Wees nu eens ernstig, Angel.'
'Je zou hem kunnen vasthouden als ik hem een injectie met hormonen geef –'
'Ik haat je, Angel.' Ze moest lachen ondanks al haar zorgen.
'Je hebt in de afgelopen maand avond aan avond getracht hem met je zoete zilveren stemmetje in vuur en vlam te zetten – en toch ben je nog geen steek verder. –'
'Dat weet ik Angel, dat weet ik heus wel.'
'Ik heb zo de indruk, poppedijn, dat het nu tijd wordt om met kletsen op te houden en hem te ontsteken met dat betoverende kleine tondeldoosje van je.'
'Bedoel je daar in die vertrekhal van het vliegveld?' Ze klapte vrolijk in haar handen en nam een wulpse houding aan. 'Ik ben Sam – pak me dan!'
'Hup poppedijn, er staat een taxi op de kade – die wacht al een uur met lopende meter.'

Er is geen eerste klas lounge op D F Malan Airport in Kaapstad. Vandaar dat Nicholas in de drukte zat te midden van radeloze moeders en hun jammerende kinderen, toeristen als kamelen afgeladen met souvenirs en blozende handelsreizigers, maar hij voelde zich eenzaam in die menigte.
Het drong ineens tot hem door hoe dramatisch de weegschaal de laatste veertig dagen in zijn voordeel was doorgeslagen, sinds hij

zijn eigen golf had herkend, maar bijna niet in staat was geweest voldoende kracht ervoor te verzamelen.
Er gleed een schaduw over zijn ogen toen hij dacht aan de inspanning die het hem had gekost om het besluit 'gaan' te nemen in verband met de *Golden Adventurer* en hij huiverde licht toen hij angstig bedacht wat er zou hebben kunnen gebeuren als hij niet was gegaan. Dan zou hij zijn speciale golf hebben gemist en er zou nooit weer een andere zijn gekomen.
Met een lichte hoofdbeweging schudde hij die herinnering van zich af. Hij had zijn golf herkend en hij reed hem hoog en snel. Nu was het lot klaarblijkelijk van plan hem onder vrijgevigheid te bedelven. De sleep met het olieplatform van Rio naar het Bravo Sierra veld bij Noorwegen – en vervolgens een sleep van de Noordzee via Suez naar het nieuwe Zuidaustralische veld zouden de *Warlock* zeker zes maanden achter elkaar in de vaart houden. Dat was nog niet alles, de dreigende havenstaking bij Construction Navale Atlantique hadden ze weten te voorkomen en de afleveringsdatum van de nieuwe zeesleper was daardoor twee maanden vervroegd. Om middernacht van de laatste dag aan boord had Bach Wackie hem telefonisch gewekt om hem te laten weten dat Koeweit en Katar nu ook het ijsberg-waterplan aan het bestuderen waren met het oog op eigen bestellingen; dat hij nog wel twee zeeslepers zou moeten laten bouwen als ze zouden besluiten mee te doen.
Het enige dat nu nog aan mijn geluk ontbreekt is het winnen van de voetbalpool, dacht hij, draaide zijn hoofd om en bleef in zijn ademhaling met een sissend geluid steken alsof iemand hem een stomp tussen zijn ribben had gegeven.
Ze stond bij de automatische deuren en de wind had zich meester gemaakt van haar haren, zodat er gouden strengen over haar wangen hingen – wangen die rood zagen alsof ze heel hard had gelopen. Ze hijgde zo dat ze één hand tegen haar borst hield. Ze stond er klaar als een dier in de wildernis dat het luipaard heeft geroken, angstig, bevend en onzeker welke kant het uit moet rennen. Haar gejaagdheid was zo overduidelijk dat hij zijn aktentas opzijschoof en opstond.
Ze zag hem onmiddellijk en haar gezicht kreeg een zo onuitsprekelijk blije uitdrukking dat hij weerhouden werd van zijn plan naar haar toe te gaan terwijl zij daarentegen juist direct startte en op hem toe holde.

Ze kwam in botsing met een gezette, zwetende toerist en liep die bijna tegen de vlakte. Hij grauwde kwaad, maar de uitdrukking op zijn gezicht veranderde toen hij haar aankeek. 'Het spijt me!' Ze bukte vlug, raapte een pakje op, duwde dat weer in zijn arm, glimlachte tegen hem en liet hem stralend en verbijsterd achter.
Toch was ze nu wat gekalmeerd, haar haastige vaart afgeremd tot die typische heupwiegende gang van haar lange benen. Haar glimlach was wel wat onzeker toen ze tevergeefs de losse gouden lokken terug trachtte te duwen in de vlecht boven op haar hoofd. 'Ik dacht dat ik je nog zou mislopen.' Ze bleef een eindje van hem af staan.
'Is er iets mis?' vroeg hij gealarmeerd door haar gedrag.
'O nee,' stelde ze hem gerust, 'nu niet meer,' en opeens was ze weer onhandig. 'Ik dacht...' zei ze een tikkeltje hees, 'het komt alleen maar omdat ik dacht dat ik je was misgelopen.' Haar blikken gleden weg. 'Je hebt geen afscheid genomen –'
'Ik dacht dat het beter was op die manier.' Haar blikken richtte ze weer op zijn ogen en hij zag dat ze groen vuur spuwden.
'Waarom?' vroeg ze en hij wist er geen antwoord op te geven.
'Ik wilde je niet –' Hoe kon hij haar dat duidelijk maken zonder een verklaring af te leggen die hen alle twee zou verwarren.
Boven hun hoofden knarste de luidspreker en een stem dreunde:

> 'South African Airways kondigt het vertrek van de luchtbus 235 naar Johannesburg aan. Willen de passagiers alstublieft aan boord gaan via pier nummer twee.'

Ze kwam tijd te kort. Ik ben Sam – pak me dan! Alsjeblieft! dacht ze en voelde de neiging te giechelen, maar in plaats daarvan zei ze: 'Morgen zul je in Londen zijn, Nicholas – midden in de winter.'
'Dat is een ontnuchterende gedachte,' gaf hij toe en glimlachte voor de eerste maal. Die lach sloot als een vuist om haar hart en opeens had ze het gevoel dat ze door haar knieën ging.
'Morgen of in ieder geval overmorgen dans ik over de branding bij kaap St.-Francis.' Ze hadden er in die betoverende nachten over gepraat. Hij had haar verteld hoe hij voor de eerste keer had gesurfd bij Waikiki Beach lang voordat die sport een rage was geworden.
'Ik hoop dat de branding goed is,' zei hij. Kaap St.-Francis lag

negenhonderd kilometer ten noorden van Kaapstad, een stuk strand en een uitloper van de bergen zoals overal langs de kust die zich zo prachtig over een afstand van wel tienduizend kilometer ononderbroken uitstrekt en toch was het een uniek plekje. Jonge mensen en ouderen die nog jong van hart waren komen er voor de uniek lange branding bij Kaap St.-Francis.

Bij de vertrekhekken werd de langzaam voortschuifelende rij steeds korter. Nick bukte zich om zijn aktentas te pakken, maar ze stak haar hand uit en legde die op zijn bovenarm. Hij bleef als aan de grond genageld staan.

Het was de eerste keer dat ze hem opzettelijk aanraakte en de schok daarvan liep door zijn lichaam als rimpels over een spiegelglad meer. Alle emoties en hartstochten die hij zo energiek had genegeerd kwamen weer over hem heen rollen en het was net of ze doordat ze onderdrukt waren honderdvoudig versterkt waren. Hij hunkerde naar haar met een diep, vurig, hongerig, maar vooral pijnlijk verlangen.

'Ga met me mee, Nicholas,' fluisterde ze. Zijn keel werd dicht gesnoerd zodat hij geen antwoord kon geven. Hij staarde haar aan en de grondstewardessen bij de hekken tuurden geïrriteerd om zich heen naar de nog ontbrekende passagier.

Ze moest hem overtuigen en ze trok dringend aan zijn arm, verwonderd over de spanning in de spieren onder haar vingers.

'Nicholas,' begon ze en wilde eraan toevoegen: 'ik wil werkelijk dat je meegaat,' maar haar tong speelde haar Freudiaans parten, zodat ze zei: 'Ik wil je werkelijk –'

O God, dacht ze toen ze dat haar eigen stem hoorde zeggen, het klinkt of ik een hoer ben en in paniek verbeterde ze zichzelf.

'Ik wil werkelijk dat je meegaat,' zei ze blozend. Ze voelde het bloed vanuit haar nek in haar gezicht trekken. De gebronsde huid leek nog donkerder te worden en haar sproeten glansden als stofgoud.

'Wat wil je nu echt van die twee?' vroeg hij en glimlachte.

'Daarvoor hebben we nu geen tijd.' Ze stampvoette, deed ongeduldig om haar verwarring te verbergen en liet er zonder enige reden nog op volgen: 'Stik jij!'

'Waarvoor geen tijd?' vroeg hij rustig en opeens lag ze in zijn armen, trachtte ze zich dieper en dieper te nestelen in de beschutting van zijn schouders.

'Passagier Berg. Wil passagier Berg zich melden bij de pier?' klonk het door de luidsprekers.
'Ze roepen me,' mompelde Nicholas.
'Laat ze maar roepen,' fluisterde ze tegen zijn lippen.

Zonlicht was gemaakt voor Samantha. Ze droeg het als een mantel die speciaal voor haar was geweven, liet het door haar haren spelen alsof er juwelen in glansden, het verfde haar gezicht en lichaam in luisterrijke tinten, van honing tot barnsteen.
Ze bewoog zich met wonderlijke gratie in die zonnestralen, blote voeten in het zand, zodat haar heupen en billen de aandacht trokken in de dunne groene stof van haar bikini.
Ze strekte zich uit in de zon en liet haar gezicht en buik onbekommerd beschijnen. Hij had het gevoel dat als hij zijn hand op haar keel zou leggen, hij haar diep in haar borst zacht zou horen spinnen.
Ze holde door de zon, licht als een zeemeeuw, over het harde natte zand langs de vloedlijn. Onvermoeibaar rende hij kilometer na kilometer met haar mee, zij tweeën alleen in een wereld die enkel maar bestond uit groene zee en zon en een verre, door de hitte bleke lucht. Het strand liep in beide richtingen door zover het oog reikte, glad en wit als de sneeuwvelden van Antarctica. Hij hoorde haar naast zich lachen en zo holden ze hand in hand verder.
Ze vonden een heldere, diepe poel, afgelegen en beschut. Het door het water weerkaatste zonlicht vlekte haar lichaam toen ze de twee groene miniatuur-lapjes van haar bikini wegtrok, de dikke vlecht losmaakte en in het water stapte. Toen ze er tot haar knieën instond, draaide ze zich om en keek hem aan. Haar haren hingen bijna tot haar heupen, springerig dik, geneigd tot krullen in de wind en de zoute lucht. Ze verborgen haar schouders en lieten haar borsten te voorschijn komen door die glanzende gordijnen. De niet door de zon verbrande borsten deden aan room denken waarop een roze tipje, stevig, vol en weelderig – hoe had hij ooit kunnen denken dat ze nog een kind was – ze dansten en wiegden als ze bewoog. Ze trok haar schouders naar achteren en lachte onbeschaamd tegen hem toen ze de richting van zijn blikken zag.
Ze keerde zich weer van hem af en haar billen waren wit met die groenige glans van een diepzeeparel, rond en stevig. Toen ze zich

voorover boog om in het water te duiken, gluurde een klein plukje geelkoperen krulletjes verlegen hoog tussen haar bruinverbrande benen door.
In het koele water leek haar lichaam zo warm als versgebakken brood, koud en warm tegelijk. Toen hij haar dat vertelde, sloeg ze haar armen om zijn hals.
'Ik ben Sam, gebakken Alaska, eet me maar op!' lachte ze en de waterdruppels schitterden als kleine diamantjes aan haar oogleden.
Onder degenen die van heinde en ver waren gekomen om op de uitgestrekte branding van Kaap St.-Francis te surfen waren er velen die Samantha kenden uit Florida en Californië, uit Australië en Hawaii waar haar excursies en haar betrokkenheid bij de zee en het leven in de zee haar hadden gebracht.
'Hee Sam!' schreeuwden ze, lieten hun planken in het zand vallen en renden naar haar toe, lange gespierde jongemannen, hazelnootbruin verbrand in de zon. Ze glimlachte wat vaag tegen hen, klemde Nicholas' hand steviger vast, antwoordde afwezig op hun gebabbel en verdween zodra ze maar de kans kreeg.
'Wie was dat?'
'Het is verschrikkelijk, maar ik kan het me niet herinneren – ik weet niet eens waar ik hem heb ontmoet of wanneer.'
Nick was wel een jaar niet in de zon geweest, zijn lichaam had de kleur van oud ivoor, scherp contrasterend met de dikke donkere beharing van zijn borst en buik. Aan het eind van die eerste dag in de zon was het ivoor veranderd in een dof venijnig rood.
'Daarvan krijg je last,' zei ze tegen hem, maar de volgende morgen waren zijn lichaam en ledematen mahoniekleurig. Ze trok de lakens van hem af en genoot ervan terwijl ze er met het topje van haar vinger voorzichtig langs streek.
'Ik bof want ik heb een huid als een rinoceros,' zei hij.
Iedere dag werd hij donkerder totdat hij eruit zag als een verweerde Amerikaanse Indiaan, een gelijkenis die nog werd versterkt door zijn hoge jukbeenderen.
'Je hebt vast Indiaans bloed,' vertelde ze hem en gleed met haar vinger over zijn neus.
Ze zat met gekruiste benen boven hem in het grote bed en raakte hem aan, bekeek hem met haar handen, zijn lippen, zijn oorlelletjes, de dikke donkere wenkbrauwen, het zwarte moedervlekje op zijn wang. Bij iedere nieuwe ontdekking liet ze een kreet van verrukking horen.

Ze zocht contact als ze wandelden, reikte naar zijn hand, duwde haar heup tegen hem aan als ze stilstonden, wreef als ze op het strand zat haar hoofd tegen zijn schouder – het leek wel of ze voortdurend behoefte had lichamelijk verzekerd te zijn van zijn aanwezigheid.
Als ze wijdbeens op hun planken zaten, ver buiten het vijf kilometer rif, te wachten op de roller, stak ze haar hand uit om zijn schouder aan te raken terwijl ze als een geoefend paardrijdster op de plank balanceerde. Dan waren ze dicht bij elkaar en geïsoleerd van het willekeurige groepje van dertig of veertig surfers die daar verspreid over een grote afstand over de branding gleden.
Zover op zee leek de kust een lange, donkergroene schil boven het genuanceerde groen en het heldere blauw van het water. Boven hun hoofden stapelden de donderwolken zich in een verblindende zilveren kleur op, zo hoog en aanmatigend dat de aarde erbij in het niet zonk.
'Dit moet toch wel het mooiste plekje van de hele wereld zijn,' zei ze en bewoog haar plank zodat haar knie tegen zijn dij rustte.
'Omdat jij hier bent,' zei hij.
Onder hen ademde het water als een levend wezen, rees en daalde met lange glasachtige rollers die naar het land toe golfden.
Onervaren surfers werden vaak ongeduldig en kozen dan een verkeerde golf. Ze knielden op hun plank en peddelden met beide handen, kwamen dan onvast overeind en sloegen om zodra het water na het maken van een golftop, neersloeg. De schimpscheuten en het vriendschappelijk bedoelde fluitconcert van de anderen begroetten hen als ze weer opdoken en schaapachtig grinnikend opnieuw op hun planken kropen.
O, die opwindende beroering als iemand riep: 'Een driedelige!', dan werden de planken vlug in positie gewrikt door hun gebolde blote handen, een flink eind uit elkaar en dan keken ze over hun donkerverbrande schouders en lachten en maakten grapjes als de golf aan de horizon opdoemde, nog altijd een kilometer of zeven verder de zee op, maar zo groot dat ze de verschillende rollers konden tellen waaruit hij bestond.
Met een snelheid van tachtig kilometer per uur deed de roller er zowat vijf minuten over hen te bereiken en in die tijd maakte Samantha een soort ritueel van haar voorbereidingen. Eerst haalde ze haar broekje op dat gewoonlijk was afgezakt, dan trok ze de

banden van haar bovenstuk aan en schoof haar borsten terug in de cups. Ze lachte tegen Nick terwijl ze dat deed.
'Je hoort niet te kijken.'
'Dat weet ik, het is slecht voor mijn hart.'
Ze haalde een paar schuifspeldjes uit haar haren en stopte die in haar mond terwijl ze de vuistdikke vlecht steviger vlocht en op haar rug tussen haar schouderbladen duwde. Ze schoof de losse strengen haar bij haar oren vast met de speldjes.
'Klaar?' vroeg hij en zij knikte en antwoordde: 'Nemen we de derde?'
De derde van zo'n reeks was traditioneel de grootste. Ze lieten zich door de eerste omhoog zwiepen en vielen mee in het dal erachter. Zeker de helft van de andere surfers was al overeind en weg, enkel hun hoofden nog zichtbaar boven de toppen van de golven.
Daar kwam de tweede golf, zwaarder, nog krachtiger, hij ging fors omhoog, en sloeg in een schuimtop om. De meeste overgebleven surfers gingen mee van wie er twee of drie omkieperden tegen de steile waterwand. Ze verloren hun planken, die onder hen werden weggetrokken.
'Nu gaan wij!' schreeuwde Samantha toen de derde roller hoog kwam aanzetten. Tegen de doorschijnende watermuur staken vier grote dolfijnen af, in perfecte balans voortschietend met de golf, hun deltavormige staart in beweging en met die typische vreugdegrijns op hun koppen.
'O, kijk eens,' zei Samantha zangerig, 'kijk die eens, Nicholas!'
Daar was de golf en ze roeiden heftig met hun handen, hun gewicht zoveel mogelijk voor op de plank, dat hartverlammende ogenblik waarop het lijkt dat het water voort zal schieten en hen achterlaten, maar opeens kwamen de planken onder hen tot leven en begonnen te glijden, sterk naar voren hellend met dat fluitende geluid van glad fiberglas door water.
Daar stonden ze beiden recht overeind te lachen in het zonlicht en ze dansten die ingewikkelde pasjes die de planken in evenwicht hielden en bestuurden.
Een van de dolfijnen dartelde met hen mee in die voortvliegende golf, dook onder de surfplanken door, keerde zich op zijn zij om tegen Samantha te grijnzen. Ze bukte zich en strekte haar hand uit om hem te aaien, maar verloor haar evenwicht en tuimelde bijna. Nu onderging hun golf rechts van hen de invloed van het rif en be-

gon op te krullen. De top kromde naar voren en bleef enige tijd in diezelfde vorm voortgolven totdat hij langzaam omklapte.
'Links houden,' riep Nick en ze schopten hun planken wat om en dansten naar de korte dikke boeggolfjes. Ze moesten door hun knieën zakken om de slingerende plank in bedwang te houden en hun snelheid werd nog verhoogd toen ze over de groene oppervlakte van de golf schoten, maar achter hen naderde de zich krommende golf, sneller dan zij zich uit de voeten konden maken.
Bij hun linkerschouder vormde het water nu een steile verticale muur. Samantha wierp er een blik op en zag de dolfijn ter hoogte van haar hoofd naast zich zwemmen, de machtige staart heftig in beweging, en ze voelde zich angstig want de majesteit en kracht die van die golf uitgingen maakten dat ze zich erg klein voelde.
'Nicholas!' schreeuwde ze en de golf stond als een boog langs de hemel en sneed het zonlicht af. Ze vlogen nu door een lange, ronde tunnel van brullend water. De wand was zo glad als geblazen glas en het licht was groen, helder en toch geheimzinnig. Voor hen uit was een volmaakt ronde opening aan het uiterste eind van de tunnel terwijl vlak achter haar de tunnel instortte in een woest gebulder van moordlustig water.
Hij schreeuwde weer tegen haar: 'We moeten hem voorblijven!' Zijn stem kwam van ver en ging bijna geheel verloren in het gebulder van het water. Ze ging gehoorzaam door op haar plank, haar tenen gekromd om de voorste rand.
Lange tijd hielden ze gelijke tred met het water, maar toen begonnen ze iets sneller te gaan en ten slotte schoten ze door de open mond van de tunnel weer in het zonlicht. Ze lachte onstuimig, nog altijd opgewonden door de doorstane angst.
Nu waren ze over het rif heen en de golf werd weer vaster, liet het witte schuim als kant gespreid liggen op het water achter hun rug.
'Laten we naar rechts gaan,' juichte Samantha omdat ze de stevige opbouw van deze roller wilde behouden. Ze draaiden weer wat en gingen terug, dansend over de steile voorkant. Het opspattende water raakte haar buik en dijen en de vlecht stond recht naar achteren, haar armen waren wijd gespreid en haar handen geopend. Onbewust maakte ze met haar vingers de fijne bewegingen van een Balinese danseres om zich in evenwicht te houden. Wonderbaarlijk genoeg zwom de dolfijn weer met zijn vin omhoog naast haar, volgde als een goed afgerichte hond.

Eindelijk reageerde de golf op het strand en werd woest, tuimelde wild over zichzelf heen met gegrom en woelde het zand om. Met een sprong maakten ze zich los van de golf, vielen achterover over de schuimtop in de zee naast hun drijvende planken en ze lachten en hijgden tegen elkaar van opwinding en angst en vreugde over dit avontuur.
Samantha was een liefhebster van de zee met een geweldige honger naar het fruit van de zee. Ze kraakte de pootjes van de kreeften met haar vingers en zoog er de witte stukjes vlees met een lawaaierige zinnelijkheid uit, de botersaus nog glanzend op haar lippen, haar ogen op Nick gericht terwijl ze at.
Bij kaarslicht at Samantha de geweldige Knysna oesters en slurpte het vocht uit de schalen.
'Je praat met je mond vol.'
'Dat komt omdat ik je nog steeds zoveel te vertellen heb,' legde ze uit.
Met een volkomen onschuldig gezichtje en de kuise onschuldige groene ogen van een kind, wist ze handen en mond te combineren in verlokkingen en ondeugend vernuft waarvan Nick sprakeloos stond te kijken.
'Ik heb mijn dissertatie voor mijn doctoraal filosofie over deze onderwerpen geschreven,' vertelde ze hem vrolijk en draaide met haar wijsvinger spuuglokjes in zijn bezwete borstharen. 'En bovendien, mijn kranige bink, dit was nog maar een inleidende aanbieding – nu tekenen we je in voor een volledige behandeling.'
Haar vreugde over zijn lichaam was eindeloos, ze moest gewoon iedere vierkante centimeter ervan aanraken, juichend en genietend zonder een spoor van verlegenheid. Ze hield zijn hand op haar schoot, boog zich er aandachtig overheen en volgde de lijnen in de palm ervan met een nagel.
'Je zult een mooi wellustig blondje ontmoeten, haar vijftien baby's schenken en honderdvijftig worden.'
Ze raakte de rimpeltjes om zijn ogen en bij zijn mondhoeken met het puntje van haar tong aan en liet koel, nat speeksel op zijn huid achter.
'Ik heb altijd een echt verweerde man voor mij alleen willen hebben.'
Toen haar onderzoek intiemer werd en hij protesteerde, zei ze ernstig: 'Stil jij, dit is een privé-kwestie tussen hem en mij.'
Even later: 'O jee! Hij is als vergif!'

'Vergif?' vroeg hij, gekwetst in zijn manlijkheid.
'Vergif,' zuchtte ze, 'want hij maakt dat ik me totaal weerloos overgeef.'
De eerlijkheid gebiedt te zeggen dat ze ook zichzelf aanbood om bevoeld en onderzocht te worden.
'Kijk maar, raak maar aan, het is van jou – allemaal van jou. Bevalt het je Nicholas? Is dit prettig voor je? Wil je nog iets anders, Nicholas, iets dat ik je ook kan geven?'
Als hij haar vertelde hoe mooi ze was en hoe hij naar haar verlangde, als hij haar aanraakte en zijn vreugde vertelde over al datgene wat ze hem schonk, straalde ze, rekte ze zich uit en spon ze als een grote gouden poes.
Samantha was liefde in het vroege, parelgrijze licht van de dageraad, zachte slaperige liefde met zacht gehijg en gemurmel en kreetjes van innige tevredenheid.
Samantha was liefde in de zon, zoals ze daar uitgespreid als een prachtige zeester in het door de fraai gevormde duinen onstuimig weerkaatste zonlicht lag. Het zand kleefde als suikerkristallen aan haar lichaam en hun opgewonden kreten stegen boven hun hoofden uit, hoog en extatisch als de geluiden van de nieuwsgierige zeemeeuwen die boven hen op roerloze witte vleugels zeilden in de wind.
Samantha was liefde in het koele groene water, hun hoofden op en neer deinend even voorbij de eerste golf van de branding, zijn tenen net in contact met de zanderige bodem en zij de beide zwembroekjes in één hand om hem heen gevlochten als zeewier om een rots onder water.
'Wat goed genoeg is voor mevrouw vinvis is dat ook voor Samantha Silver!'
Samantha was ook liefde in de nacht, haar haren zorgvuldig geborsteld en over hem uitgespreid, geurig en satijnzacht, een gouden baldakijn in het lamplicht.
Maar meer dan wat ook was Samantha het vibrerende leven – eeuwige jeugd.
Door haar beleefde Nicholas opnieuw de emoties die hij allang uitgestorven waande door zijn cynisme en de zakelijke sfeer van zijn leven.
Hij deelde weer haar kinderlijk plezier in de kleine wonderen van de natuur, de vlucht van een zeemeeuw, de aanwezigheid van de

dolfijn, de ontdekking van de volmaakt doorschijnende waaierschelp van een op het witte zand aangespoelde inktvis.
Hij deelde haar woede dat zelfs deze afgelegen en eenzame stranden door olie werden bezoedeld, spoelwater van tanks ergens bij de Agulhas stroom. De smerige kleverige druppels ruwe verspilde olie bleven vastzitten aan hun voetzolen, bevuilden de rotsen en bezoedelden de karkassen van de pinguins die ze langs de vloedlijn vonden.
Samantha was het leven zelf. Alleen al als je haar warmte voelde en genoot van de klank van haar lach voelde je je jonger worden. Wandelde je naast haar dan werd je levenslustig en sterk, sterk genoeg voor de lange dagen in zee en zon, sterk genoeg om de halve nacht te dansen op de woeste muziek en dan nog sterk genoeg om haar op te tillen als ze struikelde en haar slapende als een kind in zijn armen naar hun huisje bij het strand te dragen. Haar huid gloeide nog na van de warme zonnestraling.
'O Nicholas, Nicholas – ik ben zo gelukkig dat ik zou willen huilen.'

Toen verscheen Larry Fry ten tonele. Hij was omgeven door een wolk van verontwaardiging, leek roder dan ooit en was zo kwaad als een bedrogen echtgenoot.
'Twee weken,' brulde hij. 'Londen, Bermuda en St.-Nazaire hebben me deze twee weken de kop gek gezeurd! Niemand wist wat er met je gebeurd was. Je verdween gewoon van de aardbodem.' Hij bestelde een gin en tonic bij de barkeeper in zijn witte jasje en liet zich vermoeid in de stoel naast Nick zakken. 'Het heeft me bijna mijn baantje gekost, meneer Berg, gelooft u dat maar van mij. Je zou haast denken dat ik u persoonlijk in elkaar had geslagen en uw lijk in de baai had laten zakken. Ik moest een privé-detective in de arm nemen om alle hotelregisters in het land na te gaan.' Hij nam een lange kalmerende slok van zijn drankje.
Op dat ogenblik kwam Samantha de cocktail lounge binnen. Ze droeg een wijde soepele jurk in de kleur van haar ogen. Larry Fry vergat zijn verontwaardiging en staarde haar aan. Zijn kale ververbrande schedel begon te glimmen door lichte transpiratie.
'Grote genade,' mompelde hij, 'ik zou liever door haar dan door een ziekte bezocht worden.'

Zijn bewondering veranderde in verwarring toen ze recht op Nicholas af stevende, haar hand op zijn schouder legde en ten aanschouwe van iedereen hem langdurig op zijn mond kuste.
Larry Fry gooide zijn gin en tonic om.

'Nou moeten we weg, vandaag nog,' besloot Samantha. 'We moeten hier geen uur langer blijven, Nicholas, want dan bederven we alles. Het was volmaakt, maar nu moeten we weg.'
Nicholas begreep het. Net als hij voelde ze die dwang steeds door te gaan. Binnen een uur had hij een tweemotorige Beechcraft Baron gecharterd. Ze werden op het kleine landingsveldje naast het hotel opgepikt en op de Jan Smuts Airport bij Johannesburg, een uur voordat de UTA-vlucht naar Parijs zou vertrekken, neergezet.
'Ik heb altijd toeristenklasse gereisd,' zei Samantha toen ze goedkeurend in de eerste-klascabine om zich heen keek. 'Is het waar dat je aan deze kant gratis net zoveel mag eten en drinken als je wilt?'
'Ja,' zei Nick en voegde er haastig aan toe: 'Maar dat hoef je niet als een persoonlijke uitdaging te voelen.'
Ze bleven in George V in Parijs overnachten en namen in de loop van de morgen het TAT-toestel naar Nantes, het vliegveld dat het dichtst bij de haven van St.-Nazaire lag. Jules Levoisin kwam hen op het Chateau Bougon vliegveld afhalen.
'Nicholas!' riep hij stralend en ging op zijn tenen staan om hem op beide wangen te zoenen. 'Nicholas, je bent een zeerover, je hebt dat schip onder mijn neus weggehaald. Ik haat je.' Hij hield Nick een armlengte van zich af. 'Ik heb je toch gewaarschuwd dat zaakje niet op te knappen?'
'Dat heb je inderdaad, Jules, je waarschuwde me.'
'Waarom heb je me dan voor joker gezet?' vroeg hij en draaide zijn snorren op. Hij droeg een duur overhemd en een das van Yves St.-Laurent. Op de wal was Jules altijd een fat.
'Ik bied je een lunch bij La Rotisserie aan,' beloofde Nicholas.
'Ik vergeef het je dan maar,' zei Jules, de Rotisserie was een van zijn lievelingseetgelegenheden – maar op dat ogenblik kwam Jules tot de ontdekking dat Nicholas niet alleen reisde.
Hij deed een stap achteruit, wierp een lange onderzoekende blik op Samantha en het leek wel of de Franse driekleur om hem heen

begon te wapperen en fanfares de eerste noten begonnen te blazen van de Marseillaise. Hij boog zich over haar hand en kriebelde de rug ervan met zijn borstelige zwarte snor. Tegen Nicholas zei hij: 'Ze is te mooi voor je, *mon petit*, ik zal haar van je overnemen.'
'Net als je met de *Golden Adventurer* deed?' vroeg Nick onschuldig.
Jules had zijn oude Citroën op het parkeerterrein staan. Hij glansde van de was en was uitgerust met glimmende accessoires en bungelende mascottes. Hij hielp Samantha voorin alsof het een Rolls Camargue was.
'Een schoonheid,' fluisterde ze terwijl hij eromheen rende naar zijn bestuurdersplaats.
Jules kon zijn aandacht niet tegelijkertijd op de weg voor hem uit en op Samantha richten, zodat hij zich op haar concentreerde zonder ook maar iets af te halen van de topsnelheid van de Citroën. Wel schreeuwde hij zo nu en dan 'cochon!' tegen andere chauffeurs.
'Je zult genieten in La Rotisserie,' zei Jules tegen Samantha. 'Ik kan me alleen maar veroorloven daar te gaan eten als ik een rijke man tegenkom die een gunst van me wil.'
'Hoe weet je dat ik je een gunst ga vragen?' vroeg Nick van achter uit de auto. Hij hield zich vast aan het portier.
'Drie telegrammen, een telefoontje uit Bermuda – en nog een uit Johannesburg,' Jules grinnikte snaaks en knipoogde tegen Samantha. 'Denk jij misschien dat ik geloof dat Nicholas Berg over de goeie oude tijd wil spreken? Meen je heus dat ik veronderstel dat hij zoveel voor zijn oude vriend voelt, die hem als zijn eigen zoon behandelde en die hij nu openlijk heeft bestolen? – ' Jules racete over de Loirebrug en stortte zich in dat warnet van éénrichtingsstraatjes waardoor Nantes berucht is. Op wonderbaarlijke wijze vond hij steeds een opening.
Op de Place Briand hielp hij Samantha galant uit de Citroën en in het restaurant maakte hij bezorgde klokkende geluidjes toen Nicholas de wijnkaart met de *sommelier* besprak – maar hij knikte opgelucht en goedkeurend toen ze het eens werden over een Chablis Moutonne en een Chambertin-Clos-de-Bèze. Hij wierp zich met animo zowel op het eten als op de wijn, al bleef hij evenzeer van Samantha genieten.
'Je kunt aan de wijze waarop een vrouw eet merken of ze gemaakt is om echt te leven en lief te hebben,' zei hij en toen Samantha hem met smachtende blikken over haar forel aankeek, verwachtte Nick

dat hij zou gaan kraaien als een haantje.
Pas toen hij een glas cognac voor zich had staan en Nick en hij zwarte sigaartjes hadden opgestoken, zei hij opeens: 'Ziezo, Nicholas, nu ben ik in de goede stemming, kom op met je vraag.'
'Ik heb een kapitein voor mijn nieuwe zeesleper nodig,' zei Nick en Jules verdween achter een dik blauw gordijn sigarerook.
Ze draaiden als schermers om elkaar heen gedurende de rit van Nantes naar St.-Nazaire.
'Die schepen die jij bouwt, Nicholas, dat zijn geen zeeslepers. Dat zijn speelgoedbootjes, drijvende bordelen – al die prullen en snuisterijen –'
'Die stelden me juist in staat met Christy Marine te onderhandelen toen jij nog geen flauw idee had dat ik zo dichtbij was.' Jules blies verontwaardigd en mompelde in zichzelf: 'Tweeëntwintigduizend pk, *c'est ridicule*! Ze hebben een teveel aan kracht –'
'Ik had iedere pk daarvan hard nodig toen ik de *Golden Adventurer* bij Kaap Alarm lostrok.'
'Nicholas, blijf me niet steeds herinneren aan die schandelijke episode.' Hij keerde zich naar Samantha. 'Ik heb honger, *ma petite* en in het volgende dorp is een *pâtisserie*.' Hij zuchtte en drukte een kus op zijn vingertoppen. 'U zult smullen van het gebak.'
'Laat me maar eens proeven,' zei ze vriendelijk.
'Die schroeven zijn bespottelijk,' zei Jules.
'Ik kan met een snelheid van vijfentwintig knopen de *Warlock* in haar achteruit zetten en sta dan binnen haar eigen lengte stil.'
Jules veranderde van tactiek en viel op een ander front aan. 'Je zult nooit voldoende werk vinden voor twee zulke grote dure schepen.'
'Ik zal er straks vier nodig hebben, twee is niet genoeg,' weerlegde Nick Jules' woorden. 'We gaan ijsbergen vangen.' Jules vergat te kauwen gedurende de daarop volgende tien minuten waarin hij intens luisterde. 'Een van de voordelen van het ijsbergenplan is dat al mijn schepen in touw zullen zijn op de grote tankerroutes, de drukste vaarwegen op alle oceanen –'
'Nicholas,' Jules schudde vol bewondering zijn hoofd, 'je loopt me te hard van stapel. Ik ben een oude man, ouderwets –'
'U bent niet oud,' zei Samantha nadrukkelijk. 'In feite bent u net in de bloei van uw leven.' Jules stak zijn handen met een theatraal gebaar in de hoogte.

'Nu laat je ook nog een beeldschoon meisje vleierijen op mijn gebogen grijze hoofd stapelen.' Hij keek Nicholas aan. 'Schuw je dan geen enkele list?'

De volgende morgen sneeuwde het trage vlokjes uit een dikke grijze lucht, toen ze St.-Nazaire vanaf het badplaatsje La Baule binnenreden.
Jules had er een appartement in een van de flatgebouwen. Het was voor hem een plezierige standplaats want *La Mouette*, de zeesleper waarover hij het commando voerde, was eigendom van een Bretonse maatschappij en St.-Nazaire was haar thuishaven.
Jules reed door de nauwe straatjes van dat deel van het havenkwartier, even voorbij de brug, waar de werven van Construction Navale Atlantique verspreid lagen, een van de drie grootste scheepswerven in Europa.
De hellingen voor grote schepen, bulk carriers en marinevaartuigen lagen direct aan het brede, ruime gedeelte van de rivier.
Jules parkeerde de Citroën bij de hekken dicht bij de binnenhaven en ze liepen naar het kantoor waar Charles Gras hen verwachtte.
'Wat een feest jou weer eens te zien, Nicholas.' Gras was een van de hoofdingenieurs van Atlantique, een lange wat gebogen man met een bleek gezicht en sluik vrij lang zwart haar. Hij had de scherpe sluwe trekken van de doorsnee Parijzenaar en levendige heldere ogen die veel goed maakten van zijn wat zure niet zo vriendelijke manier van doen.
Nicholas en hij kenden elkaar al vele jaren en tutoyeerden elkaar. Charles Gras ging over op een niet accentloos Engels toen hij aan Samantha werd voorgesteld en weer terug op Frans toen hij Nicholas vroeg: 'Ik denk dat je direct je schip wilt gaan zien, n'est çe pas?' De *Seawitch* stond hoog op de helling. Hoewel ze het zusterschip van de *Warlock* was, leek ze wel tweemaal zo groot nu haar romp onder de waterlijn volledig droog lag. Hoewel de bovenbouw nog niet klaar was, was het al niet meer mogelijk de symmetrische functionele schoonheid van haar vormen te verbloemen. Jules blies wat kwaadaardig, mompelde 'bordeel' en maakte wat opmerkingen over 'Admiraal Berg en zijn oorlogsschip', maar hij kon de glans in zijn ogen niet verhelen toen hij over de nog niet

volledig geëquipeerde navigatiebrug wandelde of intens luisterde toen Charles Gras de elektronische apparatuur uitlegde en die andere snufjes die het schip zo snel, efficiënt en manoeuvreerbaar maakten.
Nick realiseerde zich dat hij deze twee experts even samen moest laten om elkaar te overtuigen. Het was zonder meer duidelijk dat ze, hoewel het hun eerste ontmoeting was, onmiddellijk contact met elkaar hadden.
'Kom mee.' Rustig nam Nick Samantha bij de arm en samen liepen ze voorzichtig onder de stellages door en langs werklieden naar het bovendek.
Het sneeuwde niet meer, maar een snijdende wind kwam over de Atlantische Oceaan fluiten. Ze vonden een beschut plekje waar Samantha dicht tegen Nick aankroop en het zich behaaglijk maakte in zijn beschuttende arm.
Daar hoog in het dok hadden ze vanaf de *Seawitch* een schitterend uitzicht door het woud van bouwkranen, over de daken van de vemen en kantoren naar de scheepshellingen vooraan langs de rivier waar de kielen voor de werkelijk grote scheepsrompen lagen.
'Je had het over de *Golden Dawn*,' zei Nick. 'Daar ligt ze.'
Het duurde wel even voordat Samantha zich realiseerde dat ze naar een schip keek.
'Lieve God,' hijgde ze, 'wat is die groot.'
'Grotere schepen worden niet gebouwd,' gaf hij toe.
De stalen constructie was bijna tweeëneenhalve kilometer lang, drie straten van een stad en de romp had de hoogte van een gebouw van vijf verdiepingen terwijl de navigatietoren nog eens dertig meter daar bovenuit stak.
Samantha schudde haar hoofd. 'Het is niet te geloven. Het lijkt wel – een stad! Wat een angstig idee dat zo'n gevaarte gaat drijven.'
'Wat je ziet is alleen maar de romp, de tanks zijn in Japan geconstrueerd. Laatstelijk hoorde ik dat ze direct versleept worden naar de Perzische Golf.'
Nick keek ernstig naar het schip in de verte al maakte de ijskoude wind dat hij voortdurend met zijn ogen moest knipperen.
'Ik moet buiten zinnen geweest zijn,' fluisterde hij, 'een dergelijk monster te ontwerpen.' Toch klonk er een tikkeltje uitdagende trots in zijn stem.
'Ze is zo reusachtig groot – onvoorstelbaar,' moedigde ze hem aan.

'Vertel er nog eens wat meer van.'
'Het is eigenlijk meer dan één boot,' legde hij uit. 'Er zou geen haven waar ook ter wereld te bedenken zijn toegankelijk voor een zo groot schip, niet een van de staten van de Verenigde Staten kan ze bereiken, er is domweg onvoldoende water.'
'Ja?' Ze genoot wanneer hij zijn toekomstplannen ontvouwde, van de macht en overtuigingskracht van zijn uiteenzettingen.
'Wat je daar ziet liggen is een vervoersplatform, accommodatie voor bemanning en dergelijke en de hoofdkrachtbron.' Hij trok haar steviger tegen zich aan.' We maken vier losse tanks, ieder met een capaciteit van een kwart miljoen ton ruwe olie, die je je stuk voor stuk even groot moet voorstellen als het grootste schip dat nu in de vaart is.'
Charles Gras en Jules Levoisin luisterden aan de lunch even aandachtig als zij.
'Een enkele stijve romp van die afmetingen zou barsten en in zware zee in tweeën breken,' zei hij, pakte het olie- en azijnstel en gebruikte dat om zijn ontwerp uit te leggen. 'Maar die vier afzonderlijke tanks zijn zo ontworpen dat ze los van elkaar kunnen bewegen. Dat geeft hun de mogelijkheid zelf te drijven en de woeste gang van de zee te overwinnen. Dat is misschien wel het belangrijkste principe van scheepsbouw: een scheepsromp moet met het water mee kunnen bewegen – niet trachten ertegenin te gaan.'
Over de tafel heen knikte Charles Gras instemmend, maar zijn gezicht stond somber.
'Die losse tanks komen allemaal aan dit platform vast te zitten als zuigvissen op het lichaam van een haai, zonder gebruik te maken van hun eigen voortbewegingsmechanisme, vertrouwende op de ketels en de viervoudige schroeven van het moederschip dat hen over de oceanen draagt.' Hij duwde het olie- en azijnstelletje over de tafel. Ze keken allemaal geboeid toe. 'Zodra ze dan het vastelandsplat tegenover de losplaats aan de kust heeft bereikt, gaat ze voor anker, zestig of tachtig of misschien zelfs wel honderdvijftig kilometer uit de kust, maakt een, twee of meer tanks los, die dan die laatste kilometers op eigen kracht afleggen. In het beschutte water en bij goed weer zal hun eigen voortbewegingsmechanisme hen veilig vervoeren. De lege tank ballast zichzelf en keert terug naar het moederschip.'
Terwijl hij sprak, maakte Nicholas het zoutvaatje los van het olie-

en azijnstel en duwde het tegen Samantha's bord. De twee Fransen zwegen en staarden naar het verzilverde zoutvaatje, maar Samantha keek naar Nicks gezicht.
Het was donkerbruin verbrand, scherp gesneden en knap. Wat was hij bezield en vitaal. Ze was trots op hem, trots op zijn sterke persoonlijkheid die andere mensen dwong te luisteren als hij sprak, trots op het vernuft en de moed die nodig zijn om een project van een dergelijke omvang te bedenken.
Nicholas was weer druk aan het redeneren. 'Onze beschaving is voor een deel afhankelijk van vloeibare fossiele brandstof. Bij gebrek daaraan zouden we gedwongen worden tot een zo afschuwelijk ontwenningstrauma dat ik er niet aan moet denken. Nu we dan toch aangewezen zijn op ruwe olie, laten we dat dan uit de aarde te voorschijn halen, vervoeren en verschepen met alle denkbare voorzorgsmaatregelen.'
'Nicholas.' Charles Gras onderbrak hem abrupt. 'Wanneer heb je voor het laatst de tekeningen van de *Golden Dawn* gezien?'
Nick zweeg, uit zijn evenwicht gebracht doordat hij midden in zijn betoog werd onderbroken. Hij fronste zijn wenkbrauwen toen hij wat geprikkeld antwoordde: 'Ruim een jaar geleden ben ik bij Christy Marine vertrokken.'
'Een jaar geleden hadden we het contract voor de bouw van de *Golden Dawn* nog niet eens in huis.' Charles Gras draaide de voet van zijn wijnglas tussen zijn vingers rond. Zijn onderlip zakte iets naar beneden. 'Het schip dat je ons daarnet hebt beschreven verschilt in vele opzichten van dat wat we daarginds bouwen.'
'In welk opzicht, Charles?' Nick was er duidelijk direct bij betrokken.
'Het concept is hetzelfde. Het moederschip en de vier afzonderlijke tanks, maar –' Charles haalde met dat welsprekende Franse gebaar zijn schouders op. 'Ik kan het je misschien het beste met eigen ogen laten zien. Zullen we direct na de lunch?'
'*D'accord,*' knikte Jules Levoisin, 'maar dan wel op voorwaarde dat het geen afbreuk doet aan de verdere geneugten van dit verrukkelijke dineetje.' Hij stootte Nicholas even aan. 'Als je met zo'n frons op je voorhoofd zit te eten, *mon vieux*, bezorg je jezelf gezwellen als trossen rijpe Loiredruiven.'
Toen ze van onderen opkeken tegen de reuzengestalte van de *Golden Dawn* maakte die de indruk als een berg van staal tot ver

in de grijze sneeuwlucht op te rijzen. De mannen op duizelingwekkende hoogte verspreid aan het werk op de stellingen hadden de grootte van insekten. Juist toen Samantha naar hen stond te kijken, onttrok een losse vochtige grijze wolk die van zee stroomopwaarts kwam drijven, de top van de navigatiebrug enige ogenblikken aan het oog.
'Ze reikt tot aan de hemel,' zei Nick naast haar en zijn blikken verrieden zijn trots toen hij zich omdraaide naar Charles Gras. 'Ziet ze er niet prachtig uit? Ze ziet eruit als het schip dat ik me voorstelde –'
'Kom Nicholas.'
Het kleine gezelschap zocht een weg door de chaos op de werf. Het gieren van de kranen en het gerammel van de zware staaltransportbanden, het geknetter van de reusachtige elektrische lasinstallaties, gecombineerd met het geratel van het spervuur van klinknagels smolten samen tot een oorverdovende kakofonie. De stellages en hijsinstallaties vormden een bijna ondoordringbaar woud rondom de reusachtige romp. Het staal en het beton glansden vochtig, berijpt met kristalhelder ijs.
Het was een hele wandeling door die overvolle werf, zeker een minuut of twintig om de achtersteven van het schip om te lopen.
Nick moest zich helemaal achteroverbuigen om die in zijn geheel te overzien en even had hij het gevoel dat hij in een middeleeuwse kathedraal naar boven stond te kijken. Hij schrok zichtbaar.
'Ja,' knikte Charles Gras en het sluike zwarte haar danste op zijn voorhoofd. 'Dat is nu een van die verschillen met je oorspronkelijk ontwerp.' De schroef was uitgevoerd in glanzend brons, zes schoepen, stuk voor stuk zo mooi en symmetrisch als de vleugels van een vlinder. Ze waren van een zo groot formaat dat ze zelfs vergeleken bij de reusachtige romp van de *Golden Dawn* niet klein leken, iedere schoep was langer en breder dan de volle spanwijdte van een jumbo jet.
'Eén!' fluisterde Nick, 'maar één!'
'Ja,' gaf Charles Gras toe, 'niet vier, maar slechts één schroef. Bovendien is het een niet omkeerbare schroef.'
Ze zwegen allemaal toen ze in de lift naar boven gingen. Ze kwamen ermee aan de buitenkant van het schip ter hoogte van het hoofddek. De machinekamer was een holle, elk geluid weerkaatsende ruimte, fel verlicht door de bovenin aangebrachte strijklichten. Ze stonden

hoog op een van de stalen loopbruggen en zagen een meter of vijftien onder zich de ketel en de condensatoren van de hoofdmotor. Nick stond wel vijf minuten te kijken. Hij stelde geen vragen, gaf geen oordeel. Ten slotte keerde hij zich naar Charles Gras en knikte kortaf.
'Mooi, ik heb genoeg gezien,' zei hij en de ingenieur bracht hen naar de lift. Weer stegen ze hoger. Het was net of ze in een modern kantoorgebouw waren terechtgekomen, het chroom en de betimmering van de lift, de met vast kleed belegde gangen waarlangs Charles Gras hen naar de appartementen van de kapitein leidde. Hij maakte met een sleutel die aan zijn horlogeketting hing de mahoniehouten deur open.
Jules Levoisin liet er zijn blikken langzaam rondgaan en schudde verwonderd zijn hoofd. 'Aha, zo moet je je installeren,' hijgde hij. 'Nicholas, ik sta erop dat het onderkomen van de kapitein op de *Seawitch* op deze wijze wordt ingericht.'
Nick lachte niet, maar liep naar de ramen die over het voordek van de tanker keken naar haar ronde stompe weinig sierlijke boeg, twee kilometer verderop. Hij stond met zijn handen op zijn rug ineengeslagen, wijdbeens, zijn kin nijdig naar voren gestoken en zweeg evenals de anderen.
Charles Gras opende de bar en schonk cognac in. Hij bracht Nick een glas die zich net bij het raam omkeerde.
'Dank je, Charles, ik heb wel iets nodig om de kou in mijn binnenste te bestrijden.' Nick proefde de cognac, bewoog de vloeistof met zijn tong door zijn mond en keek intussen rond in de weelderige omgeving. Duncan Alexander had een goede binnenhuisarchitect gevonden voor dit werk. Afgezien van het uitzicht uit de grote ramen zou het een duur appartement op Fifth Avenue in New York kunnen zijn.
Langzaam liep Nick over het dikke groene tapijt waarin het huismonogram, de dooreengestrengelde letters C en M van Christy Marine geweven was en bleef staan voor de Degas op de ereplaats boven de marmeren schouw.
Hij herinnerde zich Chantelles uitzinnige vreugde toen ze dat schilderij hadden gekocht. Het was een van de balletstukken van Degas, zacht stralend licht op de benen van de danseresjes. Hij moest terugdenken aan de nimmer aflatende vreugde die Chantelle door de jaren heen eraan beleefde en verbaasde zich dat zij toe-

stemming had gegeven dat het vrijwel onbewaakt en kwetsbaar werd gebruikt op een van de schepen van de maatschappij. Dit schilderij was zeker een kwart miljoen pond waard.
Hij boog zich wat dichter ernaartoe en pas op dat ogenblik realiseerde hij zich dat het een knappe kopie was.
'De eigenaar kreeg de waarschuwing dat de zeelucht mogelijk schade aan het origineel zou aanbrengen,' zei Charles Gras schouderophalend en vervolgde met een bezwerend gebaar van zijn handen: 'En maar weinigen zullen het verschil zien.'
Dit was nu typisch Duncan Alexander, dacht Nicholas woest. Het kon alleen maar zijn idee zijn, zijn sluwe gedachtengang, zijn overtuiging dat je te allen tijde iedereen voor de gek kon houden.
Iedereen wist dat Chantelle eigenaresse van dit schilderij was en daarom zou geen sterveling aan de echtheid twijfelen. Dat zou wel de overweging van Duncan Alexander zijn. Het kon onmogelijk in Chantelles hoofd zijn opgekomen. Ze was nooit het type geweest dat schijn en bedrog accepteerde.
Nicholas wees met zijn glas naar de kopie en richtte zich tot Charles Gras.
'Dit is bedrog,' zei hij toonloos. Hij had zijn woede onder controle. 'Maar het is ongevaarlijk.' Hij keerde zich ervan af en met een armgebaar dat het hele schip omvatte, vervolgde hij: 'Maar dat andere bedrog, deze enorme fraude,' hij pauzeerde even om de metaalachtige klank die zijn stem had gekregen te onderdrukken en ging kalm verder, 'dit is een gemeen, moorddadig spel dat hij speelt. Hij heeft het hele concept van dit schip verkracht. Eén schroef in plaats van vier – die kan een schip van deze omvang niet in riskante omstandigheden veilig manoeuvreren, die kan niet voldoende kracht ontwikkelen om een aanvaring te vermijden, om haar van de lage wal weg te krijgen, zware zee te weerstaan.' Nick wachtte even en de klank van zijn stem werd nog indringender toen hij zei: 'Dit schip kan naar morele wetten en die van de natuur niet op één enkele ketel varen. Mijn ontwerp voorzag in acht verschillende ketels en condensatoren, maar Duncan Alexander heeft hier maar één ketelsysteem in laten zetten. Er is niets om op terug te vallen, de veiligheid is verdwenen – een paar liter zeewater in het systeem kan het hele gevaarte onklaar maken.'
Nicholas zweeg ineens omdat een nieuwe gedachte door hem heen schoot. 'Charles,' zei hij op scherpe toon, 'de losse tanks, dat ont-

werp van de losse tanks. Daarop heeft hij toch niet bezuinigd? Zeg me gauw, die hebben toch nog elk hun eigen schroeven hè?'
Charles Gras ging met de fles Courvoisier in zijn hand naar Nick toe en toen deze wilde bedanken voor een tweede glas, zei Charles treurig: 'Kom, Nicholas, je zult het nodig hebben voor wat ik je nu ga vertellen.'
Terwijl hij hem bijschonk zei hij: 'De losse tanks, dat ontwerp is ook veranderd.' Hij haalde diep adem en vervolgde snel: 'Ze hebben niet meer elk een eigen voortbewegingsmechanisme. Het zijn alleen nog maar drijvende gevaartes die gekoppeld en ontkoppeld moeten worden en bestuurd moeten worden door aparte sleepboten.'
Nicholas staarde hem aan, zijn lippen twee bloedeloze strepen. 'Nee, dat geloof ik niet! Zelfs Duncan –'
'Duncan Alexander heeft tweeënveertig miljoen dollar bespaard door het ontwerp van de *Golden Dawn* te veranderen en haar uit te rusten met maar één schroef en één ketel.' Charles Gras haalde zijn schouders weer op. 'Tweeënveertig miljoen dollar is een hele hoop geld.'

Een bleek winters zonnestraaltje wist af en toe door de lage grijze wolken te breken en de velden in de buurt van de Theems op te lichten.
Samantha en Nicholas stonden op een rijtje met een handjevol kleumende ouders en keken naar het kluwen duwende jongens die in hun kleurige truien over het sportveld rolden, het lichtblauw en zwart van Eton, het zwart en wit van St.-Paul's, al was het verschil dan nauwelijks meer zichtbaar door alle modder.
'Wat doen ze toch?' vroeg Samantha en hield de kraag van haar jas hoog tegen haar hals.
'Dat heet nu een "scrum",' legde Nick uit, 'op die manier beslissen ze wie van de twee teams de bal krijgt.'
Er was opeens een zenuwachtige drukte en de glibberige eivormige bal vloog in een flauwe boog terug en werd door een jongen in de kleuren van Eton opgevangen. Die ging er meteen mee aan de haal.
'Dat is Peter hè?' schreeuwde Samantha.
'Toe maar, Peter, hup jongen!' brulde Nick en de jongen holde met zijn hoofd achterover en de bal tegen zijn borst gedrukt. Hij liep

krachtig, week uit voor een troepje tegenstanders, die hij spartelend in de omgewoelde modder achterliet, maakte een scherpe hoek op het sappige gras in de richting van de witte doelstreep en trachtte de rand te bereiken vóór een lange, krachtiger gebouwde jongen die over het veld kwam aanstormen.

Samantha begon op en neer te dansen, schreeuwde uit al haar macht, volkomen onbekend met wat er verder ging gebeuren.

De twee hollende jongens zouden op één punt samenkomen die precies op de witte lijn lag vlakbij de plaats waar Nick en Samantha stonden.

Nick zag hoe het gezicht van zijn zoon was vertrokken en hij realiseerde zich dat dit een inzet van alles of niets was. Hij voelde in zijn borst iets samentrekken toen hij zag dat de jongen tot het uiterste van zijn kunnen ging, de spieren van zijn hals als dikke koorden op de huid, zijn lippen weggetrokken waardoor de opeengeklemde tanden in de kaak zichtbaar werden.

Vanaf zijn vroegste jeugd had Peter Berg iedere taak die hij op zich nam met volledige inzet aangepakt. Net als zijn grootvader, de oude Arthur Christy en zijn eigen vader zou hij wel een succes van zijn leven maken. Nick wist dat instinctief toen hij hem daar zo zag hollen. Hij had zijn intelligentie en bezieling geërfd, maar hij versterkte die eigenschappen door zijn ijzeren wil. Nick voelde de druk in zijn borst toenemen. De jongen deed het goed en meer dan dat. Nick voelde zich trots.

Pure wilskracht had Peter Berg een pas voor de grotere tegenstander met zijn langere benen gebracht en nu strekte hij zijn handen met de bal ver naar voren, zo ver mogelijk om de bal op de grond aan de de andere kant van de lijn te drukken.

Op nog geen drie meter van de plek waar Nick stond, een seconde van succes verwijderd, raakte hij uit balans en de jongen van St.-Paul's dook naar hem en raakte hem opzij tegen zijn borst met een dreunende, niets ontziende opstopper waardoor Peter uit het speelveld rolde en de bal uit zijn handen gleed en wegstuiterde. Peter viel op zijn knieën op het gras, maakte een koprol en bleef voorover liggen.

'Hij heeft het gehaald!' zei Samantha die nog steeds stond te dansen.

'Nee,' zei Nick, 'net niet.'

Peter Berg dwong zichzelf overeind. Zijn wang zat vol donkerbruine modder en zijn beide knieën bloedden.

Hij keek zelfs niet naar zijn verwondingen en hij schudde de beschermende hand van de jongen van St.-Paul's van zich af toen hij terug naar het veld hinkte. Hij keek zijn vader niet aan. Met een alles overheersend gevoel van verwantschap wist Nick dat deze gevoelens voor zijn zoon veel moeilijker te dragen waren dan fysieke pijn.
Toen de wedstrijd voorbij was, kwam Peter bebloed en onder de modder naar Nicholas toe en ze schudden elkaar plechtig de hand.
'Ik ben zo blij dat u bent gekomen, meneer,' zei hij, 'ik wou dat u ons had zien winnen.'
Nick wilde zeggen: 'Dat doet er niet toe, Peter, het is maar een spelletje.' Toch deed hij het niet. Voor Peter Berg was het heel erg belangrijk, zodat Nicholas instemmend knikte en vervolgens Samantha voorstelde.
Zij zei: 'Hallo Peet, wat een wedstrijd, je had het verdiend van St.-Paul's te winnen.' Hij lachte, die plotseling stralende onweerstaanbare lach die haar zo aan Nicholas deed denken. Haar hart kromp ineen. Toen de jongen wegholde om te douchen en zich aan te kleden, greep Samantha Nicholas' arm.
'Wat een knappe jongen! Waarom zegt hij eigenlijk "meneer" tegen je?'
'Ik heb hem in zeker drie maanden niet gezien. We moeten altijd weer de juiste toon vinden.'
'Drie maanden is een hele tijd –'
'Dat is allemaal door advocaten geregeld. Bezoekrechten en dergelijke – alles in het belang van het kind, niet van de ouders. Deze dag is een speciale gunst van Chantelle, maar ik moet hem wel om vijf uur bij haar afleveren, niet vijf over vijf, maar klokke vijf uur.'
Ze gingen naar de Cockpit, een theegelegenheid en Peter deed Samantha weer versteld staan door een stoel voor haar achteruit te schuiven en haar beleefd te verzoeken plaats te nemen. Terwijl ze daar zo zaten te wachten op de lekkerste theegebakjes die je in Engeland kan krijgen onderhielden Nicholas en Peter zich stijfjes met elkaar omdat ze beiden verlegen waren.
'Je moeder heeft me een afschrift van je rapport gestuurd, Peter. Ik kan je niet zeggen hoe blij ik ermee was.'
'Ik had gehoopt dat het nog beter zou zijn, meneer. Er zijn nog altijd drie jongens beter dan ik.'
Het deed Samantha verdriet. Peter Berg was pas twaalf. Ze wilde wel

dat hij zijn armen zomaar om Nicks hals kon slaan en 'Pappie, ik houd van je' kon zeggen, want die liefde bleek overduidelijk, zelfs door het vernisje van kostschoolmanieren heen.
Ze zou niets liever willen dan hen beiden helpen. Ze kreeg een ingeving en begon te vertellen over de berging van de *Golden Adventurer* door de *Warlock* waarbij ze veel nadruk legde op de grote moed van de kapitein van de zeesleper. Natuurlijk vergat ze ook niet de redding van Samantha Silver uit het ijskoude water van Antarctica.
Peters ogen sperden wijd open toen hij het verhaal als het ware van haar lippen las. Een enkele maal onderbrak hij haar door Nicholas te vragen: 'Is dat waar, pap?' Toen ze alles had verteld, zweeg hij lange tijd en kondigde toen aan: 'Als ik groot ben, word ik kapitein op een zeesleper.'
Daarna liet hij Samantha zien hoe je op de juiste wijze aardbeienjam op de theegebakjes deed. Ze genoten er beiden uitbundig van en zo met slagroom om hun lippen werden ze dikke maatjes. Nicholas had nu geen moeite meer deel te nemen aan hun opgewekt gebabbel. Hij glimlachte dankbaar naar Samantha en drukte onder de tafel haar hand.
Nick moest er ten slotte een eind aan maken. 'Luister eens Peter, als we op tijd op Lynwood willen zijn –' Peters stemming sloeg meteen om.
'Kan je moeder niet opbellen, pap? Misschien mag ik wel het weekend bij jou in Londen blijven.'
'Dat heb ik al geprobeerd.' Nick schudde zijn hoofd. 'Het hielp niet.' Peter stond op en verborg zijn gevoelens.
De jongen leunde op de achterbank van Nicks Mercedes 450 Coupé naar voren tussen de twee kuipstoelen in en ze voelden zich gedrieën nauw verbonden in de intimiteit van de voortsnellende auto.
Het was al bijna donker toen Nicholas het stenen toegangshek naar Lynwood binnenzwenkte. Hij wierp een snelle blik op zijn horloge. 'We halen het net.'
De oprit slingerde door de goed onderhouden bossen naar de drie verdiepingen hoge 18de-eeuwse buitenplaats op de top van de heuvel. Het huis straalde licht uit alle ramen.
Nick kreeg hier altijd dat vreemde holle gevoel in zijn maag. Eens was dit zijn huis geweest, elke kamer, elke vierkante meter grond riep herinneringen op.

'Ik heb dat Spitfire-model dat je me voor Kerstmis hebt gegeven, klaar pap.' Peter probeerde op alle mogelijke manieren de tijd te rekken. 'Kom je niet even binnen om het te bekijken?'
'Dat denk ik niet –' begon Nicholas, maar Peter flapte er al uit voordat zijn vader de zin kon afmaken: 'Kan best. Oom Duncan is er toch niet. Hij komt vrijdags altijd heel laat uit Londen en zijn Rolls staat nog niet in de garage.' Op een toon die Nick tot diep in zijn ziel raakte, liet Peter er nog op volgen: 'Toe, alsjeblieft... ik zie je anders niet weer voor Pasen.'
'Ga maar,' zei Samantha, 'ik wacht hier wel.' Peter keerde zich naar haar: 'Kom jij ook, Sam, toe doe het.'
Samantha voelde zich gegrepen door nieuwsgierigheid, een verlangen meer te weten te komen van Nicks leven tot nu toe.
'Goed, Peet, daar gaan we dan.'
Nick moest hen wel de brede bordestreden op volgen naar de dubbele eiken deuren en hij had het gevoel meegesleurd te worden door gebeurtenissen waarover hij geen macht had.
In de hal keek Samantha vlug om zich heen en raakte diep onder de indruk. Het trappenhuis verbond drie verdiepingen, de brede trap van wit marmer met marmeren balustrade was recht tegenover de ingang en aan weerszijden ervan gaven glazen deuren toegang tot langgerekte vertrekken. Peter greep haar hand en trok haar mee de trap op terwijl Nick hen naar Peters kamer volgde.
De Spitfire nam een ereplaats in op de plank boven Peters bed. Hij haalde hem er trots af en ze bekeken hem met gepast bewonderende uitroepen.
Toen ze ten slotte de trap weer afliepen, drukten de droefheid en de onafwendbaarheid van het afscheid op hen allemaal, maar ze werden midden in de hal tot staan gebracht door een stem uit de zitkamer aan hun linkerhand.
'Peter, schat.' Er stond een vrouw op de drempel die nog mooier was dan het portret dat Samantha van haar had gezien.
Gehoorzaam liep Peter naar haar toe. 'Dag, moeder.'
Ze boog zich wat naar hem toe, nam zijn gezicht in haar beide handen en kuste hem liefdevol. Daarna rechtte ze haar rug weer en trok hem aan haar hand naast zich.
'Nicholas,' zei ze, haar hoofd een tikje schuin, 'wat zie je er goed uit – zo bruin en gezond.'
Chantelle Alexander was maar enige centimeters langer dan haar

zoon, maar het was net of ze met haar stralende aanwezigheid het hele huis vulde.
Haar haren waren donker en glanzend en haar huid en de grote donkere amandelvormige ogen waren erfstukken van de beeldschone Perzische edelvrouwe die de oude Arthur Christy om haar fortuin had getrouwd, maar die hij met een hem obsederende hartstocht was gaan beminnen.
Ze was zo sierlijk, haar smalle voetjes kwamen net onder de lange groen zijden rok uit en het fijne handje dat Peter vasthield vroeg extra aandacht door een donkergroene smaragd.
Ze draaide haar hoofdje iets op de lange slanke hals en haar ogen kregen die wat oosterse schuine stand van een hedendaagse Nefertete toen ze Samantha aankeek.
Enige seconden namen de twee vrouwen elkaar op. Samantha stak haar kinnetje in de hoogte toen ze in die donkerbruine gazelleogen keek waarin alle mysteries van het Oosten lagen. Ze begrepen elkaar onmiddellijk.
'Mag ik je doctor Silver voorstellen?' begon Nick, maar Peter trok aan de hand van zijn moeder.
'Ik heb Sam gevraagd naar mijn vliegtuigmodel te komen kijken. Ze is zeebiologe en ze doceert aan de Universiteit van Miami –'
'Nog niet, Peet,' verbeterde Samantha hem, 'dat komt nog wel.'
'Goedenavond, doctor Silver. U hebt blijkbaar een verovering gemaakt.' Ze keerde zich weer naar Nick. 'Ik zat op je te wachten, Nicholas. Ik ben zo blij dat ik de gelegenheid heb even wat met je te bespreken.' Ze wierp een blik op Samantha.' Ik hoop dat u ons enige ogenblikken wilt excuseren, mevrouw Silver. Het is een nogal dringende kwestie. Peter zal u graag even bezighouden. U zult als biologe zeker geïnteresseerd zijn in zijn Guinese biggetjes.'
De bevelen werden gracieus gegeven door een vrouw die de situatie zo in de hand had, dat Peter op Samantha toeliep en haar aan de hand meenam. Chantelle ging Nicholas voor en begon aan het ritueel van een drankje voor hem in te schenken. Hij wilde haar weerhouden. Het was iets van vroeger, het riep te veel pijnlijke herinneringen op, maar desondanks keek hij geboeid naar de fijne, zekere bewegingen van haar handjes waarmee ze precies de juiste hoeveelheid Chivas Royal Salute in schonk waaraan ze soda en één ijsblokje toevoegde.
'Wat een knap jong meisje, Nicholas.'

Hij zweeg. Op de Lodewijk de XIVde schrijftafel stond een portret in zilveren lijst van Duncan Alexander en Chantelle samen. Hij keek een andere kant uit, liep naar de open haard en ging er met zijn rug naar toe staan zoals hij zovele avonden in het verleden had gedaan. Chantelle bracht hem zijn glas en bleef naast hem staan. Ze keek naar hem op en haar parfum raakte een nostalgische snaar diep in hem. Hij had deze *Calèche* de eerste keer op een lentemorgen in Parijs voor haar gekocht. Het kostte hem moeite die herinnering van zich af te zetten.

'Waarover wilde je me spreken? Over Peter?'

'Nee, Peter doet zo goed zijn best als we gezien de omstandigheden maar kunnen verlangen. Hij koestert nog altijd wrok tegen Duncan – maar –' ze haalde haar schouders op en liep van hem weg. Hij was bijna vergeten hoe smal haar middel was, hij zou het nog altijd met zijn beide handen kunnen omspannen.

'Het is moeilijk uit te leggen, maar het gaat om Christy Marine, Nicholas. Ik heb dringend advies nodig van iemand die ik kan vertrouwen.'

'En kun je mij dan vertrouwen?' vroeg hij.

'Is dat niet vreemd? Ik zou me nog altijd op jou verlaten.' Ze kwam weer bij hem terug en bleef dicht bij hem staan.

'Hoewel ik het recht niet heb je dit te vragen, zul je me het toch niet weigeren, Nicholas?'

Ze bracht hem in haar ban, hij voelde het ragfijne net waarin hij verstrikt dreigde te worden.

'Ik ben altijd een onnozele hals geweest hè?'

Ze raakte licht zijn arm aan. 'Nee, Nicholas, niet zo verbitterd.' Ze fixeerde hem.

'Waarmee kan ik je van dienst zijn?' Haar hand op zijn arm verwarde hem. Ze voelde het intuïtief en verhoogde even de druk van haar vingers voordat ze haar hand ophief en een blik wierp op het dunne witgouden horloge aan haar pols.

'Duncan kan ieder ogenblik thuiskomen en wat ik je te vertellen heb is lang en gecompliceerd. Kunnen we een afspraak maken voor begin volgende week in Londen?'

'Chantelle,' begon hij.

'Toe alsjeblieft, Nicky!' Zij was de enige die hem ooit zo had genoemd. 'Je ontmoet Duncan dinsdagmorgen om over de arbitrage van de *Golden Adventurer* te praten. Wil je me dan in Eaton Square

opbellen als je daar klaar bent? Ik wacht daar aan de telefoon.'
'Chantelle –'
'Nicky, ik kan het niet iemand anders vragen.'
Hij was nooit in staat geweest haar iets te weigeren – misschien was dat een van de redenen dat hij haar had verloren, dacht hij grimmig.

De motor draaide bijna geruisloos. Alleen het lage gesuizel van de wind langs de buitenkant van de Mercedes was hoorbaar.
'Die verdomde stoeltjes zijn niet geschikt voor de liefde,' zei Samantha.
'In een uur zijn we thuis.'
'Ik weet niet of ik zo lang kan wachten,' fluisterde Samantha hees. 'Ik wil zo graag dicht bij je zijn.'
Ze zwegen weer totdat ze snelheid moesten minderen voor de drukte van het weekend bij Hammersmith.
'Peter is er een van de bovenste plank. Als ik een jaar of tien was zou ik hem al mijn poppen geven.'
'Ik heb zo'n idee dat jij dan zijn Spitfire zou krijgen.'
'Ik voel me bedreigd, Nicholas,' in haar stem was opeens een paniekerige klank. 'Ik heb een afschuwelijk voorgevoel –'
'Onzin.'
'We hebben het te goed samen – en al te lang.'

James Teacher was de eerste man van Salmon Peters & Teacher, de advocaten die Nick had genomen voor Oceaan Bergingsbedrijf. Het was een man met een geweldige reputatie in Londen, een toonaangevende expert op het gebied van zeerecht – en een taaie onderhandelaar. Hij zag er blozend uit, was kaal en had zulke korte benen dat zijn voeten niet eens de vloer van de Bentley raakten als hij op de achterbank zat.
Hij en Nick hadden nauwgezet overlegd waar deze allereerste ontmoeting met Christy Marine zou moeten plaatsvinden en zij waren het ten slotte eens geworden dat zij naar het hol van de leeuw moesten gaan. James Teacher had er echter op gestaan dat ze in zijn

chocoladekleurige Bentley moesten aankomen in plaats van in de een of andere taxi.
'Gerookte zalm, meneer Berg, daar zijn we op uit, niet op gehakt met patat.'
Christy House was een van die oude vuilzwarte stenen gebouwen die met hun front aan Leadenhall Street stonden, het centrum van de Engelse scheepsbouw. De portier liep over het trottoir naar de auto om het portier voor Nicholas open te houden.
'Prettig u weer te zien, meneer Berg.'
'Hallo Alfred. Zorg je goed voor je zaakjes?'
'Ja zeker, meneer!'
De taxi achter hen, waarin twee junior partners van James Teacher met dikke aktentassen zaten, stopte achter de Bentley en gezamenlijk gingen ze op weg. De drie advocaten drukten hun kaasdopjes wat steviger op hun hoofden en liepen vastberaden in een één, twee formatie door de deur.
In de gang gaf de portier hen over aan een wat oudere bediende die bij de receptie stond te wachten.
'Goedemorgen, meneer Berg. Wat ziet u er goed uit, meneer.'
Ze gingen in een langzaam gangetje met de lift achter de antieke ijzeren harmonikadeuren naar boven. Nicholas had er nooit toe kunnen komen deze ouderwetse te vervangen door een moderne snellift.
De bediende bracht hen naar een wachtkamer die directe verbinding had met de bestuurskamer, een reusachtige betimmerde zaal waarin het portret van de oude Arthur Christy als enige tegen de muur van de ingang hing. Het was een man met een krachtige, agressieve kaaklijn en scherpe donkere ogen onder borstelige witte wenkbrauwen. Er brandde een houtvuur in de open haard en er stonden kristallen karaffen met sherry en madera op de tafel in het midden – weer een van de tradities van de oude heer – zowel James Teacher als Nick bedankte voor een glaasje.
Ze stonden te wachten met het gezicht naar de deur van de kamers van de voorzitter. Er verliepen precies vier minuten voordat de deur werd opengegooid en Duncan Alexander binnenstapte. Zijn blikken flitsten door de kamer en bleven als het ware aan Nick haken. Het was doodstil in de kamer.
De advocaten om Nick heen leken wel achteruit te deinzen en de mannen achter Duncan Alexander wachtten en volgden hem nog

niet in de wachtkamer, maar allemaal keken ze gespannen en aandachtig toe. Deze ontmoeting zou het gesprek van de dag in de komende weken in Londen zijn.
Duncan Alexander was een opvallend knappe man, wel vijf centimeter langer dan Nick, slank als een danser en met de daarbij behorende lichaamsbeheersing. Hij had ook een smal gezicht met lange magere kaken, reeds met de door het leven gegroefde trekken om zijn ogen en zijn mondhoeken.
Hij had dik zilverblond haar en hoewel hij het modieus lang over de oren droeg, was het zo zorgvuldig gekamd en geborsteld dat de glanzende golven de indruk wekten gebeeldhouwd te zijn.
Hij had een gladde huid, donkerder dan zijn haren – hoogtezon of skiën bij Chantelles chalet in Gstaad – zodra hij lachte zoals nu zag je zijn verblindend witte, perfecte grote tanden in de ruime vriendelijke mond – maar zijn ogen lachten niet hoewel er rimpeltjes in de hoeken ontstonden. Duncan Alexander gluurde achter zijn knappe gezicht als een sluipschutter uit een hinderlaag.
'Nicholas,' zei hij zonder een stap vooruit te komen of een hand uit te steken.
'Duncan,' zei Nick vlak zonder terug te glimlachen. Duncan Alexander trok een lapel van zijn jasje recht. Zijn kleren waren volmaakt gesneden maar ze hadden fatterige details. Hij raakte de knopen even met zijn vingertoppen aan, weer zo'n onzeker gebaar, het enige bewijs van een zekere mate van onbehagen.
Nicholas keek hem strak aan en trachtte hem onbewogen te beoordelen. Voor de allereerste keer zag hij nu hoe het gebeurd kon zijn. Er ging iets opwindends van de man uit, het biologeren van het luipaard – of van een ander machtig roofdier. Nick begreep ineens de bijna onweerstaanbare charme die de man voor vrouwen had vooral voor een verwende en zich vervelende vrouw, dertien jaar getrouwd, die geloofde dat er nog opwindende zaken en avonturen in het leven waren waaraan zij geen deel had. Duncan had zijn cobradans uitgevoerd en Chantelle had hem als een gehypnotiseerde paradijsvogel gadegeslagen – of was dat de manier waarop Nicholas graag zag dat het was gebeurd? Hij was nu wijzer, stukken wijzer en veel cynischer.
'Voordat we beginnen,' zei Nick die voelde dat woede langzaam in hem opsteeg en hem al gauw zou overmannen tenzij hij er uiting aan kon geven, 'zou ik je graag vijf minuten onder vier ogen spreken.'

'Natuurlijk,' Duncan boog zijn hoofd. 'Kom mee.'
Duncan ging terzijde staan en Nick liep rechtstreeks door. De kantoren waren volledig opnieuw ingericht en Nick knipperde verrast tegen de witte tapijten en het meubilair van chroom en perspex, volledig abstracte geometrische kunst in vaste primaire kleuren aan de muur. Het was geen verbetering, naar Nicks mening.
'Ik was verleden week in St.-Nazaire.' Nicholas draaide zich midden op het sneeuwwitte vloerkleed om en keek Duncan Alexander scherp aan die juist de deur sloot.
'Ja, dat weet ik.'
'Ik heb de *Golden Dawn* bekeken.'
Duncan Alexander knipte een gouden sigarettenkoker open en bood Nick er een aan. Toen die weigerde, koos hij er zelf een, een speciale melange, op bestelling voor hem gemaakt door Benson en Hedges.
'Charles Gras ging buiten zijn boekje,' zei Duncan hoofdschuddend, 'er mogen geen bezoekers worden toegelaten op de *Golden Dawn*.'
'Het verwondert me niet dat je je schaamt voor die levensgevaarlijke val die je daar bouwt.'
'Ik verwonder me wel over jou, Nicholas,' Duncan lachte weer. 'Het was jouw ontwerp.'
'Je weet heel goed dat dat niet het geval is. Je nam het idee over en verkrachtte het. Duncan, je kunt dat –' Nick zocht naar het juiste woord, 'monster de zee niet op laten gaan, niet met één motor en één enkele schroef. Dat risico is veel te groot.
'Ik vertel je het volgende zonder enige noodzaak, misschien alleen omdat dit eens jouw domein is geweest, maar ook omdat het me amusant lijkt je de fouten te laten zien in je oorspronkelijke plannen. Het concept was goed, maar je verknoeide veel door toevoeging van die belachelijke, zullen we het Bergiaanse snufjes noemen? Vijf aparte aandrijvingsmechanismen, een zee van ketels. Dat was niet uitvoerbaar, Nicholas.'
'Dat was het wel, de cijfers klopten.'
'De hele tankermarkt is veranderd sinds jij bij Christy Marine bent weggegaan. Ik moest je ontwerp aanpassen.'
'Je had het hele plan moeten laten varen toen de kostprijsberekening veranderde.'
'O nee, Nicholas, ik heb het geherstructureerd. Zo ben ik nu eenmaal, zelfs in deze moeilijke tijden wil ik het geld er in één jaar uit hebben en wanneer we de levensduur van dit schip op vijf jaar

stellen, zit er tweehonderd miljoen dollar winst voor ons in.'
'Mijn opzet was een schip dat zeker dertig jaar mee zou kunnen,' zei Nick, 'een aanwinst waarop we trots konden zijn.'
'Trots is een duur artikel. We bouwen geen dynastieën meer, we verkopen capaciteit van tankers.' Duncan had zich een neerbuigende toon aangemeten, zijn onberispelijk accent werd er nog door geaccentueerd waardoor het verschil in afkomst als het ware extra nadruk kreeg. 'Ik mik op vijf jaar in de vaart, tweehonderd miljoen winst en dan verkopen we het hele geval aan Griekenland of Japan. Het wordt een wegwerpartikel.'
'Jij bent altijd een soort oplichter geweest,' gaf Nick toe, 'maar dit is geen ordinair handeltje. Schepen zijn geen graan en spek en de oceanen zijn geen marktpleinen.'
'Ik vrees dat we van mening verschillen. De principes zijn hetzelfde – de een koopt, de ander verkoopt.'
'Schepen zijn levende organismen, de oceaan is het slagveld van alle elementen.'
'Kom nou, Nicholas, je gelooft die romantische onzin toch zelf niet.' Duncan haalde een gouden horloge uit zijn vestzak. 'De heren die aan de andere kant van de deur op ons wachten kosten geld.'
'Je speelt met mensenlevens, het leven van de opvarenden.'
'Zeelieden worden uitstekend betaald –'
'Je neemt een ongehoord risico met het leven in de oceanen. De *Golden Dawn* zal overal waar ze gaat een potentiële bedreiging –'
'In godsnaam, Nicholas, tweehonderd miljoen dollar is wel enig risico waard.'
'Goed,' knikte Nicholas, 'laten we een ogenblik het milieu vergeten, evenals het leven van de opvarenden en ons bepalen tot dat belangrijke aspect – het geld.'
Duncan zuchtte en schudde zijn aristocratische hoofd. Zijn glimlach deed denken aan een vader tegenover een weerspannig kind. 'De financiële kant heb ik gedetailleerd bestudeerd.'
'Je zult geen A1 kwalificatie bij Lloyd's kunnen krijgen. 'Je krijgt dat schip nooit verzekerd – tenzij je het zelf doet zoals je dat ook met de *Golden Adventurer* hebt gedaan en als je meent dat je daarmee verstandig hebt gehandeld, wacht dan nog even totdat ik mijn bergloon heb geïncasseerd.'
Duncan Alexanders glimlach gleed van zijn gezicht en onder de gebruinde huid kroop het bloed in zijn wangen. 'Ik heb geen be-

hoefte aan een kwalificatie van Lloyd's hoewel ik ervan overtuigd ben dat ik er één zou krijgen als ik dat wilde. Ik heb verzekeraars zowel in Europa als in het Oosten gevonden. Ze zal volledig verzekerd zijn.'

'Ook tegen milieuvervuilingseisen? Als die buidel ruwe olie op het continentale plat van Amerika of Europa openbarst, moet je een half miljard dollars op tafel brengen. Dat is niet te verzekeren.'

'De *Golden Dawn* is in Venezuela geregistreerd en ze heeft geen zusterschip waarop door de autoriteiten beslag kan worden gelegd zoals bij de *Torrey Canyon*. Aan wie moeten ze die rekening voor milieuverontreiniging presenteren? Een ter ziele zijnde Zuidamerikaanse maatschappij? Nee, Nicholas, Christy Marine zal nooit zo'n rekening behoeven te betalen.'

'Dat kan ik niet geloven, zelfs niet van jou.' Nick staarde hem aan. 'Je spreekt ijskoud over de mogelijkheid – nee, de waarschijnlijkheid – van het verlies van een miljoen ton ruwe olie in zee.'

'Je morele verontwaardiging is aandoenlijk. Dat meen ik. Mag ik je desondanks eraan herinneren, Nicholas, dat dit familie- en firmazaken betreft – en dat jij niet langer deel uitmaakt noch van de familie noch van de firma?'

'Ik heb je altijd geleerd dat goedkoop ten slotte duurkoop is,' zei Nick.

'Jij me wat geleerd?' Voor het eerst tartte Duncan hem nu openlijk. 'Wat zou jij me nu over schepen of geld kunnen leren?' Hij rolde wellustig zijn tong om het woord dat hij vervolgens uitsprak. 'Of over vrouwen?'

Nick voelde de neiging uit te halen, maar hij wist zich te beheersen en dwong zichzelf zijn gebalde vuisten langs zijn dijen te ontspannen. Het bloed gonsde in zijn oren.

'Ik zal je bestrijden,' zei hij kalm. 'Ik zal je bevechten nu en hier tot en met de maritieme conferentie en ook daarna.' Hij nam op dat ogenblik die beslissing, hij was er zich nog niet eerder bewust van geweest dat dit hem voor ogen stond.

'Een maritieme conferentie is er nog nooit in geslaagd tot een besluit te komen waardoor een van de leden binnen de vijf jaar werd beperkt in zijn doen en laten. Tegen die tijd zal de *Golden Dawn* eigendom zijn van een Japanse, in Hongkong zetelende maatschappij – en Christy Marine zal haar bankrekening met tweehonderd miljoen verhoogd hebben.'

'Ik zal ervoor zorgen dat de oliehavens je niet toelaten –'
'Wie niet? Naar olie dorstende regeringen met wandelgangen vol grote oliemaatschappijen?' Duncan lachte schamper, hij had zijn wellevend masker weer opgezet. 'Je bent de kluts weer kwijt. We hebben vele malen in het verleden de degens gekruist, Nicholas – en ik ben nog geen duimbreed geweken. Ik ben ook ditmaal niet van plan me iets van je bedreigingen aan te trekken.'

Na dit gesprek was er geen hoop dat de ontmoeting in de bestuurskamer tot een verzoening zou leiden. De atmosfeer was geladen en de strijd tussen de twee voornaamste deelnemers smeulde voort. Het leek wel of er in feite maar twee personen dit toneel vulden.
Het kostte Nicholas een geweldige zelfbeheersing zijn woede zover terug te dringen dat hij nog helder kon denken en zijn intuïtie gelegenheid geven de tekenen van lef te onderkennen, die subtiele aanwijzingen van de denkwijze, het plannen maken achter Duncan Alexanders knappe masker aan de andere kant van de tafel.
Het duurde wel een halfuur voordat hij overtuigd was dat nog iets anders dan persoonlijke rivaliteit en vijandschap de man tegenover hem leidde en motiveerde. Zijn tegenbod was zo laag dat hij onmogelijk kon hopen dat het geaccepteerd zou worden, zo vreselijk laag dat daardoor duidelijk werd dat hij geen schikking wilde treffen. Duncan Alexander wilde dus arbitrage – ondanks het feit dat hij daarbij niets kon winnen. Het moest iedereen om de tafel duidelijk zijn dat Nicholas' eis om en de nabij de vier miljoen dollar lag. Nicholas zou die vier hebben geaccepteerd, zelfs in zijn woede zou hij dat hebben gedaan – en het risico nemen dat een arbitragecommissie mogelijk zes zou toekennen, in het besef dat uitstel alsmede de kosten van het aanspannen van een geding nog eens een miljoen zouden vergen. Hij zou geaccepteerd hebben.
Duncan Alexander bood tweeëneenhalf. Het was een bespottelijk bod. Hij wilde geen overeenstemming bereiken en Nicholas had de indruk dat de man door een akkoord te weigeren niets won, maar wel een groot risico nam. Nicholas was ervaren genoeg om te weten dat je nooit een geding aanspant als er een andere weg is. Een proces spekte alleen de zakken van advocaten.

Waarom werkte Duncan tegen, wat meende hij te winnen door zijn obstructie? Nick onderdrukte zijn opwelling op te staan en met een kreet van afschuw de kamer uit te lopen. In plaats daarvan stak hij een sigaartje op en leunde weer naar voren, zijn blikken gericht op Duncan Alexanders staalgrijze ogen in een poging die te peilen, dat zwakke, bedorven plekje te ontdekken. Zijn hersens werkten op volle toeren.
Wat kon Duncan Alexander winnen door nu niet tot overeenkomst te komen?
Opeens had hij het door. Chantelles raadselachtig verzoek om hulp en raad kwam hem opeens voor de geest en hij begreep waar het om ging. Duncan Alexander wilde tijd winnen. Zo simpel lagen de zaken.
'Mooi zo!' Nicholas leunde eindelijk bevredigd achterover in de met leer beklede stoel en sloot zijn ogen. 'We zijn nog altijd mijlen van elkaar verwijderd. Er is maar één punt van overeenkomst en dat is een van de kamers daar boven bij Lloyd's. De datum is de zevenentwintigste. Zijn we het daar tenminste over eens?'
'Natuurlijk.' Duncan leunde eveneens achterover en Nicholas zag iets in zijn ogen veranderen, de kleine zenuwtrekjes in de opeengeklemde kaken, de lange vingers die de blocnote voor hem op tafel vaster omklemden. 'Natuurlijk,' herhaalde Duncan en kwam overeind als teken dat het onderhoud beëindigd was. Hij loog geniaal.
In de ouderwetse lift deed James Teacher enthousiast terwijl hij zich tevreden de dikke handjes wreef. 'Die zullen we wel krijgen!'
Nicholas wierp hem een norse blik toe. Bij winst, verlies of gelijk spel, James Teacher zou zijn honorarium altijd krijgen en Duncan Alexanders weigering de kwestie onderling te regelen had het bedrag verviervoudigd.
'Ze proberen er zich uit te draaien,' zei Nick grimmig. 'Voor morgenochtend twaalf uur zal Christy Marine een verzoek indienen de hoorzitting uit te stellen,' voorspelde Nick. 'Je zult de *Warlock* met al zijn paardekrachten nodig hebben om hen voor de commissie van arbitrage te slepen.'
'Ja, je hebt gelijk.' James Teacher knikte. 'Ik begreep het al niet, al had ik wel een gevoel –'
'Ik betaal je niet om het niet te begrijpen.' Nicks stem klonk laag en hard.' Ik betaal je om hen te doorzien en ze een stap voor te zijn. Ik wil dat ze aanwezig zijn op de hoorzitting op de zevenentwintigste.

Zorg dat ze er zijn, Teacher.' Hij hoefde zijn vrees niet uit te spreken. Op dat zelfde ogenblik was de verrukking op het gezicht van de advocaat veranderd in vrees en diepe bezorgdheid.

De salon in het huis op Eaton Square was geheel in crème en matgoud gehouden, een fijnzinnig bedachte entourage voor de balletdanseresjes van Degas, waarvan een kopie in de kapiteinshut van de *Golden Dawn* hing. Het schilderij beheerste de hele kamer, geraffineerd verlicht door een gecamoufleerd schijnwerpertje.
De enige andere felle toets in de kamer was Chantelles kleding. Ze had dat vermogen van de oosterlinge felle kleuren te dragen zonder daardoor opzichtig te worden. Ze had een vuurrode creatie van Pucci aan, die toch haar schoonheid niet deed verbleken.
'Lieve Nicky, ik wist wel dat ik op je zou kunnen rekenen.' Ze schudde zijn hand en leidde hem naar de sofa. Daar streek zij als een stralende prachtige vogel naast hem neer. Ze trok haar benen onder zich op, haar kuiten en enkels glansden als gewreven ivoor voordat ze de fel gekleurde rok eroverheen trok. Ze pakte de Wedgwood theepot.
'Orange pecco,' zei ze glimlachend, 'geen citroen en geen suiker.'
Hij moest wel teruglachen. 'Je vergeet het blijkbaar niet!'
'Ik zei de vorige keer al dat je er goed uitziet,' zei ze en keek hem aandachtig en zonder enige terughoudendheid aan. 'Dat doe je werkelijk, Nicholas. Toen je in juni voor Peters verjaardag op Lynwood kwam, maakte ik me zorgen over je. Je zag er vreselijk ziek en vermoeid uit, maar nu –' ze hield haar hoofdje kritisch scheef, 'je ziet er heus geweldig uit.'
Nu zou hij haar eigenlijk moeten vertellen dat ze nog altijd even mooi was, dacht hij grimmig, en dan zouden ze het over Peter hebben en hun vroegere wederzijdse vrienden.
'Waarover wilde je me spreken?' vroeg hij effen en er gleed een schaduw van gekwetstheid over haar ogen.
'Nicholas, je kunt zo afstandelijk doen, zo –' ze aarzelde en zocht naar het juiste woord, 'zo gereserveerd.'
'Onlangs noemde iemand me een "ijzige buldog",' knikte hij, maar zij schudde haar hoofd.
'Nee, ik weet dat je dat niet bent, als je maar –'

'De drie gevaarlijkste en meest prikkelende zinswendingen in de Engelse taal,' viel hij haar in de rede, 'zijn "jij altijd" en "jij nooit" en "als jij maar". Ik kwam hier, Chantelle, om je te helpen met een probleem. Laten we het daarover hebben.'
Ze kwam vlug overeind en hij kende haar goed genoeg om haar boosheid te herkennen. Ze stond naar de Degas te kijken met haar handen tot vuisten naast haar lichaam gebald.
'Slaap je met dat kind?' vroeg ze met woede in haar stem.
Nicholas stond op van de sofa en zei: 'Dag, Chantelle.'
Ze draaide zich om, kwam op hem af rennen en pakte zijn arm. 'O, Nicholas, dat was onvergeeflijk, ik weet niet wat me bezielde. Toe, ga alsjeblieft niet weg.' Toen hij trachtte zich uit haar greep los te maken, zei ze: 'Ik smeek je en dat voor de allereerste keer in mijn leven, ik smeek je, Nicholas, ga alsjeblieft niet weg.'
Hij was nog altijd woedend toen hij zich weer op de sofa liet zakken en ze zwegen zeker wel een minuut.
'Het loopt allemaal zo verschrikkelijk verkeerd. Ik heb dit niet gewild.'
'Goed, laten we zien op veiliger terrein te komen.'
'Nicholas,' begon ze, 'jij en pappa hebben Christy Marine gemaakt, misschien jij zelfs nog meer dan hij. De grote tijd was de laatste tien jaar toen jij president was, al die geweldige prestaties gedurende die tijd –'
Hij maakte een ongeduldig gebaar, maar zij ging zachtjes verder. 'Te veel van je leven is nog altijd verweven met Christy Marine, Nicholas, je bent er nog altijd nauw bij betrokken.'
'Er zijn nog maar twee dingen waarbij ik nauw ben betrokken,' zei hij bijna ruw, 'dat zijn Oceaan Bergingsbedrijf en Nicholas Berg.'
'We weten allebei dat het niet waar is,' fluisterde ze, 'je bent een apart type man.' Ze zuchtte. 'Ik dacht dat alle mannen min of meer gelijk waren. Ik meende dat kracht en een edele inborst algemeen goed waren –' ze haalde haar schouders op. 'Er zijn nu eenmaal mensen die door schade en schande wijs moeten worden.' Ze glimlachte moeizaam.
Hij bleef even zwijgen en dacht aan wat ze met deze woorden openbaarde. Toen antwoordde hij: 'Als je dat dan gelooft, vertel me dan maar waarover je je zorgen maakt.'
'Er is iets helemaal mis met Christy Marine, Nicholas, er gebeurt daar iets wat ik niet begrijp.' Ze keerde even haar hoofdje af en keek

hem toen weer aan. Het was net of haar ogen waren veranderd, donkerder en bedroefder waren geworden. 'Het is zo moeilijk om niet déloyaal te zijn, zo moeilijk vage twijfels en angsten onder woorden te brengen,' – ze hield weer op en beet zachtjes op haar onderlip. 'Nicholas, ik heb mijn aandelen Christy Marine overgedragen aan Duncan als mijn gemachtigde met het stemrecht.'
Nicholas voelde de schok van deze mededeling in zijn zenuwstelsel. Hij schoof rusteloos op de sofa heen en weer en staarde haar aan. 'Ik weet dat het krankzinnig is geweest, de krankzinnigheid van die belachelijke dagen nu een jaar geleden. Ik zou hem alles gegeven hebben wat hij maar van me vroeg.'
Hij kreeg een soort voorgevoel dat ze hem nog niet alles had verteld zodat hij wachtte.
'Mag ik je iets inschenken?'
Hij keek op zijn Rolex. ''t Is al laat. Komt Duncan thuis?'
'De laatste tijd is hij hier nooit voor acht of negen uur.' Ze liep naar de karaf op het zilveren blaadje en schonk een glas whisky in. Haar stemmetje was zo zacht dat hij nauwelijks hoorde wat ze zei.
'Een jaar geleden trad ik terug als executrice van de Stichting.'
Hij gaf geen antwoord. Hierop had hij zitten wachten. Hij had het gevoel gehad dat er nog iets was. De Stichting die de oude Arthur Christy had opgericht was het hart van Christy Marine. Een miljoen aandelen met stemrecht in beheer bij drie bewindvoerders, een bankier, een advocaat en een lid van de familie Christy.
Chantelle draaide zich weer naar hem toe en bracht zijn drankje. 'Hoorde je wat ik zei?' vroeg ze. Hij knikte en nam een slokje voordat hij antwoordde: 'De andere bewindvoerders? Nog steeds Pickstone van Lloyd's en Rollo? Ze schudde haar hoofd en beet weer op haar lip.
'Nee, het is zelfs Lloyd's niet meer, het is nu Cyril Forbes.'
'Wie is dat?' vroeg Nick.
'Hij is directeur van de London & European.'
'Maar dat is Duncans eigen bank,' protesteerde Nick.
'Het is nog wel een officiële bank.'
'En Rollo?'
'Rollo heeft een maand of zes geleden een hartaanval gehad. Hij is afgetreden en Duncan heeft een ander aangesteld. Je kent hem niet.'
'Grote God, drie kerels en stuk voor stuk Duncan Alexander – hij

kan een jaar lang met Christy Marine doen en laten wat hij wil, Chantelle, en er is geen controle.'
'Dat weet ik,' fluisterde ze. 'Het is de oudste waanzin van de wereld.' Nick had nu medelijden met haar. Voor het eerst realiseerde hij zich en accepteerde hij dat ze had gehandeld onder dwang, door krachten gedreven waarover ze geen macht had.
'Ik ben zo bang, Nicholas. Ik ben zo bang voor de gevolgen van wat ik heb gedaan.'
'Goed, vertel me de rest ook.'
'Er is verder niets meer.'
'Als je tegen me liegt, kan ik je niet helpen,' wees hij haar vriendelijk terecht.
'Ik heb geprobeerd die nieuwe opbouw van de maatschappij te volgen, maar het zit allemaal zo ingewikkeld in elkaar, Nicholas. De London & European is de nieuwe "houdstermaatschappij" en – en –' haar stem stierf weg. 'Het draait maar steeds in een kringetje rond en ik kan er mijn neus niet te diep insteken en te veel vragen stellen.'
'Waarom niet?' vroeg hij.
'Je kent Duncan niet.'
'Ik begin hem door te krijgen,' antwoordde hij grimmig, 'maar, Chantelle, je hebt volledig het recht vragen te stellen en antwoord daarop te krijgen.'
'Laat ik nog een glas voor je halen,' zei ze en sprong overeind.
'Ik heb dit nog niet op.'
'Het ijs is gesmolten, ik weet dat je dat niet lekker vindt.' Ze nam het glas, gooide het restje verdunde whisky weg en vulde het glas opnieuw.
Opeens begon ze te huilen. Ze glimlachte weemoedig naar hem en bleef huilen. 'De waanzin is voorbij, Nicholas. Het heeft maar kort geduurd – maar het was een brandoffer, een slachting.'
'Hij komt tegenwoordig om een uur of negen thuis,' zei Nicholas.
'Ja, om een uur of negen. Wat moet ik doen, Nicholas?'
'Roep een stel accountants te hulp,' begon hij, maar ze schudde haar hoofd.
'Je kent Duncan niet,' herhaalde ze weer.
'Wat zou hij kunnen beginnen.'
'Hij kan alles, hij is tot alles in staat. Ik ben bang, Nicholas, vreselijk bang, niet alleen voor mezelf, maar ook voor Peter.'

Nicholas schoot recht overeind.
'Peter? Wil je daarmee zeggen dat je bang bent dat hij het kind iets zal aandoen?'
'Ik weet het niet, Nicholas. Ik voel me zo verward en alleen. Jij bent de enige in de wereld die ik kan vertrouwen.'
Hij kwam overeind en begon met gefronste wenkbrauwen te ijsberen, starend in zijn glas waarin hij het ijsblokje ronddraaide dat daardoor zachtjes tinkelde.
'Ja,' zei hij ten slotte, 'ik zal doen wat ik kan. In de eerste plaats zal ik trachten te weten te komen hoeveel realiteit er ten grondslag ligt aan jouw angsten.'
'Hoe wil je dat doen?'
'Het lijkt me beter dat je dat voorlopig niet weet.'
Hij leegde zijn glas en zij stond vlug en verschrikt op.
'Je gaat toch nog niet weg, hè?'
'Er is op dit ogenblik verder niet meer iets te bepraten. Ik neem contact met je op wanneer en als ik iets te weten kom.'
'Ik zal je even uitlaten,' zei ze en liep mee naar de voordeur. 'Ik kan je niet zeggen hoe dankbaar ik je ben, Nicholas. Ik was vergeten hoe veilig en zeker het bij jou was.' Ze stond nu heel dicht bij hem met opgeheven hoofd en haar lippen waren zacht en glanzend en warm, haar ogen nog vochtig en stralend. Hij wist dat hij nu onmiddellijk weg moest. 'Ik weet dat alles nu goed komt.'
Ze legde haar sierlijke handje op zijn lapel, trok die met een typisch vrouwelijk air van bezit onnodig recht en bevochtigde haar lippen.
'We zijn allemaal zo dwaas, Nicholas, wij zonder uitzondering. We maken onze levens allemaal zo ingewikkeld – terwijl het geluk voor het grijpen ligt.'
'De kunst is je geluk te herkennen wanneer je het ontmoet, denk ik.'
'Het spijt me zo, Nicholas. Het is de eerste keer dat ik je ooit mijn verontschuldigingen heb aangeboden. Het is een dag waarin van alles voor het eerst gebeurt hè? Maar eerlijk waar, ik heb spijt van alles wat ik gedaan heb waardoor ik jou heb gekwetst. Ik zou van ganser harte willen dat het mogelijk was alles uit te wissen en opnieuw te beginnen.'
'Helaas, dat is niet mogelijk.' Met een geweldige zelfbeheersing wist hij de betovering te verbreken en een stap achteruit te doen. Nog even en hij zou zich voorover gebogen hebben naar die zachte warme rode lippen.

'Ik zal je bellen zodra ik iets te weten kom,' zei hij, knoopte zijn jas hoog dicht en opende de voordeur.
Woedend stapte Nick de straat op. De ijskoude snijdende wind kleurde zijn wangen rood. Hij voelde het bloed in zijn aderen kloppen en dat kwam niet alleen van inspanning. Hij had wel de zekerheid gekregen dat hij niet het type man was dat liefde met een knop naar believen aan en uit kon zetten.
'... Man van de oude stempel,' hoorde hij Samantha weer duidelijk zeggen – ja, ze had gelijk. Zijn vloek was dat hij trouw in de liefde bleef waardoor hij belemmerd werd in zijn doen en laten. Nu was hij bezig een van zijn eigen stelregels te doorbreken. Hij ging niet langer recht vooruit, maar bewoog zich in cirkels naar achteren. Hij had van Chantelle Christy met heel zijn hart gehouden en had daarnaast zijn halve leven aan Christy Marine gewijd. Hij realiseerde zich nu dat daar nooit verandering in kon komen, althans niet bij hem.
Opeens kwam hij tot de ontdekking dat hij tegenover het Kensington Natural History Museum op Cromwell Road stond en vlug stak hij over naar de hoofdingang – maar die was al dicht want het was kwart voor zes. Samantha zou toch niet in het voor het publiek bestemde gedeelte zijn geweest, maar in die doolhof van gewelven onder het grote stenen gebouw. In slechts enkele dagen had ze vele vrienden gemaakt onder de leden van de staf van het museum. Hij voelde zich wrevelig en jaloers dat ze genoot van het gezelschap van andere mensen, van de wetenschappelijke ervaringen – ja dat ze hem misschien totaal had vergeten.
Opeens drong de oneerlijkheid van dit alles tot hem door, hoe zijn gevoelens nog geen minuut geleden verward en bewogen waren door herinneringen aan een andere vrouw. Op dat ogenblik wist hij ook dat je van twee verschillende vrouwen tegelijkertijd kon houden, op twee volkomen verschillende manieren, op precies hetzelfde ogenblik.
Verward, door twee strijdige liefdes, strijdige trouw, keerde hij zich af van de ijzeren hekken van het museum.

Nicholas' flat lag op de vijfde verdieping van een van die van binnen en buiten opgeknapte gebouwen aan Queen's Gate.

Het zag er van binnen uit of er een troep zigeuners doorheen was getrokken. Hij had de schilderijen niet opgehangen en ook zijn boeken niet op de planken gezet. Twee stoelen stonden recht tegenover het televisietoestel en twee andere bij de eettafel.
Het was niet meer dan een eet- en slaapgelegenheid, die slechts de minimale bestaansbehoeften bevatte. In de afgelopen twee jaren had hij hier niet meer dan zestig keer geslapen. Het was er volkomen onpersoonlijk, het bezat geen warmte, geen sfeer, geen herinneringen.
Hij schonk zich een whisky in en liep ermee naar de slaapkamer terwijl hij de knoop van zijn das lostrok en zich uit zijn jas wurmde. Hier een heel ander beeld, want de bewijzen van Samantha's aanwezigheid lagen voor het opscheppen. Hoewel ze het bed die morgen voordat ze waren vertrokken had opgemaakt, had ze een paar schoenen aan het voeteneind laten liggen, een obstakel waarover je makkelijk je enkels kon breken. Haar eenvoudige sieraden lagen verspreid op het nachtkastje samen met een opengeslagen boek, *Supership* van Noel Mostert. Twee opwindend doorzichtige slipjes hingen boven het bad te drogen. Haar toiletpoeder lag als witte sneeuwvlokjes op de vloer en de hele flat geurde naar haar. Hij miste haar, een lichamelijke pijn in zijn borst, zodat hij zodra hij de voordeur hoorde dichtslaan en zij als een wervelwind binnenstormde onder de uitroep: 'Ik ben het, Nicholas!' – naar haar rende en haar met een heftige beweging tegen zich aandrukte.
'Oei!' fluisterde ze hees. 'Wat heeft de baby een dorst!' Ze vielen samen op het bed in een omarming die aan wanhoop grensde.
Later staken ze het licht niet meer aan in de kamer die langzaam aan donker was geworden, afgezien dan van het licht van de straatlantaarns dat door de gordijnen werd gezeefd en terugkaatste van het plafond.
'Wat was er aan de hand?' vroeg ze en kroop dichter tegen zijn borst.
'Ik heb geen klachten, hoor, denk dat niet!'
'Ik heb een rotdag gehad. Ik verlangde verschrikkelijk naar je.'
'Heb je Duncan Alexander ontmoet?'
'Ja.'
'Tot overeenstemming gekomen?'
'Nee, er was zelfs geen eerlijke kans.'
'Ik heb honger,' zei ze, 'jouw liefde maakt me altijd hongerig.'
Hij trok zijn broek aan en ging naar beneden naar het Italiaanse

restaurant op de hoek van de straat om pizza's te halen. Ze aten die in bed op en dronken witte chianti uit whiskyglazen. Toen ze klaar waren, zuchtte ze en zei: 'Nicholas, ik moet naar huis.'
'Dat kan niet,' protesteerde hij ogenblikkelijk.
'Ik moet ... ook aan het werk.'
'Maar,' hij voelde zich misselijk worden bij de gedachte haar kwijt te zullen raken, 'maar je kunt niet weg voordat de hoorzitting is geweest.'
'Waarom niet?'
'Dat zou het ergst denkbare ongeluk zijn. Jij bent mijn goede gesternte.'
'Een soort amulet?' Ze trok een verontwaardigd gezicht. 'Is dat het enige waarvoor ik deug?'
Een uur later ging Nick weer pizza's halen.
'Je zult tot de zevenentwintigste moeten blijven,' zei hij met volle mond.
'Liefste Nicholas, ik weet gewoon niet –'
'Je kunt hen opbellen, zeg dat je tante is overleden, dat je gaat trouwen.'
'Zelfs wanneer ik zou gaan trouwen, zou dat het belang van mijn werk niet verminderen. Ik denk dat je wel hebt begrepen dat ik het nooit zal opgeven.'
'Ja, dat weet ik inderdaad, maar het is maar een kwestie van een paar dagen.'
'Goed dan, ik zal Tom Parker morgen bellen.' Ze grijnsde tegen hem. 'Kijk niet zo sip, ik ga slechts even de Atlantische oceaan over, we zullen om zo te zeggen naaste buren zijn.'
'Bel hem nu, het is lunchtijd in Florida.'
Ze sprak wel twintig minuten, vleiend en betoverend zodat de aanvankelijk huiveringwekkende bromgeluiden uit de hoorn geleidelijk aan verstomden tot weliswaar onwillig maar berustend gemompel.

De telefoon ging de volgende morgen om twee minuten over negen. Ze zaten samen in bad en Nicholas vloekte. Hij liep er naakt, dampend en drijfnat heen.
'Meneer Berg?' De stem van James Teacher klonk scherp en zake-

lijk. 'U had gelijk, Christy Marine heeft gistermiddag laat een verzoek ingediend de hoorzitting uit te stellen.'
'Hoe lang?' snauwde Nicholas.
'Negentig dagen.'
'De schoft,' bromde Nick, 'op grond waarvan?'
'Ze hebben tijd nodig voor hun pleidooi.'
'Teken verzet aan,' gelastte Nick.
'Ik heb een afspraak met de secretaris om elf uur. Ik ga hem een onmiddellijk vooronderzoek vragen en vaststelling van de datum van de volgende zitting.'
'Zie hen voor de arbiters te krijgen,' zei Nick.
Samantha had haar haren boven op haar hoofd gebonden, maar vochtige krullen hingen in haar hals en over haar wangen.
'Kijk uit waar je je tenen zet, meneer,' waarschuwde ze hem. Hij voelde de spanning weer van zich wijken. Die invloed had ze altijd op hem.
'Ik bied je een lunch in "Les A" aan als je je een uur of twee kunt losrukken van je microscoop en je naar vis ruikende proeven.'
'Les Ambassadeurs? Ik heb erover horen praten.'
'Maar je zult wel een stam wilde woestijnsheiks moeten veroveren. Ik heb altijd begrepen dat ze erg op blondjes zijn gesteld.'
'Heb je het plan me aan een harem te verkopen? Klinkt niet gek, ik heb er altijd van gedroomd in wijde doorschijnende broeken te lopen.'
'Jou verkoop ik beslist niet – wel ijsbergen. Ik haal je om één uur precies op bij de hekken van het museum.'
Lachend en vrolijk met deuren slaand ging ze er vandoor. Nicholas ging bij de telefoon zitten.
'Ik zou graag Sir Richard zelf spreken. Nicholas Berg.' Sir Richard werkte bij Lloyd's, een goede oude vriend van Nick.
Vervolgens belde hij Charles Gras op.
Er was geen nieuw uitstel of bedreiging van de dag van aflevering van de *Seawitch.*
'Het spijt me als je door mij moeilijkheden met Alexander hebt gekregen.'
'*Ça ne fait rien,* Nicholas. Succes bij het mondeling verhoor. Ik houd *Lloyd's List* goed in de gaten.' Nicholas voelde zich wat opgelucht. Charles Gras had zijn carrière op het spel gezet door hem de *Golden Dawn* te laten zien. Dat zou ernstige gevolgen gehad kunnen hebben.'

Daarna sprak hij zeker nog wel een halfuur met Bernard Wackie van Bach Wackie op de Bermuda's. De *Warlock* had zich twee uur tevoren per telex gemeld. Ze maakte goede vorderingen met het olieplatform, zou op tijd bij Bravo II zijn en haar nieuwe sleep oppikken zodra ze voor anker lag.
'David Allen is een prima jong officier,' zei Bernard tegen Nick. 'Heb je Levoisin voor de *Seawitch* kunnen krijgen?'
'Jules speelt de prima donna, hij heeft nog niet toegestemd, maar hij zal het wel doen.'
'Dan heb je een prima stel mensen. Wat is de uiterlijke datum voor de *Seawitch*?'
'Eind maart.'
'Hoe eerder hoe beter, ik heb contracten voor beide zeeslepers totdat het ijsbergproject van start gaat.'
'Ik lunch vandaag met een aantal sjeiks.'
'Dat weet ik. Er is veel belangstelling. Het zit wel goed. Wanneer zien we je hier?'
'Ik kom naar je toe zodra ik Duncan Alexander voor het hof van arbitrage heb – aan het eind van de maand, hoop ik.'
'We hebben heel wat te bespreken, Nicholas.'
Nick aarzelde een hele tijd waarin hij zijn eerste sigaartje rookte voordat hij Monte Carlo belde – want dat gesprek zou hem zeker vijftigduizend dollar gaan kosten. Het beste is op den duur het goedkoopste, herinnerde hij zichzelf, nam de hoorn van de haak en sprak met een secretaris in Monte Carlo aan wie hij zijn naam opgaf. Terwijl hij op doorverbinding wachtte, bedacht hij dat zijn leven opnieuw gecompliceerder werd. Al heel gauw zou Bach Wackie niet meer voldoende zijn, dan zou er een Londense vestiging van Oceaan Bergingsbedrijf moeten komen en vervolgens één in New York en dan in Saoedi Arabië, de hele cyclus opnieuw. Hij moest opeens aan Samantha denken, onbelast simpel geluk, leven zonder al die vermoeiende vallen – de verbinding was er en hij hoorde de dunne, hoge bijna vrouwelijke stem.
'Meneer Berg – Claud Lazarus hier.' Verder geen begroeting, geen betuigingen van vreugde voor het hernieuwde contact. Nick zag hem voor zich in de hoge vertrekken boven de haven als een menselijke foetus.
Het kolossale kale gewelfde hoofd, de zachte stopverfkleurige trekken, de neus nauwelijks groot genoeg om de zware bril te

dragen en de door de zware lenzen vervormde, verschrikte ogen.
'Meneer Lazarus, bent u in de gelegenheid een grondig onderzoek voor mij te doen?' Het was een eufemisme voor financiële en industriële spionage. Het netwerk van Claud Lazarus werd niet beperkt door landelijke of continentale grenzen, het omspande de wereld met omzichtig tastende tentakels.
'Natuurlijk,' klonk zijn piepstemmetje zachtjes.
'Ik wil de financiële opbouw, de bestuurlijke en administratieve inrichting, de namen van directeuren en commissarissen, de afbakening en het onderlinge verband van alle onderdelen van de Christy Marine Groep en de London & European Insurance & Banking Co weten, met speciale aandacht voor structurele veranderingen die de afgelopen veertien maanden hebben plaatsgevonden. Hebt u dat?'
'Het is vastgelegd, meneer Berg.'
'Natuurlijk, voorts wil ik het land van registratie weten en alle assuradeuren van de naspeurbare schepen van de voornoemde groep.'
'Gaat u verder.'
'Ik wil een nauwkeurige raming van de reserves van de London & European Insurance in verhouding tot hun aangegane verplichtingen. Mijn belangstelling gaat in de eerste plaats uit naar de *Golden Dawn*, nu nog op de werf in St.-Nazaire. Ik wil weten of ze al gecharterd is, of er al contracten zijn met de een of andere oliemaatschappij voor het vervoer van ruwe olie en zo ja, via welke routes en tegen welk tarief. Tijd is één factor – de andere zoals gewoonlijk, discretie.'
'Dat spreekt vanzelf, meneer Berg.'
'U kunt mij altijd bereiken via Bach Wackie op de Bermuda's.'
Toen hij de telefoon op de haak legde, vond hij het een opluchting dat hij niet had behoeven pretenderen de boezemvriend te zijn van iemand die hem weliswaar belangrijke inlichtingen verschafte, maar die hem als mens tegenstond, al was het een troost te weten dat hij de beste in de wereld voor dit soort werk was. Hij keek op zijn horloge. Het was lunchtijd en hij voelde zijn stemming met sprongen omhooggaan toen hij bedacht dat hij zo dadelijk samen met Samantha zou zijn.

Nicholas stapte in het nauwe steegje, Lime Street uit James Teachers Bentley en leidde Samantha aan haar elleboog mee. Hij bleef heel even met een zekere eerbied staan voor de overdekte ingang van Lloyd's of London. De geschiedenis van dit gedenkwaardige instituut deed hem als zeeman bepaald veel. Het gebouw zelf was niet uitzonderlijk oud of eerbiedwaardig. Er was bijna niets meer over van het oorspronkelijke koffiehuis, behalve dan enkele tradities: de omroeper die de namen van de scheepsmakelaars voorzong als tijdens een offertorium van de een of andere exotische godsdienst, de boxen waarin de verzekeraars hun zaken deden en de naam en het uniform van de 'waiters' de 'bedienden' met hun koperen knopen en de rode patjes op de kraag.
Misschien was het vooral die traditie van zorg die hier plechtig bewaard werd, de bezorgdheid voor schepen en voor alle mensen die met die schepen de zee opgingen en op de wereldzeeën hun bestaan vonden.
Misschien zou hij later tijd kunnen vinden Samantha door de Nelsonkamers te leiden en haar al die herinneringen aan de grootste Engelse zeeman te tonen.
Nu waren er echter belangrijker zaken die al zijn aandacht vroegen. Hij was hier gekomen om de beslissing over zijn toekomst te horen – binnen enkele uren zou hij weten hoe hoog en hoe snel zijn geluksgolf hem had voortgestuwd.
'Kom,' zei hij tegen Samantha en hielp haar het kleine trapje naar de wachtkamer op, waar een bediende opdracht had gekregen hen te ontvangen.
'Vandaag wordt de bestuurskamer gebruikt, meneer.'
De voorafgaande ondervraging van beide partijen had plaatsgevonden in een van de kleinere kantoren die aan de galerij hoog boven in de reusachtige hal van de beurs waar iedere assuradeur zijn vaste plaats had, lagen. Dank zij de bijzondere aard van het onderhavige geval had het bestuur van Lloyd's een unieke beslissing genomen, dat namelijk degenen die de arbitrage verrichtten het resultaat van hun onderzoek en hun uitspraak in een omgeving die in overeenstemming met het gewicht van de hele zaak was, zouden bekendmaken.
Ze kwamen allemaal zwijgend bij Lloyd's aan. De bediende bracht hen door de lange brede gang, langs de kamers van de president, door de openslaande deuren in de pracht van die door Adams voor

Bowood House ontworpen zaal, de buitenplaats van de markies van Lansdowne. Deze zaal was bij stukjes en beetjes, paneel voor paneel, vloer, plafond, open haard en gepleisterd lofwerk naar Londen gebracht en weer met zoveel zorg en aandacht tot één geheel gemaakt dat lord Lansdowne toen hij kwam kijken tot de ontdekking kwam dat de planken van de vloer op precies dezelfde plaatsen kraakten als bij hem thuis.
Aan de lange tafel zaten onder de drie glinsterende kroonluchters al de twee die de scheidsrechterlijke beslissing moesten nemen. Ze waren allebei gezagvoerder, gekozen om hun grote kennis van en ervaring met de zee, hun gezichten vertoonden de sporen van verwering die zout water teweegbrengt. Ze zaten rustig te praten zonder enige aandacht te besteden aan de rijen belangstellende gezichten op de stoelen tegenover hen – totdat de kleine wijzer van de antieke klok op de door Adams ontworpen schoorsteenmantel op twaalf stond. De president wierp even een blik op de bediende die gehoorzaam de dubbele deuren sloot en ervoor op wacht bleef staan.

'Dit Hof van Arbitrage is benoemd door het bestuur van Lloyd's en gemachtigd getuigen te horen in de kwestie tussen Christy Marine Steamship Co, Ltd. en de Ocean Salvage & Towage Co. Ltd. Het hof heeft overeenstemming gevonden over de volgende punten:
Er is ten eerste tussen partijen een bergingscontract Lloyd's Open Form "No cure no pay" voor het passagiersschip de *Golden Adventurer*, 22 000 bruto registerton, geregistreerd in Southampton. Ten tweede, de kapitein van de *Golden Adventurer* heeft een zuidwestelijke koers varende gedurende de nacht van de 16de december op of althans nabij 72°16′ zuid en 32°12′ west –'
De president gaf de verzameling nuchtere feiten zonder zich te laten verleiden tot dramatische uitweidingen. Hij vertelde alles zo zakelijk mogelijk waardoor hij erin slaagde de toestand van de *Golden Adventurer* en de wanhopige pogingen van haar redders saai en suf te doen klinken. Inderdaad maakte zijn collega de indruk langzaam in slaap te sukkelen.
Het duurde bijna een uur, waarin zo nu en dan het logboek van het schip werd geraadpleegd, alsmede een dossier met losse met de

hand geschreven of getypte aantekeningen, voordat de president er zeker van was dat hij alle feiten had opgesomd. Daarna liet hij zich achterover in zijn stoel vallen en stak zijn duimen in de armsgaten van zijn vest. Er kwam een vastberaden trek op zijn gezicht toen hij om zich heen keek.

De belangstelling groeide weer, iedereen wist dat de beslissing nu snel zou vallen en voor de eerste keer keken Duncan Alexander en Nicholas Berg elkaar rechtstreeks over de hoofden van hun advocaten en medewerkers aan. Hun gezichtsuitdrukking veranderde niet, geen lach en geen boosaardige blik, maar wel bleek duidelijk hun onverzoenlijkheid. Ze bleven elkaar aanstaren totdat de president weer het woord nam.

'Overwegende hetgeen hier naar voren is gebracht, is het Hof van mening dat een eerlijke en goede berging van het schip door de bergers werd verricht en dat zij derhalve recht hebben op een bergingssom evenredig aan de diensten die zij de eigenaren en de verzekeraars hebben bewezen.

Het Hof heeft bij het vaststellen van de beloning voor de door de bergers verleende diensten in de eerste plaats in aanmerking genomen de toestand en omstandigheden die er op dat ogenblik op de plaats van de berging heersten. We hebben getuigenverklaringen dat een groot deel van de werkzaamheden werd uitgevoerd in extreme weersomstandigheden. Temperaturen van dertig graden onder nul, windkracht 12 en meer op de schaal van Beaufort en zware ijsgang.

We hebben mede in aanmerking genomen dat het schip de *Golden Adventurer* volledig was verlaten. Ze zat aan de grond op een afgelegen kust.

Voorts hebben we opgemerkt dat de bergers een reis van vele duizenden mijlen hebben ondernomen zonder enige zekerheid daarvoor beloond te zullen worden, enkel en alleen om in staat te zijn hulp te bieden.'

Nicholas keek even naar Duncan Alexander die de indruk wekte zich net zo op zijn gemak te voelen als in zijn loge in Ascot. Duncan beantwoordde die blik en Nick zag een smeulende woede. Daarna richtten ze beiden hun ogen weer op de president.

'Eveneens hebben we rekening gehouden met het vervoer van de overlevenden van de plek des onheils naar de naastbije haven voor bijstand, Kaapstad in de republiek Zuid-Afrika.'

De president somde al deze feiten ten gunste van Ocean Bergingsbedrijf op. Dat was dikwijls een slecht voorteken; heel vaak liet een rechter die op het punt stond een ongunstige beslissing te nemen dit vorafgaan door een voor de verliezer zo sterk mogelijke voorstelling van zaken. Dan deed hij die vervolgens weer volledig teniet.
Nicholas verhardde zich. Elk bedrag onder drie miljoen zou onvoldoende zijn voor Oceaan Bergingsbedrijf. Het was het absolute minimum dat hij nodig had om de *Warlock* in de vaart te houden en de *Seawitch* uit te brengen. Hij voelde zijn maagspieren samentrekken als hij aan zijn verplichtingen dacht – zelfs met die drie miljoen dollar was hij overgeleverd aan de genade van de sjeiks, niet in staat tot onderhandelen, een slaaf van iedere voorwaarde die zij maar wilden stellen. Hij zou nog niet echt op eigen benen kunnen staan.
Nicholas drukte even Samantha's hand die in de zijne lag.
Vier miljoen zou hem een eerlijke kans geven, een smalle marge weliswaar – hij zou moeten blijven vechten onder druk van alle kanten. Toch zou hij vier miljoen hebben geaccepteerd als Duncan die zou hebben aangeboden. Misschien was die kerel toch wel wijs geweest, misschien zou hij nu Nicholas met één klap zien neer gaan.
'Het hof heeft de geschreven rapporten overwogen van de Globe Engineering Co, de aannemersfirma belast met het herstel van de *Golden Adventurer* en van twee onafhankelijke scheepsbouwkundige experts die los van elkaar door de eigenaren en de bergers verzocht zijn verslag uit te brengen over de conditie van het schip. We ook dankbaar gebruik kunnen maken van een onderzoek door een van de oudere inspecteurs van Lloyd's of London. Uit een en ander is duidelijk naar voren gekomen dat het schip wonderbaarlijk lichte schade heeft opgelopen. Er werden geen verliezen geleden op uitrustingsstukken. Onmiddellijke anti-roestbehandeling door de bergers heeft tot een minimale beschadiging aan de hoofdmotoren en hulpgeneratoren geleid –'
Zo ging het maar door. Waarom komt hij niet tot een conclusie? Ik kan haast niet meer wachten, dacht Nicholas.
'Dit Hof heeft het oordeel van deskundigen gehoord en neemt aan dat de restwaarde van het casco van de *Golden Adventurer* – zoals dat door de bergers werd overgedragen aan de aannemersfirma naar alle redelijkheid gesteld kan worden op zesentwintig miljoen US dollar of vijftien miljoen, driehonderdduizend pond sterling. Dit alles

in aanmerking genomen zijn wij voorts van oordeel dat de bergers recht hebben op een beloning groot twintig procent van de cascowaarde van bovengenoemd schip –'
Secondenlang twijfelde Nick of hij wel goed had gehoord, maar toen voelde hij het bloed triomfantelijk naar zijn wangen schieten.
'Bovendien was het noodzakelijk de waarde te schatten van het vervoer en onderhoud van de overlevenden van het schip –'
Het werd zes – zes miljoen dollar! Hij was uit de schulden en vrij als een vogel in de lucht.
Nicholas draaide zich om en keek Duncan Alexander met een glimlach aan. Hij had zich tot nu toe nooit zo sterk, vitaal en energiek in zijn leven gevoeld. Naast zich voelde hij de druk van een vibrerend jong lichaam dat hem met eeuwige jeugd begiftigde.
Duncan Alexander schudde zijn hoofd, alsof hij de hele kwestie van zich af gooide en draaide zich om naar zijn advocaat voor een kort gesprek. Hij keek Nicholas niet aan, maar zijn huid leek wasachtig wit als overdekt door een vochtig waas van transpiratie.

'Hoe dan ook, met een paar dagen zou ik je misschien toch zijn gaan vervelen of we hadden een van beiden een hartaanval gekregen.' Samantha trok een wat pathetische, scheve grijns, niet te vergelijken met haar normale stralend vrolijke lach. 'Ik ga het liefst weg tijdens de opgaande lijn.'
Ze zaten dicht tegen elkaar aan op een bank in de lounge van de Pan Am. Clipper op Heathrow. Nicholas was geschrokken van de omvang van zijn eigen wanhoop.
'Blijf hier bij me, Samantha.
'Nicholas,' fluisterde ze hees, 'ik moet gaan, liefste. Het is maar voor kort, maar het moet.'
'Waarom?'
'Omdat dit mijn leven is.'
'Maak mij tot jouw leven.'
Ze streek even langs zijn wang en overdacht het voorstel. 'Ik heb een beter idee, geef de *Warlock* en de *Seawitch* op – vergeet je ijsbergen en ga met mij mee.'
'Je weet dat ik dat niet kan.'
'Ik weet dat je het niet kunt,' zei ze, 'en ik zou het ook niet willen,

maar Nicholas, liefste, ik kan mijn eigen leven ook niet opgeven.'
'Goed dan,' zei hij, 'trouw met me.'
'Waarom Nicholas?'
'Om mijn talisman niet te verliezen en om te zorgen dat je verdomme wel zult moeten doen wat ik zeg.'
'Nick, er is nu nog maar één goede reden om te trouwen en dat is een baby. Wil je een baby van me?'
'Wat een geweldig idee!'
'En ik de kruikjes warmen en luiers wassen terwijl jij over de oceanen zwalkt – eens in de maand samen lunchen?' Ze schudde haar hoofd. 'Misschien zullen we ooit nog eens samen een baby hebben – maar nu niet, er is nog zoveel te doen!'
'Verdomme.' Hij schudde zijn hoofd. 'Ik zie je niet graag alleen rondfladderen. Straks ga je er nog met een of ander uilskuiken van vijfentwintig vandoor –'
'Je hebt me de smaak van belegen wijn geleerd,' lachte ze. 'Kom zo gauw mogelijk als je werk klaar is, Nicholas en dan zal ik je mijn leven laten zien.'
Er kwam een stewardess naar hen toe. 'Doctor Silver? Vlucht 432 roept de passagiers op.'
'Kom heel gauw,' zei ze, ging op haar tenen staan en sloeg haar armen om zijn schouders. 'Kom zodra je kunt.'

Nicholas had heftig geprotesteerd zodra James Teacher het voorstel deed. 'Ik wil niet met hem spreken! Het enige dat ik van Duncan Alexander wil is een cheque van zes miljoen dollar, bij voorkeur gedekt door een behoorlijke bank – en ik wil hem voor de 10de van de volgende maand in mijn bezit hebben.'
'Denkt u eens aan het plezier hem gade te slaan – geef er eens aan toe, meneer Berg, verlustig u in zijn zorgen.'
'Voor mij is er geen enkel plezier in het bestuderen van zijn gezicht, ik kan wel duizend gezichten opnoemen die ik liever zou zien.'
Ten slotte had hij ingestemd onder het voorbehoud dat hij ditmaal de plaats van samenkomst kon bepalen.
De kantoren van James Teacher lagen in een van die schilderachtige, met klimop begroeide stenen gebouwen in de *Inns of Court*, waarin de vier rechtsgeleerde genootschappen gehuisvest waren, doortrok-

ken van historische traditie en verstoken van modern comfort. Het kantoor bevond zich op de derde verdieping. Er was geen lift en de trap was smal, steil en gevaarlijk. Duncan Alexander kwam lichtelijk buiten adem en rood van inspanning boven. Een klerk keek hem weinig bemoedigend vanuit zijn hokje aan.
'Meneer wie?' vroeg hij, één hand achter zijn oor. De klerk was al even oud, grijs en schilderachtig als het gebouw. Hij droeg nog een zwart wollen pak, glimmend groen van ouderdom, en een stijf boord met omgeslagen punten.
'Hebt u een afspraak?' vroeg de klerk ijzig en zocht uitgebreid in zijn agenda voordat hij Duncan Alexander beduidde door te lopen naar de Spartaans ingerichte wachtkamer.
Nick liet hem daar precies acht minuten wachten, twee keer zo lang als hij zelf in de bestuurszaal van Christy Marine had gezeten. Hij stond bij het elektrische kacheltje en reageerde niet op Duncans stralende glimlach.
James Teacher zat aan zijn bureau bij het raam, maar Duncan Alexander keurde hem nauwelijks een blik waardig.
'Gefeliciteerd, Nicholas.' Duncan glimlachte wat droevig. 'Wat een succes!'
'Dank je, Duncan. Laat me je direct zeggen dat ik druk bezet ben en slechts tien minuutjes voor je beschikbaar heb. Ik kan gelukkig maar één onderwerp bedenken waarover jij en ik moeten praten. Een overschrijving naar de rekening van Ocean Salvage op de Bermuda's vóór de tiende van de volgende maand of een gegarandeerde cheque aangetekend per luchtpost naar Bach Wackie.'
Duncan hief bij wijze van quasi protest een hand op. 'Kom kom, Nicholas, dat bergingsbedrag zal er op de door het Hof vastgestelde datum zijn. Nee, ik wilde je herinneren aan iets dat de oude Arthur Christy eens heeft gezegd –'
'O ja, natuurlijk, onze gemeenschappelijke schoonvader,' zei Nicholas zachtjes.
'Hij zei, met Berg en Alexander heb ik wel zowat het beste stel in de scheepvaart bijeengebracht.'
'De oude man werd tegen het eind van zijn leven wat seniel.'
'Hij had natuurlijk gelijk. We konden alleen maar niet in de pas lopen. Lieve God, Nicholas, kun je je voorstellen wat we bereikt zouden hebben als we samengewerkt hadden. Jij de beste gezagvoerder en ik –'

'Het ontroert me, Duncan.
'Ik ben het type man dat door zijn mislukkingen leert, Nicholas, een ramp tot succes ombuigen is een van mijn trucs. Zes miljoen dollar en Oceaan Bergingsbedrijf samen zouden je terug kunnen brengen bij Christy Marine. We zouden dan op voet van gelijkheid zijn.'
De verrassing was niet op Nicks gezicht te lezen, maar zijn hersens werkten op topsnelheid om hem vóór te zijn.
'Samen zouden we onstuitbaar zijn. We zouden van Christy Marine een reus maken die alle oceanen beheerst, we zouden verschillende activiteiten kunnen ontwikkelen, olie-exploitatie van de oceanen, chemische containers.' De man had werkelijk een sterke directe charme, hij was bijna – maar niet helemaal – onweerstaanbaar met dat uitbundige enthousiasme. Nicholas bestudeerde hem nauwkeurig.
'Lieve God, Nicholas, jij bent het type man die een waagstuk als de *Golden Dawn* kunt ontwerpen of die een reusachtig passagiersschip in een orkaan kunt bergen en ik ben de man die in een vloek en een zucht een miljard dollar op tafel kan brengen. Niets zou ons meer kunnen tegenhouden, er zouden geen barrières te bedenken zijn die wij niet zouden kunnen nemen.' Hij zweeg en nam Nicholas nieuwsgierig op om het effect van zijn woorden te zien. Nick stak een zwart sigaartje op, maar zijn ogen bleven bedachtzaam door de blauwe rooksluier heengluren.
'Ik begrijp wat je nu denkt,' ging Duncan door en zijn stem kreeg iets vertrouwelijks. 'Ik weet dat je omhoog zit, dat je die zes miljoen hard nodig hebt om Oceaan Bergingsbedrijf letterlijk drijvende te houden. Christy Marine wil borg staan voor de schulden, dat is een onbelangrijk detail. Het gaat in de eerste plaats om ons samen, zoals die oude Arthur Christy het zag, Berg en Alexander.'
Nick haalde het sigaartje uit zijn mond en keek Duncan weer aan. 'Zeg eens,' vroeg hij bijna vriendelijk, 'brengen we in deze fusie die je voor ogen staat, ook onze vrouwen in?'
Duncan verstrakte.
'Je zei daarnet dat ik die zes miljoen hard nodig heb en daarin had je gelijk. Ik heb drie miljoen nodig voor Oceaan Bergingsbedrijf en de andere drie om jou ervan te weerhouden dat enorme gevaarte in de vaart te brengen. Zelfs als ik het geld niet zou krijgen, zou ik het toch uitgeven om jou tot staan te brengen. Ik laat conservatoir beslag leggen om tien minuten over negen op de elfde 's ochtends vroeg.

Ik zei je al eerder dat ik jou en de *Golden Dawn* zou bestrijden. Die waarschuwing is nog steeds van kracht.
'Wat ben je toch kleingeestig,' zei Duncan, 'ik had nooit gedacht dat je je bij dwaze dwepers zou gaan aansluiten.'
'Er is zoveel dat je nog niet van me weet, Duncan, maar je zult er nog wel achter komen.'

Chantelle had San Lorenzo op de Beauchamp Place gekozen toen Nicholas geweigerd had nogmaals naar Eaton Square te komen. Hij had ervaren dat het gevaarlijk was alleen met haar te zijn, maar ook Lorenzo was een verkeerde keus als plaats van samenkomst, er waren te veel herinneringen aan verbonden.
'Wil jij *osso bucco*?' vroeg Chantelle, haar ogen over de rand van het menu. Nick had altijd *osso bucco* genomen.
'Ik denk dat ik tong bestel.' Nicholas keerde zich tot de ober. 'We nemen een open witte wijn.' Nicholas probeerde opzettelijk deze ontmoeting te ontkoppelen van het verleden. Hij had altijd *Sancerre* besteld.
'Ik sprak Peter gisteren, hij ligt met griep op het ziekenzaaltje, maar hij mocht vandaag weer opstaan. Je moet de groeten hebben.'
'Dank je,' zei hij stijf, geremd door de nieuwsgierige blikken van mensen aan andere tafeltjes die hen hadden herkend. Het schandaal zou in een mum van tijd in heel Londen bekend zijn.
Nicholas wachtte tot het hoofdgerecht geserveerd was voordat hij vroeg: 'Waarover wilde je me spreken?'
Chantelle leunde voorover, haar parfum drong fijntjes en vol herinneringen in zijn neus.
'Heb je al iets ontdekt, Nicholas?'
Nee, dacht hij, dat is niet wat ze wil. Er is nog iets anders.
'Ik heb nog niets gehoord,' zei hij, 'was dat wel het geval, dan zou ik je hebben opgebeld.' Zijn blikken boorden zich hard, groen en onderzoekend in de hare. 'Daar gaat het je niet om,' zei hij bot.
Ze glimlachte, sloeg haar ogen neer en gaf toe: 'Nee, je hebt gelijk.'
Ze had verrassende borsten die klein leken, maar in werkelijkheid eigenlijk te zwaar voor haar tengere figuur waren. Ze droeg een dunne zijden blouse, van voren laag met kant ingezet. Nicholas merkte ineens dat hij zijn ogen er niet van af kon houden.

Ze keek onverwachts op en betrapte hem. De grote ogen vernauwden zich met een schalkse seksualiteit die het bloed door zijn aderen deed schieten. Ze tuitte licht haar lippen en bevochtigde die met het puntje van haar tong.
Nick had het gevoel dat hij in zijn stoel heen en weer wiegde. Die lippen en tong waren de voorboden van haar opwinding die hij zo goed kende en ogenblikkelijk voelde hij de reactie van zijn eigen lichaam.
'Wat dan wel?' Hij hoorde zelf niet dat zijn stem wat hees klonk, maar zij herkende het even snel als hij de tongbeweging bij haar. Ze stak haar hand over de tafel naar hem toe en greep zijn pols. Ze voelde het snelle kloppen van zijn bloed.
'Duncan wil dat je weer terugkomt bij Christy Marine,' zei ze, 'en ik ook.'
'Heeft Duncan je dan gestuurd?' Toen ze knikte, vroeg hij: 'Waarom wil hij me terug hebben? God weet hoeveel moeite jullie tweeën je gegeven hebben om van me af te komen.' Voorzichtig trok hij zijn pols los uit haar hand en liet zijn beide handen in zijn schoot zakken.
'Ik weet niet waarom Duncan het wil. Hij zegt dat hij jouw grote ervaring nodig heeft.' Ze haalde haar schouders op en haar borsten bewogen onder de zijde. Hij voelde de aandrang in zijn liezen waardoor hij niet meer goed kon denken. 'Het is niet de werkelijke reden, daarvan ben ik overtuigd, evenals van het feit dat hij je terugwil.'
'Heeft hij je gevraagd me dit alles te zeggen?'
'Natuurlijk niet.' Het moest alleen van mij uitgaan.'
'Waarom denk je dat hij mij weer erbij wil hebben?'
'Er zijn twee mogelijkheden.' Ze verraste hem soms met haar bijna mannelijke benadering. Op dat zelfde ogenblik herinnerde hij zich hoe primitief en hartstochtelijk ze kon zijn.
'De eerste mogelijkheid is die zes miljoen dollar schuld van Christy Marine waarvoor hij een oplossing heeft gezocht zonder je te hoeven betalen.'
'Ja,' knikte Nick, 'en die andere.'
'Er gaan geruchten in de stad over jou en Oceaan Bergingsbedrijf – ze zeggen dat je op het punt staat geweldige zaken te doen in Saoedi Arabië. Misschien wil Duncan zijn deel hiervan.'
Nicholas knipperde met zijn ogen. Het ijsbergenproject was iets tussen de sjeiks en hem, maar hij bedacht dat ook anderen ervan-

af wisten, Bernard Wackie op de Bermuda's, Samantha Silver, James Teacher – dan was er dus ergens een lek geweest.
'En jij? Wat zijn jouw eigen redenen?'
'Ik heb ook twee redenen, Nicholas,' antwoordde ze. 'Ik wil het beheer weer terug hebben van Duncan. Ik verlang het stemrecht van mijn eigen aandelen terug en ik wil mijn plaats waarop ik recht heb bij de Trust. Ik wist niet wat ik deed toen ik Duncan machtigde.'
Nicholas lachte een wat bittere, kille lach. 'Je huurt een "gangster" zoals je dat ziet in die wild-westseries. Duncan en ik alléén in de verlaten straat, rinkelende sporen.'
Hij sloeg haar nauwkeurig gade – loog ze? Het was onmogelijk te zeggen, ze was zo mysterieus en onpeilbaar. Toen zag hij tranen in haar ogen opwellen en de lach op zijn gezicht gleed weg. Waren die tranen echt? Of was dit een onderdeel van de hele intrige?
'Je zei dat je twee redenen had.' Zijn stem klonk wat vriendelijker.
Ze gaf niet direct antwoord, maar aan het snelle op en neergaan van haar mooie borsten onder de zijde zag hij hoe zenuwachtig ze was geworden. Toen hield ze opeens haar adem in en sprak zo zachtjes dat hij haar nauwelijks kon verstaan.
'Ik wil je terug. Dat is de andere reden, Nicholas. Het kwam allemaal door die waanzin. Ik realiseerde me niet wat ik deed. Lieve God, je zult nooit weten hoe ik je heb gemist, hoe ik heb geleden. Ik zal het weer goedmaken, Nicholas, dat zweer ik je. Peter en ik hebben je nodig, we kunnen niet zonder je.'
Hij was eerst niet in staat antwoord te geven, ze had hem als het ware bij verrassing genomen en hij had het gevoel dat weer zijn hele leven door elkaar werd geschud.
'Er is geen weg terug, Chantelle. We kunnen alleen maar vooruit.'
'Ik krijg altijd wat ik wil, Nicholas, dat weet je best,' waarschuwde ze hem.
'Deze keer niet, Chantelle.' Hij schudde zijn hoofd, maar hij wist dat haar woorden aan hem zouden blijven knagen.

Duncan Alexander liet zich achterover zakken op de kalfsleren zitting van zijn Rolls en telefoneerde met zijn kantoor.
'Heb je Kurt Streicher kunnen bereiken?' vroeg hij.
'Het spijt me, meneer Alexander, zijn kantoor kan hem niet te

pakken krijgen, hij is op safari in Afrika. Ze weten niet wanneer hij terug zal zijn in Genève.'
'Dank je, Myrtle.' Duncan verbeet zijn woede. Streicher was opeens een van de ijverigste sportlieden ter wereld – de vorige week was hij aan het skiën, nu schoot hij olifanten in Afrika, misschien zou hij de volgende week op ijsberen jagen in Antarctica. Dan zou het bovendien te laat zijn.
Streicher was niet de enige die na de vaststelling van het bergloon voor de *Golden Adventurer* verstek liet gaan.
'Ik kom vandaag niet meer op kantoor,' zei hij tegen zijn secretaresse. Hij borg de microfoon op en keek uit het raampje. De Rolls passeerde Regent's Park in de richting van St.-John's Wood. Opeens kreeg hij kramp onder zijn ribben. Hij ging rechtop zitten, maar de pijn bleef. Hij zuchtte, opende het drankkastje, deed een theelepel poeder in een glas en schonk er sodawater bij.
Met afschuw keek hij naar het troebele drankje en goot het in één slok door zijn keel. Hij voelde direct verlichting. Het brandende gevoel verdween en hij boerde zachtjes. Hij had geen dokter nodig om hem te vertellen dat hij een maagzweer had.
Hij kamde zijn haren en keek aandachtig in de spiegel. Nee, de spanning was niet op zijn gezicht te lezen, daarvan was hij overtuigd. Hij had altijd de kracht gevonden zich bij zijn besluiten neer te leggen. Deze keer was het echter bijzonder moeilijk.
Hij sloot even zijn ogen en zag de *Golden Dawn* op stapel staan. Het leek een berg. Dat beeld gaf hem kracht. Ze dachten altijd aan hem als een geldmagnaat, een theoreticus. Toen hij Berg bij Christy Marine had verdrongen, hadden ze hem gemeden, afgewacht of hij lef zou hebben, hem gedwongen bij Christy Marine in te teren. De schoften, dacht hij, maar zonder rancune, want hij zou hetzelfde hebben gedaan. Ze hielden zich aan de harde regels die Duncan zelf ook kende en respecteerde en door die zelfde regels zou hij, als hij getoond had wie hij was, royaal krediet kunnen krijgen. Dit was de proeftijd. Het ging allemaal zo vlug, nog twee maanden – maar die zestig dagen leken even afschrikwekkend als het moeilijke jaar dat hij achter de rug had.
De schipbreuk van de *Golden Adventurer* was een ramp. Haar cascowaarde had deel uitgemaakt van het zakelijk onderpand waarop hij geld had opgenomen, de opbrengst van de luxueuze cruises was zorgvuldig begroot om hem door die moeilijke tijden heen te

helpen voordat de *Golden Dawn* van stapel liep. Nu was dat allemaal drastisch veranderd. Er kwam geen geld binnen en hij moest zes miljoen op tafel brengen – voor de 10de van deze maand. Het was vandaag de 6de, de tijd gleed als kwikzilver door zijn handen. Was hij maar in staat geweest Berg aan de praat te houden. Hij voelde een verterende haat opwellen. Dat pseudo-aanbod van compagnonschap zou Nick misschien net lang genoeg aan het lijntje hebben gehouden, maar die had het vol minachting van de tafel geveegd. Duncan was nu wel gedwongen zich overhaast in allerlei bochten te wringen om het geld bij elkaar te krijgen. Kurt Streicher was niet de enige die opeens onbereikbaar bleek. Het was net of ze het roken. Hij had diezelfde neus voor kwetsbaarheid en zwakte bij anderen zodat hij begreep hoe het werkte.
Voor wat er allemaal op het spel stond was het eigenlijk maar een armzalig bedrag, zes miljoen gedurende zestig dagen, de onbenulligheid ervan was eigenlijk een belediging. Hij voelde de spanning weer in zijn buikspieren en er kwam een zure oprisping van het drankje. Hij dwong zichzelf zich te ontspannen, keek weer uit het raampje en zag dat de Rolls net het doodlopende straatje insloeg met die gele bakstenen appartementen, die als kippenmanden op elkaar gestapeld waren, recht en fantasieloos, kleinburgerlijk.
Hij rechtte zijn schouders, bekeek zijn gezicht in de spiegel en dwong zich weer te glimlachen. Het ging maar om zes miljoen en dat voor slechts twee maanden, herinnerde hij zichzelf toen de Rolls tot stilstand kwam voor een van die nietszeggende gebouwen. Duncan knikte tegen zijn chauffeur die het portier openhield en hem zijn aktentas aanreikte.
'Dank je, Edward, het zal niet zo lang duren.'
Duncan stak het trottoir met lange atletische passen over, zijn jas losjes om zijn schouders, de lege mouwen en de achterpanden slingerend om zijn benen en zelfs in het gezeefde grijze licht van deze middag in maart glansden zijn gepommadeerde haren als een vuurtoren.
De man die hem opendeed reikte slechts halverwege Duncans gestalte ondanks de hoge zwarte flambard die hij dwars op zijn hoofd had staan.
'Meneer Alexander, shalom, shalom.' Zijn baard was zo dik en borstelig zwart dat het witte boord en de witte das, de voorgeschreven kleding van de orthodoxe jood, eronder schuil gingen. 'Zelfs

nu u bij mij als laatste komt, is het een eer voor mijn huis.' Zijn ogen schitterden ondeugend onder zijn zwarte dikke wenkbrauwen.
'Dat komt omdat je een hart van steen en bloed als ijswater hebt,' zei Duncan en de man lachte verrukt alsof hij het mooiste compliment in ontvangst nam.
'Kom,' zei hij en nam Duncan bij de arm, 'laten we samen een kopje thee drinken en praten.' Met een stralend gezicht en een hoofdbeweging waardoor de krulletjes die onder de flambard uitkwamen heen en weer dansten, liet hij Duncan een slaapkamertje binnen dat als kantoortje was ingericht. Een hoog, ouderwets cilinderbureau nam een van de muren vrijwel geheel in beslag en tegen een andere muur stond een te zwaar gestopte paardeharen sofa waarop opbergmappen en briefordners opgestapeld lagen.
De man veegde de spullen eraf om plaats voor Duncan te maken.
'Ga zitten,' beval hij en ging wat opzij om een vrouwtje van ongeveer hetzelfde postuur met een theeblad binnen te laten.
'Ik zag in Lloyd's List het bedrag dat het Hof voor de *Golden Adventurer* heeft vastgesteld,' zei de jood toen ze weer alleen waren.
'Nicholas Berg is een verbazingwekkend man, ik zou wel eens willen weten wie hem dat zou nadoen?' Hij wachtte even en zag een opkomende woede Duncans wangen donker kleuren en moordlust in de blauwe ogen schieten.'
Met moeite wist Duncan zich te beheersen. Iedere keer dat iemand zo over Nicholas Berg praatte, had hij meer moeite. Het liefst zou hij zijn opgestaan en dit overvolle kamertje en de verholen schimpscheuten achter zich hebben gelaten, maar hij wist dat hij het zich niet kon veroorloven, maar ook dat hij onmogelijk iets kon zeggen, wilde hij zich niet blootgeven. Ze zwegen zo lang dat het een eeuwigheid leek.
'Hoeveel?' verbrak de man ten slotte de stilte. Duncan kon het niet opbrengen het bedrag te noemen want dat was zo nauw verbonden met het onderwerp waarover hij zich daarnet zo had opgewonden.
'Het is geen groot bedrag en maar voor korte tijd – slechts zestig dagen.'
'Hoeveel?'
'Zes miljoen dollar,' zei Duncan.
'Zes miljoen is nou niet direct een onwaarschijnlijk hoog bedrag als je het bezit – maar het is een fortuin als je het niet hebt,' de man

trok aan zijn dikke krullende baard, 'en zestig dagen kunnen een eeuwigheid zijn.'
'Ik heb een charter voor de *Golden Dawn*,' zei Duncan zachtjes, 'een charter voor tien jaar.' Hij knipte de gouden sloten van zijn varkensleren aktentas open en haalde er een bundeltje fotokopieën uit. 'Het is, zoals je ziet, al door beide partijen ondertekend.'
'Tien jaar?' vroeg de man en keek naar de papieren in Duncans hand.
'Tien jaar, tegen tien dollarcents de honderd ton per mijl met een gegarandeerd jaarlijks minimum van 75 000 mijl.'
De hand in de volle krullende baard bewoog niet meer. 'De *Golden Dawn* heeft een tonnenmaat van een miljoen ton – dat betekent een minimum van vijfenzeventig miljoen dollar per jaar.' Met moeite wist hij het ontzag te verbergen. 'Wie is de bevrachter?' De dikke wenkbrauwen vormden twee diepzwarte vraagtekens.
'Orient Amex,' zei Duncan en overhandigde hem de fotokopieën. 'Het El Barras veld.' De wenkbrauwen van de man bleven gefronst toen hij vlug de papieren doorkeek. 'U bent een dapper man, meneer Alexander, daaraan heb ik nooit getwijfeld. Het El Barras veld.' Hij vouwde de papieren op en keek Duncan aan. 'Ik heb zo de indruk dat Christy Marine een waardige opvolger voor Nicholas Berg heeft gevonden – misschien dat de schoenen wat te klein zijn en dat u wat pijn in uw tenen zult krijgen, meneer Alexander.' Hij schoof heen en weer op zijn stoel en dacht diep na. Duncan sloeg hem gade en wist zijn angstige afwachting te verbergen achter een half geamuseerde glimlach.
'Hoe zit het met de milieuverdedigers, meneer Alexander? De Amerikaanse regering en met name Carter maakt zich erg druk over de gevaren die het milieu bedreigen.'
'Die halfzachte beweging,' zei Duncan. 'Er is al te veel geld geïnvesteerd. Orient Amex heeft bijna een miljard in de nieuwe cadmium kraakinstallaties in Galveston gestoken evenals nog drie andere oliegiganten. Laten ze zich maar opwinden, wij vervoeren de nieuwe ruwe olie die zo rijk aan cadmium is. Er staat te veel op het spel, de potentiële voordelen zijn te groot en de oppositie is te zwak. De hele wereld heeft genoeg van die laatste-dag-voorspellers! De mensen hebben allang berust in wat olie op de stranden, wat luchtvervuiling, wat minder vissen in de zee, of vogels in de lucht.'

De man knikte en luisterde intens. 'Ja,' knikte hij, 'u bent een dapper man. De wereld heeft mensen zoals u nodig.'
'Het gaat erom dat er een katalytische kraakinstallatie moet zijn die de zware fracties in lichte kan omzetten en zodoende 90% benzine oplevert in plaats van de 40% die we nu hopen te krijgen. 90% benzineopbrengst betekent tweemaal zoveel winst, dubbele efficiency –'
'– En dubbel gevaar.' De man grijnsde in zijn baard.
'Er is zelfs gevaar als je een bad neemt. Je kunt uitglijden en je schedel breken, maar we hebben toch niet een miljard dollar in het baden geïnvesteerd.'
'Cadmium is in een concentratie van 1 op 10 000 giftiger dan cyaan of arsenicum. De aan cadmium zo rijke ruwe olie van het El Barras veld heeft een concentratie van 20 op tienduizend.'
'Dat maakte het zo waardevol,' knikte Duncan. 'Zou je ruwe olie kunstmatig met cadmium verrijken dan zou je daardoor het hele kraakproces uiterst oneconomisch maken. Wij hebben een ogenschijnlijk hopeloos verontreinigd olieveld veranderd in *de* grondstof voor een van de meest briljante vooruitstrevende vormen van olieraffinaderij.'
'Ik hoop dat u de weerstand tegen het transport van –'
Duncan snoerde hem de mond. 'Er komt geen publiciteit. Het laden en lossen van de ruwe olie zal met de meeste discretie worden uitgevoerd en de wereld zal het verschil niet eens weten. Ze zien alleen maar nog zo'n reuzentanker op de oceanen en uit niets blijkt dat die juist de zo cadmiumrijke olie vervoert.'
'Veronderstel nu eens even dat het nieuws wel uitlekt?'
Duncan haalde zijn schouders op. 'De wereld is erop ingesteld alles te accepteren, van DDT tot de Concorde, er is eigenlijk geen mens meer die het allemaal nog iets kan schelen. Wij staan zo sterk dat we niet gestopt kunnen worden.'
Duncan zocht zijn papieren bij elkaar en liet er zachtjes op volgen: 'Ik heb zestig dagen lang zes miljoen dollar nodig – morgen om twaalf uur moet ik het hebben.'
'U bent een dapper man,' herhaalde de man eveneens zachtjes, 'maar u bent wel aan het eind. Om het maar ronduit te zeggen, meneer Alexander, Christy Marine heeft geen onderpand meer waarop iets kan worden verstrekt en dit contract met Orient Amex brengt daar geen verandering in.'
Duncan nam een ander bundeltje papieren, gerangschikt in een brui-

ne map. De man haalde vragend één wenkbrauw op.
'Mijn persoonlijke bezittingen,' legde Duncan uit en de man nam de getypte vellen even vlug door.'
'Waarde op papier, meneer Alexander. Werkelijke waarde is maar 50% van die lijst en dat is beslist niet voldoende als onderpand voor zes miljoen dollar.' Hij gaf de bruine map terug aan Duncan Alexander. 'Aardig voor de eerste aanloop, maar we hebben meer nodig.'
'Wat is er dan verder nog?'
'Opties op aandelen Christy Marine. Als we risico moeten delen, dan moeten we ook de winst delen.'
'Wilt u mijn ziel ook hebben?' vroeg Duncan grimmig.
'Daar zullen we ook graag een stukje van hebben,' knikte hij vriendelijk.

Het had twee uur geduurd voordat Duncan weer wegzonk in de leren kussens van de Rolls. Hij had de gok gewaagd, alles op alles gezet – Christy Marine, zijn persoonlijk bezit, ja zelfs zijn ziel. Alles stond nu op het spel.
'Eaton Square, sir?' vroeg de chauffeur.
'Nee,' zei Duncan. Hij wist wat hij nu nodig had om de spanning op te heffen waaronder zijn hele lichaam leed en niet weer door eigen inspanning, maar nu als een soort medicijn.
'De Senator Club in Frith Street,' zei hij tegen de chauffeur.
Duncan lag op zijn buik op de massagetafel in het hokje met rondom groene gordijnen. Hij was naakt, afgezien van de handdoek en zijn lichaam was glad en slank. Het meisje gleed met geoefende sterke vingers over zijn ruggegraat en vond de knopen van spanning en wist die soepel te krijgen.
'Wilt u ook zachte massage, meneer?' vroeg ze.
'Ja,' zei hij en rolde op zijn rug. Ze nam de handdoek om zijn heupen weg. Het was een knap blond meisje in een korte groene tuniek met het gouden laurierblad, het clubinsigne op haar zak. Haar manier van doen was vlug en zakelijk.
'Nog iets extra's, meneer?' vroeg ze op neutrale toon en begon automatisch haar tuniek los te knopen.
'Nee,' zei Duncan, 'geen extra's,' en sloot zijn ogen. Hij gaf zich helemaal over aan haar ervaren vingers.

Hij dacht aan Chantelle en voelde zich heimelijk een tikje schuldig, maar hij had de laatste tijd nooit voldoende energie voor haar veeleisende vurige Perzische hartstocht. Wat was het lang geleden dat ze samen waren geweest. Hij vroeg zich af wat 'men' ervan zou zeggen als ze het zouden weten. 'Nicholas Berg heeft ook al een lege plaats in bed achtergelaten,' zou de vermoedelijke reactie zijn.

Nicholas lag achterover in de nogal versleten bruin leren fauteuil, een van James Teachers concessies aan het comfort en hij tuurde naar de goedkope jachttaferelen op het verkleurde behang. Teacher zou zich een behoorlijke Gauguin of een Turner kunnen veroorloven, maar een dergelijke vulgaire demonstratie werd in de Inns of Court bepaald niet op prijs gesteld. Het zou aanstaande cliënten op het idee kunnen brengen te gaan denken over de hoogte van het honorarium dat hun gevraagd zou worden.
James Teacher legde de telefoon op de haak en ging staan. Het maakte qua hoogte weinig verschil.
'Ziezo, naar mijn idee hebben we nu alle ingangen goed afgesloten,' kondigde hij opgewekt aan en hij somde de verschillende onderdelen op zijn vingers op. 'De deurwaarder van het Zuidafrikaanse Oppergerechtshof zal morgen om twaalf uur lokale tijd beslag leggen op het casco van de *Golden Adventurer*. Onze Franse collega zal hetzelfde doen met de *Golden Dawn* –' Hij sprak nog wel drie minuten door en Nick moest al luisterend tegen zijn zin toegeven dat de goede man het grootste deel van zijn gigantisch honorarium inderdaad verdiende.
'Dat is het dan, meneer Berg, als uw ingeving juist is ...'
'Het is geen ingeving, meneer Teacher, het is een zekerheid. Duncan Alexander zit volkomen klem, hij is als een waanzinnige in de binnenstad aan het rondrennen geweest om dat geld bij elkaar te krijgen. Hij heeft nog getracht me te paaien met dat ongelooflijke aanbod van een compagnonschap. Nee, meneer Teacher, het is niet een vaag voorgevoel. Christy Marine zal in gebreke blijven.'
'Ik kan het me niet indenken. Zes miljoen is een habbekrats,' zei James Teacher. 'Althans voor een firma als Christy Marine, een van de gezondste rederijen.'
'Dat was een jaar geleden zo,' gaf Nicholas bars toe, 'maar sinds-

dien heeft Alexander de vrije hand gehad, geen controle, het is geen naamloze vennootschap, hij beheert de aandelen namens de Trustmaatschappij.' Hij deed een trek aan zijn sigaar. 'Ik ga dit gebruiken om een volledig onderzoek naar het doen en laten van de vennootschap te forceren. Ik zal die Alexander onder de microscoop krijgen en dan kunnen we al zijn puistjes en wratten eens goed bekijken.'
Teacher grinnikte en nam bij de eerste bel de telefoon op. 'Teacher,' zei hij vrolijk en begon toen luid te lachen en te knikken. 'Ja,' en nog eens 'Ja!' Hij hing weer op, keerde zich met een vuurrood gezicht van plezier om naar Nicholas: 'Ik heb een teleurstellende mededeling voor u, meneer Berg. Een uur geleden is door Christy Marine een bedrag voor Oceaan Bergingsbedrijf overgemaakt.'
'Hoeveel?'
'Tot de laatste cent, meneer Berg, zes miljoen dollar en nog wat in het wettelijk betaalmiddel van de Verenigde Staten.'
Nicholas staarde hem aan en wist nog niet wat hij nu eigenlijk voelde, opluchting dat het geld er was of teleurstelling dat hij nu Duncan Alexander niet op de slachtbank kon krijgen.
''t Is een slimme vogel,' zei Teacher, 'je zou er zelf invliegen als je een man als Duncan Alexander onderschat.'
'Inderdaad,' gaf Nicholas toe in de wetenschap dat hem dat meer dan eens was overkomen.
'Zou een van uw klerken bij British Airways kunnen informeren hoe laat het eerstvolgende toestel naar de Bermuda's gaat?'
'Vertrekt u al zo gauw? Mag ik mijn declaratie sturen aan Bach Wackie op de Bermuda's?' vroeg Teacher omzichtig.

Bernard Wackie in eigen persoon stond Nicholas op te wachten achter de douane. Een lange, magere, felle man, tussen veertig en zestig, donker verbrand door de zon en gekleed in een open hemd.
'Nicholas, fijn dat je er bent.' Zijn handdruk was hard en droog en koel. 'Ik neem je rechtstreeks mee naar kantoor, er is zoveel te bespreken, ik wil geen tijd verliezen.'
De Rolls was te omvangrijk voor de smalle slingerende weggetjes op het eiland. Hier was het bezit van een auto beperkt tot één per familie. Bernard was een van die mensen die energie aan genialiteit paarde waardoor het hem onmogelijk was in Engeland te blijven

en zich te onderwerpen aan de wrekende belastingen van de afgunst.
'Het is moeilijk succes te hebben in een gemeenschap die zich heeft gewijd aan de verheerlijking van de verliezers,' had hij Nicholas destijds gezegd en was met zijn hele bedrijf naar deze belastingvrije veilige haven verhuisd.
Voor een man van een geringer formaat zou dit zelfmoord hebben betekend, maar Bernard had de bovenste verdieping van de Bank of Bermuda gehuurd en als scheepvaartkantoor ingericht, uitgerust met een communicatiesysteem het opperbevel van de NAVO waardig. Hij verleende zo efficiënte diensten, was er zelf zo nauw bij betrokken, en was zo goed geïnformeerd over ieder afzonderlijk facet van rederij en scheepvaart, dat niet alleen zijn eigen cliënten hem waren gevolgd, maar dat ook anderen op hem waren afgekomen.
'Geen belasting, Nicholas,' grijnsde hij, 'en kijk eens naar dat uitzicht!'
De schilderachtige gebouwen van de stad Hamilton hadden felle kleuren, aardbeienrood, citroengeel en pruimenblauw – aan de andere kant van de baai stonden hoge ceders in het felle zonlicht en de jachten bij het roze geschilderde clubhuis hadden kleurige zeilen die vrolijk afstaken tegen het groene water. 'Beter hier dan Londen in de winter hè?'
'Dezelfde temperatuur,' zei Nicholas en wierp een blik omhoog op de airconditioning.
'Ik ben een warmbloedig mens,' legde Bernard uit toen zijn lange secretaresse met het dossier van Oceaan Bergingsbedrijf binnenkwam. Hij sloeg de bovenste map open.
'Mooi zo,' begon hij, 'de storting van Christy Marine –'
Het geld was binnengekomen en dat maar net op tijd. De afbetalingstermijn van de *Seawitch* was al met achtenveertig uur overschreden en Atlantique begon verschrikkelijk onrustig te worden.
'God bewaar me,' zei Bernard, 'je zou zo denken dat je niet zo makkelijk van zes miljoen af zou komen, wel?'
'Je hoeft er je best niet voor te doen,' gaf Nick toe. 'Dat gaat vanzelf.'
Opeens gromde hij: 'Wat betekent dit?'
'Ze hebben de doorberekeningsclausule weer gebruikt, nog eens 3½%.'
De werf waar de *Seawitch* werd gebouwd had in het contract een clausule laten opnemen waarbij de prijs gerelateerd werd aan de

indexprijs van staal en de loonschalen. Ze hadden de dreigende havenstaking kunnen omzeilen door toe te geven aan de eisen van de vakbonden en nu zag Nicholas het resultaat daarvan. Die clausule was een nagel aan Nicks doodskist, hij verloor er kracht en geld door.
Ze werkten de hele middag door, steeds maar betalingen en nog eens betalingen. Bunker- en andere lopende kosten van de *Warlock*, rente en afbetalingen op de schulden van Oceaan Bergingsbedrijf, honorarium voor advocaten, agenten, enz., de zes miljoen verdween als sneeuw voor de zon. Een van de weinige betalingen die Nicholas vrolijk stemde was de 12½% aan de bemanning van de *Warlock*, David Allens aandeel bedroeg bijna dertigduizend dollar, dat van Vin Baker vijfentwintigduizend. Nick schreef een krabbel bij die cheque: Neem een Bundaberg op mijn gezondheid!
'Is dat alles?' vroeg Nick ten slotte.
'Vind je het niet genoeg?'
'Meer dan dat,' zei Nick duizelig van het andere levensritme als gevolg van het tijdsverschil en van het geworstel met al die cijfertjes.
'Dan nu goed nieuws,' zei Bernard en nam het tweede dossier op. 'Ik geloof dat ik Esso weer in de pas heb gekregen. Ze waren woest op je en dreigden nooit meer gebruik van de zeeslepers te zullen maken, maar ze gaan je niet vervolgen.' Nicholas had contractbreuk gepleegd toen hij de sleep voor Esso in de steek liet en naar het zuiden racete in verband met de *Golden Adventurer*. Een aanklacht wegens contractbreuk had sindsdien in de lucht gehangen. Het was een opluchting dat die van de baan was, Bernard Wackie was iedere cent die hij verdiende ten volle waard.
'Mooi en verder?' Zo ging het zes uur ononderbroken door.
'Voel je je goed?' vroeg Bernard ten slotte. Nick knikte hoewel zijn ogen hem aan hard gekookte eieren deden denken, en zijn kin een donker waas van baardgroei had door de warmte.
'Wil je wat eten?' vroeg Bernard. Nick schudde zijn hoofd en realiseerde zich toen dat het buiten al donker was. 'Iets drinken? Je zult wel wat kunnen gebruiken voordat ik je nog iets moet vertellen.'
'Whisky,' zei Nick en Bernard liet de secretaresse de drank inschenken.
'Je krijgt van mij de Gouden Prins!' Toen Nicholas wilde gaan schelden, ging Bernard snel verder: 'Nee, Nicholas, ik bedonder je niet. Ik meen het. Het is je weer gelukt. De sjeiks zijn bezig een bod

uit te brengen. Ze willen je uitkopen, volledig, de hele zaak overnemen, alle verplichtingen, alles. Natuurlijk is het hun bedoeling dat jij het geheel uitvoert – twee jaar lang en dat je in die tijd een van hun mensen opleidt. Een knaap van een salaris,' ging hij levendig voort en Nicholas staarde hem ongelovig aan.
'Hoeveel?'
'Tweehonderdduizend dollar en 2½% van de winst.'
'Nee, niet het salaris,' zei Nicholas, 'wat bieden ze voor het hele bedrijf?'
''t Zijn echte Arabieren, hun eerste bod is alleen bedoeld om wat stof te doen opwaaien.'
'Het bedrag,' vroeg Nicholas ongeduldig.
'Er is een bedrag van vijf genoemd.'
'Hoever denk je dat ze zullen gaan?'
'Zeven, zeveneneenhalf, misschien acht.'
Door de doffe vermoeidheid heen zag Nicholas als een verlicht venster op een donkere avond in de verte een visioen van een nieuw leven, een leven zoals Samantha hem had afgeschilderd, rustig, ongecompliceerd, verstoken van alles, behalve van vreugde en plezier.
'Acht miljoen dollar?' Nicholas' stem klonk hees. Hij trachtte de vermoeidheid met duim en wijsvinger uit zijn ogen te wrijven.
'Misschien maar zeven,' mompelde Bernard, 'maar ik zal mijn best doen voor acht.'

Samantha droeg haar haren in twee vlechten op haar rug en had een afgeknipte spijkerbroek aan waardoor haar lange blote bruine benen en wat blekere stukjes bil bij iedere stap zichtbaar werden. Ze had sandalen aan haar blote voeten en haar zonnebril had ze boven op haar hoofd geschoven.
'Ik dacht dat je nooit zou komen,' riep ze tegen Nick toen hij de hekken op Miami International passeerde. Hij liet zijn koffertje vallen en ving haar stormaanval met zijn borst op. Ze klampte zich aan hem vast. Hij ontdekte dat hij de frisse geur van haar door de zon uitgedroogde haren was vergeten.
Ze trilde als een jong hondje en pas toen hij haar schouders zag schokken, realiseerde hij zich dat ze huilde.

'Hee daar!' Hij tilde haar kin op en zag dat haar ogen vol tranen stonden. Ze snufte eens hoorbaar.
'Wat is er kleintje?'
'Ik ben zo gelukkig,' zei Samantha en Nicholas was diep in zijn hart jaloers op haar vermogen zo direct te reageren. Hij kuste haar en tot zijn verwondering voelde hij in zijn hart een schok. De jachtige stroom reizigers op het vliegveld moest een omtrekkende beweging maken om de twee die daar als een rots in het water stonden heen, maar die merkten er zelf niets van.
Zelfs toen ze in het felle zonlicht van Florida uit de douanegebouwen stapten, hield ze haar beide armen om zijn middel waardoor hij danig gehinderd werd in zijn bewegingen.
'Grote goden,' riep Nicholas uit toen ze hem naar haar vervoermiddel bracht. Hij deinsde iets achteruit. Het was een Chevrolet bestelauto waarvan de lak opnieuw was versierd. 'Wat stelt dat voor?'
'Een meesterwerk,' lachte ze. Alle kleuren van de regenboog waren er in strepen op aangebracht en daartussen fantastische landschappen en zeegezichten.
'Heb jij dat gedaan?' vroeg Nick. Hij haalde zijn zonnebril te voorschijn en bekeek de zeemeeuwen, palmen en bloemen.
'Zo slecht is het niet,' verdedigde ze zich. 'Ik verveelde me en voelde me eenzaam zonder jou. Ik had iets nodig om me op te vrolijken.'
Een van de voorstellingen was een doorschijnende roller waarop een paar mensen op surfplanken en een slanke dolfijn met zijn drieën voortstormden. Nick boog wat voorover en herkende in de man zichzelf.
'Knap gedaan,' zei hij, 'al heb ik dan meer biceps en ben ik minder lelijk. Je verwacht toch niet dat ik daarin stap, wel? Denk je eens in dat een van mijn schuldeisers me zou zien!'
'Haal je geest uit die stijve boord en dat driedelige pak, meneer. Je hebt net geboekt voor een reis via de maan naar sprookjesland.'
Voordat ze de motor startte, keek ze hem met haar grote glanzende groene ogen ernstig aan.
'Hoe lang, Nicholas?' vroeg ze, 'hoe lang hebben we dit keer de tijd samen?'
'Tien dagen,' zei hij. 'Het is erg jammer, maar ik moet de 25ste terug zijn in Londen. Dan komt er een heel belangrijke figuur, *de* grote man. Ik zal je het allemaal vertellen.'

'Nee,' ze hield haar handen tegen haar oren. 'Ik wil het niet horen, nog niet.' Ze loodste de Chevrolet met groot gemak behendig door het verkeer. Toen ze van de hoofdweg afzwenkte en bij een supermarkt parkeerde, haalde Nicholas zijn wenkbrauwen op.
'Eten,' legde ze uit en met een wulpse oogopslag liet ze erop volgen: 'Ik reken erop dat ik straks verschrikkelijke honger zal krijgen.'
Ze koos runderlapjes, een zak vol kruidenierswaren en een kruik Californische Riesling. Ze wilde niet dat hij betaalde. 'Hier ben jij mijn gast.' Daarna betaalde ze tolgeld en nam de Rickenbacker dam over het water naar Virginia Key.
'Dat is de zeeafdeling van de universiteit van Miami en dat daar is mijn lab, daar boven bij het havenhoofd, even voorbij die witte vissersboot – zie je het?'
De lage gebouwen stonden opeengedrongen in een hoek van het eiland, tussen het zeeaquarium en de werven en steigers van de eigen haven van de universiteit.
'We stoppen blijkbaar niet,' merkte Nicholas op.
'Wie houd je nu voor de gek,' vroeg ze lachend. 'Ik heb echt niet een officiële wetenschappelijke omgeving nodig voor het experiment dat ik nu ga doen.'
Zonder vaart te minderen racete de Chevrolet over de lange brug tussen Virginia Key en Key Biscayne in. Vijf kilometer verderop sloeg ze linksaf een smal vuil weggetje in door een weelderig tropisch bos van waringins, dwergpalmen en palmen en stopte bij een primitief houten huisje van over elkaar gelegde planken vlak aan het water.
'Ik woon vlak bij mijn werk,' legde Samantha uit terwijl ze het trapje naar de beschutte ingang opklom met haar armen vol levensmiddelen.
'Is dit van jou?' vroeg Nicholas. Hij kon net de toppen van grote blokken flats aan weerszijden onderscheiden. Ze werden voor een groot deel door de palmen aan het oog onttrokken.
'Mijn vader heeft het me nagelaten. Hij heeft dit gekocht in het jaar dat ik werd geboren,' legde Samantha trots uit. 'Mijn stuk grond loopt van hier tot daar.'
Een paar honderd meter, maar Nicholas begreep dat het terrein bijzonder veel waard was. Iedereen wil aan het water zitten en deze huizen werden schaars.
'Dit zal zeker een miljoen waard zijn.'

'Het is niet te koop,' zei ze vastberaden. 'Dat vertel ik al die vreselijke zwetende mannetjes met grote sigaren in hun hoofd. Vader heeft het mij nagelaten en het is niet te koop.'
Ze had intussen de deur opengemaakt en duwde er met haar in spijkerbroek gestoken achterste tegenaan.
'Sta daar niet zo, Nicholas,' smeekte ze hem, 'we hebben maar tien dagen.'
Hij volgde haar de keuken in waar ze haar vrachtje op het aanrecht liet vallen. Ze vloog terug in zijn armen. 'Welkom in mijn huis, Nicholas,' zei ze, sloeg haar armen om zijn middel, trok zijn hemd uit zijn broek en gleed met haar handen over zijn blote rug. 'Je hebt geen idee hoe welkom je bent. Kom, laat me je alles laten zien – dit is de zitkamer.'
Het was Spartaans gemeubileerd, Indiaanse kleedjes en aardewerk.
'En dit – o wat een wonder! – is de slaapkamer.'
De kleine slaapkamer had uitzicht op het strand. De zeebries bolde de gordijnen op en het geluid van de branding was als het snurken van een reus, een diep regelmatig gesis en gezucht dat de hele lucht vervulde.
Het bed was te groot voor de kamer, helemaal bewerkt antiek koper, een gemoireerde zachte matras en een ouderwetse lapjesdeken waarin wel honderd gekleurde kleine vierkante stukjes katoen waren verwerkt.
'Ik geloof niet dat ik het nog een dag langer zonder jou had uitgehouden,' zei ze en maakte de dikke vlechten los. 'Je kwam als de cavalerie, op het nippertje.'
Hij greep de gouden strengen haar en wond die om zijn polsen. Langzaam trok hij haar naast zich.
Opeens was Nicks leven weer eenvoudig en ongecompliceerd, opeens was hij weer jong en volkomen zorgeloos. Al die kleinburgerlijke inspanningen, uitvluchten, leugens en bedrog bestonden niet in dit wereldje dat een houten bouwsel aan de oever van de oceaan behelsde, een koperen bed dat kreunde, ratelde, dreunde en piepte door dat zo volkomen geluk, het wonder dat Samantha Silver heette.

Samantha's laboratorium was een vierkant lokaal boven het water gebouwd en het zachte gezoem van de elektrische pompen ver-

mengde zich met het klotsen van de golfjes en het gemurmel en geborrel van de bassins.
'Dit is mijn koninkrijk,' vertelde ze, 'en dat zijn mijn onderdanen.'
Er stonden wel honderd reservoirs, die aan de glazen aquaria voor goudvissen deden denken en boven elk daarvan hing een ingewikkeld arsenaal van cilinders, flessen en elektrische draden.
Nick slenterde naar een ervan en tuurde erin. Het bevatte één enkele grote zoutwatermossel, een strandgaper. Het dier was bezig te eten zodat de twee delen van de schelp van elkaar af stonden, het roze weekdier en de geschulpte kieuwen trilden en golfden in de lichte beweging van het opgepompte en gefiltreerde zeewater. Tegen iedere kant van de schelp waren heel lichte koperen draadjes vastgemaakt met druppels polyuretaan als hechtmiddel.
Samantha kwam naast hem staan en raakte hem aan. Hij keerde zich naar haar toen en vroeg: 'Wat gebeurt daar?'
Ze drukte op een knop en onmiddellijk begon de cilinder boven het reservoir langzaam te draaien en een naald beschreef na een paar rukken en trillingen een regelmatig patroon op het papier van de cilinder, een dal en vervolgens twee pieken, de tweede een klein beetje lager dan de eerste en dan weer dat dal.
Ze zei: 'Hij wordt afgeluisterd.'
'Ben jij er één van de CIA?' vroeg hij beschuldigend.
Ze lachte. 'Nee, het gaat om zijn hartslag. Ik laat een elektrisch schokje door zijn hart gaan – het is maar een millimeter in dwarsdoorsnede – maar iedere samentrekking verandert de weerstand en doet de naald bewegen.' Ze bekeek de curve even. 'Dit is een heel gezonde vrolijke *Spisula solidissima.*'
'Heet hij zo?' vroeg Nick. 'Ik dacht dat het een mossel was.'
'Een van de vijftienduizend tweekleppigen die naar die verzamelnaam luisteren,' corrigeerde ze.
'Oei, wat een geleerdheid,' zei Nicholas, 'wat is nu zo belangrijk aan dat minuscule hartje?'
'Het is de beste en goedkoopste vervuilingsgraadmeter die we tot nu toe hebben ontdekt – of liever,' ze verbeterde zichzelf zonder valse bescheidenheid, 'die ik heb ontdekt.'
Ze nam hem bij de hand en voerde hem mee langs de lange rij reservoirs. 'Ze zijn gevoelig, buitengewoon gevoelig voor iedere bezoedeling van hun omgeving en de hartslag zal bijna op hetzelfde ogenblik elk vreemd organisch of anorganisch element of chemische

stof registreren, zelfs in zulke kleine hoeveelheden dat het een bijzonder getrainde specialist met een spectroscoop zou vereisen om hetzelfde resultaat te verkrijgen.'

Nicholas voelde dat zijn welwillende belangstelling geleidelijk aan veranderde in echte toen Samantha monsters van de meest voorkomende vervuilers op de tafel tegen de voorkant van het overvolle kleine laboratorium begon klaar te maken.

'Hier,' zei ze en hield een proefbuisje in de hoogte, 'aromatische koolstof, het vergiftigste element van ruwe petroleum en hier,' ze wees op een buisje ernaast, 'kwikzilver in een concentratie van 1 op 10 000. Heb je die foto's gezien van die Japanse kindertjes in Kiojo? Het resultaat van kwik!'

Ze wees verschillende buisjes aan. 'Hier heb je allemaal bijprodukten van de industrie. Laat je niet verlakken door de ingewikkelde namen, op een kwade dag komen ze als THF of CMB of wat dan ook terug in onze maatschappij – en dan zullen er weer baby's zonder armen of benen geboren worden. Hier heb je arsenicum, dat ouderwetse "merk" vergif van Agatha Christie. En dat daar is cadmium, als zwavelverbinding wordt het zo gemakkelijk geabsorbeerd. In een concentratie van 1 op 10 000 is het even dodelijk als de neutronenbom.'

Hij keek hoe ze het blad met buisjes naar de andere kant droeg, waar ze de ECG-monitoren aanzette. Ze begonnen allemaal het normale cardiogram van een gezonde mossel te beschrijven.

Ze liet de zwakke oplossingen van het vergif in de waterbakken druppelen, in elk reservoir een andere soort.

'De concentratie is zo laag dat de proefdieren er vrijwel niets van zullen merken, ze zullen gewoon doorgaan met eten en voortplanten en pas op de lange duur zullen de gevolgen van deze systematische vergiftiging blijken.'

Samantha was hier een heel ander mens, een koele rationeel denkende vakvrouw. Zelfs de witte jasschort die ze over haar T-shirt had aangetrokken had haar hele voorkomen veranderd, ze was nu zeker twintig jaar ouder door haar vastberaden autoriteit zoals ze daar heen en weer bewoog langs haar waterreservoirs.

'Kijk,' zei ze met een grimmige voldoening toen de naald op een van de cilinders een dubbele lus maakte in één piek en de tweede duidelijk zichtbaar minder hoog aangaf. 'Een typische reactie op aromatische koolstof.'

De vervormde hartslag werd eindeloos herhaald op de langzaam ronddraaiende rol. Ze liepen naar de volgende bak.
'Zie je die trilling in de onderlus, de versnelling van het hartritme? Dat doet cadmium in een verdunning van 1 op 100 000, bij 1 op 10 000 doodt het al het leven in de zeeën, bij 5 op 10 000 zullen de mensen langzaam sterven, bij 7 op 10 000 in lucht of water gaat de mensheid er heel vlug aan.
Nicholas' belangstelling groeide uit tot volledige gefascineerdheid toen hij Samantha hielp de proeven vast te leggen en de stroming en concentraties in de verschillende reservoirs te controleren. Geleidelijk verhoogden ze de dosis van ieder vergif en de schrijvende naald legde onbewogen de groeiende ellende en de laatste stuiptrekkingen die aan de dood voorafgaan, vast.
Nicholas gaf uiting aan zijn afschuw bij het aanschouwen van dit degeneratieproces. 'Wat akelig!'
'Ja,' zei ze en ging wat achteruit. 'Dat is de dood altijd, maar deze organismen hebben zulke rudimentaire zenuwstelsels dat ze voor zover wij weten niet zoals wij pijn voelen.' Ze huiverde even en ging door: 'Denk je eens in dat hele oceanen worden vergiftigd zoals deze reservoirs, stel je de afschuwelijke doodstrijd voor van miljoenen zeevogels, robben, schildpadden en walvissen. Bedenk wat de mensheid dan overkomt –' Samantha trok haar witte jas uit.
'Ik heb honger,' kondigde ze aan en keek op naar de glasvezelplaten in het dak. 'Geen wonder! Het is al donker!'
Toen ze het laboratorium opruimden en alles weer op zijn plaats brachten, vertelde Samantha hem: 'In vijf uur hebben we meer dan honderdvijftig soorten vervuild water getest en nauwkeurige gegevens verzameld over ongeveer vijftig verschillende gevaarlijke substanties – tegen een prijs van zo ongeveer vijftig dollarcents per monster.' Ze knipte het licht uit. 'Dezelfde proeven met een spectroscoop zouden om en nabij de tienduizend dollar hebben gekost en daarvoor zou een stel volledig gespecialiseerde mensen zeker twee weken hard moeten werken.'
''t Is een geweldige vonst,' zei Nicholas. 'Je bent een knap meisje – ik ben diep onder de indruk – ja heus.'
Bij de psychedelische Chevrolet hield ze hem even tegen en keek in het licht van de straatlantaarn wat schuldig naar hem op.
'Vind je het erg als ik wat met je pronk, Nicholas?'

'Wat bedoel je?' vroeg hij achterdochtig.
'Ze eten vanavond garnalen en blijven op de boot slapen om morgenochtend vroeg vis met plastic plaatjes te merken – maar we hoeven niet. We kunnen weer runderlapjes halen en nog een kruik wijn.' Hij merkte wel dat ze er erg graag heen wilde.

De boot was een meter of zeventien lang, een trawler met die lompe stuurhut ver naar voren als een schildwachthuisje of een ouderwetse mijnlatrine.
Ze lag aan het eind van de steiger van de universiteit en toen ze erheen liepen, hoorden ze stemmen en gelach uit het vooronder komen.
Tricky Dicky las Nick hardop toen hij de naam op de lelijke achtersteven zag staan.
'We zijn dol op haar,' zei Samantha en ging hem voor over de nauwe, wat gammele loopplank. 'Ze is eigendom van de universiteit, een van de vier vaartuigen voor onderzoek. De andere drie zijn willekeurige moderne schepen, zo'n vijfenzestig meter lang, maar de *Dicky* is onze boot waarmee we kleine tochtjes maken en die tevens dient als clubhuis voor onze faculteit.'
De kajuit was zeer spaarzaam gemeubileerd met kale houten banken en een tafel in het midden, maar het was er zo druk als in een modieuze discotheek, dicht bezet met zonverbrande jonge mensen, jongens en meisjes in verschoten spijkerbroeken en T-shirts met gebleekte verwarde haren waardoor ze moeilijk als sekse herkenbaar waren. Het rook er verrukkelijk naar kokende garnalen en er stonden kruiken Californische wijn op tafel.
'Hee,' schreeuwde Samantha boven de herrie uit, 'dit is Nicholas.'
Er viel een soort stilte waarin hij met die nieuwsgierige vijandigheid, iedere groep eigen ten opzichte van een indringer werd opgenomen. Nick bleef volkomen kalm onder dit onderzoek en stelde vast dat het een elitaire groep was ondanks hun informaliteit, de wilde ongekamde haren en baarden. Ze hadden allemaal intelligente gezichten, levendige heldere ogen en er lag dat speciale air van trots en zelfbewustzijn over hen.
Aan het hoofd van de tafel zat een indrukwekkend grote man, de oudste aanwezige, misschien van Nicks leeftijd of zelfs nog wat

ouder want er zaten grijze strepen in zijn baard en zijn gezicht was gegroefd door wind, zon en tijd.
'Hai, Nick,' brulde hij, 'ik zal niet doen of ik nog nooit van je heb gehoord. Sam heeft ons de oren van het hoofd –'
'Laat maar, Tom Parker,' viel Samantha hem in de rede en er weerklonk gelach zodat de spanning week en iedereen kennismaakte met Nick.
'Hai Nick, ik heet Sally-Anne,' zei een blond meisje en duwde hem een kroes wijn in zijn hand.
'We zitten wat krap in de glazen, willen Sam en jij samen doen?' Ze schoof een klein eindje op zodat er plaats kwam voor Nick. Samantha kroop op zijn knie. Ze fluisterde in zijn oor: 'Tom is professor in de biologie, 't is een schat. Na jou vind ik hem de liefste van de wereld.'
Er kwam een vrouw uit de kombuis met een enorme schaal hoog opgestapeld met helder roze garnalen en een kom gesmolten boter. Er weerklonk een applaus en als uitgehongerd viel iedereen op het voedsel aan. De vrouw leek wat ouder dan de anderen. Ze bleef naast Tom Parker staan en sloeg haar arm om zijn schouders.
'Dat is Antoinette, zijn vrouw.' Ze hoorde haar naam, keek op en knikte vriendelijk tegen Nick. De garnalen verhinderden geenszins het gesprek dat nu eens uit een ernstige discussie, dan weer uit vrolijke grappen bestond, terwijl ze met hun vette vingers de besnorde koppen van de garnalen trokken en er het sappige halve maantje wit vlees uithaalden. Op de wijnglazen en kroezen zag je steeds meer vettige vingerafdrukken verschijnen.
Als er iemand sprak, fluisterde Samantha vlug hun namen en antecedenten in Nicks oor. 'Hank Petersen, hij is met een scriptie voor zijn doctoraal over de blauwvin bezig – kuitschieten en een schets van hun trekroutes.'
'Dat is Michelle Rand, ze is uitgeleend door UCLA, ze doet schildpadden en walvissen.'
Opeens hadden ze het allemaal verontwaardigd over een kapitein van een tanker die de week ervoor zijn tanks had schoongeschrobd midden in de straat Florida en een olievlek van een vijftig kilometer op het water van de golfstroom had achtergelaten. Hij had het onder beschutting van de nacht gedaan en veranderde van koers zodra hij goed en wel op de Atlantische Oceaan was.
'We hebben vingerafdrukken,' zei Tom Parker als een grommende

beer. Nick wist dat hij doelde op de 'vingerafdrukken' van het oliemengsel, het analyseren van monsters met behulp van de spectroscoop waardoor ze vergeleken konden worden met monsters door de kustwacht genomen uit de tanks van de overtreder. De identificatie was zo goed dat je ermee voor den dag kon komen bij een internationaal gerechtshof. 'De moeilijkheid is zo'n lammeling voor het gerecht te slepen,' ging Tom Parker door, 'hij was al vijftig mijlen buiten onze territoriale wateren tegen de tijd dat de kustwacht hem te pakken had en hij is in Liberia ingeschreven.'
'We hebben om dergelijke gevallen te kunnen aanpakken een aantal voorstellen gedaan op de laatste zeeconferentie.' Het was de eerste keer dat Nick aan het gesprek deelnam. Hij vertelde hoe moeilijk het was wetten op internationaal niveau vast te stellen, hoe ingewikkeld de overtreders te bewaken en voor het gerecht te slepen. Hij somde op wat er allemaal al was gedaan, wat er aan de gang was en ten slotte wat hij dacht dat er nog gedaan moest worden om de zee te beschermen.
Hij sprak rustig, beknopt en weer viel het Samantha met een groeiend gevoel van trots op dat iedereen luisterde als Nicholas Berg sprak. Zodra hij zweeg, vuurden ze van alle kanten vragen op hem af. Hij beantwoordde die kort en krachtig omdat hij bijzonder goed op de hoogte was met dit onderwerp. Hij bemerkte ook de verandering in de houding van de groep. Hij had het juiste wachtwoord gesproken, ze herkenden hem als een der hunnen, één van de elite.
Aan het hoofd van de tafel zat Tom Parker te luisteren, knikte af en toe of schudde zijn hoofd.

Tom Parker vond de vissen veertig mijl uit de kust waar de golfstroom blauw en warm werd en snel naar het noorden stroomde. De vogels hadden het er druk, lieten zich met gesloten vleugels achter de stormwolken die de horizon verduisterden zakken. Het waren stralend witte vallende puntjes die het donkerblauwe water met een waaiervormige uitbarsting van schuim raakten en doorschoten. Seconden later kwamen ze weer met langgerekte nekken boven water, bezig een prooi in hun gezwollen krop te stouwen voordat ze weer op de wieken gingen en naar boven cirkelden om opnieuw op jacht te gaan.

'Ansjovis,' bromde Tom Parker en ze zagen het onrustige water onder de zwerm vogels waar de angstig geworden aasvissen rondwoelden. 'Zou het tonijn zijn?'
'Nee,' zei Nick, 'het zijn blauwvinnen.'
'Weet je dat zeker?' grijnsde Tom.
'De manier waarop ze de ansjovis in groepjes opjagen en bij elkaar houden, dat moeten blauwvinnen zijn,' herhaalde Nick.
'Vijf dollar wedden?' vroeg Tom toen hij het stuur omgooide. De dieselmotor van de *Dicky* werkte op volle kracht.
'Daar houd ik je aan,' grijnsde Nick terug en op dat ogenblik zagen ze de vis helemaal uit het water komen. Het was een glimmende glinsterende torpedo, ter lengte van een mannenarm. Hij kwam wel ruim een meter vijftig uit het water, draaide zich in de vlucht om en kwam weer in het water terug met een klap die duidelijk door het geronk van de motor heen te horen was.
'Blauwvinnen,' zei Nick effen. 'Een school blauwvinnen – wel twintig pond het stuk zwaar.'
'Vijf dollar,' gromde Tom met tegenzin, 'rotjongen, die kan ik niet missen.' Hij gaf hem een speelse stoot tegen de schouder waardoor Nick het gevoel kreeg dat al zijn botten door elkaar werden geschud. Tom liep naar het open raam van de stuurhut en riep naar beneden: 'Ja kinderen, we hebben blauwvinnen.'
Er ontstond een drukte en er klonken opgewonden stemmen toen ze hun lijnen en plastic plaatjes zochten. Het was Hanks specialiteit, hij was expert op het gebied van de blauwvin, hij wist meer van hun seksuele gewoonten, hun trekroutes en voedselgronden dan wie ook, maar als het erom ging de dieren te vangen, dan zou hij waarschijnlijk meer succes als smid hebben, merkte Nick droogjes op. Tom Parker was ook bepaald geen visser. Hij voer dwars door de school waardoor zowel de vogels als de vissen in paniek uiteenstoven – maar puur per ongeluk wist een van de jongelui op de achtersteven er een aan de haak te slaan en aangemoedigd door de anderen bracht hij moeizaam een ongelukkige blauwvin-baby over de reling. Ze sprong heen en weer op het dek en sloeg met haar staart als een hamer op de planken, achtervolgd door een schreeuwende groep wetenschapsmensen die glibberden en gleden door het slijmerige spoor, elkaar omduwden en ten slotte de blauwvin tegen de zijkant klem kregen. De eerste drie pogingen het plaatje vast te maken mislukten en Hanks uitvallen met de hengel werden steeds

wilder naarmate zijn frustratie groeide. Hij slaagde er bijna in Samantha's achterste van een plaatje te voorzien toen ze knielde om te trachten de vis in haar armen te nemen.
'Doe je dit vaak?' vroeg Nick vriendelijk.
'Het is de eerste keer met deze groep,' gaf Tom Parker wat schaapachtig toe.
Op dat ogenblik was de triomfantelijke groep omzichtig bezig de vis weer aan de zee toe te vertrouwen, het plaatje met de weerhaakjes gevaarlijk dicht bij vitale delen ingeplant. Als dat het beest dan misschien niet zou doden, dan had de ruwe behandeling al voldoende schade aangericht. Het dier had zijn kop zo heftig tegen het dek gestoten dat er bloed drupte uit de kieuwdekking. Hij dreef weg met de buik omhoog in de stroom, zich niet meer bewust van Samantha's heftige kreten: 'Zwem dan, vis, draai je om en zwem!'
'Zullen we het eens op mijn manier proberen?' vroeg Nick en Tom gaf het commando zonder enige moeite over.
Nicholas koos de vier sterkste en handigste jongelui uit en gaf een demonstratie met tekst en uitleg hoe je de zware vislijnen zonder roede en met het Japanse geveerde lokaas moest beetpakken en liet hun zien hoe die uitgegooid en weer ingehaald moeten worden met een onderhandse ruk zodat de lijn tussen je voeten oprolt. Hij wees hun ieder een plaats aan stuurboord bij de reling aan en zond Hank Petersen op het dak van het stuurhuis om het aantal vissen te tellen en de nummers van de plaatjes te noteren.
Binnen een uur vonden ze weer een school en Nicholas maakte een omtrekkende beweging, hoe langer hoe dichter in een matig gangetje ernaar toe, waardoor hij de blauwvinnen hielp hun voedsel, de school woelige anjovis, naar de oppervlakte te drijven. Ten slotte kon hij het stuur van de *Dicky* hard stuurboord vastzetten waardoor de boot in kringen rond bleef gaan. Toen haastte hij zich aan dek.
Binnen enkele minuten waren de vier vissers druk in de weer met hun lijnen met aas in het schuimende water en trokken onmiddellijk op als een blauwvin het geveerde aas te pakken had. Met hun hand boven hun hoofd wisten ze met een minimum aan inspanning de lijn binnen te halen en weer op te rollen terwijl de vis boven water kwam. Met twee handen zagen ze kans in een zwaaiende beweging de vis uit het water te zwiepen en dan het gestroomlijnde dier onder hun linkeroksel te vangen en vast te klemmen hoewel de koude

stevige zilveren torpedo schudde en trilde en de staart onophoudelijk heen en weer klapte. Hij leerde hun hoe je het haakje uit de kaak zo voorzichtig kon losmaken dat je de kwetsbare kieuwen niet beschadigde en hoe het dier goed vast te houden terwijl een ander het plastic plaatje met de weerhaakjes in de dikke spier aan het eind van de rugvin vastzette. Zodra de vis weer over boord was gegooid, had hij zo weinig geleden dat hij bijna onmiddellijk begon te eten. De plastic plaatjes waren genummerd en bedrukt met een verzoek in vijf talen deze per post terug te sturen naar de universiteit van Miami met bijzonderheden over de datum en de plaats van ontdekking waardoor een waardevolle bijdrage over de bewegingen van de scholen in hun jaarlijkse rondgang om de aardbol zou worden geleverd. Ze zwommen na hun rijtijd in de Caribische wateren met de golfstroom mee naar het noorden en oosten over de Atlantische Oceaan, dan naar het zuiden om Kaap de Goede Hoop heen met soms een rooftocht over de hele lengte van de Middellandse Zee – hoewel de gevaarlijke vervuiling van dat door land ingesloten water hun gewoonten veranderde. Vanaf Kaap de Goede Hoop gingen ze weer met een reusachtige zwaai op en over de Pacific naar het oosten, ten zuiden van Australië om, liepen spitsroeden tussen de Japanse beugvissers en de Californische tonijnvissers, voordat ze weer onderdoken in de ijskoude wateren van Kaap Hoorn en terug naar het kuit schieten in de Caribische wateren.
Ze dronken bier boven op het stuurhuis van de *Dicky* op weg naar huis. Ze spraken over van alles en nog wat en Nicholas bestudeerde hen ongemerkt. Hij ontdekte dat ze eigenschappen hadden die hij in medemensen juist zo waardeerde, intelligentie, gemotiveerdheid, toewijding en dat ze niet behept waren met die hebzucht die zovelen ontsiert.
Tom Parker verkreukelde een leeg bierblikje in zijn reusachtige vuist en haalde twee nieuwe uit de doos naast zich waarvan hij er één naar Nick toeschoof. Dat gebaar leek een speciale betekenis te hebben en Nicholas dronk het blikje op Toms gezondheid.
Samantha lag lekker vermoeid tegen zijn schouder. Nicholas dacht met weemoed hoe fijn het zou zijn de rest van zijn leven met deze mensen door te brengen.

Tom Parkers werkkamer had rondom langs de muren planken waarop honderden flesjes met monsters en rijen wetenschappelijke tijdschriften en andere uitgaven stonden.
Hij leunde achterover in zijn draaiende bureaustoel en zei: 'Ik heb naar je geïnformeerd, Nick. Brutaal wat? Excuses.'
'Was het interessant?' vroeg Nicholas vriendelijk.
'Het was bepaald niet moeilijk. Je laat een spoor achter als een –' Tom zocht naar een vergelijking, 'als een grijze beer in een imkerij. Lieve help, Nicholas, je hebt toch een staat van dienst!'
'Ik heb wel wat om handen gehad,' gaf Nicholas toe.
'Bier?' Tom liep naar de ijskast in de hoek waarop stond 'Zoölogische monsters. DICHT LATEN!'
'Ja, je had zo het een en ander om handen. Gek eigenlijk dat bij sommige mensen er van alles en nog wat gebeurt.'
Nicholas gaf niet direct antwoord en Tom ging door: 'We hebben hier iemand nodig die van aanpakken weet. Het is natuurlijk prachtig iets te bedenken, maar dan heb je een katalysator nodig om gedachten en plannen in daden om te zetten. Ik weet nu wat je allemaal hebt gedaan, ik heb je horen praten en je zien handelen. Het belangrijkste van alles voor mij is dat je een hart hebt. Ik heb je heel goed gadegeslagen, Nick, en je hebt een hart, diep binnen in je maak je je net zo druk als wij.'
'Dat klinkt alsof je bezig bent me een baantje aan te bieden, Tom.'
'Ik zal er niet omheendraaien, Nick, ik bied je inderdaad een baantje aan. Ik weet heus wel dat je het druk hebt, maar ik zie je in gedachten als buitengewoon hoogleraar. We zouden graag beslag op je leggen als het erom gaat in Washington op te spelen en te onderhandelen, we zouden je kunnen oproepen wanneer we onze zaak kracht willen bijzetten, als we goede contacten nodig hebben, iemand met een grote naam die deuren open weet te krijgen, als we een man nodig hebben die de praktische kant van de oceanen kent en ook de kerels die erop varen en enkelen die hen misbruiken. We hebben een kerel nodig, een keiharde zakenman, die alles van de handel op zee weet, die tankers heeft gebouwd en gevaren, die weet dat de menselijke noden allesoverheersend zijn, maar die de behoefte aan proteïne en fossiele brandstoffen kan afwegen tegen het grotere gevaar van oceanen die veranderen in waterwoestenijen.'
Tom nam een slok bier en keek gespannen naar Nicholas' reacties. Toen hij niet werd aangemoedigd, ging hij met nog meer overre-

dingskracht door: 'We zijn specialisten, we bekijken een en ander misschien zelfs met de beperkte blik van die specialist. God weet dat ze ons sentimenteel vinden, dat halfzachte zootje dat voortdurend roept dat het einde van de wereld nabij is, de langharige intellectuele hippies. Wat wij nodig hebben is een man die echt indruk maakt op de gevestigde orde – verdomme Nicholas, als jij een vergadering van het Congres binnenwandelt dan zullen ze wakker schrikken uit hun oudedagsdroom en hun hoortoestellen inschakelen.' Nicholas zweeg nog steeds. Tom werd er wanhopig van. 'Wat kunnen wij er tegenover stellen? Ik weet dat je niet om geld zit te springen en het zou maar een armzalige twaalfduizend dollar per jaar zijn, maar buitengewoon hoogleraar is geen onaardige titel. Laten we daarmee eens beginnen, misschien kunnen we dan zo doorgaan en er een volledig hoogleraarschap van maken – een stoel voor toegepaste oceanologie of een andere fraaie mondvol die we wel zullen verzinnen. Ik weet niet wat we je verder nog kunnen bieden, Nick, behalve dan dat warme prettige gevoel diep van binnen als je een moeilijk karweitje dat moet geklaard worden, opknapt.' Hij zweeg weer en wist verder niets meer in het midden te brengen. Hij schudde mistroostig zijn forse harige hoofd.
Nick kwam in beweging. 'Wanneer kan ik beginnen?' vroeg hij en toen Toms gezicht openspleet in een royale geweldige grijns, stak Nick zijn hand uit.

Het water was zo koel dat ze ervan opknapten. Nick en Samantha zwommen zo ver uit de kust dat ze niet veel meer zagen. Ze keerden en gingen naast elkaar terug naar die lichtjes die aan sterren deden denken, maar in werkelijkheid verlichte ramen van andere huisjes aan zee waren.
Dit was het ogenblik om haar alles gedetailleerd te vertellen. Eerst bracht hij het aanbod van de sjeiks om Oceaan Bergingsbedrijf te kopen ter sprake.
'Doe je het?' vroeg ze kalm. 'Ik denk het niet, hè?'
'Voor zeven miljoen dollar schoon in de hand?' vroeg hij. 'Weet je wel hoeveel dat is?'
'Zover kom ik niet met tellen,' gaf ze toe. 'Maar wat zou jij gaan doen als je alles verkocht? Ik kan me jou niet voor de rest van je

leven voorstellen op de bowling of de golflinks.'
'Een deel van de overeenkomst is dat ik gedurende twee jaar Oceaan Bergingsbedrijf voor hen run en daarnaast is me een part-time aanstelling aangeboden die alle vrije tijd die ik eventueel nog overheb zal opslokken.'
'Wat dan?'
'Buitengewoon hoogleraar aan de Miami Universiteit.'
Ze zwom geen slag meer en trok aan zijn arm om hem aan te kijken.
'Je houdt me voor de gek!' beschuldigde ze hem.
'Het is nog maar het begin,' zei hij, 'over een jaar of twee, als ik klaar ben met Oceaan Bergingsbedrijf, is er misschien wel een volledige leerstoel oceanologie. Tom wil dat ik de toegepaste aspecten van het milieuonderzoek ga forceren. Ik moet in de clinch met wetgevers en op de bres staan tijdens zeeconferenties, een soort huurkanon voor de Green Peacers –'
'O Nicholas, Nicholas!'
'Christus nog aan toe,' riep hij uit, 'nu huil je weer.'
'Ik kan het niet helpen.' Ze kroop dicht tegen hem aan, nat en koud en zanderig. 'Weet je wat het betekent, Nicholas? Dat we in de toekomst alles samen kunnen doen, niet alleen eten en naar bed gaan – maar alles, werken en pretmaken en echt als man en vrouw samen leven!'
'Het vooruitzicht schrikt me niet af,' fluisterde hij liefdevol en tilde haar kin op.
Ze kropen samen onder de douche en wasten het zout en het zand van zich af. In het donker lagen ze op de lappendeken en met het geluid van de zee als achtergrondmuziek weefden ze plannen en dromen aan elkaar.
Iedere keer als ze in slaap dreigden te vallen, bedacht een van hen wel iets heel belangrijks en porde de ander wakker om het te vertellen.
'Ik moet dinsdag in Londen zijn.'
'Bederf het nu niet,' mompelde ze slaperig.
'7 April laten we de *Seawitch* te water.'
'Ik luister niet,' fluisterde ze, 'ik heb mijn vingers in mijn oren gestopt.'
'Wil jij haar te water laten – ik bedoel de fles champagne stukslaan en haar behouden vaart wensen? Jules zou het heerlijk vinden.'
'Nicholas, ik kan niet mijn hele leven heen en weer forensen over de

Atlantische Oceaan, zelfs niet voor jou. Ik moet mijn werk zien klaar te krijgen.'
'Peter zal er ook bij zijn, ik gooi nu lokaas uit.'
'Dat is onbehoorlijke druk uitoefenen.'
'Kom je?'
'Dat weet je best, ik zou het voor geen goud willen missen.' Ze gleed met haar lippen langs zijn oor. 'Ik beschouw het als een eer.'

Nicholas zag dat hij vroeg was toen hij het Amerikaanse consulaat verliet, vandaar dat hij over de Place de la Concorde slenterde ondanks de lichte mist die zich als een nat waas aan de schouders van zijn regenjas hechtte.
Lazarus stond hem al op de afgesproken plaats op te wachten, onder een van de beelden op de hoek van het plein vlak bij het Franse Marine Hoofdkwartier. Hij was zwaar ingepakt tegen de kou in een sombere blauwe winterjas met een lange enige malen om zijn hals gebonden sjaal en een donkerblauwe hoed die hij ver naar voren had getrokken alsof hij zijn lange bleke voorhoofd wilde verbergen.
'Laten we een warm plekje opzoeken,' stelde Nick voor zonder de man te groeten.
'Nee,' zei Lazarus en keek hem door zijn dikke vervormende brilleglazen aan. 'Laten we blijven lopen.' Hij ging Nick voor naar de promenade boven de kade langs de Seine en sloeg de kant van het Petit Palais in. Ze waren er de enige wandelaars. Het leek wel of hij Toulouse-Lautrec voor een wandeling had uitgenodigd, dacht Nick glimlachend. Toen Lazarus na een tijdje zwijgend voortgesjouwd te hebben waarbij hij trachtte Nicks lange passen bij te houden, begon te praten, bleef hij steeds over zijn schouder omkijken.
'Je weet dat er niets op schrift wordt gesteld,' piepte hij.
'Ik heb een bandrecorder in mijn zak,' stelde Nick hem gerust.
'Goed, dat mag wel.' Lazarus zweeg even en het leek net of hij een nieuwe spoel in de computer zette. Toen hij weer van wal stak, had zijn stem een ander timbre, een eentonig haast elektronisch geluid alsof hij inderdaad een automaat was.
Eerst gaf hij een opsomming van het verhandelen van aandelen in

de drieëndertig maatschappen die te zamen Christy Marine vormden, allemaal in de afgelopen achttien maanden. De kleine man ratelde achter elkaar door alsof hij echt voorlas uit de aandelenregisters van de maatschappij. Hij moet er toegang hebben gehad, dacht Nicholas, hoe komt hij anders aan deze nauwgezette opsomming. Hij wist de datum, het aantal aandelen, wie had gekocht en wie verkocht, zelfs de overdracht van aandelen in Oceaan Bergings- en Reddingsbedrijf aan Nick zelf. Omgekeerd was de overdracht van aandelen Christy Marine in alle bijzonderheden waarheidsgetrouw waardoor de betrouwbaarheid van de rest bevestigd werd.
Het was een indrukwekkende opsomming van feiten die de kleine man feilloos opdreunde, maar een en ander was veel te gecompliceerd voor Nicholas om er iets uit te kunnen opmaken. Hij zou het aandachtig moeten bestuderen, maar had nu al de indruk dat iemand trachtte een rookgordijn te leggen.
Lazarus bleef op de hoek van de Champs Elysées en de Rue de la Boëtie staan, haalde een turkoois en zilveren pillendoosje uit zijn zak en stopte een roze tabletje in zijn mond voordat hij Nicholas meetroonde naar een bioscoop en twee kaartjes kocht. Nick realiseerde zich opeens dat de kleine man vermoedelijk astmatisch was. Het was een pornofilm. De zaal was zo goed als leeg zodat ze met gemak twee geïsoleerde plaatsen in de stalles vonden.
Lazarus staarde zonder te knipperen naar het scherm toen hij aan het tweede deel van zijn verslag begon, een gedetailleerde specificatie van alle financiële transacties binnen de Christy Marine groep. Nick stond weer stomverbaasd dat de man dit allemaal te weten was gekomen.
Hij schilderde met woorden het aantrekken van enorme sommen gelds die door een knappe tacticus gekanaliseerd waren tot één machtige stroom. Het genie van Duncan Alexander was er duidelijk in te herkennen. Opeens echter kwam het geld minder vlot binnen, er ontstonden als het ware draaikolken, droge plekken en gaten. Lazarus besloot dit gedeelte met een kort verslag van de kas- en kredietpositie van de groep vier dagen geleden en Nicholas realiseerde zich dat zijn twijfels gerechtvaardigd waren. Duncan had de groep aan de rand van het faillissement gebracht.
Nicholas zat ineengedoken in de versleten fluwelen klapstoel, zijn handen diep in de zakken van zijn regenjas en keek naar de onge-

looflijke heldendaden van een juffrouw op het wittedoek zonder iets te zien terwijl Lazarus naast hem een spuitbusje uit zijn borstzak viste, er een spray op schroefde en met veel lawaai een fijne nevel in zijn keel spoot. Hij maakte de indruk bijna onmiddellijk daarna verlichting te vinden.
Met 'de verzekering van schepen behorende bij de Christy Marine Group' begon hij als het ware een nieuw hoofdstuk. Nicholas pikte er de strekking uit. Duncan gebruikte verkapt weer zijn eigen maatschappij, de London & European Insurance & Banking, om het risico van al zijn schepen te dragen en herverzekerde dan op de vrije markt waardoor het risico werd gespreid en hijzelf een reusachtige aftrek creëerde, het principe van het dragen van eigen risico waartegen Nicholas zich zo krachtig had verzet en dat zo ernstige repercussies voor Duncan bij de berging van de *Golden Adventurer* had gehad.
Het laatste schip in Lazarus' opsomming was de *Golden Dawn* en Nicholas begon rusteloos in zijn stoel heen en weer te schuiven alleen al bij het horen van die naam en bijna onmiddellijk realiseerde hij zich dat er iets vreemds gebeurde.
'Christy Marine heeft Lloyd's niet om een expertise van dit schip gevraagd.' Dat wist Nicholas al. 'Ze is door verzekeraars op het vasteland gekenschetst als een eersteklas schip.' Een dergelijke verklaring was heel wat makkelijker te krijgen en dus minder waard dan het invloedrijke A 1 van Lloyd's. 'De verzekering is buiten Lloyd's om gesloten. Het risico wordt gedragen door de London & European Insurance.' Daar had je het weer, Duncan was zijn eigen verzekeraar, tekende Nicholas grimmig aan, maar ook weer niet helemaal. 'Herverzekeraars zijn –' Lazarus noemde de andere namen die een deel van het risico droegen, maar het bleef allemaal wat nevelig. Nauwkeurige analyse van de bedragen zou Nicholas in staat stellen erachter te komen wat Duncan in zijn schild voerde, welk deel werkelijk verzekerd was en welk deel alleen maar bluf om zijn geldschieters te overtuigen dat het risico gedekt was en hun investeringen veilig.
Een aantal namen van de herverzekeraars kwam Nick bekend voor, hij had ze ook al horen noemen bij degenen die kapitaal hadden gestoken in Christy Marine.
Zou Duncan zijn verzekering met eigen kapitaal kopen? peinsde Nicholas. Kocht hij tegen wanhoopsprijzen? Hij moest dekking

hebben, dat kon niet anders. Zonder verzekering zouden de geldschieters, de banken en andere instellingen die Christy Marine geld hadden geleend om de reuzentanker te bouwen, Duncan het vuur na aan de schenen leggen. Zijn eigen aandeelhouders zouden zo'n stampei maken – nee, Duncan Alexander moest wel dekking hebben, zelfs wanneer dat alleen maar op papier was, niet reëel, een bloedschennende kringloop, een slang die zichzelf opvrat, te beginnen bij zijn staart.
Het was allemaal zo geraffineerd gedaan dat alleen iemand met een zo grondige kennis van Christy Marine als Nicholas verdenking kon krijgen. Het zou een stel accountants jaren kosten dit hele geknoei uit te zoeken. Even had Nicholas overwogen zijn zoëven vergaarde verdenkingen door te spelen aan Duncans grootste crediteuren, aan hen die de bouw van de *Golden Adventurer* hadden gefinancierd, maar hij realiseerde zich direct daarop dat het niet genoeg zou zijn. Er waren geen harde feiten, alleen maar gevolgtrekkingen en insinuaties. Tegen de tijd dat een en ander uitgezocht zou zijn, dobberde de *Golden Dawn* al met haar miljoen ton ruwe olie op de golven. Duncan zou misschien voldoende tijd gewonnen hebben om toe te slaan, zijn winst binnen te halen en het schip te verkopen aan de een of andere Griek of Chinees, zoals hij zelf al had gepocht. Het zou niet zo makkelijk zijn Duncan Alexander tegen te houden. Nee, niet via de geldschieters moest hij hem zien te stoppen, hij moest hem zien te dwingen de romp van de reuzentanker weer te veranderen, het schip tot een moreel aanvaardbaar risico te maken, de maatstaven die Nicholas oorspronkelijk voor het schip had gesteld te accepteren.
Lazarus was aan het eind van de verzekeringsalinea van zijn verslag gekomen en stond onverwachts op. Opgelucht volgde Nick hem over het middenpad de kille Parijse avondlucht in, waar Lazarus hem oostwaarts door het VIIIste arrondissement leidde terwijl hij in bijzonderheden alle charters opsomde van de boten van Christy Marine, wie de belanghebbenden waren, de prijzen en wanneer de contracten afliepen. Nicholas herkende de meeste ervan, contracten waarover hijzelf had onderhandeld, of andere die bij het verstrijken van de termijn vernieuwd waren met kleine wijzigingen in de voorwaarden. Hij vertrouwde op de bandopname in zijn binnenzak en luisterde alleen maar met een half oor terwijl hij alles wat hij tot nu toe van dit mannetje had gehoord overdacht. Toen die dan ten

slotte het essentiële vertelde, realiseerde Nicholas zich niet direct wat hij hoorde.
'Op 10 januari heeft Christy Marine een vervoerscontract afgesloten met Orient Amex. Het gaat om een termijn van tien jaar. Het desbetreffende schip is de *Golden Dawn*. Het tarief is 10 dollarcents per mijl vervoer van honderd ton met een jaarlijks gegarandeerd minimum van 75 000 mijl.'
Nicholas pikte in eerste instantie de naam op, de *Golden Dawn*, daarna verwerkte hij wat hij had gehoord. De prijs, 10 cents per mijl vervoer van honderd ton, die zat fout, veel te hoog, belachelijk hoog op deze slechte markt. Toen drong ook die andere naam tot hem door, Orient Amex – wat was daarmee ook alweer aan de hand? Opeens bleef hij staan zodat iemand van achteren tegen hem opbotste. Nick scheen er niets van te merken en bleef staan nadenken, koortsachtig op zoek naar diep verscholen gegevens. Lazarus was eveneens blijven staan en wachtte geduldig. Nicholas legde zijn hand op de schouder van de kleine man en zei: 'Ik heb een opkikkertje nodig.'
Hij troonde hem mee een brasserie in, naar een tafeltje bij het raam. Lazarus vroeg stijfjes om een Vittel en dronk het met kleine slokjes terwijl Nicholas soda bij zijn whisky schonk.
'Orient Amex,' zei Nicholas, 'wat kun je me daarvan vertellen?'
'Dit valt buiten mijn oorspronkelijke opdracht,' fluisterde Lazarus fijntjes.
'Bereken het maar extra,' bood Nicholas aan en Lazarus wachtte even alsof hij weer een andere spoel moest opzetten in zijn hoofd.
'Orient Amex is een in Amerika geregistreerde maatschappij met een geplaatst kapitaal van vijfentwintig miljoen aandelen met een nominale waarde van 10 dollar –' Lazarus somde alle gegevens droog op. 'De maatschappij is op dit ogenblik bezig uitgebreid bodemonderzoek in West-Australië en Ethiopië en voor de kust binnen de territoriale wateren van Noorwegen en Chili te doen. Ze hebben een raffinaderij bij Galveston in Texas gebouwd die zal gaan werken met het nieuwe katalytische kraakproces, dat de eerste maal op diezelfde plaats voor een proefinstallatie is gebruikt. Ze hopen het hele geval in juni van dit jaar in gebruik te kunnen nemen en over vijf jaar volledig in produktie te hebben.'
Het kwam Nicholas allemaal vaag bekend voor.
'De maatschappij werkt met olie uit eigen bronnen in Texas en uit

die voor de kust van Santa Barbara bij Zuid-Nigeria. Ze hebben de zekerheid dat hun reserve in het El Barras veld bij Koeweit ruwe olie bevat en die laatste zal speciaal gebruikt worden voor de nieuwe kraakinstallatie in Galveston.'
'Grote goden,' Nicholas staarde hem aan. 'Het El Barras veld – maar dat zit vol cadmium, dat is veroordeeld door –'
'Het El Barras veld is bijzonder rijk aan cadmium, een natuurlijke verrijking met een katalysator die het nieuwe kraakproces juist nodig heeft.'
'Hoe ligt de verhouding van het cadmium?' vroeg Nicholas.
'Het westelijke gedeelte van het El Barras veld 2 op 1000, de noordelijke en oostelijke dakvormige plooi brengt het zelfs tot 42 op 1000.' Lazarus somde al die getallen heel schoolmeesterachtig op. 'De Amerikaanse en Nigeriaanse ruw olie zullen met die uit het El Barras veld worden vermengd gedurende dat revolutionaire kraakproces. Er wordt verwacht dat de produktie van lichte koolstofhoudende gassen zal worden opgevoerd van 40% tot 85%, waardoor de winsten vijf- tot achtmaal zo groot zullen zijn en de levensduur van de nu bekende reserves aan ruwe olie met tien à vijftien jaar zal worden verlengd.'
Nicholas luisterde aandachtig en zag intussen voor zijn geestesoog heel levendig de naald in Samantha's laboratorium de doodsstrijd van een met cadmium vergiftigde mossel registreren. Lazarus ging onbewogen verder. 'Gedurende het kraakproces zal het cadmium worden herleid tot de zuivere niet giftige metaalvorm en zo een waardevol bijprodukt worden waardoor de kosten van het raffineren worden verlicht.'
Nicholas schudde ongelovig zijn hoofd en hardop zei hij: 'Duncan is van plan het te doen. Dwars over twee oceanen gaat hij met die kwetsbare revolutiebouw, dat monster van hem een miljoen ton ruwe olie per keer halen, iets dat geen enkele reder voor hem ooit heeft aangedurfd – hij gaat ruwe olie die zo rijk is aan cadmium uit het El Barras veld vervoeren!'

Door de balkondeuren van zijn suite in het Ritz Hotel kon Nicholas uitkijken over de Place Vendôme naar de zuil midden op het plein, maar hij zag die niet want hij rekende uit dat het nu drie uur in de

morgen was aan de oostkust van Noord-Amerika. Hij zou haar in ieder geval thuis treffen. Mocht ze er niet zijn, dacht hij glimlachend, dan zou hij wel eens willen weten waar ze uithing.
De telefoon rinkelde en hij pakte hem op zonder zich van de ramen af te keren.
Er klonk een gesmoord gemompel en Nicholas vroeg: 'Met wie?'
'Sam Silver – hoe laat is het? Met wie? Grote goden, het is drie uur. Wat is er?'
'Zeg tegen die vent dat hij zich aankleedt en maakt dat hij wegkomt.'
'Nicholas!' Er klonk een vrolijke kreet, onmiddellijk gevolgd door een gekraak en gekletter dat Nicholas deed kreunen en de hoorn een heel eind van zijn oor houden.
'O, verdomme, ik heb het tafeltje omgegooid. Ben je daar, Nicholas? Zeg in godsnaam wat!'
'Ik houd van je.'
'Zeg dat alsjeblieft nog eens. Waar zit je?'
'In Parijs, ik houd van je.'
'O,' de blijde klank verdween uit haar stem. 'Je klonk zo dichtbij. Ik dacht –' Wat rustiger vervolgde ze: 'Ik houd ook van jou.'
'Word eens helemaal wakker. Schud jezelf door elkaar. Ik moet je iets vertellen.'
'Ik ben wakker – nou ja, bijna helemaal.'
'Samantha, wat zou er gebeuren als iemand een miljoen ton ruwe Arabische olie met een cadmiumgehalte van 40 000 delen in de Golfstroom, laten we zeggen dertig mijl uit de kust bij Key West liet zakken?'
'Wat een vreemde vraag, Nicholas en dat om drie uur in de morgen.'
'Wat zou er gebeuren?' drong hij aan.
'De ruwe olie zou als transportmiddel fungeren,' ze trachtte zich een en ander in haar slaperige hoofd voor te stellen, 'ze zou zich over de oppervlakte uitspreiden ter dikte van circa een halve centimeter zodat je een olievlek zou krijgen van een paar duizend kilometer lang en zes of zeven kilometer breed die mee zou gaan met de Golfstroom.'
'Welke gevolgen kunnen we dan verwachten?'
'Het zou een groot deel van het leven in de zee bij de Bahama's en aan de oostkust van de Verenigde staten vernietigen, nee, herstel – het zou alle leven onder water onmogelijk maken, waaronder de broedgronden van de tonijn, de zoetwaterpaling en de potvis, het

zou ook aantasten –' ze werd geleidelijk aan helder wakker en een klank van afschuw veranderde haar stem: 'Nicholas, wat een afschuwelijke kwestie en dat om drie uur in de morgen.'
'Menselijk leven?' vroeg hij.
'Ja, er zouden zware verliezen aan mensenlevens te betreuren zijn. Het zou als zwavel heel gemakkelijk opgenomen worden en in die concentratie zou het giftig bij aanraking zijn, voor vissers, vakantiegangers en wie er verder maar op een vervuild strand loopt.' Ze begon zich nu de enorme omvang ervan te realiseren. 'Een groot deel van de bevolking van de plaatsen aan de oostkust – Nicholas, dat zou wel eens kunnen oplopen tot honderdduizenden mensen en wanneer het verder dan Amerika op de Golfstroom wordt voortgestuwd, langs de kusten van Newfoundland, IJsland, de Noordzee, dan zou de kabeljauwvisserij worden aangetast en dat zou alles doden, mensen, vissen, vogels en zoogdieren. Dan buigt de Golfstroom om de Britse Eilanden en het noordelijk deel van Europa – maar waarom vraag je me dit allemaal, wat is dit voor een soort krankzinnig vragenspelletje, Nicholas?'
'Christy Marine heeft een contract voor tien jaar getekend om een miljoen ton ruwe olie uit het El Barras veld in de Perzische Golf te vervoeren naar de Orient Amex raffinaderij in Galveston. Het El Barras veld heeft een cadmiumgehalte tussen twee-en-veertig delen op duizend.'
Haar stem trilde van woede toen ze fluisterde: 'Een miljoen ton, dat is een soort volkerenmoord, Nicholas, er is vermoedelijk in de geschiedenis van de scheepvaart nooit een dodelijker last vervoerd.'
'Over een paar weken zal de *Golden Dawn* in St.-Nazaire van stapel lopen.'
'Haar route voert haar om Kaap de Goede Hoop.'
'Een van de gevaarlijkste zeeën ter wereld, de wieg van de 'honderdjaar-golf,' beaamde Nicholas.
'En dan dwars over het zuidelijke gedeelte van de Atlantische Oceaan –'
'– naar de flessehals van de Golfstroom tussen Key West en Cuba, naar de geboortegrond van de tropische cyclonen –'
'Je kunt het niet toestaan, Nicholas,' zei ze kalm. 'Je moet hen tegenhouden.'
'Dat zal niet zo gemakkelijk zijn, maar ik doe van mijn kant erg

mijn best en er zijn wel een dozijn mogelijkheden die ik ga proberen maar jij moet daar bij jou ook het nodige doen,' zei hij tegen haar. 'Zie Tom Parker te bereiken, Samantha, haal hem uit zijn nest als dat nodig is. Hij moet Washington met dit nieuws om de oren slaan, alle media alarmeren – televisie, radio en pers. Een confrontatie met Orient Amex uitlokken, hen uitdagen een verklaring af te leggen.'
Samantha begreep zijn gedachtengang. 'We zullen zien dat we de Green-Peace-mensen ertoe krijgen te posten bij de Orient Amex raffinaderij in Galveston, bij de installatie die de aan cadmium rijke olie kraakt. We zullen alle milieudeskundigen in dit land aan het werk zetten – we zullen een stank veroorzaken als van een miljoen lijken,' beloofde ze.
'Mooi zo,' zei hij, 'doe dat allemaal, maar vergeet vooral niet je mollige kadetjes naar deze zijde van het water te verplaatsen om de *Seawitch* te water te laten. En ik zal zorgen dat een speciale hijsinstallatie klaarstaat om eten boven te brengen.'

De rest van de dag bracht Nicholas aan de telefoon door. Hij werkte zich systematisch door de lange lijst namen die hij met behulp van de bandopname van Lazarus' informaties had samengesteld. Eerst al degenen die geld geleend hadden aan Christy Marine voor de bouw van de *Golden Dawn* en vervolgens al degenen die het casco hadden verzekerd en de milieuverontreiniging van de tanker dekten. Nicholas was wel wat voorzichtig met het pleidooi dat hij tegen ieder van hen hield, van wie hij de meesten zo goed kende dat hij hen bij de naam noemde, om Duncan Alexander niet de gelegenheid te geven hem wegens smaad aan te klagen, maar wel voldoende om te laten merken dat hij precies wist hoe nauw ze bij Christy Marine waren betrokken, reden waarom hij hun voorstelde het hele geval nog eens te herzien vooral met betrekking tot de verzekering van de *Golden Dawn* en haar vervoercontract met Orient Amex. Tussen de gesprekken door vroeg hij zich af waarom hij dit allemaal deed. Het was zo simpel jezelf allerlei nobele motieven toe te schrijven. De zee had hem zoveel geschonken, rijkdom, grote faam en succes. Het was nu de tijd iets van zijn schuld terug te betalen, iets van zijn rijkdom te gebruiken om de oceanen te bewaken

en te bewaren. Een prachtgedachte, maar onder de oppervlakte ervan zag hij duistere machten.
Zijn trots? De *Golden Dawn* was zijn schepping, de kroon op een levenswerk. Toen werd die hem afgenomen, vernield – en als het mis zou gaan, als er ellende en rampen uit zouden voortvloeien, dan zou zijn naam er nog altijd mee gemoeid zijn. De wereld zou zich alleen herinneren dat het grootse ontwerp oorspronkelijk van hem was.
Trots en toch zeker ook haat? Duncan Alexander had hem zijn vrouw en zijn zoon afgenomen, hij was de vijand en volgens Nicholas' eigen gedragsregels moest die met dezelfde inzet, met dezelfde meedogenloosheid bestreden worden waarmee hij alles in zijn leven deed. Hij vroeg zich af of hij ook zo fel zou zijn als het een willekeurige ander zou zijn die de ruwe olie uit het El Barras veld ging vervoeren. Hij hoefde de vraag gelukkig niet te beantwoorden. Het ging om Duncan.
Nick nam de telefoon weer op en draaide het nummer dat hij al eerder had moeten bellen.
'Mag ik mevrouw Alexander, alstublieft?'
'Het spijt me mijnheer, maar mevrouw Alexander verblijft in Cap Ferrat.'
'Och natuurlijk,' mompelde hij, 'dank u.' Hij draaide een ander nummer, ditmaal in Frankrijk aan de Middellandse Zee.
'Het huis van mevrouw Alexander, u spreekt met Peter Berg,' klonk het vrolijk.
Nick voelde de opwinding in zijn bloed. Zijn wangen begonnen te gloeien en zijn ogen prikten.
'Ha, jongen!'
'Vader!' klonk een stralende stem. 'Pap, hoe is het, meneer? Hebt u mijn brief gekregen?'
'Nee, waarheen heb je hem gezonden?'
'Naar de flat in Queens Gate.'
'Daar ben ik al zeker een maand niet geweest.'
'Ik heb uw briefkaarten gekregen, van de Bermuda's en uit Florida. Ik heb u geschreven –'
Nicholas stelde zich het gezicht van zijn zoon voor terwijl hij naar de jongensverhalen luisterde en zijn hart deed pijn – was het schuldgevoel? – hij kon zo weinig ertegenover stellen, hem zo weinig tijd geven. O, hij miste zijn zoon zo!

'Wat geweldig Peter, ik ben echt trots op je –' De jongen wilde hem alles tegelijk vertellen en sprong van de hak op de tak. Ten slotte kwam de onvermijdelijke vraag: 'Wanneer mag ik naar je toe, pap?'
'Dat moet ik met je moeder overleggen, Peter. Al heel gauw, dat beloof ik je.' Een ander onderwerp dacht hij wanhopig. 'Hoe staat het met *Apache*? Al veel gezeild deze vakantie?'
Peter weidde uit over een wedstrijd die hij ondanks zichzelf en dank zij allerlei tegenslagen, de vlagende wind, de onsportieve tegenstanders en een lastige starter had verloren.
'Zou je me kunnen doorverbinden met je moeder?'
'Natuurlijk.' De teleurstelling in zijn jongensstem wist hij meesterlijk te verbergen. 'Hee, pap, je hebt het beloofd hè? Heel gauw hè?'
Er klikte iets en de lijn zoemde. Opeens kwam haar stem met dat prachtige timbre en die verheven rust door.
'*C'est Chantelle Alexander qui parle.*'
'*C'est Nicholas ici.*'
'Jij? Wat fijn je stem te horen. Hoe gaat het?'
'Ben je alleen?'
'Nee, ik heb vrienden op de lunch, de barones met zijn nieuwe vriendje, 't zelfde type!'
De 'barones' was een wat overdreven aanstellerige rijke homoseksueel. Nicholas kon zich de groep op het door ruisende pijnbomen beschutte terras naast het botenhuis met zijn torentjes en roestkleurige pannen zo goed voorstellen.
'Pierre en Mimi kwamen vandaag uit Cannes met hun zeilboot. En Robert –' Onder het terras lag de privé-aanlegsteiger en het kleine prachtig uitgeruste haventje voor het jacht. Haar bezoekers hadden ongetwijfeld hun boot daar gemeerd. Nicholas hoorde lachen en het getinkel van glazen. 'Is Duncan er ook?'
'Nee, die is nog in Londen – die komt de volgende week.'
'Ik heb nieuws, kun je naar Parijs komen?'
'Dat is onmogelijk, Nicky.' Vreemd dat die speciale benaming van haar voor hem niet onaangenaam aandeed. 'Ik moet morgen naar Monte Carlo, ik ga Grace helpen met een voorjaarsliefdadigheids–...'
'Het is belangrijk, Chantelle.'
'Bovendien is Peter hier bij me, die laat ik niet graag alleen. Kun jij niet hierheen komen? Morgenochtend om negen uur is er een

rechtstreekse vlucht. Ik zal zorgen dat we geen gasten hebben zodat we onder vier ogen kunnen praten.'
Hij dacht vliegensvlug na. 'Goed, wil je een suite voor me bespreken in *Negresco*?'
'Doe niet zo mal, Nicky. We hebben hier dertien volledig geoutilleerde slaapkamers – we zijn toch allebei beschaafde mensen en Peter zal het heerlijk vinden je te zien.'

De Côte d'Azur verlustigde zich in een grillige uitbarsting van een vroege lente toen Nicholas de vliegtuigtrap afdaalde op het vliegveld in Nice. Peter wachtte hem achter de hekken op en stond als een waanzinnige op en neer te dansen en met zijn beide handen boven zijn hoofd te zwaaien. Toen Nick door de controle kwam, wist de jongen zich toch te beheersen en schudde zijn vader formeel de hand.
'Hartstikke fijn je weer te zien, pap.'
'Ik zweer je dat je wel vijftien centimeter bent gegroeid,' zei Nicholas en bukte zich om zijn zoon te omhelzen. Ze hielden elkaar even stevig vast, maar Peter trok zich als eerste los. Ze geneerden zich allebei voor deze uiting van liefde, maar Nicholas legde opzettelijk zijn hand op Peters schouder.
'Waar is de auto?'
Hij bleef met zijn hand op Peters schouder lopen toen ze het vliegveld overstaken. Peter raakte gewend aan dit zo ongewone gebaar, hij drukte zich dichter tegen hem aan en leek te groeien van trots. Nicholas vroeg zich af wat er in hem was veranderd dat hij zich nu natuurlijker gedroeg jegens diegenen van wie hij hield. Het antwoord lag voor de hand. Het was Samantha Silver, die hem had geleerd zich te laten gaan.
De chauffeur was nieuw, een zwijgende onopvallende man. Vader en zoon kropen samen achterin de Rolls toen ze door Nice terugreden en de kustweg namen.
'Moeder is naar het paleis. Ze wordt pas tegen etenstijd terugverwacht.'
'Ja, dat zei ze. We hebben de hele dag voor ons tweeën. Wat gaan we doen?'
Ze zwommen, tennisten en gingen met Peters Arrowhead-klasse

zeilboot helemaal naar Menton en terug. Ze lachten wat af samen en praatten nog meer. Toen Nicholas zich voor het diner ging verkleden voelde hij zich bijna melancholiek door een teveel aan geluk – geluk dat niet kon blijven en al gauw weer voorbij zou zijn. Hij trok een witte coltrui aan en een blazer met twee rijen knopen.
Peter was al voor hem in de tuinkamer en zag er uit als een kind op kerstochtend, natte gekamde haren, een stralend gezichtje.
'Mag ik je wat inschenken, pap?' vroeg hij gretig en stond al bij het zilveren blad met karaffen.
'Laat ook nog wat in de fles,' waarschuwde Nicholas hem, die hem het genoegen niet wilde ontzeggen deze volwassen dienst te verlenen, maar wel gezonde 'eerbied' had voor de reuzenhoeveelheid drank die Peter met een misplaatst gevoel van gastvrijheid inschonk.
Hij proefde voorzichtig een slok, hijgde en schonk er nog wat soda bij. 'Zo is het prima,' zei hij en Peter keek trots. Op dat ogenblik kwam Chantelle de brede trap af.
Nicholas kon niet anders doen dan haar aanstaren. Was het werkelijk mogelijk dat ze nog mooier was geworden sinds ze elkaar de vorige keer hadden gezien?
Ze droeg een ivoorwitte zijden japon die bij iedere beweging soepel om haar leden gleed en toen ze de laatste stralen van het stervende licht dat door de terrasdeuren naar binnen scheen, kruiste werd door het fijne materiaal de mooie lijn van haar benen zichtbaar. Toen ze dichterbij kwam zag hij de vage contouren van haar borsten, waarvan hij zich zo goed herinnerde hoe mooi ze waren gevormd met de fijne roze tepels. Hij wendde zijn blikken vlug af.
'Nicky,' zei ze, 'het spijt me zo dat ik niet ter begroeting aanwezig was.'
'Peter en ik hebben het als vanouds best kunnen vinden,' zei hij.
Ze had de vorm en grootte van haar ogen zo subtiel opgemaakt dat die volkomen natuurlijk leken, haar golvende haren glansden en op haar blote schouders en armen had haar huid de kleur en structuur van roomkleurige rozeblaadjes.
Wat was ze ontspannen en elegant en wat vormde deze omgeving van hoge pijnbomen, de geheimzinnige donkere Middellandse Zee en de sprookjesachtige verlichting van de kust een volmaakte achtergrond. Ze vulde de reusachtige kamer met haar warme gloed en aanstekelijke vrolijkheid.

Nicholas voelde zijn wrok wegsmelten, hij kon in deze omgeving haar het verraad niet meer zo kwalijk nemen zodat ze alle drie vrolijk en haast onbekommerd plezier maakten. Toen ze in de aangrenzende kleine eetkamer aan tafel gingen, zaten ze om de tafel zoals ze in het verleden, in die gelukkige bijna vergeten tijden, zo dikwijls hadden gedaan.
Chantelle wist behendig pijnlijke herinneringen te vermijden, ze behandelde Nicholas als een eregast, niet als de heer des huizes. Ze liet Peter als gastheer fungeren. 'Petertje, wil jij de kip voorsnijden?'
Zijn trots hierover en zijn gevoel van gewichtigheid deden Peter naast zijn schoenen lopen. Chantelle had een eenvoudige Chablis bij de Creoolse kip gekozen, een wijn die geen enkele associatie met het verleden opriep. De achtergrondmuziek had Peter uitgezocht.
Peter trachtte het tijdstip van naar bed gaan steeds uit te stellen, maar gaf het ten slotte op toen Nicholas beloofde hem te komen instoppen.
Hij wist nog wat uitstel te krijgen door uitvoerig tandenpoetsen, maar uiteindelijk lag hij dan toch onder de wol en Nicholas boog zich over hem heen. Met beide armen om de hals van zijn vader fluisterde Peter: 'Ik ben zo gelukkig. Zou het niet geweldig zijn als we altijd zo bij elkaar konden zijn? Als je niet weer weg zou hoeven, pap?'

Chantelle had de woeste muziek veranderd in zachte melodieën van Liszt. Toen hij weer binnenkwam schonk ze cognac in een kristallen ballonglas.
'Slaapt hij al?' vroeg ze en liet er onmiddellijk op volgen: 'Hij is doodop, maar heeft het zelf niet door.'
Ze bracht hem de cognac en liep toen door de open terrasdeuren naar buiten. Hij volgde haar en samen, geleund tegen de stenen balustrade keken ze rond in de stille, frisse, maar bepaald niet koude avondlucht. 'Het is zo mooi,' zei ze en staarde naar de brede zilveren band die de maan op het gladde wateroppervlak vormde. 'Ik heb dat altijd als de rechtstreekse weg naar mijn dromen beschouwd.'
'Duncan,' zei hij, 'laten we het over Duncan Alexander hebben.' Ze huiverde licht, vouwde haar armen over haar borsten en greep haar eigen blote schouders.

'Wat wil je weten?'
'In welke hoedanigheid heeft hij het beheer over je aandelen?'
'Als mijn gemachtigde, mijn persoonlijke vertegenwoordiger.'
'Carte blanche?'
Ze knikte en hij vroeg verder. 'Heb je een ontsnappingsclausule? Onder welke omstandigheden kan jij het beheer terugeisen?'
'Bij ontbinding van het huwelijk,' zei ze en schudde haar hoofd. 'maar ik geloof zeker dat geen enkele rechtbank de overeenkomst bindend vindt wanneer ik het weer wil veranderen. Dat is zo Victoriaans. Wanneer ik dat maar wil kan ik een verzoek richten de aanstelling van Duncan als mijn vertegenwoordiger ongedaan te maken.'
'Dat lijkt me niet onwaarschijnlijk,' gaf Nicholas toe, 'maar dat zal zeker een jaar of nog langer duren tenzij je kan bewijzen dat er kwade trouw in het spel is, dat hij opzettelijk jouw in hem gestelde vertrouwen heeft beschaamd.'
'Kan ik dat bewijzen, Nicky?' Ze keerde zich naar hem toe en lichtte haar gezichtje naar hem op. 'Heeft hij mijn vertrouwen beschaamd?'
'Ik weet nog niets zeker,' vertelde Nicholas haar voorzichtig. Ze viel hem weer in de rede. 'O, ik heb me onsterfelijk belachelijk gemaakt hè?' Rillend vervolgde ze: 'Ik weet dat het niet geeft als ik je mijn verontschuldigingen aanbied voor wat ik heb gedaan. Ik kan het niet weer goed maken, maar geloof me toch, Nicholas – geloof me toch dat ik nog nooit van mijn leven zo'n spijt heb gehad.'
'Dat is verleden tijd, Chantelle, voorbij. Het heeft geen zin achterom te kijken.'
'Ik geloof niet dat er een tweede man op de wereld bestaat die zou doen wat jij nu doet, die bedrog en verraad zou revancheren met hulp en troost. Ik moest je dit zeggen.'
Ze stond nu vlak naast hem en in de koele avondlucht voelde hij de warmte van haar lichaam, rook hij die speciale geur van haar parfum en haar huid.
'Het wordt koud,' zei hij abrupt, nam haar elleboog en leidde haar terug naar het licht, weg van deze gevaarlijke intimiteit. 'Er is nog zoveel te bespreken.'
Hij ijsbeerde op het dikke groene tapijt en vertelde haar in zorgvuldig gekozen woorden alles wat hij van Lazarus te weten was gekomen.

Haar zo grote ogen leken bij het horen van zijn opsomming steeds groter te worden. Het was niet nodig een en ander voor haar te vertalen in lekentermen, ze was de dochter van Arthur Christy, ze begreep het toen hij haar vertelde hoe hij meende dat Duncan Alexander gedwongen was het casco van de *Golden Dawn* zelf te verzekeren en dat hij aandelen Christy Marine had gebruikt om deze verzekering te kopen, aandelen die hij vermoedelijk ook al als onderpand had gebruikt om de bouw van het schip te financieren.
Nicholas reconstrueerde de omgekeerde piramide van Duncan Alexanders machinaties om haar alles duidelijk te maken en bijna onmiddellijk zag ze hoe kwetsbaar en voos die was.
'Weet je dit allemaal zeker?' fluisterde ze terwijl alle kleur uit haar gezichtje was weggetrokken.
Hij schudde zijn hoofd. 'Ik heb een Tyrannosaurus gereconstrueerd uit één kaakbeen,' gaf hij eerlijk toe. 'Misschien moet de vorm nog iets anders zijn, maar van één ding ben ik zeker en dat is dat het een heel groot en heel gevaarlijk beest is.'
'Duncan zou Christy Marine te gronde kunnen richten,' fluisterde ze weer. 'Volledig!' Ze keek langzaam om zich heen, naar haar huis, haar kamer en alle kostbaarheden, de symbolen van haar leven. 'Hij heeft al mijn bezittingen en die van Peter in de waagschaal gesteld.'
Nicholas gaf geen antwoord, maar hij zag haar woede langzaam veranderen in angst. Dat had hij nooit eerder gezien. Nu ze geconfronteerd werd met het feit dat ze de wapenrusting die haar altijd had beschermd misschien zou moeten verliezen, leek ze op een verdwaald dier. Hij kon haar hart onrustig zien kloppen onder de blanke gewelfde huid van haar borst. Ze huiverde weer.
'Zou hij alles kwijt kunnen raken, Nicholas? Dat kan toch niet, wel?' Ze wilde gerust worden gesteld, maar hij kon dat niet doen. Het enige dat hij wel kon was medelijden met haar hebben en dat was nu juist een gevoel, misschien wel het enige, dat hij in verband met haar nooit had gevoeld.
'Wat kan ik doen, Nicholas?' vroeg ze smekend. 'O, help me alsjeblieft. O God, wat moet ik doen?'
'Je kunt Duncan weerhouden de *Golden Dawn* van stapel te laten lopen – totdat de romp en de voortbeweging zijn aangepast, totdat het gehele schip behoorlijk is gecontroleerd en verzekerd – en totdat je weer de volledige zeggenschap over Christy Marine van hem

terug hebt.' Er klonk medeleven in zijn stem toen hij vervolgde: 'Dat is voor vandaag genoeg, Chantelle. Vanavond heb je gehoord wat er kan gebeuren, morgen zullen we overleggen hoe we het kunnen voorkomen. Heb je iets kalmerends in huis?'
Ze schudde haar hoofd. 'Ik heb nooit iets ingenomen om me aan iets te onttrekken.' Dat was waar, hij wist dat ze altijd voldoende moed had gehad. 'Hoe lang kun je nog blijven?' vroeg ze.
'Ik heb een plaats gereserveerd in het toestel van morgenochtend elf uur – we hebben morgenochtend nog de tijd.'

De logeersuite had openslaande deuren die uitkwamen op een balkon dat langs de hele voorkant van het huis aan de zeekant liep en waaraan alle slaapkamers lagen, een bouwstijl van zo'n vijftig jaar geleden toen er nog niet gedacht werd aan interne veiligheid tegen kidnappen en inbraak.
Nicholas besloot ook daarover nog even met Chantelle van gedachten te wisselen. Peter was zo'n geschikt doelwit voor afpersing. Hij kreeg al kippevel bij de gedachte dat zijn zoon in handen zou vallen van die gedegenereerde monsters. Je moest tegenwoordig wel een behoorlijke tol betalen als je rijk en succesvol was. Het trok aasgieren aan. Peter moest beter worden beschermd.
In zijn zitkamer vond hij een ruim voorziene bar achter de spiegel. Dagbladen in drie talen lagen op het televisietafeltje en zelfs een luchtposteditie van de *New York Times*.
Nicholas sloeg *The Times* open en keek even naar de slotkoersen, Christy Marine stond op £ 5.32, vijftien pennies hoger dan gisteren. De markt had nog geen lucht van knoeierijen gekregen – nog niet.
Hij trok zijn zijden coltrui uit en liep naar de badkamer, al had hij dan een uur of drie geleden een douche genomen. Hij douchte opnieuw en liet het water zo warm mogelijk op zich inwerken waardoor vermoeidheid en dat onfrisse gevoel op de vlucht werden gejaagd. Er hing wel een half dozijn badjassen in de verwarmde kast. Hij koos er een uit en liep door naar de slaapkamer. In zijn aktentas zat een concept van de akte van verkoop van Oceaan Bergingsbedrijf aan de sjeiks. James Teacher en zijn knappe confrères hadden het bestudeerd en er een dik pak aantekeningen bij gemaakt. Nick moest een en ander doornemen voordat hij hen morgenavond in

Londen ontmoette. Hij haalde papieren te voorschijn en nam die mee naar de zitkamer. Hij schonk zich nog een klein glas whisky in. Het allereerst rook hij haar parfum en hij voelde zijn bloed naar zijn hoofd vliegen. De papieren trilden in zijn hand. Langzaam lichtte hij zijn hoofd op. Ze was onhoorbaar op blote voeten binnengekomen. Ze had geen enkel juweel aan en haar haren hingen los over haar schouders geborsteld waardoor ze er jonger, kwetsbaarder uitzag. Ze droeg een kamerjas met kanten manchetten en kraag. Langzaam liep ze naar zijn stoel toe, verlegen en ditmaal ook onzeker. Haar grote donkere ogen leken gekweld en toen hij uit zijn stoel opstond, bleef ze staan en greep naar haar keel.

'Nicholas,' fluisterde ze, 'ik ben zo bang en zo alleen.' Ze kwam een stapje dichterbij en zag zijn ogen van kleur verschieten, zijn lippen een strakke lijn worden. Ze bleef direct staan.

'Stuur me alsjeblieft niet weg, Nicky,' smeekte ze. 'Vanavond niet, nog niet, ik ben zo bang voor het alleen zijn.'

Hij wist op dat zelfde ogenblik dat dit onafwendbaar over hem heen kwam, hij had die zekerheid de hele avond van zich afgezet, maar nu gebeurde het en hij kon het niet meer verhinderen. Het was net of hij zijn eigen wilskracht zich hiertegen te verzetten had verloren, alsof hij gehypnotiseerd werd, of zijn eigen besluit wegebde en als was in de kaarsvlam van haar schoonheid wegsmolt. Zijn gedachten sloegen op hol, ongecoördineerd en zonder lijn.

Zij herkende dat ogenblik onmiddellijk en gleed op haar smalle blote voeten geruisloos naar hem toe. Ze zei geen woord, maar drukte haar gezicht tegen zijn blote borst in de open driehoek van zijn kamerjas. Het dikke krullende borsthaar bedekte zijn gespannen spieren en haar neusgaten sperden zich wijd open toen ze de mannelijke, haast dierlijke geur van zijn huid opsnoof.

Hij verzette zich nog steeds en stond doodstil, zijn handen langs zijn dijen naar beneden. O, ze kende hem zo goed. Dat vreselijke conflict waarin hij nu verstrikt zat voordat hij iets kon ondernemen in strijd met zijn eigen ijzeren gedragscode. Ze kende hem, wist dat hij seksueel en lichamelijk hetzelfde oerinstinct had als zijzelf, dat hij de enige man was in staat haar honger te stillen. Ze kende de verdediging die hij om zich heen had opgetrokken en ook wat ze moest doen om die weer af te breken. Toen ze daaraan begon, merkte ze dat haar vastberaden plan zijn weerstand te breken haar zo vlug opwond dat ze bijna iets als pijn voelde en het vereiste al haar zelf-

beheersing om niet in een te hoog tempo te werk te gaan, om het onthutste en angstige kind te blijven spelen, om zijn vriendelijkheid, zijn gevoel van ridderlijkheid, dat hem niet zou toestaan haar weg te sturen, goed te bespelen. O God, wat brandde haar lichaam van binnen, haar borsten waren gezwollen en zo gevoelig dat het contact met zij en kant als pijnlijk schuren aanvoelde.
'O, Nicky, toe, neem me heel even in je armen. Toe, ik kan niet verder alleen. Heel even maar!'
Ze voelde dat zijn handen omhoogkwamen, voelde zijn vingers op haar schouders en die afschuwelijke pijn van verlangen naar hem was te veel voor haar, ze kon die niet langer beheersen – ze liet een zacht klagend geluid horen, maar haar lichaam schokte en ze voelde onmiddellijk zijn reactie. Haar vrouwelijk instinct had haar onfeilbaar geleid. Zijn vingers op haar schouders waren zacht en vriendelijk geweest, maar nu haakten ze als het ware in haar vlees. Ze voelde hoe al zijn spieren zich spanden en ze herkende opnieuw de angstaanjagende, waanzinnige onbezonnen macht die ze nog altijd over hem had. Toen merkte ze tot haar grote vreugde, vermengd met angst, de geweldige en grootse beweging in zijn lendenen – alsof de hele wereld in beweging kwam en om haar heen ging wentelen.
Ze gaf nogmaals een gilletje. Zijn vingers rukten aan de kant bij haar hals om haar gezwollen borsten te bevrijden. Ze liet voor de derde keer een kreet horen en trok met een handbeweging de ceintuur van zijn kamerjas los waardoor de volle lengte van zijn lange lenige lichaam zichtbaar werd. Haar handen bewogen even snel als de zijne –.
'O, God, wat ben je sterk en stevig – o ik heb je zo gemist.'
Later hadden ze tijd voor alle verfijningen en nuances van de liefde, maar op dit ogenblik was haar verlangen te heftig. Ze wilde nu bevredigd worden, anders zou het te laat zijn.

Nicholas steeg langzaam uit de diepten van de slaap omhoog en was zich vaag bewust van een soort spijtgevoel. Even voordat hij echt ontwaakte kwam er een droombeeld in zijn hersens die met een tekort aan slaap kampten en hij doorleefde een ogenblik uit het verre verleden. Hij had een trompethoorn bij een koraalrif gevonden ter grootte van een kokosnoot en nu hield hij die weer in zijn beide

handen en tuurde in de kleine ovale opening waaromheen algen en eendemosselen zich genesteld hadden. Meer naar binnen zag hij het parelmoeren oppervlak dat slijmerig aanvoelde, een glanzende satijnen schittering, doorschijnend roze dat meer naar binnen toe steeds donkerder werd tot bloedrood en dan wegdraaide naar de mysterieuze diepten van de schelp.
Opeens veranderde het droombeeld. De beschutte opening van de hoorn werd groter en groter en hij staarde in de diepe en afschrikwekkende muil van het een of andere voorwereldlijke zeemonster – hij gaf een gil en werd wakker. Hij rolde zich vlug op zijn zij en kwam op zijn elleboog overeind. Haar parfum hing nog om hem heen, vermengd met zijn eigen zweet, maar het bed naast hem was leeg al was het nog warm en geurig van haar lichaam.
Aan de andere kant van de kamer kwam tussen de gordijnen door een smalle streep zon binnenvallen. Het deed hem onmiddellijk aan Samantha denken. Hij zag haar weer met de zon als een mantel om haar schouders, barrevoets in het zand.
Hij sprong uit het bed en liep naar de badkamer. Zijn hoofd klopte door gebrek aan slaap en een teveel aan wroeging. Hij bekeek zichzelf in de spiegel en zag de donkere kringen onder zijn ogen en de scherpe lijnen, de hoekige trekken onder de strakke huid.
'Schoft!' fluisterde hij tegen zijn spiegelbeeld. 'Vervloekte schoft!'
Ze zaten in de zon op het terras onder de kleurige parasols met het ontbijt op hem te wachten. Peter was nog in dezelfde stemming als de vorige avond en hij holde Nicholas lachend tegemoet.
'Pap, hai pap.' Hij greep Nicholas' hand en trok hem mee aan tafel. Chantelle droeg een ruime kamerjas en haar haren hingen los over haar schouders. Dit was opzet, Chantelle deed nooit iets zomaar, de intieme elegante kamerjas en die losse haren gaven hun samenzijn iets huiselijks waartegen Nicholas zich innerlijk heftig verzette.
Peter voelde de verandering in de stemming van zijn vader intuïtief aan, een begrip waarvoor hij eigenlijk nog veel te jong was. Zijn teleurstelling hing tastbaar tussen hen in, en in zijn ogen lag een gekwetste en verwijtende blik als hij Nicholas aankeek. Zijn vrolijk gebabbel bestierf hem op zijn lippen. Hij boog zijn hoofd diep over zijn bord en at zwijgend verder.
Nicholas weigerde opzettelijk de feestelijke uitstalling van alle heerlijkheden. Hij dronk een kop koffie en stak een sigaartje op zonder Chantelle permissie te vragen, in de wetenschap dat ze hem dat

kwalijk zou nemen. Hij bleef zwijgend zitten wachten en zodra Peter zijn bord leeg had, zei hij: 'Ik moet je moeder even onder vier ogen spreken, Peter.'
'Zie ik u nog voordat u weggaat?'
'Ja.' Nicholas voelde pijn in zijn hart, 'natuurlijk.'
'Gaan we weer zeilen?'
''t Spijt me jongen, daarvoor zullen we geen tijd hebben, vandaag niet.'
Peter stond op en liep waardig en kaarsrecht het terras af, maar niet zodra was hij bij de trap of hij sprong met twee treden tegelijk naar boven en vluchtte het bos in.
'Hij heeft je nodig, Nicky,' zei Chantelle zachtjes.
'Daaraan had je twee jaar geleden moeten denken.'
Ze schonk hem opnieuw koffie in. 'We zijn allebei dom geweest. We zijn slecht geweest. Ik heb mijn Duncan gehad en jij die Amerikaanse meid.'
'Maak me nu niet kwaad,' waarschuwde hij haar, 'je hebt al genoeg onheil gesticht.'
'Het is toch zo simpel, Nicky, ik houd van je, ik heb altijd van je gehouden – God, al van de tijd dat ik een schoolkind was.' Nicholas liet haar gewoon maar doorpraten. 'Sinds ik je die eerste keer op de brug van de *Golden Eagle* zag staan, de zwierige scheepskapitein –'
'Chantelle, het enige dat nu ter discussie staat, zijn de *Golden Dawn* en Christy Marine.'
'Nee, Nicholas, we zijn voor elkaar bestemd, papa zag dat onmiddellijk en ook wijzelf wisten het tegelijkertijd – het was waanzin, een krankzinnige gril die me er een ogenblik aan deed twijfelen.'
'Houd op, Chantelle.'
'Duncan was een belachelijke vergissing, maar het is onbelangrijk –'
'Nee, dat is het niet, het heeft alles veranderd. Het kan nooit weer worden zoals vroeger. Bovendien –'
'Bovendien wat? Wat wilde je gaan zeggen, Nicky?'
'Bovendien ben ik bezig een ander leven op te bouwen met een ander, een heel ander type vrouw.'
'Mijn God, Nicholas, dat meen je toch niet werkelijk?' Ze lachte vrolijk en klapte verrukt in haar handen. 'Lieve, ze is zo jong dat ze je dochter zou kunnen zijn. Dat is het veertigers-syndroom, het

Lolita complex.' Toen zag ze dat hij werkelijk woedend werd en ze redde de situatie in het besef dat ze te ver was gegaan.
'Het spijt me, Nicky, dat had ik niet moeten zeggen.' Ze zweeg even en vervolgde: 'Ik wil graag toegeven dat het een lief ding is en ik ben ervan overtuigd dat ze een schat is – Peter vond haar aardig.' Ze praatte wat neerbuigend over Samantha en liet het onderwerp toen schieten alsof het alleen maar een kinderstreek van Nicholas was geweest, een voorbijgaande bevlieging die geen werkelijke betekenis had.
'Ik begrijp het, Nicholas, echt, dat meen ik, maar zodra je zover bent en dat zal al heel gauw zijn, dan wachten Peter en ik en Christy Marine nog altijd op je. Dit is je leven, Nicholas.' Met een gebaar van haar hand omvatte ze de hele omgeving. 'Dit is jouw wereld waaruit je nooit helemaal kunt ontsnappen.'
'Je vergist je, Chantelle.'
'Nee.' Ze schudde haar hoofd. 'Ik vergis me maar zelden en in dit geval kan ik me niet vergissen. Dat heeft de afgelopen nacht bewezen, het is er nog altijd – alles. Laten we nu dat andere bespreken, de *Golden Dawn* en Christy Marine.'

Chantelle Alexander lichtte haar gezicht op naar de hemel en keek naar de grote zilveren vogel. Naast haar, slechts enkele centimeters kleiner dan zij, stond Peter en staarde het vliegtuig eveneens na terwijl ze haar arm door de zijne stak.
'Wat is hij maar kort gebleven,' zei Peter.
'Hij zal wel weer gauw bij ons komen,' beloofde Chantelle en ging door: 'Waar zat je toch, Peter? We hebben overal naar je gezocht toen pappie weg moest.'
'Ik was in het bos,' zei hij wat ontwijkend. Hij had hen wel horen roepen, maar hij zou nog liever zelfmoord hebben gepleegd dan zijn vader laten zien dat hij huilde.
'Zou het niet heerlijk zijn als het weer net als vroeger werd?' vroeg Chantelle zachtjes. 'Wij weer met zijn drietjes?'
'Zonder oom Duncan?' vroeg hij ongelovig. Hoog boven hun hoofden verdween het vliegtuig glanzend uit de stralende zon in de stapelwolken van het noorden. Peter keerde zich naar haar toe en herhaalde zijn vraag. 'Zonder oom Duncan? Dat kan toch niet!'

'Het kan als jij me helpt, lieveling.' Ze nam zijn gezicht in haar beide handen. 'Je wilt me toch helpen, hè?' vroeg ze en hij knikte heftig. Ze boog zich voorover en kuste hem op zijn voorhoofd. 'Je bent mijn grote kerel,' fluisterde ze.

'Meneer Alexander is niet te bereiken. Kan ik een boodschap overbrengen?'
'Je spreekt met mevrouw Alexander. Wil je tegen mijn man zeggen dat het dringend is.'
'O, wat spijt me dat, mevrouw Alexander.' De stem van de secretaresse veranderde onmiddellijk. 'Ik herkende uw stem niet. De verbinding is afschuwelijk slecht. Meneer Alexander komt hier voor u.'
Chantelle wachtte en staarde ongeduldig uit het raam van de studeerkamer. Het weer was in de loop van de morgen veranderd en een koude wind uit de bergen viel op de kuststrook. De ramen werden gegeseld door ijskoude regen.
'Chantelle, lieveling,' de warme gladde stem die haar eens zo had gefascineerd, 'heb ik je aangevraagd?'
'Nee Duncan, ik bel, ik moet je dringend spreken.'
'Goed,' stemde hij toe, 'ik wilde ook met jou overleggen. De gebeurtenissen volgen elkaar hier snel op. Je zult a.s. dinsdag naar St.-Nazaire moeten komen in plaats van mijn bezoek aan Cap Ferrat.'
'Duncan –'
Hij ging door ondanks haar protest, zijn stem even zelfverzekerd en uitbundig als ruim een jaar geleden. 'Ik heb kans gezien bijna vier weken in te lopen op het schema van de *Golden Dawn.*'
'Duncan, luister.'
'We zullen haar al op dinsdag te water kunnen laten. Het zal een wat geïmproviseerde plechtigheid worden, vrees ik, nu het op zo korte termijn gebeurt.' Hij was buitensporig trots op het door hem behaalde resultaat. Het ergerde haar. 'Ik heb het voor elkaar gekregen dat de afzonderlijke tanks rechtstreeks van de werf in Japan naar de Golf worden gestuurd. Vier Amerikaanse sleepboten nemen hen in balast op sleep. Ik laat de romp hier te water, compleet met arbeiders die haar dan tijdens de vaart om Kaap de Goede Hoop zullen afbouwen zodat ze op tijd de tanks en de lading in El Barras

kan overnemen. We sparen er bijna zeveneneenhalf miljoen mee –'
'Duncan!' probeerde Chantelle weer en iets in haar stem deed Duncan verstommen.
'Wat is er?'
'Dit kan nu niet tot dinsdag wachten, ik wil je nu direct spreken.'
'Dat is onmogelijk,' lachte hij luchtig en vol zelfvertrouwen, 'maar het is slechts een kwestie van vijf dagen.'
'Vijf dagen, dat is te lang.'
'Zeg het nu dan maar,' stelde hij voor. 'Wat is er?'
'Goed dan,' zei ze en er kwam een kwaadaardige, enigszins wrede klank in haar stem, 'ik zal het je zeggen. Ik wil van je scheiden, Duncan en de zeggenschap over mijn aandelen Christy Marine terughebben.'
Er viel een lange stilte waarin de lijn floot en zong. Ze wachtte zoals een kat wacht op de eerste beweging van een aangeslagen muis.
'Dit komt wel heel plotseling.' Zijn stem was volledig veranderd, klankloos en dof.
'We weten allebei dat dat niet zo is,' sprak ze hem tegen.
'Je hebt geen enkele reden.' Nu klonk er een tikkeltje angst in de stem. 'Zo gemakkelijk is een echtscheiding nu ook niet, Chantelle.'
'Wat dacht je van de volgende reden, Duncan?' vroeg ze en haar stem had een hatelijke klank toen ze vervolgde: 'Als je hier morgen om twaalf uur niet bent, zullen mijn accountants in Leadenhall Street staan en dan zal er een kort geding worden aangespannen –'
Ze hoefde niet verder te gaan, er klonk paniek uit zijn stem. 'Je hebt gelijk. We moeten elkaar onmiddellijk spreken.' Er volgde even een stilte en beheerst liet hij erop volgen: 'Ik zal een toestel charteren en ben over enkele uren bij je. Schikt dat?'
'Ik zal de auto sturen,' zei ze en verbrak de verbinding met haar vinger op de haak. Ze wachtte enkele seconden en vroeg toen in vloeiend Frans een internationaal gesprek aan. 'Ik weet het nummer niet, maar het is persoonlijk. Doctor Samantha Silver aan de Universiteit van Miami.'
'Er is een wachttijd van ruim twee uur, mevrouw.'
'*J'attendrai*,' zei ze en legde de hoorn op de haak.

De Bank van het Oosten staat in Curzon Street, een smal front van brons, marmer en glas. Nicholas was daar al sinds tien uur die morgen samen met zijn advocaten. Hij kreeg er uit de eerste hand een lesje in het op je gemak op eeuwenoude oosterse wijze onderhandelen.

Hij verkocht Oceaan Bergingsbedrijf, alsmede twee jaar toekomstige arbeid – en ondanks de zeven miljoen vroeg hij zich zo langzamerhand af of het dat waard was – bovendien waren die zeven miljoen ook nog niet zeker. Woorden werden zo makkelijk gesproken, cijfers leken zo weinig substantieel in deze omgeving. De enige vastigheid was de prins zelf die daar op een lage sofa zat in zijn Saville Row pak, met de wit linnen hoofddoek met gouden band om zijn knappe donkere gezicht.

Achter hem bewogen voortdurend weer andere fluisterende schimmen. Iedere keer als Nicholas dacht dat ze op een bepaald punt overeenstemming hadden bereikt, zette een hardroze of knalgele Rolls Royce met een Arabische nummerplaat drie of vier donkere Arabieren bij de voordeur af die zich naar de prins haastten om hem op zijn voorhoofd, tussen zijn ogen en op de buitenkant van zijn hand te kussen en dan begon het gefluisterde overleg weer van voren af aan, aangezien degenen die net binnen waren gekomen een punt ter discussie stelden waarover een uur geleden al overeenstemming was bereikt.

James Teacher liet totaal geen ongeduld blijken. Hij glimlachte en knikte en onderging het ritueel als een geboren Arabier. Hij nipte van de stroperige koffie en wachtte geduldig tot de eindeloze fluisteringen in het Engels waren vertaald voordat hij een tegenvoorstel deed. 'Het gaat prima, meneer Berg,' verzekerde hij Nicholas, 'nog enkele dagen.'

Nicholas had hoofdpijn van de sterke koffie en de Turkse tabaksrook. Hij kon zich moeilijk concentreren en bleef maar piekeren over Samantha. Hij had al vier dagen tevergeefs getracht haar te bereiken. Ook nu excuseerde hij zich en liep weer even weg naar de informatiebalie waar het meisje hem vertelde: 'Het spijt me, meneer, maar niet een van die nummers geeft antwoord.'

'Maar dat moet,' zei Nicholas. Het ene nummer was van haar huis en het andere van het laboratorium.

'Kun je een telegram voor me versturen?'

'Natuurlijk meneer.' Ze gaf hem een blocnote en hij schreef op:

'*Verzoeke me per omgaande te bellen, antwoord betaald* –' Als telefoonnummers gaf hij zijn flat en het kantoor van James Teacher op. Hij dacht even na en trachtte woorden te vinden die zijn zorgen over haar uitdrukten, maar het lukte hem niet. *Ik houd van je*, schreef hij toen maar.

Sinds Nicholas' telefoontje midden in de nacht over het vervoer van de aan cadmium rijke ruwe olie, was Samantha Silver in een kaleidoscopische warreling van tijd en gebeurtenissen terechtgekomen. Na een aantal ontmoetingen met de leiders van de Green-Peacers en andere instellingen waren zij en Tom Parker in een poging bekendheid te geven aan deze nieuwe bedreiging van de oceanen en tegelijkertijd haar te bestrijden, naar Washington gevlogen waar ze met twee jonge senatoren hadden gesproken, maar hun inspanning nog anderen erbij te betrekken was stuk gelopen op de granieten muur van de grote oliebelangen. Zelfs de meestal zo welwillende organisaties waren het veroordelen van en het oppositie voeren tegen Orient Amex in dit geval moe. Zoals een jonge democratische senator het uitdrukte: 'Het is een hele opgave tegen iets ten strijde te trekken dat de fossiele brandstoffenopbrengst met vijftig procent vermeerdert.'
'Daar gaat het niet om,' had Samantha verbitterd door vermoeidheid en frustratie woedend gereageerd. 'Het is het op onverantwoordelijke wijze vervoeren van de aan cadmium rijke olie over de zo kwetsbare oceanen dat we trachten te voorkomen.' Toen ze een beschrijving gaf van wat er zou gaan gebeuren met de Atlantische Oceaan wanneer die zou worden vergiftigd door miljoenen tonnen ruwe olie, zag ze ongeloof in 's mans ogen en de neerbuigende glimlach van de gezonde mens voor de lichtelijk demente.
Tom en zij bleven in het noorden en westen ontmoetingen organiseren, in Californië en Texas, maar niet een van hun pogingen had een directe confrontatie met Orient Amex tot gevolg. De grote oliemaatschappij negeerde domweg alle uitnodigingen voor een debat over de aantijgingen voor radio en televisie en weigerde vragen te beantwoorden. Het bleek verschrikkelijk moeilijk belangstelling te wekken voor een strijd die maar van één kant werd gevoerd.
De energiecrisis, olietankers en vervuiling door olie waren vreugde-

loze onderwerpen. Er had geen mens ooit van cadmiumvervuiling gehoord, Kaap de Goede Hoop was een halve aardbol van hen verwijderd, een miljoen ton was een niet te bevatten hoeveelheid, zodat het alles bij elkaar genomen irritant vervelend werd gevonden.
'Er zit niets anders op dan dat we die welgedane katers van Orient Amex uitroken om hen in het openbaar een pak rammel te kunnen verkopen,' bromde Tom Parker kwaad. 'Dat kunnen we alleen via Green-Peace bereiken.'
Ze stonden weer op het vliegveld van Miami, uitgeput en teleurgesteld, maar nog niet moedeloos. Ze had maar een paar uur om zich op te frissen, wat uit te rusten op de lappendeken voordat ze zich moest aankleden en weer terugracen naar het vliegveld. De Australiër was al door de douane heen en zag er in de wachtkamer verloren en terneergeslagen uit.
'Hai, ik ben Sam Silver.' Ze onderdrukte haar vermoeidheid en wist een glimlach te voorschijn te toveren.
Hij heette doctor Dennis O'Connor en was de beste in zijn vak. Hij deed fascinerend en belangrijk werk op het gebied van de rif-populaties in de Oostaustralische wateren. Hij had deze lange reis ondernomen om met haar te praten en haar experimenten te bekijken.
'Ik had niet verwacht dat je nog zo jong zou zijn.' Ze had haar brieven ondertekend met doctor Silver. Samantha was zo moe en geïrriteerd dat ze deze laatste opmerking niet pikte.
'En dat ik een vrouw ben, dat had je ook niet verwacht,' reageerde ze. 'Een drel van een meid hè? Ik wil wedden dat er onder je beste vrienden ook jonge vrouwen zitten.'
Dennis O'Connor was een echte Australiër. Hij grijnsde goedkeurend en toen ze handen schudden zei hij: 'Je zult me nu wel niet geloven, maar ik vind je beslist aardig zoals je bent.' Het was een lange, magere door de zon gebruinde man met al grijzende slapen. Binnen enkele minuten waren ze de beste maatjes.
De Australiër had in een zuurstofrijke tank vijfduizend levende zeeslakken, die in de Australische wateren veelvuldig voorkomen, meegenomen, om eveneens in Samantha's experiment te worden opgenomen. Al gauw waren ze allebei zo verdiept in de toepassing van Samantha's techniek op dit nieuwe proefdier dat Sam toen haar assistente haar hoofd om de hoek van de deur stak en schreeuwde: 'Telefoon voor je, Sam!' terugriep: 'Neem de boodschap maar aan. Als ze geluk hebben zal ik terugbellen.'

'Het is internationaal en persoonlijk!' Samantha voelde het bloed in haar polsen sneller kloppen. Ze vergat op datzelfde ogenblik haar gast en zijn zeeslakken.
'Nicholas!' riep ze blij, knoeide een halve liter zeewater over de broek van de Australiër en holde naar het hokje aan het uiteinde van het laboratorium.
Ademloos van opwinding greep ze met haar ene hand de hoorn en drukte de ander tegen haar hart om het bonzen tegen te gaan.
'Spreek ik met doctor Silver?'
'Ja, die ben ik.' Ze corrigeerde haar foute antwoord. 'Zij is het!'
'Gaat uw gang,' zei de telefonist. Er klonk een klik en geklop toen de lijn tot leven kwam.
'Nicholas!' juichte ze. 'Mijn lieve Nicholas, ben jij daar?'
'Nee.' De stem klonk helder en kalm alsof diegene die sprak naast haar stond. Bovendien was het een vertrouwde klank, een ontstellend vertrouwde klank. Samantha voelde haar hart krimpen van angst.
'Je spreekt met Chantelle Alexander, Peters moeder. We hebben elkaar eens ontmoet.'
'Ja,' zei Samantha toonloos en nog steeds buiten adem.
'Ik dacht er goed aan te doen je het volgende zelf te vertellen, voordat je het uit andere bronnen hoort. Nicholas en ik hebben besloten weer te trouwen.'
Samantha viel met een klap op de bureaustoel neer.
'Ben je er nog?' vroeg Chantelle even later.
'Ik geloof u niet,' fluisterde Samantha.
'Dat spijt me,' zei Chantelle vriendelijk. 'We hebben Peter zoals je weet en we hebben elkaar nu weer teruggevonden – ontdekt dat we nog altijd van elkaar houden.'
'Nicholas zou nooit –' haar stem begaf het, ze kon niet verder.
'Tracht hem te begrijpen en te vergeven, lieve,' begon Chantelle uit te leggen, 'na onze scheiding was hij gekwetst en eenzaam. Ik ben ervan overtuigd dat hij je niet wilde misbruiken.'
'Maar, maar – we zouden, we hadden het plan –'
'Dat weet ik. Geloof me alsjeblieft als ik zeg dat dit voor geen van ons drieën makkelijk is. Ter wille van ons allemaal –'
'We hadden plannen voor een heel leven samen.' Samantha schudde woest haar hoofd waardoor een streng goudblond haar losschoot en voor haar gezicht viel. Ze streek de haren naar achteren. 'Ik ge-

loof er niets van. Waarom is Nicholas het me niet zelf komen vertellen? Ik geloof het pas als hij het me vertelt.'
Chantelles stem klonk vol medelijden, bijna teder toen ze vervolgde: 'Ik wilde het zo graag gaaf voor je houden, kindlief, maar nu moet ik je wel zeggen dat Nicholas de afgelopen nacht in mijn huis heeft doorgebracht, ja zelfs in mijn bed, in mijn armen, waar hij in feite thuishoort.'
Terwijl Samantha daar ineengedoken op de harde bureaustoel zat, voelde ze haar jeugd als de huid van een slang van zich afglijden. Ze kreeg nu een gevoel van tijdloosheid, of ze al het verdriet en het lijden van alle vrouwen vóór haar meetorste.
'Ik heb maatregelen getroffen voor de scheiding van mijn huidige echtgenoot. Nicholas zal zijn positie als president-directeur van Christy Marine weer innemen.'
Het was waar, Samantha wist toen dat het waar was. Het stond vast, er was geen twijfel meer. Langzaam legde ze de hoorn op de haak en staarde met nietsziende ogen naar de kale muur van het hokje. Ze huilde niet, ze had het gevoel dat ze nooit van haar leven meer zou huilen of lachen.

Chantelle Alexander bestudeerde aandachtig haar echtgenoot en trachtte buiten zichzelf te gaan staan om hem objectief te beoordelen. Het viel haar makkelijker nu die dwaze waanzin voorbij was. Hij was knap, lang en slank met die verzorgde glanzende, koperkleurige haargolven.
'Bezwaar als ik rook?' vroeg hij. Ze schudde haar hoofd. Ook zijn stem had haar vanaf het allereerste ogenblik getrokken, die diepe resonerende stem met het wat aanstellerige accent.
Hij stak de speciaal voor hem gefabriceerde sigaretten aan met de gouden aansteker die zij hem had gegeven. Zelfs nu was de herinnering aan die eerste nacht samen nog prikkelend en even voelde ze die zachte, smeltende warmte onderin haar lichaam waardoor ze rusteloos in haar stoel heen en weer schoof. Er was een reden, zelfs een goede reden voor haar waanzin. Zelfs nu het voorbij was zou ze er toch nooit spijt van krijgen.
Het was een periode in haar leven geweest die ze zich niet had kunnen ontzeggen. De grote meeslepende, ongeoorloofde passie, de

laatste opbloei van haar jeugd, de laatste zorgeloze herfstdagen die aan de middelbare leeftijd voorafgaan. Andere vrouwen zouden in een dergelijke tijd genoegen moeten nemen met onsmakelijke toestanden in kleine naamloze hotelletjes, maar niet aldus Chantelle Christy. Haar wereld werd gevormd door haar eigen grillen en verlangens en zoals ze ook Nicholas al had gezegd, wat ze verlangde dat nam ze ook. Lang geleden had haar vader haar geleerd dat er speciale regels voor Chantelle Christy waren en die regels stelde ze zelf op.

Het was geweldig geweest, maar nu was het voorbij. Gedurende de afgelopen maanden had ze de twee mannen zorgvuldig tegen elkaar afgewogen. Haar besluit was niet lichtvaardig genomen. Ze had Nicholas gadegeslagen, hoe hij zich ontworstelde aan de noodlotsgolven. Op eigen kracht, slechts gehuld in dat onzichtbare, maar o zo krachtige pantser, had hij zich vastberaden teruggevochten. Kracht en macht hadden haar altijd al wat gedaan, maar in de loop van de jaren was ze er bij Nicholas aan gewend geraakt. De dagelijkse sleur had hun relatie wat aangetast. Na dit tussenspel met Duncan was haar kijk op Nicholas opgefrist. Hij had voor haar nu weer alle kwaliteiten van een nieuwe aanbidder – al waren er de bewezen waarden en kwaliteiten van een lange intieme relatie. Duncan Alexander had afgedaan, Nicholas Berg was de toekomst.

Nee, ze zou nooit spijt voelen over deze episode. Het was een tijd geweest van verjonging, ze zou zelfs niet wrokken over Nicholas' verhouding met dat knappe Amerikaanse meisje. Het zou later misschien nog een wat perverse prikkel geven aan hun eigen seksualiteit, dacht ze. Duncan had haar ook zo het een en ander geleerd, vreemde prikkelende trucjes, die extra pikant waren omdat ze verdorven waren. Helaas was Duncan bijna geheel afhankelijk geweest van de trucjes en die waren bepaald niet op haar gericht. Misschien was daardoor dat hele proces van verkoeling begonnen.

Nee, Duncan Alexander was niet in staat geweest haar primaire, elementaire seksuele honger te bevredigen. Er was er maar één geweest die dat wel had gekund. Duncan was ooit wel eens nuttig geweest, maar dat was nu voorbij. Het zou zich nog wel een tijdje hebben kunnen voortslepen, maar Duncan Alexander had Christy Marine in gevaar gebracht. Aan die mogelijkheid had ze nooit gedacht. Christy Marine was een gegeven in haar leven, even zeker en onveranderlijk als de hemel, maar nu schudden de fundamenten

van die hemel. Zijn seksuele attractie was verdwenen, dat zou ze hem hebben kunnen vergeven, maar dat andere niet.
Ze werd zich ervan bewust dat Duncan zich niet op zijn gemak voelde. Hij schoof heen en weer op zijn stoel, sloeg zijn lange benen over elkaar en schoof die even later weer recht voor zich uit. Hij keek naar de omhoogkringelende rook van zijn sigaret om maar de vlakke, uitdrukkingsloze blikken van haar onpeilbare ogen te vermijden. Ze had hem zitten aanstaren en had in gedachten twee mannen naast elkaar gezien. Met enige inspanning dwong ze zich nu haar aandacht volledig op hem te concentreren.
'Bedankt dat je zo prompt bent gekomen,' zei ze.
'Je maakte de indruk dringende kwesties te willen bespreken.' Hij glimlachte voor de eerste keer beleefd, maar in zijn grijze ogen stond angst te lezen.
Ze had hem in maanden niet zo aandachtig opgenomen en nu zag ze hoe hij achteruit was gegaan. Zijn lanke slanke vingers waren benig geworden en bewogen onophoudelijk. Om zijn mond stonden lijnen gegroefd evenals tussen zijn ogen. De huid om zijn ogen deed aan een olieverfschilderij denken, honderden kleine vouwtjes en rimpeltjes die op het eerste gezicht door zijn door de zon gebruinde huid waren verhuld.
'Uit wat je me gisteren zei –'
Ze lichtte haar hand op om hem het zwijgen op te leggen. 'Dat kan wachten. Ik wilde je alleen maar overtuigen van de ernst van wat er gaande is. Het gaat er nu in de allereerste plaats om wat je als mijn gemachtigde hebt gedaan met mijn aandelen en die van de Trust.'
Zijn handen bleven als het ware in hun bewegingen steken. 'Wat bedoel je?'
'Ik wil accountants, door mij aangewezen accountants die controle –'
Hij haalde zijn schouders op. 'Dat neemt allemaal tijd, Chantelle en ik geloof ook niet dat ik al zover ben dat ik het beheer terug kan geven.' Hij sprak onbewogen, en zijn angst was verdwenen.
Ze voelde een zekere opluchting, misschien was dan dat afschuwelijke verhaal dat Nicholas haar had gedaan toch niet waar, misschien verbeeldde ze zich dat gevaar alleen maar. Christy Marine was zo groot, zo onkwetsbaar.
'In ieder geval op dit ogenblik niet. Je zult moeten bewijzen dat wat jij doet in het belang is van de maatschappij en van de Trust.'

'Ik hoef niets te bewijzen,' zei ze effen.
'Dit keer wel. Je hebt mij aangewezen –'
'Geen enkel gerechtshof zal die overeenkomst handhaven.'
'Misschien niet, Chantelle, maar zou je dit alles voor het hof behandeld willen zien – op dit tijdstip?'
'Ik ben niet bang, Duncan.' Ze stond luchtig als een danseres op, haar goedgevormde benen in een zwart zijden broek gestoken, soepele zwarte schoenen die haar kleiner maakten, een dunne gouden ketting die de slankheid van haar middel benadrukte. 'Je weet wel dat ik nergens bang voor ben.' Ze stak een beschuldigende vinger naar hem uit. 'Jij bent degene die bang zou moeten zijn.'
'En waarvan precies beschuldig je me?'
Ze vertelde het hem, somde vlug de lijst borgstellingen op die de Trust had afgegeven, het verhandelen van aandelen, de uitgifte van nieuwe aandelen en het borgen binnen de Christy Marine groep, ze vermeldde het geknoei van verzekeraars van de *Golden Dawn* dat Nicholas had ontmaskerd.
'Als de accountants klaar zijn, lieve Duncan, zal het Hof niet alleen het beheer over Christy Marine aan mij teruggeven, maar ze zullen jou vermoedelijk tot vijf jaar dwangarbeid veroordelen. Ze nemen dit soort zaken nogal hoog op, weet je.'
Hij glimlachte. Werkelijk, hij glimlachte! Ze voelde woede in zich opstijgen. De uitdrukking van haar ogen veranderde en er kwam kleur op haar wangen.
'Durf je tegen me te grijnzen,' snauwde ze tegen hem. 'Dat zal ik je betaald zetten.'
'Nee,' zei hij hoofdschuddend, 'dat zul je niet.'
'Ontken je dan –' snauwde ze, maar hij onderbrak haar door een opgeheven hand en een beweging van dat knappe arrogante hoofd van hem.
'Ik ontken niets, lieveling. Integendeel, ik wil het graag toegeven – en ook andere dingen, heel veel andere dingen.' Hij schoot het peukje van zijn sigaret weg dat in de kabbelende golfjes van de jachthaven met een sissend geluid terechtkwam. Ze stond hem sprakeloos aan te staren. Als een handig acteur wist hij de stilte te benutten en pakte intussen een sigaret.
'Al enige weken ben ik me er terdege van bewust dat iemand zijn neus heel diep in mijn zaken en in die van de maatschappij steekt.' Hij blies een lange veer rook uit, haalde een wenkbrauw op, een

cynische plagerige geste die haar woede nog aanwakkerde, maar anderzijds haar angst en onzekerheid vergrootte. 'Het kostte niet veel tijd te ontdekken dat het spoor terugloopt naar een kleine man in Monte Carlo die door financiële en industriële spionage in zijn onderhoud voorziet. Lazarus is goed, uitstekend, de allerbeste. Ik heb hem zelf gebruikt, in feite heb ik hem bij Nicholas Berg geïntroduceerd.' Hij grinnikte en schudde toegeeflijk zijn hoofd. 'Wat maken we ons soms toch belachelijk. Het verband was er onmiddellijk, Berg en Lazarus. Ik heb eens nagegaan wat ze allemaal boven tafel hebben gebracht en schat dat zelfs Lazarus niet meer dan vijfentwintig procent van de antwoorden heeft gevonden.' Hij leunde naar voren en opeens klonk er in zijn stem een soort machtsbewustzijn. 'Weet je, lieve Chantelle, ik ben zelf waarschijnlijk de allerbeste. Ze kunnen het nooit allemaal achterhaald hebben.'
'Je ontkent het dus niet –' Ze hoorde zelf de onzekere klank van haar stem en had daar meteen het land over in. Met een minachtend gebaar legde hij haar het zwijgen op.
'Zwijg, malle domoor en luister naar me. Ik zal je duidelijk maken hoe diep je in de put zit – ik zal het je uitleggen, zodat zelfs jij het zal kunnen begrijpen en ook waarom je zult afzien van het sturen van accountants, waarom je mij niet de laan zult uitsturen en waarom je precies zult doen wat ik je opdraag.'
Hij zweeg even en keek haar aan. Ze voelde zich verward en onzeker, voor het eerst niet in staat haar eigen toekomst te bepalen. Ze sloeg haar ogen neer. Hij knikte voldaan.
'Goed zo! Luister goed. Ik heb het allemaal – alles wat Christy Marine heeft – in de *Golden Dawn* gestoken.'
Chantelle had het gevoel dat de grond onder haar voeten bewoog. Het bloed klopte in haar oren. Ze deed een stap achteruit en voelde de stenen balustrade tegen haar knieholtes stoten. Ze zeeg erop neer. 'Waar heb je het over?' fluisterde ze. Hij legde het haar in bijzonderheden uit. 'Mijn calculaties waren gebaseerd op de vraag naar tankerruimte van twee jaar geleden en op de bouwkosten uit diezelfde periode.'
De energiecrisis en de afnemende vraag naar tankers waren samengevallen met de inflatie waardoor de kosten van de *Golden Dawn* meer dan verdubbeld werden. Duncan had zich te weer gesteld door het ontwerp van de reuzentanker te veranderen. Hij had op alle mogelijke onderdelen bezuinigd waardoor hij de A 1 beoordeling

van Lloyd's had verspeeld en daardoor ook de mogelijkheden van die reusachtige verzekeringsmarkt. Hij had elders dekking moeten zoeken om zijn geldschieters te bevredigen. De premies bleken fnuikend te zijn. Hij had aandelen Christy Marine moeten belenen, ook die van de Trust. De stijgende produktiekosten overvielen hem ten tweeden male zodat hij steeds meer en meer geld nodig had. Dat had hij toen overal weggehaald tegen de rentevoet die maar werd gevraagd.
Toen bleek de verzekering ontoereikend voor de opgelopen kosten van de cascobouw.
'Als het geluk je de rug toekeert –' zei Duncan met een welsprekend schouderophalen en vervolgde: 'Ik moest nog meer aandelen Christy Marine belenen, alles, niet een uitgezonderd, Chantelle, ieder stukje papier, zelfs de aandelen die we van jouw Nicholas overnamen – maar zelfs dat was nog niet genoeg. Ik heb papieren dekking via mantelorganisaties moeten opvoeren, waardeloze dekking. En toen kwam dat verschrikkelijke fiasco.' Duncan glimlachte weer, ontspannen en onbezorgd – het leek wel of hij plezier had in de opsomming, 'toen de *Golden Adventurer* in het poolijs bleef steken en ik zes miljoen dollar bij elkaar moest zien te scharrelen om het bergingsloon te betalen. Dat deed de deur dicht, daarvoor moest ik alles belenen, de Trust en Christy Marine.'
'Ik zal je –' fluisterde ze, 'ik zal je te gronde richten. Ik zweer je –'
'Je begrijpt er dus niets van hè?' Hij schudde zorgelijk zijn hoofd, alsof hij met een dom kind te maken had. 'Je kunt mij niet ruïneren zonder Christy Marine en dus ook jezelf tot de bedelstaf te brengen. Je zit in het schip, Chantelle, zelfs nog heel wat dieper dan ik. Alles wat jij hebt, elke cent, dit huis, die smaragd aan je vinger, de toekomst van jouw kind – dat allemaal zit in de *Golden Dawn*.'
'Nee!' Ze sloot haar ogen en de kleur was uit haar wangen verdwenen.
'Ik vrees dat het "ja" moet zijn,' zei hij. 'Ik had heel andere plannen en zag een winst van 200 miljoen, maar de omstandigheden hebben het anders gewild.'
Ze zwegen beiden en Chantelle stond op haar benen te zwaaien toen ze de volle draagwijdte van dit alles besefte.
'Als je nu je speurhonden fluit en op het spoor zet, dan zullen ze heel wat opsnuiven!' Hij lachte weer. 'Mijn geldschieters zullen hun toezeggingen intrekken en de *Golden Dawn* zal nooit van de helling

lopen – ze is niet volledig verzekerd, zoals ik je al uitlegde. Als de tewaterlating van de *Golden Dawn* nu wordt uitgesteld, laten we zeggen voor een maand, nee zelfs voor een week, dan dondert alles in elkaar.'
'Ik moet overgeven,' fluisterde ze moeilijk.
'Nee, dat doe je niet.' Hij stond op en liep boos naar haar toe. Onbewogen sloeg hij haar in haar gezicht, twee harde klappen waarvan de afdrukken op haar bleke wangen zichtbaar werden. Het was de eerste maal in haar leven dat een man haar had geslagen, maar ze was zo ontdaan dat de verontwaardiging erover geen protest opleverde.
'Verman je,' snauwde hij tegen haar, greep haar bij haar schouders en schudde haar flink door elkaar. 'Luister, ik heb je het ergste dat er kan gebeuren verteld. Ik zal je nu zeggen wat er op zijn best gaat gebeuren. Als we één lijn trekken, als je me blindelings gehoorzaamt, zal ik een van de grootste financiële slagen van de eeuw voor je slaan. Het enige dat we nodig hebben is een succesvolle reis van de *Golden Dawn* en we zijn boven Jan – één enkele reis, een luttel aantal weken en ik zal je fortuin verdubbeld hebben.' Ze staarde hem aan, misselijk en tot in het merg van haar bestaan geschokt.
'Ik heb een charterverdrag met Orient Amex getekend waardoor we in één keer uit de ellende kunnen zijn. De dag dat de *Golden Dawn* bij Galveston voor anker gaat en haar afzonderlijke tanks naar de kust stuurt om de ruwe olie af te leveren, zal ik tientallen adspirant-kopers voor haar hebben.' Hij deed een stap achteruit en trok zijn jasje recht. 'Mijn naam zal een historische klank krijgen. Als er in de toekomst over tankers wordt gepraat, dan zal de naam Duncan Alexander vooraan op ieders lippen liggen.'
'O, ik haat je,' zei ze verbeten, 'wat haat ik je ontzettend?'
'Dat doet er niet toe.' Hij wuifde haar woorden weg. 'Als alles voorbij is, kan ik me veroorloven weg te wandelen – en jij kan je veroorloven mij te laten gaan, maar dan ook geen ogenblik eerder.'
'Hoeveel denk je te verdienen als het plan slaagt?' vroeg ze en haar stem klonk wat vaster dan voorheen.
'Heel veel, een gigantische som gelds – maar mijn werkelijke beloning zal de roem van het succes zijn. Dan zal ik degene zijn die de wet voorschrijft.'
'Dan zul je eindelijk eens de vergelijking met Nicholas Berg kunnen doorstaan, daar gaat het je om, hè?' Ze zag dat ze in de roos had

geschoten. Ze ging door omdat ze hem wilde kwetsen en uiteindelijk vernietigen. 'Jij en ik weten dat het niet opgaat. De *Golden Dawn* is uit Nicholas' brein ontsproten en hij zou zich nooit tot leugen en bedrog hebben behoeven te verlagen –'
'Lieve Chantelle –'
'Het lukt je nooit, je zult nooit Nicholas kunnen evenaren.'
'Och donder op.' Hij trilde ineens van woede. Ze gilde tegen hem: 'Jij bent een oplichter en een bedrieger. Ondanks al je dikdoenerij ben je in je hart steeds een arme loopjongen gebleven. Je bent klein en vulgair –'
'Ik heb Nicholas Berg iedere keer dat ik hem heb ontmoet, verslagen.'
'Dat heb je niet, Duncan. Ik heb het voor je gedaan –'
'Ik heb jou van hem afgenomen.'
'Een tijdje, ja,' spotte ze, 'maar voor heel eventjes, beste Duncan. Toen hij me terug verlangde, nam hij me terug.'
'Wat bedoel je daarmee?' vroeg hij.
'Eergisternacht was Nicholas hier en hij gaf me waartoe jij nooit in staat bent gebleken. Ik ga naar hem terug en ik zal de wereld vertellen waarom.'
'Slet.'
'Hij is zo sterk, Duncan, daar waar jij altijd faalt.'
'Je bent een slet.' Hij keerde zich van haar af en wachtte toen even. 'Zorg dat je dinsdag in St.-Nazaire bent.' Ze zag dat hij zich gekwetst voelde. Ze had dan ten slotte toch door zijn schild heen geprikt en zijn zwakke plek geraakt.
'Hij nam me vier keer in één nacht, Duncan, een grootse, machtige liefde. Is dat jou ooit gelukt?'
'Ik wil dat je dinsdag in St.-Nazaire komt en tegen mijn schuldeisers glimlacht.'
'Zelfs als je dit lukt met de *Golden Dawn* zal Nicholas binnen een halfjaar jouw baan krijgen.'
'Tot dan zul je echter precies doen wat ik je zeg.' Duncan vermande zich met duidelijke inspanning en liep van haar weg.
'Jij zult de uiteindelijke verliezer zijn, Duncan Alexander,' riep ze hem na. 'Daarvoor zal ik wel zorgen – dat zweer ik je.'
Hij liep de stenen trap op en verdween uit het gezicht. Zijn knieën knikten en zijn adem kwam met stoten. Hij greep naar de pijnlijke plek in zijn maag waar woede en jaloezie gezorgd hadden voor een

onverteerbaar brok. 'De schoft,' zei hij hardop, 'die verdomde schoft Berg.'

'Tom? Tom Parker?'
'Daar spreekt u mee. Met wie?' De stem klonk helder en krachtig hoewel de Atlantische Oceaan hen scheidde.
'Berg hier, Nicholas Berg.'
'Nick, hoe gaat het ermee?' dreunde de zware stem stralend in zijn oor. 'God, wat ben ik blij dat je belt. Ik heb voortdurend getracht je te bereiken. Ik heb goed nieuws voor je.'
Nicholas voelde een geweldige opluchting.
'Samantha?'
'Nee, verdomme.' Tom lachte. 'Het gaat om die baan, jouw baan. Het is gisteren besproken door het bestuur van de universiteit hier. Ik heb een geweldig pleidooi gehouden - dat wil ik je wel bekennen - maar ze zijn dan ook gezwicht. Je hebt het Nick, is dat niet geweldig?'
'Fantastisch, Tom.'
'Je bent verbonden aan de faculteit, het is een eerste stap, Nicholas. We zullen voor een leerstoel zorgen aan het eind van het volgend jaar, dat zul je zien en beleven.'
'Ik ben in de zevende hemel.'
'Christus, zo klink je beslist niet,' brulde Tom. 'Wat zit je dwars, jongen?'
'Wat is er in hemelsnaam met Samantha gebeurd?'
Nicholas voelde een verandering van stemming, de stilte duurde een fractie te lang. Toch klonk Toms stem onschuldig toen hij zei: 'Ze is op excursie - ten zuiden van de Key-eilanden, heeft ze je dat dan niet verteld?'
'Ten zuiden van de Key's?' Nicholas' stem klonk schel van woede en frustratie. 'Verdomme, Tom, ze zou hier in Frankrijk komen. Ze beloofde hier te zullen zijn voor de tewaterlating van mijn nieuwe schip. Ik ben al een week bezig haar te pakken te krijgen.'
'Ze is zondag vertrokken,' zei Tom.
'Wat voert ze in haar schild?'
'Misschien zou ze jou die vraag graag stellen.'
'Wat bedoel je daarmee, Tom?'

'Och, voordat ze wegging, kwam ze langs en huilde eens goed uit bij Antoinette – je weet wel, mijn vrouw. Die speelt voor kloek voor ieder hysterisch vrouwspersoon binnen een straal van tachtig kilometer.'
Nu was het Nicholas' beurt om te zwijgen. Een kille angst kroop op in zijn borst.
'Wat waren de problemen?'
'Lieve God, Nick, je verwacht toch niet dat ik de intieme details van haar liefdeleven volg.'
'Kan je me met Antoinette verbinden?'
'Ze is er niet, Nick, ze is voor een vergadering naar Orlando. Ze komt pas het weekend weer terug.'
Weer die stilte.
'Al dat gehijg kost je een fortuin, Nicholas. Jij betaalt dit telefoontje.'
'Ik snap niet wat Sam bezielt.' Hij wist het wel – en hij voelde zich verschrikkelijk schuldig.
'Luister eens Nick. Een goed verstaander heeft maar een half woord nodig. Kom hierheen en wel zo gauw mogelijk. Dat meisje moet eens goed toegesproken worden. Tenminste, als het je iets kan schelen.'
'Het kan me verdomd veel schelen,' zei Nicholas vlug, 'maar verdomme, ik moet over twee dagen een zeesleper te water laten. Er zijn nog proefvaarten en een afspraak in Londen.'
Er lag een besliste klank in Toms stem toen hij besloot: 'Uiteindelijk moet ieder mens zelf beoordelen welke prioriteiten hij stelt.'
'Ik steek over zodra ik maar kan.'
'Dat geloof ik graag.'
'Mocht je haar spreken, vertel haar dat dan, wil je?'
'Zonder mankeren.'
'Dank je, Tom.'
'Het bestuur zal graag kennis met je maken, Nicholas. Kom zo spoedig mogelijk.'
'Ik beloof het je.'
Nicholas legde de hoorn op de haak en staarde uit het raam van het kantoor op de werf. Het uitzicht over de binnenhaven werd volkomen geblokkeerd door het hoog oprijzende casco van zijn zeesleper. Ze torende hoog op haar blokken. De romp was al glanzend wit geschilderd en de sierlijk gebogen boeg droeg de naam *Seawitch* en daaronder de registratiehaven, Bermuda.

Ze was mooi, schitterend mooi, maar Nicholas zag haar niet eens. Hij werd overstelpt door de angst voor een dreigend verlies, dat kille voorgevoel dat het noodlot zou toeslaan. Tot op dit ogenblik was hij zich niet zo bewust geweest welk een belangrijke rol dit lieve meisje in zijn leven en in zijn plannen voor de toekomst speelde.
Het bestond niet dat Samantha iets had gehoord over die ene nacht van zwakte, dat verraad dat Nicholas nog altijd een ellendig schuldgevoel gaf. Dan moest er iets anders tussen hen beiden zijn gekomen. Hier zat hij dan, onder de druk van zijn eigen verantwoordelijkheden terwijl hij vrij zou moeten zijn om de ster van zijn geluk te volgen.
De luidspreker boven zijn hoofd kraakte en een stem zei: 'Mijnheer Berg! Wil de heer Berg zich naar de brug begeven?'
Het was een welkome afleiding en Nicholas haastte zich de voorjaarszon in. Hij keek naar boven en zag Jules Levoisin op de vleugel van de brug staan. Als een kleine kemphaan tekende zijn gedrongen gestalte zich af tegen de lucht zoals hij daar stond te gesticuleren tegen de ingenieur die verantwoordelijk was voor de elektronische installatie.
Nicholas begon te hollen toen hij de ingenieur met zijn armen zag staan zwaaien en zijn Franse kreten vermengd met die van de nieuwe kapitein van de *Seawitch* hoorde. Dit was al de derde keer dat Jules Levoisin een aanval van hysterie kreeg en het was nog geen twaalf uur. Naarmate het uur van tewaterlating naderbij kwam, begonnen de zenuwen de Fransman parten te spelen. Tenzij Nicholas kans zag binnen enkele minuten in de buurt te zijn, zou hij òf een nieuwe kapitein òf een nieuwe ingenieur nodig hebben.
Tien minuten later had Nicholas de beide mannen weer gesust en ieder een sigaartje laten opsteken. De atmosfeer was nog wel gespannen, maar niet meer zo explosief.
De installatie van het instrumentarium op de brug was compleet en werd aan Jules Levoisin overgedragen.
'Ik heb een kleine verandering aangebracht,' legde Nicholas geduldig uit. 'We hadden er op de *Warlock* wat problemen mee. Dat vergat ik je nog te zeggen, Jules.'
'Wel wat laat,' bromde de kleine gedrongen kapitein.
'Geweldig dat je het verschil hebt opgemerkt,' vleide Nicholas hem en Jules stak zijn borst naar voren en liet de sigaar tussen zijn lippen rollen.

'Ik mag dan een oude rot zijn, maar ik ken alle nieuwigheden.' Hij nam het sigaartje uit zijn mond en blies een perfect kringetje rook omhoog.
Toen Nicholas hem ten slotte verliet was de vrede tussen Levoisin en de ingenieur weer gesloten en spraken die twee opgewekt over de installatie. Nicholas werd opgeroepen door het kantoor.
'Wat is er?' vroeg hij toen hij de deur binnenstapte.
'Een dame voor u,' zei de bediende en wees op de hoorn van de telefoon.
Samantha, dacht Nick en greep de telefoon.
'Nicky.' Hij voelde zijn schuldgevoel opspelen bij het horen van die stem. 'Waar zit je, Chantelle?'
'In La Baule.' De modieuze badplaats aan de Atlantische kust was een passender achtergrond voor Chantelle Alexander dan de smerige haven met zijn uitgestrekte werven. 'Ik logeer in "La Castille", God, wat is dat ontzettend. Ik was het eerlijk gezegd vergeten.' Ze hadden er eens, lang geleden samen gelogeerd. Hij had nu het gevoel dat het een ander leven was geweest.
'Maar het restaurant is nog heel aardig, Nicholas. Kom lunchen! Ik moet je spreken.'
'Ik kan hier niet weg.' Hij wilde niet voor een tweede maal in de val lopen.
'Het is belangrijk, ik moet je spreken.' Hij hoorde de wat hese klank in haar stem en stelde zich duidelijk de sensuele neerslag van haar wimpers over haar uitdagende Perzische ogen voor. 'Een uurtje maar, dat kan je toch wel missen.' Ondanks zichzelf voelde hij de verleiding aan zich trekken. Hij ergerde zich over de macht die ze nog altijd over hem uitoefende.
'Als het zo belangrijk is, kom dan maar hier naar toe,' zei hij kortaf.
'Goed dan, Nicholas. Waar kan ik je vinden?'
Ze liet de chauffeur de Rolls parkeren tegenover de hekken van de werf en Nick stak de weg over en stapte achterin de auto. Chantelle hief haar gezichtje naar hem op. Haar donkere haren glansden als zijde, haar vochtige lippen hadden de kleur van rijp fruit. Hij negeerde de uitnodiging en raakte even haar wang met zijn lippen aan voordat hij zich in de andere hoek liet zakken.
Ze glimlachte en keek hem geamuseerd aan. 'Wat zijn we zedig, Nicky.'
'Heb je je accountants erop afgestuurd?' vroeg hij.

'Je ziet er moe en gekweld uit, lieveling.'
'Heb je Duncan met een schandaal gedreigd?' Hij vermeed iedere intimiteit. 'Er wordt nog steeds gewerkt op de *Golden Dawn*. De booglampen hebben de hele nacht door gebrand en er wordt op de werf gefluisterd dat ze morgen om twaalf uur te water zal worden gelaten, een maand eerder dan het plan was. Wat is er gebeurd, Chantelle?'
'Er is een kleine bistro aan de andere kant van de brug –'
'Verdomme, Chantelle, ik heb geen tijd te verknoeien.'
De Rolls zoefde al door de stegen van het havenkwartier, tussen de hoge pakhuizen.
'Het is maar een kwestie van vijf minuten en de Lobster Armoricaine is hier *de* specialiteit – niet te verwarren met de Lobster Américaine,' babbelde ze vrolijk door. De Rolls draaide de haven op. 'Peter heeft me gevraagd je de groeten te doen. Hij is opgenomen in de juniorenploeg. Ik ben er echt trots op.'
Nicholas duwde zijn handen diep in de zakken van zijn jack en leunde berustend achterover in de leren kussens.
'Blij dat te horen,' zei hij.
Ze zwegen totdat de chauffeur bij de tolbomen stopte om te betalen voordat hij de St.-Nazairebrug op kon rijden, die in een magnifieke boog tot negentig meter boven het water van de rivier de Loire rees, die hier bijna vijf kilometer breed is. Vanaf het hoogste punt had je een prachtig uitzicht over de werven. Er lagen wel een stuk of zes schepen in aanbouw aan de oever van de brede modderige rivier, een machtig woud van stalen stellingen, hoge kranen en casco's in verschillende stadia, maar die vielen allemaal in het niet bij de reusachtige *Golden Dawn*. Zonder haar tanks zag ze er wat geplunderd en beroofd uit alsof de Eiffeltoren was omgevallen en iemand op het ene eind een modern flatgebouw had gezet. Het leek een onmogelijkheid dat een dergelijk gevaarte zou kunnen drijven. God, wat was ze lelijk, dacht Nick.
'Ze zijn er nog altijd aan het werk,' zei hij. Een van de rijdende kranen gleed log als een reumatische dinosaurus in de lengte langs het schip en wel op vijftig verschillende plaatsen flikkerden de blauwe vonken van elektrische lasapparaten, terwijl op het belachelijk grote opengespleten casco menselijke figuurtjes als mieren krioelden.
'Ze zijn nog altijd aan het werk,' herhaalde hij beschuldigend.

'Nicholas, het is allemaal niet zo simpel in dit leven –'
'Heb je Duncan alles uitvoerig uit de doeken gedaan?'
'– behalve voor mensen zoals jij.'
'Je hebt het Duncan dus niet voorgehouden?' vroeg hij beschuldigend.
'Voor jou is het zo makkelijk sterk te zijn. Het is een van die dingen die me vanaf het allereerste begin in jou getrokken hebben.'
Nicholas begon haast hardop te lachen. Wat was het belachelijk over zijn kracht te praten nadat juist deze vrouw had gezien hoe zwak hij was.
'Heb je Duncan zijn kaarten op tafel laten leggen?' hield hij aan, maar zij reageerde alleen met een glimlach.
'Laten we wachten op de wijn –'
'Nu direct,' snauwde hij. 'Vertel het me onmiddellijk, Chantelle, ik heb geen tijd voor dit soort spelletjes.'
'Ja, ik heb met hem gesproken,' knikte ze, 'ik heb hem naar Cap Ferrat laten komen en heb hem beschuldigd – van datgene waarvan jij hem verdenkt.'
'Ontkende hij het? Als dat zo is, dan heb ik nu nieuwe bewijzen –'
'Nee Nicholas, hij ontkende helemaal niets. Hij zei me dat ik nog maar de helft wist.' Haar stem schoot omhoog en opeens gooide ze er alles uit in een waterval van boze woorden. Haar zelfbeheersing smolt als sneeuw voor de zon toen ze uiting gaf aan afschuwelijke voorgevoelens. 'Hij heeft met mijn bezit gegokt, Nicholas. Hij heeft de familieaandelen van Christy Marine in de waagschaal gesteld, de aandelen van de Trust, mijn aandelen, alles. Hij verkneuterde zich toen hij het mij vertelde, werkelijk hij verlustigde zich in zijn bedrog.'
'We hebben hem in de tang.' Nicholas was langzaam overeind gekomen terwijl hij naar haar luisterde. In zijn stem klonk grimmige genoegdoening. 'Zo is dat. We zullen de *Golden Dawn* tegenhouden. We spannen een kort geding aan.'
Nicholas zweeg opeens en staarde haar aan. Chantelle schudde haar donkere hoofdje. Haar ogen vulden zich langzaam met tranen waarvan er één over de rand gleed en als een dauwdruppel aan haar prachtige wimpers kleefde.
De Rolls was voor een bistro'tje gestopt, dat aan de rivier lag vanwaar je uitzicht had op de werven aan de overzijde van het water. Naar het westen verdween de rivier in open zee, naar het oosten

rees de prachtige boog van de brug tegen de zachtblauwe voorjaarslucht op.
De chauffeur hield het portier open en Chantelle gleed als een sierlijk vogeltje het restaurant binnen waar de eigenaar uit de keuken te voorschijn kwam en haar naar het raam bracht waar hij het menu met haar doornam.
'O, laten we Muscadet drinken, Nicholas.' Ze had altijd al dat verwonderlijke vermogen bezeten zich te herstellen. De tranen waren verdwenen en ze leek nu broos, vrolijk en beeldschoon. Ze lachte tegen hem over de rand van haar glas. 'Op ons beiden, lieveling. We zijn de laatste vertegenwoordigers van de gouden tijd.' Het was een toast van vroeger, uit dat andere leven. Het irriteerde hem, maar hij dronk zijn glas zwijgend leeg. 'Chantelle, wanneer en hoe gaan we Duncan tegenhouden?'
'Bederf ons etentje nu niet, liefste.'
'Over een halve minuut begin ik vreselijk boos te worden.'
Ze bestudeerde hem even en zag dat het waar was. 'Goed dan,' besloot ze met tegenzin.
'Wanneer zul je hem dwingen op te geven?'
'Ik doe dat niet, lieveling. Ik zal alles doen wat in mijn macht ligt om hem te helpen de *Golden Dawn* te water te laten en in de vaart te brengen.'
'Je snapt er niets van, Chantelle. Je praat over het risico van een miljoen ton van het meest dodelijke gif –'
'Doe niet zo mal, Nicky. Houd die heldenpraatjes maar voor de pers. Het zal me een zorg zijn als Duncan een miljoen ton cadmium in de watervoorziening van de stad Londen gooit, zolang hij mij en de Trust maar redt.'
'Er is nog tijd genoeg om veranderingen aan de *Golden Dawn* aan te brengen.'
'Nee, die is er niet. Jij begrijpt het niet, lieveling. Duncan heeft zich zo diep in de schulden gestoken dat zelfs een paar dagen uitstel ons in de afgrond doet belanden. Hij heeft alles schoon opgemaakt. Er is geen geld voor veranderingen, geen tijd voor wat dan ook behalve dan voor het in de vaart komen van de *Golden Dawn*.'
'Er zijn altijd wegen en middelen.'
'Ja, en die weg is de tanks van de *Golden Dawn* met ruwe olie vullen.'
'Hij heeft je bang gemaakt.'

'Ja,' gaf ze toe. 'Ik ben ook bang. Ik ben nog nooit van mijn leven zo bang geweest, Nicky. Ik zou alles kunnen verliezen – afschuwelijk, alles en alles verliezen.' Ze huiverde alleen al bij de gedachte daaraan. 'Ik zou er een eind aan maken als dat zou gebeuren.'
'Toch ga ik Duncan tegenhouden.'
'Nee, Nicky, toe, laat het alsjeblieft om mijnentwille lopen – en ter wille van Peter. Het is Peters erfenis waarover we het nu hebben. Laat de *Golden Dawn* één reis maken, één reis maar – en ik zal veilig zijn.'
'Het gaat om het risico dat de oceanen lopen, het risico dat God weet hoeveel menselijke wezens lopen.'
'Niet zo schreeuwen, Nicky. De mensen kijken.'
'Laat ze kijken. Ik ga dat monster tegenhouden.'
'Nee, Nicholas, zonder mij kan je niets beginnen.'
'Dat dacht je maar.'
'Ik beloof je, lieveling, dat we de *Golden Dawn* na haar eerste reis zullen verkopen. Dan is alles veilig en kan ik me losmaken van Duncan. Dan gaat het weer om ons beiden, Nicky. Een paar weekjes, dat is alles.'
Het kostte hem al zijn zelfbeheersing zijn woede te onderdrukken. Hij balde zijn vuisten op het gesteven witte tafellaken, maar zijn stem klonk koel en beheerst toen hij zei: 'Nog één vraag, Chantelle, wanneer heb je Samantha Silver opgebeld?'
Ze zag er even wat verwonderd uit alsof ze haar best deed zich bij die naam een gezicht te herinneren. 'Samantha, o, dat vriendinnetje van je. Waarom zou ik die willen opbellen?' De uitdrukking van haar gezicht veranderde. 'O, Nicky, je gelooft toch niet dat ik zo iets zou doen? Je denkt toch niet dat ik iemand daarover zou vertellen, over die geweldige –' Ze deed zich verslagen voor, haar prachtige grote ogen vulden zich weer met tranen. Ze stak haar hand uit en streelde de zwarte haartjes op de rug van Nicholas' forse hand. 'Denk dat niet van me! Dat zou een rotstreek zijn. Ik hoef niet vals te spelen om te krijgen wat ik wil hebben. Ik hoef andere mensen niet onnodig te kwetsen.'
'Nee,' gaf Nicholas onbewogen toe, 'je zou niet meer dan een miljoen mensen tegelijkertijd vermoorden of meer dan één oceaan vergiftigen, wel?' Hij duwde zijn stoel achteruit.
'Ga weer zitten, Nicky en eet je kreeft.'
'Ik heb opeens geen honger meer.' Hij haalde twee biljetten van

honderd francs uit zijn portefeuille en legde die naast zijn bord.
'Ik verbied je weg te gaan,' siste ze boos. 'Je vernedert me, Nicholas.'
'Ik zal je Rolls terugsturen,' zei hij en liep naar buiten de zon in. Tot zijn verbazing merkte hij dat hij trilde en dat zijn kaken zo krampachtig op elkaar sloten dat zijn tanden en kiezen pijn deden.

Gedurende de nacht draaide de wind. De volgende ochtend was het koud en laaghangende overdrijvende grijze wolken beloofden regen. Nicholas zette zijn kraag tegen de wind op en de panden van zijn jas geselden zijn benen want hij liep op het hoogste punt van de St.-Nazairebrug. Duizenden hadden de wind getrotseerd en de mensen stonden twee en drie rijen dik langs de leuning. Het verkeer was vastgelopen en agenten trachtten een en ander weer op gang te krijgen. Vaag dreven de tonen van een muziekkorps omhoog en zelfs met het blote oog kon Nicholas de gekleurde vlaggetjes onderscheiden waarmee de hoge plompe toren op de achtersteven van de *Golden Dawn* was gepavoiseerd.
Hij keek op zijn horloge en zag dat het een paar minuten voor twaalf was. Een helikopter vloog lawaaiig onder de grijze wolkenmassa en bleef boven de werf van de Construction Navale Atlantique hangen.
Nicholas zette de kijker voor zijn ogen. Door de lenzen kon hij de mensen stuk voor stuk opnemen die daar op het platform voor de achtersteven van de tanker verzameld waren. Er woei een tricolore en de Union Jack. De leden van het muziekkorps hielden met hun spel op en lieten hun instrumenten zakken.
Toespraken, mompelde Nicholas en nu zag hij dan ook Duncan Alexander, achter wiens krachtige gestalte een vrouwenfiguurtje bijna geheel schuilging. Chantelle droeg die speciale malachietgroene kleur waarvan ze zoveel hield. Allerlei heren om haar heen maakten zich druk om haar behulpzaam te zijn met een ceremonie die ze al zo dikwijls had afgewerkt. Ze had bijna alle schepen van Christy Marine met champagne gedoopt.
Nicholas knipperde met zijn ogen en had even het gevoel dat de aarde van vorm veranderde en bewoog. Toen zag hij dat de immense romp van de *Golden Dawn* langzaam naar voren gleed. Het muziekkorps barstte los in de 'Marseillaise'.

Het was een ongelooflijk, ja een ontroerend ogenblik en ondanks zichzelf voelde Nicholas kippevel over zijn armen kruipen. Hij was een echte zeeman en hier sloeg hij de tewaterlating van het grootste tot nu toe gebouwde schip gade.
Het was grotesk, monsterachtig, maar desondanks een deel van hemzelf, ook al hadden anderen het toch verminkt, zijn ontwerp bedorven. Hij zag de massa staal langzaam achteruit van de helling glijden. De staalkabel liep hoe langer hoe sneller af en opeens raakte de achtersteven van de *Golden Dawn* het bruine modderige water van de trechtervormige riviermond.
De mensen op de brug begonnen luid te juichen. Naast Nicholas tilde een moeder haar zoontje op en beiden schreeuwden van pret.
Hoewel de boeg van het schip nog steeds over de helling gleed, was zijn achtersteven al bijna tweehonderd meter de rivier af waar ze ten gevolge van de schuine stand de bodem wel haast zou raken.
God, wat was het schip immens groot! Nicholas schudde verbaasd zijn hoofd. Was hij maar in staat geweest het zelf compleet af te bouwen, wat zou het dan een geweldig schip zijn geweest. Zijn boeg gleed nu ook in het water dat kolkte en hoog opspoot. De spiegel kwam weer omhoog door zijn eigen veerkracht, waardoor het deed denken aan een reusachtige walvis die boven water kwam spuiten. Het water droop aan alle kanten van het schip af, vormde watervallen door het stalen frame van zijn open dekken en ziedde in de holten bestemd voor de tanks wanneer die vol waren. Honderden kabels voorkwamen dat het recht de rivier overstak en op de tegenoverliggende oever belandde. Het verzette zich tegen die teugels alsof het nu het eenmaal water had geproefd, het ruime sop wilde kiezen. Het schommelde, daalde en rees met een majestueus gewicht waardoor de mensenmassa langs de brug wild bleef juichen. Langzaam vond het zijn positie en dreef statig op de Loire waar het de indruk vestigde de rivier van oever tot oever te vullen en wel zo hoog als de overspanning van de brug op te rijzen. De vier havensleepboten kwamen snel ter assistentie naderbij om het schip te helpen zwaaien.
Ze manoeuvreerden net zo lang tot ze de *Golden Dawn* rond hadden. De zijwaartse beweging maakte het wateroppervlak bijzonder onrustig. Opeens begon het water onder haar achtersteven te zieden en Nicholas zag de bronskleurige flits van haar enige schroef in het bruine water. Sneller en sneller draaide die rond en ondanks zich-

zelf voelde Nicholas opwinding toen hij het schip tot leven zag komen. Er vormde zich een vore onder zijn boeg en haast onzichtbaar begon het vooruit te glijden, overwon het de tegenstand van zijn eigen gewicht, kreeg het voldoende snelheid om naar zijn roer te luisteren en voer het zelfstandig op eigen kracht.
De havensleepboten maakten vol eerbied dat ze wegkwamen toen de machtige boeg vastberaden zee koos. Zilveren stoomwolken uit de sirenes van de zeeslepers schoten omhoog en even later weergalmde het geloei ten teken van groet.
De menigte verspreidde zich weer en Nicholas bleef eenzaam achter in de wind op de hoge brug en keek hoe de stalen opbouw van de romp vervloeide in het grijs aan de mistige horizon. Hij wachtte tot de *Golden Dawn* bijdraaide en op koers kwam te liggen waarop ze zesduizend mijlen zuidwaarts naar Kaap de Goede Hoop zou varen en zelfs op deze grote afstand voelde hij de verandering toen ze tot rust kwam en met haar ene schroef op kruissnelheid kwam te liggen. Nicholas keek op zijn horloge en mompelde de eeuwenoude kreet van de kapitein waarmee iedere reis begint: 'Varen om 1700 uur.' Hij keerde zich om en slenterde terug over de brug naar de plek waar hij zijn gehuurde Renault had achtergelaten.

Het was al na zessen en het kantoortje was leeg toen Nicholas terugkeerde bij de *Seawitch*. Hij liet zich in een stoel vallen en stak een sigaartje op terwijl hij zijn adresboekje doornam. Hij vond wat hij zocht, draaide rechtstreeks het nummer van Londen en vervolgens het abonneenummer.
'Goedemiddag, u spreekt met de *Sunday Times*. Wat kan ik voor u doen?'
'Is mijnheer Herbstein aanwezig?' vroeg Nicholas.
'Wilt u even wachten?'
Nicholas zocht terwijl hij op verbinding wachtte, al een volgend nummer, voor het geval dat deze journalist de Himalaya aan het beklimmen was of een trainingskamp van guerrilla's in Centraal Afrika bezocht – beide mogelijkheden waren er beslist – toen hij na enkele seconden een stem hoorde.
'Denis,' zei hij, 'je spreekt met Nicholas Berg, hoe staat het ermee? Ik heb een geweldig verhaal voor je.'

Nicholas trachtte deze smaad stoïcijns te ondergaan. Hij had het gevoel dat de dikke laag pancake al de poriën van zijn gezicht afsloot. Hij schoof rusteloos in zijn stoel heen en weer.
'Wilt u alstublieft stil zitten,' snauwde het make-up meisje. Er zat nog een hele rij aanstaande slachtoffers op de bank achterin de smalle kamer haar verrichtingen gade te slaan. Onder hen was ook Duncan Alexander, die Nicholas' blik in de spiegel wist te trekken en hem met een opgetrokken wenkbrauw plagerig begroette.
In de stoel naast Nicholas lag de grote man van 'The Today and Tomorrow Show' elegant lui te zijn. Het was een lange modieus geklede man met geverfd en gepermanent haar, een anjer in zijn knoopsgat, maniertjes die aan een homoseksueel deden denken, kortom iemand met zeer ruime opvattingen.
'Ik heb u als eerste gepland. Als het pakt, laat ik u vier minuten en veertig seconden aan het woord, zo niet dan stop ik op twee.'
Denis Herbsteins artikel in de *Sunday Times* was met groot professionalisme gebracht, zeker wanneer je bedacht hoe weinig tijd hij had gehad om het in elkaar te flansen. Er zaten onder meer interviews in met vertegenwoordigers van Lloyd's of London, oliemaatschappijen, milieudeskundigen uit Amerika en Engeland en zelfs met de kustwacht van de Verenigde Staten.
'Zorg dat u het kort en hard houdt,' adviseerde de televisieman. 'De "recht-voor-zijn-raap-methode."' Hij wilde sensatie, niet te veel feiten en cijfers, maar echte bloederige griezelverhalen – of een lekkere knokpartij. Het kranteartikel had zowel Orient Amex als Christy Marine uit hun tent gelokt. Ze hadden de uitdaging niet kunnen negeren want er zouden donderdag vragen gesteld worden door iemand van Labour in het Lagerhuis en er waren onheilspellende bewegingen bij de dienst van de Amerikaanse kustbewaking. Er was voldoende deining ontstaan om de belangstelling te wekken van de redactie van de 'Today and Tomorrow Show'. Ze hadden partijen uitgenodigd een confrontatie aan te gaan met degene die de beschuldigingen had geuit en zowel Christy Marine als Orient Amex had zijn beste spreker naar voren geschoven. Duncan Alexander met zijn speciale uitstraling was dat voor Christy Marine, een man met het uiterlijk van Gary Cooper voor Orient Amex.
'Ik zal u vragen als eerste iets te zeggen. Vertel eens wat van dat spul – cadmium, bedoel ik.' De interviewer keek zijn aantekeningen

door. Nicholas knikte want hij kon niet spreken. Hij onderging nu wel de grootste smaad, het verven van zijn lippen. De televisiestudio had de grootte van een hangar, de betonnen vloer was bezaaid met dikke zwarte kabels maar ze hadden de illusie van intimiteit in een hoekje naast het toneel gecreëerd waaromheen de grote rijdende camera's zich verdrongen. De eivormige stoelen maakten het onmogelijk om hetzij lui hetzij stijf rechtop te zitten en het meedogenloze witte schijnsel van de booglampen roosterde de dikke laag pancake op Nicholas' gezicht. Het was maar een schamele troost dat aan de andere kant van de tafel Duncan op een Japanse kabuki-danser leek. Een assistent-regisseur in spijkerbroek en T-shirt haakte de microfoon aan Nicks revers. Een ander telde achter die felle lampen plechtig af: 'Vier, drie, twee, een – beeld!' Er ging een rood lichtje branden op de middelste camera.

'Welkom bij de show,' zei de interviewer, maar nu met een warme, intimiteit suggererende, honingzoete stem. 'De vorige week werd in de Franse havenstad St.-Nazaire het grootste schip ter wereld te water gelaten –' Hij schetste met enige welgekozen woorden de feiten terwijl op de televisieschermen die achter de camera's waren opgesteld journaalbeelden werden uitgezonden. Nicholas herinnerde zich de helikopters boven de werf. Hij werd zo gefascineerd door de luchtfoto's van het reusachtige schip dat hij opschrok toen de camera zich opeens op hem richtte en hij zijn eigen schrikreactie op het scherm registreerde toen de interviewer hem introduceerde door een vluchtige levensschets te geven en eindigde: 'Meneer Berg heeft een zeer uitgesproken mening over dit schip.'

'In zijn huidige vorm en constructie zou het zelfs niet veilig zijn gewone ruwe olie erin te vervoeren,' zei Nicholas. 'Toch zal het worden gebruikt voor het vervoer van ruwe olie die bezoedeld is met cadmiumsulfide en wel in een dergelijke concentratie dat het een van de giftigste stoffen op aarde is.'

'Uw eerste verklaring, meneer Berg. Zijn er nog anderen die uw twijfels over de veiligheid van dit ontwerp delen?'

'Het heeft geen A 1 beoordeling gekregen van de deskundige inspecteurs van Lloyd's of London,' zei Nicholas.

'Kunt u ons iets meer vertellen over de toekomstige lading – die zogenaamde cadmiumrijke ruwe olie?'

Nicholas wist dat hij misschien maar vijftien seconden had om een beeld te schetsen van de dan in een steriele, vergiftigde waterwoestenij veranderde Atlantische Oceaan. De tijd was te kort en tot twee keer toe onderbrak Duncan Alexander hem, die handig de logische opsomming van Nicholas verstoorde. Voordat hij aan het eind was gekomen had de interviewer al op zijn horloge gekeken en was hem in de rede gevallen: 'Dank u meneer Berg. Nu het woord aan meneer Kemp, de directeur van de oliemaatschappij.'

'Orient Amex heeft het vorige jaar een som van twee miljoen dollar geschonken voor de wetenschappelijke bestudering van milieuvervuilingsproblemen. Ik kan jullie wel vertellen, beste mensen, dat wij van Orient Amex ons erg bewust zijn van de problemen der moderne technologie –' Hij gaf een beeld van de oliemaatschappij alsof ze weldoeners van de mensheid waren.

'De winst van uw maatschappij was na aftrek van de belastingen vierhonderd en vijfentwintig miljoen dollar,' viel Nicholas hem in de rede, 'dat betekent slechts zeven tiende procent voor milieuonderzoek – en dat dan nog aftrekbaar. Gelukwensen, meneer Kemp.'

De olieman keek wat gekwetst en ging verder: 'Wij van Orient Amex' – een soort gratis reclame voor de maatschappij – 'doen ons best voor een draaglijker leven voor iedereen, maar anderzijds realiseren we ons heel goed dat we de klok niet honderd jaar terug kunnen zetten. We kunnen ons niet laten verblinden door de romantische droomwensen van amateur-milieudeskundigen, de weekendgeleerden en de ongeluksprofeten die –'

'*Torrey Canyon* roepen,' gaf Nicholas hem behulpzaam in de mond.

De directeur van Orient Amex huiverde en ging vlug door: '– die zouden willen dat we research als voor het revolutionaire cadmiumkraakproces, dat het wereldgebruik van fossiele brandstoffen met veertig procent kan vermeerderen en de reserve aan olie in de wereld nog twintig jaar of meer kan verlengen, zouden opgeven.'

Hier werd hij door de interviewer afgebroken die zijn aandacht op Duncan Alexander richtte: 'Uw zogenoemde supertanker, meneer Alexander, zal de cadmiumrijke olie vervoeren. Hoe luidt uw antwoord aan de heer Berg?'

Duncan glimlachte. 'Toen meneer Berg mijn baan nog had en president-directeur van Christy Marine was, noemde hij de *Golden Dawn* het beste idee van de wereld; sinds hij ontslagen is, werd het opeens het slechtste.'

Er werd gelachen en zelfs een van de cameramensen grinnikte. Nicholas voelde een waanzinnige woede in zich opstijgen.

'Heeft de *Golden Dawn* een A 1 nominatie van Lloyd's gekregen?'
'Christy Marine heeft daartoe geen verzoek aan Lloyd's gedaan – we hebben onze verzekeringen elders ondergebracht.'
Ondanks zijn woede moest Nicholas erkennen dat Duncan het knap deed, hij had een geest van kwikzilver.
'Hoe veilig is uw schip, meneer Alexander?'
Duncan draaide zijn hoofd om en keek strak over de tafel naar Nicholas.
'Ik geloof dat ze zo veilig is als vooraanstaande waterbouwkundige ingenieurs en deskundigen haar maar kunnen bouwen.' Hij wachtte even en er flonkerde een boosaardig lachje in zijn ogen, 'zo veilig dat ik besloten heb dit belachelijke geschil te beëindigen met een voorbeeld van mijn eigen vertrouwen erin.'
'Welke vorm zal deze demonstratie van vertrouwen hebben, meneer Alexander?' De interviewer voelde dat hij nu de sensatie te voorschijn kon toveren waarnaar hij al die tijd had gezocht.
'Als de *Golden Dawn* op haar eerste reis van de Perzische Golf terugkeert, volgeladen met de ruwe olie van het El Barras veld, zullen ikzelf en mijn familie, mijn vrouw en mijn stiefzoon ons inschepen voor de laatste zesduizend mijlen van haar reis – van Kaap de Goede Hoop naar Galveston in de Golf van Mexico.' Toen Nicholas hem verstomd aanstaarde, ging hij onbewogen verder: 'Zo overtuigd ben ik dat de *Golden Dawn* in staat is haar taak volkomen veilig te volbrengen.'
'Dank u.' De showman herkende een goed slot als dat zich voordeed. 'Dank u, meneer Alexander, u hebt mij overtuigd – en naar ik vertrouw ook vele van onze kijkers. We gaan nu over naar Washington waar –'
Op het ogenblik dat het rode lichtje op de camera uitging, vloog Nicholas overeind en rende op Duncan Alexander toe. Zijn woede was nog aangewakkerd door het feit dat Duncan hem zo gemakkelijk met dat handige vertoon had weerstaan en door de martelende angst dat die dreigde Peter mee te nemen aan boord van de *Golden Dawn* op haar riskante eerste reis.
'Je neemt Peter niet mee in die levensgevaarlijke val van je,' snauwde hij.
'Dat heeft zijn moeder besloten,' zei Duncan onbewogen. 'Als dochter van Arthur Christy heeft ze besloten de maatschappij haar volledige steun te geven.' Hij legde nadruk op het woordje 'volledig'.

'Ik zal niet toestaan dat wie van jullie beiden dan ook het leven van mijn zoon in gevaar brengt door deze wilde persvertoning.'
'Ik ben ervan overtuigd dat je zult trachten het te verhinderen,' knikte Duncan glimlachend, 'zoals ik er even zeker van ben dat je inspanning even vruchteloos zal zijn als je pogingen de *Golden Dawn* tegen te houden.' Hij keerde Nicholas opzettelijk de rug toe en zei tegen de man van de oliemaatschappij: 'Ik had de indruk dat het aardig goed liep, u ook niet?'

James Teacher gaf een levendige demonstratie waarom hij het hoogste honorarium in Londen kon vragen en toch een bureau hoog opgestapeld met belangrijke opdrachten had. Hij had binnen tweeenzeventig uur kans gezien een kort geding aan te spannen om Chantelle Alexander te weerhouden Peter Berg, zoon uit haar eerste huwelijk, twaalf jaar oud, toe te staan haar te vergezellen op haar voorgenomen reis van Kaapstad in de republiek Zuid-Afrika naar Galveston in Texas aan boord van de supertanker *Golden Dawn* en/of te voorkomen dat voornoemde Chantelle Alexander haar zoon toestemming verleent welke reis dan ook aan boord van het voormelde schip te maken.
De rechter nam kennis van dit verzoek tijdens de schorsing van een proces tegen een jonge postbode die verdacht werd van een veelvoudige verkrachting. Hij had zijn pruik nog op en zijn toga aan toen hij vlug de op schrift gestelde pleitnota's van beide kanten doorvloog. Hij luisterde aandachtig naar James Teachers korte uiteenzetting en naar de weerlegging van diens confrère van de tegenpartij voordat hij zich streng tot Chantelle wendde.
'Mevrouw Alexander.' De strenge trekken ontspanden toen hij neerkeek op de oogverblindende schoonheid die zedig voor hem zat. 'Houdt u van uw zoon?'
'Meer dan van wie of wat ook in dit leven.' Chantelle keek hem met haar grote donkere ogen trouwhartig aan.
'En u neemt hem graag met u mee op deze zeereis?'
'Ik ben de dochter van een zeeman. Als het gevaarlijk zou zijn, dan zou ik dat onder ogen zien. Ik vind het heerlijk deze reis te gaan maken en mijn zoon mee te nemen.'
De rechter knikte, keek weer in zijn papieren op zijn lessenaar.

'Als ik de omstandigheden goed begrijp, meneer Teacher, is men het erover eens dat de moeder de zorg voor het kind heeft?'
'Zo is het, my lord, maar de vader is als voogd aangesteld.
'Ik ben me daar terdege van bewust, dank u,' reageerde hij scherp. Hij wachtte even voordat hij op de afgemeten toon van een uitspraak vervolgde: 'We hebben hier uitsluitend te maken met het welzijn en de veiligheid van het kind. Uit een en ander is gebleken dat de voorgenomen reis gedurende de schoolvakantie zal worden gemaakt zodat er geen lesverzuim zal plaatsvinden. Bovendien geloof ik niet dat requestrant duidelijk heeft kunnen maken dat er redelijke twijfel over de veiligheid van het schip waarop de reis zal worden gemaakt, bestaat. Het lijkt een modern schip, van alle hedendaagse verworvenheden voorzien. Wanneer wij gunstig zouden reageren op het verzoek zouden we volgens mij de moeder een onredelijke beperking opleggen.' Hij draaide in zijn stoel rond om Nicholas en James Teacher aan te kijken. 'Tot mijn spijt moet ik u mededelen dat ik onvoldoende redenen zie om uw eis in te willigen.'

Op de achterbank van James Teachers Bentley mompelde de kleine advocaat verontschuldigend: 'Hij had natuurlijk gelijk, Nicholas. Ik zou het in zijn plaats net zo hebben gedaan. Die huiselijke ruzies zijn altijd –'
Nicholas luisterde niet. 'Wat zou er gebeuren als ik Peter ophaalde en hem meenam naar de Bermuda's of de Verenigde Staten?'
'Hem ontvoeren?' James Teachers stem vloog bijna een octaaf omhoog en hij greep Nicholas' arm met oprechte schrik. 'In hemelsnaam, laat die gedachte zo vlug mogelijk varen. De politie zou je staan opwachten. Mijn God!' Hij schoof onrustig op de bank heen en weer. 'Ik moet er niet aan denken wat er zou kunnen gebeuren. Nog afgezien van het feit dat je misschien wel in de gevangenis verdween, zou je gewezen vrouw mogelijk gedaan krijgen dat je de jongen niet meer mag zien, ze zou je de voogdij kunnen laten ontnemen. Zou je dat doen, dan loop je kans je zoon te verliezen, Nicholas. Doe dat niet, alsjeblieft niet!'
Hij klopte Nicholas vriendelijk op zijn arm. 'Je zou hen precies in de kaart spelen.' Opgelucht richtte hij zijn aandacht op de aktentas op zijn schoot.

'Kunnen we de laatste versie van het koopcontract nog eens doornemen?' vroeg hij, 'we hebben niet zo veel tijd meer.' Zonder het antwoord af te wachten begon hij over de opzet van de overeenkomst waarbij alle activa en passiva van Oceaan Bergingsbedrijf overgingen naar de directeuren van de Bank van het Oosten, als gemachtigden voor derden.
Nicholas, diep weggedoken in zijn hoek van de achterbank, staarde nadenkend uit het raampje. 'Houd dit alles nog maar even aan,' zei hij opeens. Teacher bleef midden in een zin steken en keek hem verbijsterd aan.
'Wat zeg je?'
'Ik wil dat je een oplossing zoekt om die sjeiks nog wat aan het lijntje te houden.'
'Goeie goden!' James Teacher was stomverbaasd. 'Het heeft me bijna een maand gekost – vier weken ingespannen werken om hen zover te krijgen dat ze tekenen,' zijn stem trilde even bij de herinnering aan die urenlange onderhandelingen. 'Ik heb iedere zin van deze overeenkomst met mijn bloed geschreven.'
'Ik moet de beschikking over mijn zeeslepers hebben, ik moet vrij in mijn doen en laten zijn –'
'We hebben het over zeven miljoen dollar, Nicholas!'
'Nee, over mijn zoon,' zei Nicholas kalm. 'Zou het je lukken?'
'Natuurlijk kan ik dat als dat je oprechte wens is.' Mismoedig sloot Teacher het dossier op zijn schoot. 'Hoe lang?'
'Zes weken – de tijd die de *Golden Dawn* nodig heeft om haar eerste reis hoe dan ook te beëndigen.'
'Je bent je bewust dat dit de hele overeenkomst teniet kan doen en dat er geen andere koper is?'
'Ja.'
Ze zwegen totdat de Bentley voor het bankgebouw in Curzon Street stopte. Ze stapten beiden uit.
'Ben je volkomen zeker?' vroeg Teacher zachtjes.
'Doe wat ik je vraag,' antwoordde Nicholas en verdween door de glazen deuren die de portier voor hem openhield.

Bermuda liet zijn kalmerende invloed gelden zodra Nicholas uit het vliegtuig in de behaaglijke warmte en het heldere stralende zonlicht

stapte. Bernard Wackies knappe donkere secretaresse stond hem op te wachten.
'Mijnheer Wackie verwacht u op de bank, meneer.'
'Ben je buiten zinnen, Nicholas?' begroette Bernard hem. 'Jimmy Teacher heeft me verteld dat je de besprekingen met de Arabieren hebt opgeschort. Zeg dat het niet waar is, toe alsjeblieft vertel me dat hij zich vergist.'
'Och kom, Bernard,' Nicholas schudde zijn hoofd en klopte hem troostend op zijn schouder, 'jouw provisie zou maar een onbenullige zevenhonderdduizend gulden zijn geweest.'
'Je hebt het dus echt gedaan?' jammerde Bernard en wrong zijn hand uit die van Nicholas los. 'Je wilt hen aan het lijntje houden.'
'De sjeiks hebben ons al meer dan een maand aan het lijntje gehou den, Bernie. Ik geef hun alleen maar een koekje van hun eigen deeg cn ik zal je nog eens wat zeggen: dat vinden ze fijn. De prins schoot overeind en toonde voor de eerste keer echte belangstelling. Nu spraken we tenminste dezelfde taal. Ze zullen over zes weken nog steeds willen bijten.'
'Maar waarom dat uitstel? Dat begrijp ik niet. Leg me dan uit wat je beweegredenen zijn.'
'Ga maar mee dan zal ik het je aanwijzen.'
Nicholas boog zich over de perspex aardbol en bestudeerde die wel vijf minuten zonder een woord te zeggen.
'Is dat de laatst opgegeven positie van de *Seawitch?* Blijft het haar goed gaan?'
Het groene plastic schijfje met het nummer van de zeesleper was ergens midden op de Atlantische Oceaan geplakt.
'Ze gaf twee uur geleden haar positie op,' knikte Bernard. Met echte professionele belangstelling vroeg hij: 'Hoe verliepen haar proefvaarten?'
'Er moest hier en daar nog een rimpeltje gladgestreken worden, de normale kinderziektes. Vandaar dat ik nogal lang in St.-Nazaire ben gebleven. Het is ons allemaal gelukt – en Jules heeft zijn hart aan haar verpand.'
'Hij is nog altijd de beste kapitein.'
Nicholas' aandacht was al weer op iets aan de andere kant van de aardbol gericht. 'De *Warlock* ligt nog maar steeds in Mauritius!'
'Ik moest een nieuw anker voor de hoofddynamo laten overvliegen

't Was pech dat het nu net moest bezwijken in dat van God verlaten oord.'
'Wanneer is ze weer klaar?'
'Allen hoopt morgen tegen de middag zover te zijn. Zal ik hem telexen dat hij de juiste tijd moet opgeven?'
'Straks! En de *Golden Dawn?*'
'Haar losse tanks zijn drie weken geleden in een sleep aangekomen bij het Orient Amex depot van het El Barras veld. Ze hebben hun lading ruwe olie ingenomen en lagen onder de kust te wachten op de komst van de *Golden Dawn*. Afgelopen donderdag is zij volgens opgave van mijn agent in El Barras daar gearriveerd, heeft de tanks vastgemaakt en is binnen de drie uur gekeerd. Sindsdien heb ik geen meldingen meer gekregen, maar als ze inderdaad haar tweeëntwintig knopen vaart, dan moet ze nu ter hoogte van de kust van Moçambique zijn, Maputo zoals ze dat tegenwoordig noemen en een dezer dagen zal ze de Kaap wel ronden. Dan krijg ik weer berichten want ze zal post innemen bij Kaap de Goede Hoop.'
'– en passagiers,' zei Nicholas grimmig. Hij wist dat Peter en Chantelle al in Kaapstad zaten. Hij had de vorige avond met de jongen getelefoneerd. Peter was enorm opgewonden bij het vooruitzicht een reis met de supertanker te gaan maken.
'Wat zal dat een feest zijn, pap,' zei hij stralend, 'we gaan per helikopter aan boord.'
Bernard Wackie veranderde van onderwerp, nam een stapeltje telexberichten op en bladerde die vlug door. 'Ik heb de overeenkomst voor de *Seawitch* als vergezellend schip bevestigd.' Nicholas knikte, het betekende dat Jules Levoisin en zijn nieuwe zeesleper drie boorplatformen die onderzoek deden in de baai van Florida moest vergezellen.
'Het is belachelijk om een zeesleper met tweeëntwintigduizend paardekrachten te laten fungeren als oppasser van een boorplatform.' Bernard liet het dossier zakken en kon zijn ergernis niet langer voor zich houden. 'Jules wordt nog knettergek als hij daar kindermeisje moet spelen. Je haalt je een muiterij op de hals – en denk eens aan al dat geld dat je verliest. De dagelijkse huur dekt bij lange na de kosten niet.'
'Ze zal moeten varen waar ik dat wil,' zei Nicholas en richtte zijn aandacht opnieuw op dat eilandje midden op de Atlantische Oceaan.
'Nu de *Warlock*.

'Goed, de *Warlock*.' Bernard nam een ander dossier op. 'Ik heb ingeschreven voor een sleep op de grote vaart.'
'Herroepen,' zei Nicholas. 'Zodra Allen zijn dynamo heeft gerepareerd, moet hij op topsnelheid naar Kaapstad.'
'Naar Kaapstad – topsnelheid?' Bernard staarde hem aan. 'Jezus, Nicholas, waarom?'
'Het zal hem niet lukken de *Golden Dawn* op te pikken voordat die de Kaap rondt, maar ik wil dat hij haar achternagaat.'
'Nicholas, je bent niet bij je verstand – weet je wel wat dat gaat kosten?'
'Als de *Golden Dawn* in moeilijkheden komt, zal hij maar een dag of twee erachter zitten. Geef Allen opdracht haar tot aan Galveston te schaduwen.'
'Nicholas, je ziet deze kwestie langzamerhand buiten alle proporties. Het is een obsessie voor je geworden! Laten we alles nu eens zorgvuldig tegen elkaar afwegen. Hoe groot is de kans dat de *Golden Dawn* averij aan haar opbouw krijgt of doormidden breekt op deze eerste reis? Eén op honderd? Vind je dat een groot risico?'
'Dat zal het wel ongeveer zijn, één kans op honderd,' gaf Nicholas toe.
'Wat gaat het kosten om één zeesleper in de buurt te laten varen tegen zo'n vijftienhonderd dollar per dag en de ander de halve aardbol op topsnelheid rond te sturen.' Bernard greep theatraal naar zijn hoofd.
'Het zal je zeker een kwart miljoen gaan kosten als je het derven van inkomsten op beide schepen in aanmerking neemt – en dan is dat nog maar zuinig berekend. Heb je dan geen respect meer voor geld?'
'Nu begrijp je zeker ook wel waarom ik de sjeiks aan het lijntje moet houden,' glimlachte Nicholas rustig. 'Ik kon hun geld niet verschieten met een kans van één op honderd – maar het is hun geld nog niet. Het is van mij. De *Seawitch* en de *Warlock* zijn nog niet van hen, maar van mij en Peter is ook niet hun zoon, maar de mijne.'
'Je meent het werkelijk,' zei Bernard in opperste verbazing. 'Ik geloof dat het je ernst is.'
'Inderdaad,' gaf Nicholas toe. 'Telex David nu maar en vraag hem wanneer hij verwacht in Kaapstad te arriveren.'

Samantha Silver had een handdoek om haar hoofd gewonden nu haar haren zo nat waren na het wassen met shampoo. Na zo'n lange tijd in het veld moest ze het wel drie of vier keer wassen voordat ze al het zand en het zout volledig had weggespoeld.
Ze goot beslag in een pan waardoor de olie spatte en riep: 'Hoeveel pannekoeken kan jij aan?'
Hij kwam uit de badkamer met een handdoek om zijn middel en grinnikte tegen haar. 'Hoeveel maak je er?' vroeg hij. Hij was donkerbruin verbrand evenals zij en zijn haren waren verbleekt en hingen nu nat van de douche voor zijn ogen.
Ze hadden plezierig samengewerkt en zij had veel van hem geleerd. Geleidelijk aan waren ze wat intiemer geworden. Het moest onvermijdelijk gebeuren. Ze voelde zich zo gekwetst en had bij hem troost gezocht, misschien zelfs wel uit wrok tegen Nicholas. Toch wist ze, als ze haar hoofd afwendde, niet meer hoe hij er eigenlijk uitzag. Het kostte haar zelfs al moeite zijn naam te onthouden – Dennis, ja natuurlijk, doctor Dennis O'Connor.
Ze voelde zich los van alles, alsof een ruit van gewapend glas haar van de werkelijke wereld scheidde. Ze werkte, speelde, at en sliep, lachte en vrijde, maar het was allemaal maar schijn. Dennis bestudeerde haar vanaf de drempel met die wat raadselachtige uitdrukking op zijn gezicht van iemand die een ander ziet verdrinken, maar niet in staat is het slachtoffer te redden.
Samantha keerde zich af. 'Over twee minuten zijn ze klaar,' zei ze. Hij liep de slaapkamer weer in en kleedde zich aan.
Ze liet de pannekoeken op een bord glijden en deed opnieuw beslag in de pan. Naast haar begon de telefoon te rinkelen. Ze nam hem met haar vrije hand op. 'Sam Silver,' zei ze.
'God zij dank. Ik werd er krankzinnig van! Waar heb je gezeten?'
Haar knieën knikten zodat ze vlug moest gaan zitten.
'Samantha, hoor je me?'
Ze deed haar mond open, maar er kwam geen geluid.
'Wat is er aan de hand –' Ze kon zich zijn gezicht duidelijk voorstellen, haarscherp, ieder detail, de helder groene ogen onder de zware wenkbrauwen, de lijn van zijn kaken. De klank van zijn stem deed haar huiveren.
'Samantha.'
'Hoe is het met je vrouw, Nicholas?' vroeg ze zachtjes – hij reageerde niet.

Ze hield de hoorn met twee handen tegen haar hoofd. De stilte duurde maar een paar hartkloppingen, maar dat was lang genoeg. Eens of twee keer had ze in de afgelopen twee weken in ogenblikken van zwakte getracht zichzelf ervan te overtuigen dat het niet waar was. Dat het allemaal gemene fantasie van een jaloerse vrouw was. Nu wist ze zeker dat haar instinct juist was. Zijn zwijgen betekende dat hij het toegaf en ze wachtte op de leugen die nu wel zou komen.
'Zou het helpen als ik je vertel dat ik van je houd?' vroeg hij zacht en ze zag geen kans antwoord te geven. Ondanks het grote verdriet voelde ze een zekere opluchting. Hij had niet gelogen.
'Ik kom je halen,' zei hij in de geluidloze hoorn.
'Dan ben ik er niet,' fluisterde ze en voelde iets in haar keel omhoogkomen, iets dat niet te stuiten was. Ze had nog niet gehuild, ze had het allemaal veilig weggeduwd – maar nu, nu brak de eerste snik door. Met beide handen smeet ze de hoorn op de haak. Ze stond doodstil en trilde over haar hele lichaam. Tranen stroomden langs haar wangen en drupten van haar kin. Dennis kwam de keuken in.
'Wie was dat?' vroeg hij opgewekt en zweeg verschrikt.
'Raak me alsjeblieft niet aan,' fluisterde ze hees. Hij bleef onzeker staan. 'We hebben geen druppel melk meer,' zei ze zonder zich om te draaien, 'wil jij even naar het winkelcentrum rijden?'
Tegen de tijd dat Dennis terugkeerde, was Samantha gekleed, had ze haar gezicht gewassen en een doek om haar hoofd gewonden waardoor ze er als een zigeunerin uitzag. Ze kauwden zwijgend op de koude, weinig aantrekkelijke pannekoeken totdat zij zei: 'Dennis, we moeten eens praten –'
'Nee,' glimlachte hij tegen haar. 'Het is goed zo, Sam. Je hoeft het niet te zeggen. Ik zou al dagen geleden hebben moeten vertrekken.'
'Dank je,' zei ze.
'Het was Nicholas hè?'
Ze had er nu spijt van dat ze het hem had verteld, maar destijds was het van levensbelang geweest er met iemand over te kunnen praten. Ze knikte. Er lag een venijnige klank in zijn stem toen hij vervolgde: 'Ik zou die vent op zijn gezicht kunnen slaan.'
'We staan quitte nu,' lachte ze, maar zonder veel overtuiging.
'Sam, ik wil dat je weet dat dit voor mij niet zomaar een avontuurtje was.'
'Dat weet ik.' Impulsief stak ze haar hand uit en greep de zijne.

'Bedankt voor je begrip – vind je het goed dat we er maar niet meer over praten?'

Peter Berg had zich in zijn veiligheidsgordel omgedraaid zodat hij zijn gezicht tegen het perspex raampje in de romp van de grote Sikorsky kon drukken.
Het was een stikdonkere avond.
De boordwerktuigkundige stond aan de andere kant voor de open deur. De wind rukte aan zijn oranje pak dat om zijn gestalte wapperde. Hij keerde zich naar Peter toe en grijnsde waarop hij een zwaaiende beweging met zijn hand maakte en met zijn duim naar beneden wees. Het was niet mogelijk door het geratel en gebrul van wind, motoren en rotor heen te praten.
De helikopter lag schuin in de bocht en Peter staarde opgewonden naar het schip dat hij nu kon zien. Alle lichten waren ontstoken op alle dekken en het tankdek werd door lange rijen overhuifde lampen die aan de straatlantaarns van een verlaten stad deden denken, verlicht.
De boot was zo groot dat de vergelijking met een stad zich voortdurend aan je opdrong, een uitgestrekte bebouwing met tot in de hemel reikende gebouwen.
De helikopter daalde beheerst naar de witte stip op de helihaven. Handig wist de piloot, mede geloodst door zijn boordwerktuigkundige in de open deur, zijn dalingssnelheid aan te passen aan de voorwaartse beweging van de tanker. De piloot bleef erboven hangen en berekende zijn landing tegen de stevige noordwestenwind in. Van een hoogte van zo'n vijftien meter leek het Peter dat de dekken ongeveer op dezelfde hoogte lagen als het zeeoppervlak, een en ander als gevolg van de zware lading. Met regelmatige tussenpozen gleed een van de rollers over het dek en het water deed aan overkokende melk denken zoals het daar wit en schuimend over het dek stroomde voordat het weer in watervallen over boord stortte.
Peter had van kindsbeen af met schepen te maken gehad, hij was dan ook een echte liefhebber en een scherpe opmerker, maar nu ontging hem toch de werking van het lange brede dek.
Naast Peter op de bank zat Duncan Alexander die wel degelijk lette op de reactie van het immense casco op de beweging van de zee. Hij

zag de romp iets naar boven krommen en buigen, maar zo weinig dat het met het oog bijna niet waarneembaar was. Hij knipperde even, keek een andere kant uit en richtte zijn blikken opnieuw. Van voor- tot achtersteven was ze tweeëneenhalve kilometer lang, in feite enkel maar vier stalen tanks die bijeengehouden werden door een ingewikkeld stalen frame en voorwaarts werden gestuwd door een machtige stuwkracht in de achtersteven. De verschillende tanks bewogen licht, onafhankelijk van elkaar zodat het dek op en neer bewoog en als een lange boog iets doorzakte bij het nemen van de golven. De toppen van die golven lagen zowat een halve kilometer uit elkaar zodat er vier, los van elkaar staande golfbewegingen inwerkten op de romp van de *Golden Dawn*, de kruinen stuwden haar omhoog en de dalen gaven het enorme dode gewicht van de lading gelegenheid de boot naar beneden te drukken. Het wat elastische staal kreunde en gaf iets mee om deze tegengestelde bewegingen te weerstaan. Een romp is nooit volkomen stijf en elasticiteit was een essentieel onderdeel van het oorspronkelijke ontwerp van de supertanker, maar dat ontwerp was veranderd. Duncan Alexander had bijna tweeduizend ton staal bespaard door het reduceren van de flexibiliteit en de versteviging van de middelste zuilen die de vier tanks bij elkaar hielden, alsmede door het opgeven van de extra huid van de ommanteling van de tanks. Hij had de *Golden Dawn* teruggebracht tot het absolute minimum waartegen zelfs zijn architecten in opstand waren gekomen. Daarop had hij Japanners in dienst genomen die de tekeningen moesten veranderen. Ze hadden hem verzekerd dat de romp nu veilig was, al hadden ze er onmiddellijk op laten volgen dat nog nooit iemand een miljoen ton ruwe olie in één vracht had vervoerd.

De helikopter zakte het laatste stukje naar beneden en kwam zachtjes neer op het geïsoleerde groene stukje dek, de dikke laag geplastificeerde verf die vonken moest voorkomen. Zelfs een zandkorrel tussen een leren zool en onbeschermd staal kon een ontplofbaar lucht- en gasmengsel doen ontvlammen.

De voor de helihaven aan boord aangewezen matrozen kwamen gebukt voor de ronddraaiende rotoren naar voren hollen. De bagage onder de cabine werd weggehaald en sterke handen hielpen Peter aan dek. Hij stond te knipperen tegen het felle licht van de deklampen en haalde zijn neus op voor de zo karakteristieke tankerlucht. Het is een door alles heen dringende stank die aan boord van dit

soort schepen zowel het eten als de meubels en de kleren van de bemanning doordrenkt, ja zelfs hun haren en huid.
Chantelle Alexander werd vervolgens aan dek geholpen waar ze onmiddellijk een elegante noot bracht in het fel verlichte tafereel van kil staal en functionele, maar lelijke machines. Ze droeg een donkergroen nauwsluitend pak en had een kleurige Jean Patou sjaal om haar hoofd gebonden. Twee scheepsofficieren kwamen aan weerszijden op haar af en brachten haar vlug naar de hoog oprijzende opbouw van de achtersteven.
Duncan Alexander kwam als laatste uit de helikopter en schudde de hand van de eerste officier.
'Ik heet u namens kapitein Randle welkom, mijnheer. Hij kan niet weg van de brug nu we zo dicht onder de kust varen.'
'Akkoord,' zei Duncan met zijn beminnelijkste glimlach. Het reusachtige schip had, nu het volledig geladen was, een diepgang van bijna zevenendertig meter en het voer dicht onder de kust, zo dicht als maar mogelijk was gezien de rotsachtige bodem bij Kaap de Goede Hoop met de zo beruchte onderstromen en windstoten. Maar Chantelle Alexander mocht niet langer dan strikt nodig was blootgesteld worden aan de oorverdovende helikoptertocht. Vandaar dat de *Golden Dawn* de vaargeul onder de kust had genomen, gevaarlijk dicht langs de als wachters oprijzende rotsen van Robbeneiland dat in de mond van de Tafelbaai ligt.
Even voordat de helikopter opsteeg en terugcirkelde naar de lichten van Kaapstad in de verte onder de donkere Tafelberg, ploegde de lompe boeg van de tanker alweer naar het westen en Duncan kon zich de opluchting van kapitein Randle voorstellen toen hij bevel gaf de Atlantische Oceaan op te stomen waar zijn plompe schip oceanische diepten onder zich had.
Duncan glimlachte weer en zocht Peter Bergs hand.
'Kom mee, jongen.'
'Ik kom er wel, meneer.'
Handig ontweek Peter de hand en de glimlach. De opwinding van het ogenblik deed hem rechtop als een man voorgaan. Duncan Alexander voelde gebruikelijke ergernis in zich opkomen, de woede over dit eeuwige afwijzen van dat jong van Berg. Ze liepen achter elkaar langs het gangboord. Het was hem nooit gelukt contact met de jongen te krijgen al had hij er zeker in het begin erg zijn best voor gedaan. Duncan wist zijn woede te onderdrukken door de voldoe-

ninggevende herinnering aan zijn 'misbruik' van het kind, de klap in Bergs gezicht, het de wind uit de zeilen nemen van zijn tegenstander.
Berg zou zich nu zoveel zorgen over zijn nakomeling maken dat hij voor niets anders tijd zou hebben. Duncan volgde Chantelle en Peter in de glimmende chroom en plastic gangen van de achteropbouw. Het was moeilijk hier aan dekken en waterdichte schotten te denken. Alles maakte de indruk van een modern flatgebouw; zelfs de lift die hen vlug en geluidloos vijf verdiepingen hoog naar de brug bracht werkte eraan mee dat gevoel van aan boord te zijn te verdrijven.
Op de brug waren ze zover van de zee verwijderd dat ze er geen enkele binding mee hadden. De deklichten waren uitgedaan zodra de helikopter was vertrokken en de duisternis van de nacht, verstild door de dikke dubbele ramen van de brug, vergrootte de rust en isolatie. De boeglichten waren zo ver van hen verwijderd alsof het sterren waren en de lichte slingering van de reusachtige romp was nauwelijks merkbaar.
Duncan Alexander had persoonlijk de kapitein voor dit schip aangewezen. Naar anciënniteit zou het bevel over het vlaggeschip van Christy Marine naar Basil Reilly, de oudste kapitein van de vloot hebben moeten gaan, maar Reilly was er een uit de school van Berg en Duncan had de schipbreuk van de *Golden Adventurer* aangegrepen om de oude zeerot te dwingen voortijdig met pensioen te gaan. Randle was jong voor deze grote verantwoordelijkheid. Hij was nog maar even in de dertig, maar zijn opleiding en zijn referenties waren boven iedere lof verheven. Sinds Duncan hem de leiding had opgedragen, was hij een hechte bondgenoot geworden en had stoutmoedig het ontwerp en de constructie van het schip verdedigd toen journalisten, opgezweept door Nicholas Berg, hem hadden aangevallen met hun vragen.
Hij haastte zich zijn belangrijke gasten tegemoet te gaan toen die uit de lift op zijn ruime hypermoderne brug stapten. Hij was klein en gedrongen met een stierenek en de zware kaaklijn van een vastberaden mens of van een ongelooflijke domoor. Zijn begroeting hield het juiste midden tussen hartelijkheid en dienstbaarheid. Duncan constateerde tot zijn genoegen dat de kapitein zelfs Peter met het vereiste respect behandelde. Randle was intelligent genoeg om te begrijpen dat deze jongen op zekere dag aan het hoofd van

Christy Marine zou staan. Toch had Randle wat moeite met Peter Berg.
'Mag ik de machinekamer zien, kapitein?'
'Nu direct?'
'Ja.' In Peters ogen was het een overbodige vraag. 'Als u er geen bezwaar tegen hebt,' liet hij er vlug op volgen. Waarom uitstellen als het ook op dit ogenblik zou kunnen?
'Tja,' de kapitein realiseerde zich dat het een doodernstig verzoek was en dat deze jongen niet zo gemakkelijk van een plan was af te brengen. 'We varen 's nachts op de automaat. Er is op dit moment geen mens in de machinekamer – en het zou niet eerlijk zijn de machinist nu te wekken, vind je wel? Het is een zware dag geweest.'
'Nee, dat zal wel niet,' knikte Peter diep teleurgesteld.
'Ik ben ervan overtuigd dat de eerste machinist het fijn zal vinden als je hem morgen direct na het ontbijt gaat opzoeken.'
De eerste machinist kwam uit Schotland en had drie zonen in Glasgow van wie de jongste van Peters leeftijd was. Hij kon het uitstekend met Peter vinden en binnen de vierentwintig uur was Nicks zoon in zijn blauwe door de maatschappij verstrekte ketelpak, dat voor hem op maat gemaakt was door een Britsindische steward die ook zijn naam op de rug had geborduurd, de lieveling van het schip. Hij droeg zijn helder gele harde plastic helm even zwierig als de chef en had een dot poetskatoen in zijn achterzak om zijn vette handen af te vegen als hij een van de stokers had geholpen met het schoonmaken van de brandstoffilters – het smerigste werk aan boord waarin hij erg veel plezier had.
Hoewel Peter de machinekamer met die ruwe vriendschappelijke toon, de eindeloze stroom sandwiches en chocola en de alles doordrenkende smeer- en stookolie die iedereen er zo echt deed uitzien, de beste plek aan boord vond, was er meer dat hem trok.
Iedere ochtend vergezelde hij de eerste officier op inspectie. Ze begonnen in de boeg en werkten zo van voren naar achteren waarbij ze iedere afzonderlijke tank, iedere klep en elk van de zware hydraulische koppelklampen die de tanks aan het moederschip vastmaakten, nakeken. Het belangrijkste was eigenlijk het controleren van de meters die precies de samenstelling van het gas boven in de tanks aangaven.
De *Golden Dawn* werkte met het 'inertie'systeem om de vrijkomende gassen boven in de tanks oververzadigd en veilig te houden. De

uitlaatgassen van het schip werden opgevangen, via filters geleid om de bijtende zwavelelementen te verwijderen en dan als bijna zuivere kooldioxide en koolmonoxide teruggebracht boven in de olietanks waar ze zich met de vluchtige delen van de ruwe olie vermengden. Daardoor werden die weer oververzadigd, zuurstofarm en onontplofbaar.
Toch zou slechts één lekje in een van de honderden kleppen en verbindingen lucht in de tanks toelaten en de controle moest bijzonder zorgvuldig zijn. Er was zowel een voortdurende elektronische bewaking met monitoren als de dagelijkse persoonlijke inspectie waaraan Peter deelnam. Peter nam gewoonlijk afscheid van de eerste officier zodra ze op het achterschip kwamen waar hij even een kijkje nam bij de centrale pompkamer. Van hieruit werden de tanks op monitoren gecontroleerd, geladen en gelost, en de toevoer van de gezuiverde uitlaatgassen geregeld. De ruwe olie kon met reusachtige centrifugaalpompen van de ene tank in de andere worden overgebracht om op die manier veranderingen op te vangen in de stabiliteit van het schip wanneer er een deel werd gelost of wanneer een of meer tanks zou worden losgemaakt en naar de kust gesleept om geleegd te worden. In die pompkamer werd een collectie ten toon gesteld die Peter altijd fascineerde. Dat was de kast met monsters, rijen schroefflesjes waarin bij het laden kleine hoeveelheden van de olie werd opgevangen. Waar alle vier tanks van de *Golden Dawn* op hetzelfde buitengaatse laadpunt waren gevuld met olie uit een en dezelfde vindplaats, droegen de flesjes daarvan allemaal hetzelfde etiket *EL BARRAS RUWE OLIE Bunkers C Cadmiumrijk.*
Peter vond het leuk de flessen in zijn hand te nemen en tegen het licht te houden. Hij had altijd gedacht dat ruwe olie stroperig en teerachtig zou zijn, maar dat was niet waar. Het deed denken aan bloed en als hij de fles flink schudde bleef er een laagje aan het glas kleven waardoor het licht donkerrood werd gekleurd dat ook weer aan gestold bloed deed denken.
'Er bestaat zwarte, gele en groene ruwe olie,' vertelde een van de mannen daar hem. 'Dit is de eerste keer dat ik rode olie zie.'
'Zou dat van het cadmium komen?' vroeg Peter.
'Denk ik wel,' zei de man ernstig. Ze hadden allemaal aan boord al gauw door dat je Peter serieus moest nemen.
Na dit alles was het dan een uur of elf. Peter had langzamerhand zo'n honger dat het de moeite waard was naar de kombuis te gaan

waar hij als koninklijk bezoek werd ontvangen. Binnen enkele dagen wist Peter onfeilbaar de weg door het labyrint van doorgaans verlaten gangen. Het was karakteristiek voor deze supertankers dat je uren rond kon wandelen zonder een mens tegen te komen. Hun reusachtige omvang en naar verhouding bijzonder kleine bemanning maakten dat slechts op de brug en op het hoogste achterdek altijd wel iemand te vinden was.
De brug was een van Peters vaste stopplaatsen.
'Goede morgen, zeesleper,' begroette de officier van de wacht hem. Peter had deze bijnaam gekregen nadat hij de eerste ochtend aan het ontbijt had gezegd dat hij de supertanker wel prachtig vond, maar dat hij net als zijn vader sleepbootkapitein wilde worden. Af en toe mocht hij dan het stuur van de automaat overnemen of de jongere dekofficieren helpen. Na een beleefdheidsbezoekje aan kapitein Randle ging hij naar zijn geliefde plekje, de machinekamer.
'We zaten al op je te wachten, zeesleper,' bromde de chef. 'Trek je ketelpak aan, we gaan de schroefastunnel in.'
Het enige vervelende ogenblik van de dag was als zijn moeder erop stond dat hij de bovenste lagen smeer- en stookolie wegboende, een net pak aantrok en als onbetaalde steward optrad gedurende het borreluur in de ruime zitkamer van de eigenaar. Dat was het enige tijdstip van de dag waarop Chantelle Alexander zich verwaardigde met de officieren aan boord om te gaan en het was een pijnlijk onwaarachtig uur. De rest van de tijd lukte het hem alle beperkende bepalingen van zijn moeder te omzeilen alsmede de zo gehate, heftig irriterende maar zwijgend verwerkte aanwezigheid van zijn stiefvader, Duncan Alexander.
Instinctief was hij zich toch bewust van nieuwe en verontrustende spanningen tussen zijn moeder en Duncan Alexander. 's Nachts hoorde hij harde stemmen uit hun slaapkamer komen. Hij trachtte te horen waarover de onenigheid ging. Toen hij op een nacht zijn moeder hoorde schreeuwen van verdriet, was hij zijn kamer uitgekomen en had op de slaapkamerdeur geklopt. Duncan Alexander had hem opengedaan. Zijn knappe gelaatstrekken waren verwrongen en een kleur van woede lag op zijn wangen.
'Ga naar je bed.'
'Ik wil mijn moeder zien,' had Peter rustig geantwoord.
'Je verdient een pak voor je broek,' had Duncan hem toegesnauwd.
'Doe wat ik je zeg!'

'Eerst moeder zien,' had Peter rechtop in zijn pyjama volgehouden. Chantelle was in haar nachtjapon komen aanlopen en had hem omhelsd.
'Alles is in orde, lieveling, heus, prima in orde.' Hij had gezien dat ze had gehuild. Nadien had hij 's nachts geen stemmen meer gehoord. Afgezien van dat uur voor het eten waarin ze de vrouw van de scheepseigenaar speelde bracht ze haar tijd in de zitkamer door en staarde in zichzelf gekeerd en zwijgend uit de brede ramen. Duncan Alexander daarentegen leek wel een gekooide leeuw. Hij ijsbeerde op het dek en stelde lange berichten samen die regelmatig over de telex in maatschappijcode naar Christy hoofdkantoor werden gezonden. Soms ook stond hij op het open gedeelte van de brug en staarde naar de noordelijke horizon in afwachting van een antwoord op zijn laatste telex. Hij ergerde zich zichtbaar dat hij de zaken op zo'n verre afstand moest afhandelen, voortgedreven door twijfel, ongeduld en angst.

In de noordwesthoek van het Caribische bekken ligt een ondiep gedeelte met warm water, aan één kant omsloten door de eilandenreeks van de Grote Antillen, de bolwerken Cuba en Hispaniola, aan de andere kant de uitgestrektheid van het schiereiland Yucatán dat naar het zuiden door Panama overgaat in het vasteland van Zuid-Amerika. Het ondiepe warme water en de tropische lucht door landmassa omgeven die erg snel opwarmt in de gloeiende tropenzon worden afgekoeld en gematigd door die weldadige invloed van de noordoostpassaatwind – de zo weinig in kracht en richting afwijkende wind dat gedurende vele eeuwen zeelui hun leven en goed op het spel hebben gezet, vertrouwende op de zachte bries, gokkende op de constantheid van die uitgestrekte hoeveelheid zachte lucht. Een enkele maal ontbreekt die wind. Zonder aanwijsbare reden en zonder voorafgaande waarschuwing laat hij het afweten, valt hij weg, meestal maar voor een uur of twee, maar een enkele maal – uiterst zelden – voor enige dagen of zelfs weken. Ver naar het zuiden en oosten van deze duivelse broedplaats, ploegde de *Golden Dawn* in de verstikkende hitte voort door het zijdeachtig gladde oppervlak van de streek der windstilten bij de evenaar. Een noordwaartse koers die om de paar uur iets veranderd werd om de groot-

cirkel te volgen die noodzakelijk was om het glinsterende snoer eilanden te omzeilen.
De verraderlijke doorgangen en vaargeulen tussen de eilanden waren ongeschikt voor een schip van de omvang als de *Golden Dawn*. Ze moest ruim boven de kreeftskeerkring blijven, ten zuiden van Bermuda en zo de ruimere en veiliger wateren van de Straat Florida ten noorden van de Bahama's bereiken. Via deze route zou ze maar een paar honderd mijl door smalle ondiepe wateren behoeven te varen voordat ze weer vrijuit in het open water van de Golf van Mexico kon gaan.
Nu ze noordwaarts stevende uit die equatoriale stille wateren, zou ze ten slotte opgenomen moeten worden door die heerlijke koele lucht van de passaat, maar dat was niet het geval. Dagen achtereen bleef het windstil en de verstikkend warme lucht drukte op het schip. Op geen enkele wijze beïnvloedde dat zijn doortocht, maar desondanks zei de kapitein tegen Duncan Alexander: 'Vandaag weer blak als u het mij vraagt.'
Hij kreeg geen antwoord van zijn zwijgende sombere president en verdween bescheiden.
Maar die windstilte heerste niet alleen op deze plek. Hij strekte zich naar het westen uit in een brede warme gordel over de duizend eilanden en het ondiepe bekken dat ze insloten.
De stilte drukte zwaar op het olieachtige water, terwijl de zon onbarmhartig op het omliggende land straalde. Ieder uur werd de lucht warmer en zoog waterdamp aan. Een dikke bobbel die aan een zwellende blaar deed denken begon op te stijgen, de eerste beweging van de lucht in vele dagen. Hij was niet zo groot, maar een honderdvijftig kilometer in doorsnee, maar bij het opstijgen begon de lucht door het draaien van de aarde rond te wervelen als een tol die op gang komt zodat de satellietcamera's honderden kilometers hoog een spiraalvormige melkachtige sliert registreerden. De foto's belandden ten slotte via allerhande kanalen op de lessenaar van de meteoroloog van de wervelstormwacht op het hoofdstation van de Meteorologische Dienst in Miami.
'Dat ziet er serieus uit,' mompelde hij tegen zijn assistent en herkende met één oogopslag de gunstige omstandigheden voor het tot stand komen van een tropische wervelstorm. 'We zullen de luchtmacht vragen erdoorheen te vliegen.'
Op veertien kilometer hoogte zag de piloot de omhoogrijzende top

van de storm al van een afstand van zo'n driehonderd kilometer. In zes uur tijd was hij geweldig gegroeid. De warme verzadigde lucht werd omhooggeduwd waar de ijzige kou van de hoge troposfeer de waterdamp weer condenseerde tot dikke zilverkleurige wolken. Ze kolkten omhoog in een spiraalvormige beweging. De top van de heftig in beweging zijnde massa was al hoger dan het vliegtuig. Eronder vormde zich een vacuüm dat de lucht eromheen probeerde op te vullen. Het werd rondom het midden tot een beweging tegen de klok in gedwongen door de mysterieuze krachten die het ronddraaien van de aarde veroorzaakte. Doordat een lange weg moest worden afgelegd nam de snelheid van de luchtmassa enorm toe en het hele luchtdruksysteem werd per uur onstabieler en gevaarlijker. Het bovenste punt van de reusachtige wolk bereikte een hoogte waar de temperatuur dertig graden onder nul is, de regendruppels tot ijs verstarren en worden weggeblazen in de bovenste luchtlagen. Ze fungeren in de vorm van kleine cirruswolken tegen de blauwe lucht als voorboden van de storm.

Het vliegtuig kwam op tweehonderdvijftig kilometer van het centrum van de wervelstorm met de wervelende lucht in aanraking. Het leek wel of een onzichtbaar roofdier de romp te pakken kreeg en door elkaar schudde alsof de vleugels er als het ware afgerukt moesten worden en met één geweldige beweging werd de kist anderhalve kilometer recht omhooggesmeten.

'Verticale windstoten van vierhonderdtachtig kilometer per uur,' rapporteerde de piloot.

De meteoroloog in Miami pakte de telefoon en belde de computerprogrammeur een verdieping hoger. 'Vraag Charlie een hurricane codenaam.'

Een minuut later belde de programmeur hem terug. 'Charlie adviseert de naam Lorna.'

Duizend kilometer ten zuidwesten van Miami begon de storm langzaam te bewegen, aanvankelijk traag, maar ieder uur won ze aan kracht en spiraalde om zichzelf heen met ongeloofwaardige snelheden, terwijl de gewelfde top naar boven uitzette tot meer dan vijftien kilometer en nog steeds klom. Het centrum van de wervelstorm opende zich als een bloem, het rustige 'oog' naar boven gericht in een verticale schacht met gladde wolkenwanden, die naar het topje van de welving opstegen, achttien kilometer boven het oppervlak van het door de wind gegeselde zeewater.

De hele massa begon sneller te bewegen, terug naar het oosten, een richting tegenovergesteld aan de normale loop van de verkoelende passaatwinden. Zo wervelde de Lorna genaamde wervelstorm over de Caribische Zee en vernietigde alles wat op haar weg kwam.

Nicholas Berg draaide zich om en keek neer op het indrukwekkende silhouet van Miami Beach. Het bolwerk van hoge hotelgebouwen volgde de kromming van de kust naar het noorden en daarachter lag de uitgestrekte stadsuitbreiding en dat netwerk van verkeerswegen. De rechtstreekse Eastern Airlines vlucht van Bermuda was aan de landing begonnen en minderde hoogte boven de kust en de baai van Biscayne.

Nicholas voelde zich niet op zijn gemak, schuld en onzekerheid knaagden aan hem en dan nog wel twee soorten schuld doordat hij ook nog zijn post had verlaten op het ogenblik dat hij misschien het meest nodig was.

De twee zeeslepers van Oceaan Bergingsbedrijf dobberden ergens op de Atlantische Oceaan, dc *Warlock* op topsnelheid op jacht naar de *Golden Dawn*, Jules Levoisin vlak bij de oostkust van Amerika waar hij zou bunkeren voordat hij zijn taak als stand bysleper bij het olieëxploratieveld in de Golf van Mexico begon. Beide kapiteins konden ieder ogenblik nadere instructies nodig hebben.

De *Golden Dawn* had Kaap de Goede Hoop een kleine drie weken geleden gerond. Sindsdien had zelfs Bernard Wackie geen kans gezien haar positie vast te stellen. Ze was niet door andere schepen opgemerkt en de eventuele contacten die ze met het hoofdkantoor van Christy Marine had onderhouden, moesten wel per satelliettelex zijn gegaan, want de radiokanalen waren blijven zwijgen. Vermoedelijk zou ze nu toch wel het kritieke gedeelte van haar reis naderen, daar waar ze naar het westen koerste, het continentale plat van Noord-Amerika naderde en de doorgang tussen de eilanden naar de Golf van Mexico. Peter Berg was aan boord van dat monster en alleen daarom voelde Nicholas zich al koud worden door schuldgevoelens. Hij zou nu als een spin midden in zijn web moeten zitten, in de regelkamer van Bach Wackie in Hamilton.

Ja, hij had zijn post verlaten en hoewel hij maatregelen had getroffen

contact met Bernard Wackie te houden, zou het hem toch uren kosten, misschien zelfs wel dagen, om in geval van nood terug te keren daar waar hij zo nodig was.
Maar ja, het ging om Samantha. Zijn instinct waarschuwde hem dat iedere dag, ieder uur dat voorbijging zonder dat hij naar haar toeging, zijn kansen zouden verminderen haar terug te winnen.
Ook ten opzichte van haar leed hij onder schuldgevoelens, de schuld van het verraad. Het hielp hem niet of hij al tegen zichzelf zei dat hij Samantha geen trouwbelofte had gedaan, dat die nacht van zwakte met Chantelle hem was opgedrongen onder omstandigheden die onweerstaanbaar waren geweest, dat iedere andere man in zijn positie hetzelfde zou hebben gedaan en dat ten slotte die episode een reiniging en een bevrijding was geworden die hem voor eeuwig van Chantelle had verlost.
In de ogen van Samantha was het bedrog en hij begreep dat er veel kapot was gegaan. Hij voelde zich verschrikkelijk schuldig, niet vanwege de daad – seksuele gemeenschap zonder liefde is vluchtig en onbetekenend – maar om de misleiding en alles wat hij vernield had. Hij voelde zich onzeker, wist niet wat er nog restte om op voort te bouwen. Hij wist alleen dat hij haar nodig had, meer dan wat ook in zijn leven. Zij bleef voor hem de belofte van eeuwige jeugd en van het nieuwe leven, waarnaar hij tastend zijn weg zocht. Als het 'niet zonder iemand kunnen' liefde was, dan hield hij van Samantha Silver met een liefde die grensde aan wanhoop. Ze had gezegd dat ze er niet zou zijn wanneer hij zou komen. Hij moest maar hopen dat het een leugen was geweest want hij voelde zich lichamelijk ziek worden bij de gedachte dat ze het echt had gemeend.
Hij had alleen maar een koffertje als handbagage meegenomen zodat hij snel door de douane kwam en toen hij een telefooncel indook, keek hij op zijn horloge. Het was na zessen, ze zou nu wel thuis zijn. Hij had al vier cijfers van haar telefoonnummer gedraaid toen hij stopte. Waarom bel ik eigenlijk, vroeg hij zich af. Om haar te zeggen dat ik er ben zodat ze een voorsprong heeft als ze op de vlucht slaat? Hij liet de hoorn weer op de haak vallen en stormde naar het loket van Hertz.
'Wat is de kleinste wagen?' vroeg hij.
'Een Cougar,' zei het knappe blondje in haar gele uniform.
De fel gekleurde Chevrolet stond in de aangebouwde loods onder de brede takken van de vijgeboom. Hij parkeerde de Cougar met

zijn neus bijna tegen de achterklep van haar auto. Ze kon zo niet ontsnappen, tenzij ze dwars door de achterwand van de loods heenbrak. Zoals hij haar kende was dat beslist een mogelijkheid, grijnsde hij vreugdeloos.
Hij klopte eenmaal op de gaasdeur van de keuken en liep toen in enen door. Er stond een koffiepot naast het fornuis. Hij voelde even, ja, die was nog warm.
Hij liep door naar de zitkamer en riep: 'Samantha!'
De deur van de slaapkamer stond aan, hij duwde hem verder open. Er lagen een denim-pak en wat pastelkleurige niemandalletjes ondergoed op de lappendeken.
Ze was niet thuis. Hij liep het stoepje aan de voorkant af, rechtstreeks naar het strand. Het tij had het zand gladgestreken en haar voetafdrukken waren de enige menselijke tekens. Ze had haar handdoek bij de vloedlijn laten vallen. Hij moest zijn ogen afschermen voor de nog felle stralen van de al rode zon voordat hij haar op en neer deinende hoofd ontwaarde – een vijfhonderd meter verder op zee.
Hij ging naast haar handdoek in het rulle droge zand zitten en stak een sigaartje op. Hij wachtte en had nu geen haast meer. Het was al bijna helemaal donker toen ze oprees uit de lichte deining van de branding en naar het strand waadde. Ze liep over het natte zand en kneep de dikke vlecht die over haar schouder hing uit.
Nicholas voelde zijn hart een slag overslaan. Hij gooide het sigaartje weg en kwam overeind. Ze bleef met een schok staan als een verschrikt bosdier. Onbeweeglijk keek ze onzeker naar de lange donkere gestalte voor haar. Ze leek zo jong en slank en zacht en mooi.
'Wat wil je?' stamelde ze.
'Jou,' zei hij.
'Waarom? Begin je een harem?' Haar stem verstrakte en ze rekte zich in haar volle lengte uit. Hij kon de uitdrukking van haar ogen niet zien, maar haar schouders kregen iets afwerends. Hij deed een stap naar voren en sloeg zijn armen om haar heen. Ze ontspande niet en haar lippen waren hard en ontoeschietelijk onder de zijne.
'Er zijn dingen die ik nooit zal kunnen verklaren, Sam. Ik begrijp het zelf niet, maar wel weet ik heel, heel zeker dat ik van jou houd, dat zonder jou mijn leven kraak noch smaak heeft –'
De harde spieren bleven gespannen. Ze hield haar armen stijf en

strak naar beneden en haar lichaam voelde koud en nat en afwerend aan.
'Ik wou dat ik volmaakt was, Sam – dat ben ik helaas niet. Het enige dat ik zeker weet is dat ik niet zonder jou kan.'
'Ik zou het niet nog eens kunnen. Ik zou het niet nog eens overleven,' zei ze strak.
'Ik heb je zo nodig. Dat weet ik absoluut zeker,' hield hij aan.
'Dat is je geraden, schoft. Als je me nog eens bedriegt, dan zorg ik ervoor dat er niets meer over is om me mee te bedriegen.' Ze klemde zich aan hem vast. 'God, Nicholas, wat heb ik je gehaat en... gemist – wat duurde het lang voor je terugkwam.' Haar lippen waren zacht en smaakten zilt. Hij nam haar in zijn armen en droeg haar door het droge zand.

'Nicholas, ik zit hier al die tijd op je telefoontje te wachten.' Bernard Wackies stem klonk scherp en fel, de spanning was duidelijk voelbaar. 'Hoe vlug kun je hier terug zijn?'
'Wat is er dan?'
'Er staat iets te gebeuren. Ik moet het aan jou overlaten, jij hebt er een neus voor en je wist dat het zou gaan gebeuren.'
'Ter zake, Bernie!' snauwde Nicholas.
'Dit telefoontje loopt via drie centrales,' legde Bernard uit. 'Je wil tekst en uitleg, maar weet je dan nog niet dat je niet met kleine jongens knikkert? Er zijn heel wat kapers op de kust. Aasgieren vliegen rond. De kaaskoppen hebben er al één in de buurt.' Waarschijnlijk de *Witte Zee* of een van die andere forse Nederlandse zeeslepers, dacht Nicholas vlug. 'Die zullen in enkele dagen een lijntje kunnen uitgooien. En ook de Amerikanen kunnen er wel iets van; McCormick heeft er één op de Hudson liggen.'
'Mooi, ja,' onderbrak Nick het genot waarmee Bernie in finesses de op de loer liggende concurrenten schilderde.
'Morgenochtend is er een rechtstreekse vlucht om zeven uur – als ik dat niet haal, zie ik wel aansluiting te krijgen met de British Airways in Nassau morgen om twaalf uur. Kom me halen,' beval Nick.
'Je had er niet vandoor moeten gaan,' zei Bernard Wackie. Nick brak het gesprek af voordat hij nog meer wijsheid achteraf moest aanhoren.

Samantha zat spiernaakt overeind in bed en sloeg haar armen om haar knieën die ze tot tegen haar borsten optrok. Onder de warrige pracht van haar roodblonde haren stond haar gezicht troosteloos.
'Je gaat weer weg,' zei ze zachtjes, 'en je bent er net. O, God, Nicholas van jou houden is het moeilijkste wat ik ooit in mijn leven heb moeten doen. Ik geloof dat ik er in wezen niet geschikt voor ben.'
Hij trok haar naar zich toe. Ze klemde zich aan hem vast en drukte haar hoofd tegen het dikke ruige haar op zijn borst.
'Ik moet weg – ik denk dat het om de *Golden Dawn* gaat,' zei hij.
Ze luisterde kalm terwijl hij haar alles vertelde. Toen hij ten slotte zweeg stelde ze vragen waardoor ze uren stevig in elkaars armen in bed bleven praten.
Ze stond erop een ontbijt voor hem klaar te maken ook al was het nog donker buiten en kon ze niet kijken van de slaap. Ze leunde tegen het fornuis en zette de radio aan om door de muziek haar slaap te verdrijven.
'Goedemorgen, vroege vogels, dit is W W O K. Er staat nu weer een stralende dag te wachten. De temperatuur zal in Fort Lauderdale en de kust oplopen tot 30° en tot 25° in het binnenland met tien procent kans op regen. We hebben ook een mededeling over de hurricane "Lorna". Ze buigt af naar het zuiden, naar de kleine Antillen. Dus maar lekker ontspannen, mensen, ontspannen en luisteren naar Elton John.'
'Ik houd van Elton John,' zei Samantha slaperig. 'Jij ook?'
'Wie is dat?' vroeg Nicholas.
'Zie je wel, ik wist wel dat we een heleboel gemeen hadden.' Ze knipperde uilachtig tegen hem. 'Heb je me al een zoen gegeven? Ik weet het niet meer.'
'Kom maar hier,' beval hij, 'deze zul je beslist niet vergeten.'
Een paar minuten later zei ze: 'Nicholas, zo mis je je vliegtuig.'
'Niet als ik het ontbijt oversla.'
'Het zou toch maar een waardeloos ontbijt zijn geweest.' Ze was intussen klaar wakker.
Ze gaf hem de laatste kus door het open raampje van de Cougar.
'Je hebt een uurtje – je zult het net halen.'
Hij zette de motor aan, maar ze bleef nog over het raampje hangen.
'We zullen toch ooit eens samen zijn, Nicholas – ik bedoel langdurig zoals we destijds plannen maakten? Jij en ik elk met ons eigen werk, op onze eigen wijze? Dat komt toch hè?'

'Dat beloof ik je.'
'Maak dat je wegkomt,' zei ze en hij schoot met zijn Cougar over de zanderige oprit zonder om te kijken.

Ze zaten met zijn achten boven op elkaar in Tom Parkers kantoor. Omdat er maar drie stoelen waren, hadden ze zitplaatsen gezocht op de planken langs de muur en bovenop stapels naslagboeken en papieren.
Samantha zat op de hoek van Toms bureau met haar lange in spijkerbroek gestoken benen te zwaaien en beantwoordde de vragen die op haar werden afgevuurd.
'Hoe weet je nu dat ze door de Florida Straits zal komen?'
'Dat is een intelligente veronderstelling. Ze is gewoon te omvangrijk en te moeilijk wendbaar om zich elders een weg te banen tussen de eilanden door,' reageerde Samantha onmiddellijk. 'Nicholas wil er wat onder verwedden.'
'Dat wil ik dan wel aannemen,' bromde Tom.
'De Florida Straits zijn wel anderhalve kilometer breed –'
'Ik weet wat je wilt gaan zeggen,' lachte Samantha en keerde zich naar een van de andere meisjes. 'Hierop zal Sally-Anne antwoorden.'
'Jullie weten allemaal dat mijn broer bij de kustwacht is – alle verkeer door de Straits meldt zich bij Fort Lauderdale,' legde ze uit, 'en het vliegtuig van de kustwacht patrouilleert helemaal tot aan Grand Bahama in het noorden.'
'We hebben een kruispeiling zodra ze de Straits binnenvaart – de hele kustwacht van de Verenigde Staten kijkt uit voor ons.'
Ze debatteerden en discussieerden nog zeker wel tien minuten voordat Tom Parker met zijn vlakke hand op het bureau voor hem sloeg en het geleidelijk aan stil werd.
'Goed dan,' zei hij. 'Moet ik eruit opmaken dat je voorstelt dat deze afdeling van Green-Peace de tanker met de aan cadmium rijke olie onderschept voordat ze de Amerikaanse territoriale wateren binnenvaart en tracht het schip op te houden of te doen keren?'
'Ja, dat is het precies,' knikte Samantha en keek om steun zoekend om zich heen. Ze knikten allemaal en mompelden instemmend.
'Wat willen we daarmee bereiken? Geloven we echt dat we de af-

levering van de giftige ruwe olie bij de raffinaderij in Galveston tegen kunnen houden? Laten we ons doel nader preciseren,' drong Tom aan.

'Om slechte mensen te laten triomferen, is het alleen maar nodig dat goede mensen werkeloos toezien. Wij dóen tenminste wat.'

'Kletskoek, Sam,' bromde Tom. 'Laten we al die frasen nu eens achterwege laten – dat is een van die dingen die ons meer kwaad dan goed doen. Je praat als een kip zonder kop en brengt daardoor jezelf in diskrediet nog voordat je bent begonnen.'

'Goed,' grinnikte Samantha. 'We zetten de gevaren uiteen en vertellen wat we ertegen hebben.'

'Okay,' Tom knikte, 'dat is al heel wat beter. Waarop mikken we nog meer?'

Daarover werd nog zeker twintig minuten gesproken, waarop Tom Parker opnieuw het woord nam.

'Mooi, maar hoe komen we nu in die Straits van Florida om de confrontatie met dat schip aan te gaan? Trekken we watervleugels aan en zwemmen we erheen?'

Zelfs Samantha deed nu wat schaapachtig. Ze keek steunzoekend om zich heen, maar de anderen bestudeerden hun nagels of staarden min of meer geboeid uit het raam.

'Tja,' hervatte Samantha het gesprek en aarzelde toen, 'we dachten –'

'Ga verder,' moedigde Tom haar aan. 'Het is natuurlijk niet in je opgekomen daarvoor eigendommen van de Universiteit te gebruiken, wel? Er is in dit land echt een wet die verbiedt dat je het schip van een ander gebruikt – dat noemen ze piraterij.'

'Om je de waarheid te zeggen –' Samantha haalde hulpeloos haar schouders op.

'Van mij als oud hooggeëerd lid van de faculteit zul je niet verwachten dat ik deelneem aan een criminele daad.' Ze zwegen allemaal en keken vol verwachting naar Samantha, hun leidster, maar ditmaal wist ze ook geen uitkomst.

'Als anderzijds een aantal academici een verzoek indient via de daarvoor geëigende kanalen, zal het me een groot genoegen zijn mijn instemming te geven met een uitgebreide expeditie over de Florida Straits tot aan Grand Bahama aan boord van de *Dicky*.'

'Tom, je bent een schat,' zei Samantha.
'Wat een schande zo iets tegen je professor te zeggen,' zei Tom en fronste quasi zijn wenkbrauwen.

'Ze kwamen gisterenmiddag met een toestel van British Airways van Heathrow. Drie kerels, hier zijn hun namen.' Bernard Wackie schoof Nicholas een aantekening toe.
'Charles Gras – die ken ik, hij is hoofdingenieur bij Construction Navale Atlantique,' legde Nicholas uit.
'Klopt,' knikte Bernard. 'Hij gaf bij binnenkomst zijn beroep en werkgever op.'
'Zijn dat dan geen geheime gegevens?'
Bernard grinnikte. 'Mijn oren zijn bijzonder gevoelig!' Hij veranderde van toon en liet er ernstig op volgen: 'Deze drie ingenieurs hebben elk een klein koffertje bij zich en een krat van driehonderdvijftig kilo in de bagageruimte, gemerkt MACHINE-ONDERDELEN.'
'Ga door!' moedigde Nicholas hem aan.
'Er staat een S 61 N Sikorsky helikopter op het platform te wachten, rechtstreeks uit Londen door Christy Marine gecharterd. Die drie ingenieurs en die krat met machinerieën zijn zo snel aan boord van de helikopter gebracht dat het wel een goocheltoer leek. Inmiddels is die opgestegen en klutst nu naar het zuiden.'
'Heeft de piloot van de Sikorsky een vliegplan ingediend?'
'Natuurlijk. Verzorging van een schip, koers 196 magnetisch.'
'Wat is de reikwijdte van de 61 N? Negenhonderd kilometer?'
'Zo ongeveer,' zei Bernard, 'maar deze heeft extra grote tanks, goed voor zeker veertienhonderd kilometer. Tot op dit ogenblik is de 61 N nog niet in Bermuda teruggekeerd.'
'Misschien tankt ze aan boord voor de terugreis – of, wanneer ze geen vliegtuigbenzine hebben, blijft ze aan boord tot ze op de plaats van bestemming zijn,' zei Nicholas. 'Wat heb je nog meer?'
'Is het nog niet genoeg?' Bernard keek bepaald ontdaan. 'Ben je wel ooit tevreden?'
'Heb je de communicatie afgeluisterd tussen de controletoren van Bermuda, de helikopter en het bewuste schip?'
'Helaas,' Bernard schudde zijn hoofd, 'er is wat misgegaan. Hij keek beschaamd. 'Dat kan de beste gebeuren.'

'Spaar me bijzonderheden. Kun je inlichtingen krijgen van de controletoren in Bermuda hoe laat de Sikorsky zich afmeldde?'
'Jezus, Nicholas, dat weet je toch zelf ook wel. Het is een misdaad als je afstemt op de frequenties van de vliegdienst. Stel je voor dat je inlichtingen vraagt!'
Nicholas sprong op en liep vlug naar de perspex plottafel. Hij piekerde terwijl hij op zijn gebalde vuisten leunde en de kaart nauwgezet bestudeerde.
'Wat is jouw conclusie, Nicholas?' Bernard was naast hem komen staan.
'Een schip van de Christy Marine vloot heeft het hoofdkantoor gevraagd zo snel mogelijk reserveonderdelen van de machines en deskundigen te sturen, waarbij kosten noch moeite gespaard mochten worden. Heb je berekend wat driehonderdvijftig kilo luchtvracht kost?'
Nicholas rechtte zijn rug en greep zijn krokedilleleren sigarenkoker. 'Dat betekent dat het schip in tweeën is gebroken of althans dat het gevaar dreigt ergens ten zuidwesten van Bermuda, binnen een straal van ongeveer zevenhonderdvijftig kilometer – vermoedelijk nog minder want dan zou ze wel hulp van de Bahama's hebben gevraagd en het komt me hoogst onwaarschijnlijk voor dat ze de helikopter tot de uiterste grens van zijn reikwijdte laten gaan.'
'Gelijk heb je,' gaf Bernard toe. Nicholas stak een sigaartje op en beiden zwegen. 'Een verdomd klein speldje in een vervloekt grote hooiberg,' mompelde Bernard.
'Laat dat maar aan mij over,' snauwde Nicholas.
'Daar word je voor betaald,' gaf Bernard beminnelijk toe. 'Het gaat om de *Golden Dawn* hè?'
'Heeft Christy Marine nog andere schepen hier in de buurt?'
'Niet dat ik weet!'
'Wat een vervloekt stomme vraag dan!'
'Rustig aan, Nicholas.'
''t Spijt me.' Nicholas raakte even Bernards arm. 'Mijn zoon zit op die schuit.' Hij inhaleerde de rook van zijn sigaartje, en liet die na enige tijd langzaam ontsnappen. Kalm en zakelijk vervolgde hij: 'Hoe is het weer?'
'Wind uit 060°, zes meter per seconde. Bewolking drie achtste stratocumulus op twaalfhonderd meter. Verwachting: geen verandering.'

'De vaste passaatwinden dus. God zij gedankt voor dit soort kleinigheden.'
'Er is zoals je weet een wervelstormwaarschuwing uitgegaan, maar gezien de huidige positie en baan zal die minstens vijftienhonderd kilometer ten zuiden van Grand Bahama naar zee afbuigen.'
'Mooi,' Nicholas knikte weer. 'Wil je alsjeblieft de *Warlock* en de *Seawitch* hun positie, koers, snelheid en brandstofconditie laten opgeven.'
In minder dan twintig minuten had Bernard de twee telexberichten binnen.
'De *Warlock* heeft haar best gedaan,' mompelde Nicholas toen de positie van het schip op de plottafel was aangegeven.
'De *Seawitch* zal morgenavond laat in Charleston aankomen,' vervolgde Nicholas. 'Zijn er schepen van concurrenten dichterbij?'
Bernard schudde zijn hoofd. 'Die van McCormick ligt nog in New York en de *Witte Zee* is halverwege op de terugweg naar Rotterdam.'
'We staan er dus goed voor,' besloot Nicholas.
'Is er nog een helikopter op het eiland om me aan boord van de *Warlock* te brengen?'
'Nee,' Bernard schudde zijn hoofd, 'de 61 N is de enige hier op Bermuda.'
'Kan je zorgen dat de *Warlock* hier in Hamilton bunkert, direct na aankomst?'
'De tanks kunnen een uur na binnenlopen vol zijn.'
Nicholas dacht even na en nam een besluit. 'Telex dan aan David Allen op de *Warlock:* Aan kapitein *Warlock* van Berg. Onmiddellijk en dringend topsnelheid nieuwe koers haven Hamilton op Bermuda. Verwacht onmiddellijk bericht vermoedelijke tijd van aankomst.
'Ga je op jacht?' vroeg Bernard, 'ga je met beide schepen op jacht?'
'Ja,' knikte Nicholas, 'ik ga er met alles wat ik heb achteraan.'

De *Golden Dawn* met haar één miljoen ton ruwe olie aan dood gewicht werd heen en weer geslingerd. Haar bewegingen deden denken aan een vol water gelopen schip. Dwarsscheeps op de golfrichting lag ze en haar tankdekken liepen steeds onder water. De

golven braken op de stuurboordreling en de enkele schuimkop die over boord kwam gleed als witte kant over de met groen plastic afgewerkte dekken. Zo dreef ze nu al vier dagen machteloos rond. Het hoofdlager van de enige schroefas was warmgelopen achtenveertig uur nadat ze over de evenaar was gevaren. De eerste machinist had gevraagd om stopzetting om het lager te bekijken en zo mogelijk te repareren. Duncan Alexander had geweigerd waardoor hij zowel het oordeel van de eerste machinist als van de kapitein naast zich had neergelegd. Wel had hij onder protest toegestemd in vermindering van de snelheid.
Hij had de eerste machinist opgedragen de fout te zoeken en tijdens de verminderde snelheid eventuele reparaties te verrichten. Binnen vier uur had de machinist het beschadigde en lekkende drukstuk in de pomp die het lager smeerde opgespoord, maar zelfs het varen met verminderde snelheid had het schroefaslager nog verder beschadigd en je kon de trillingen nu zelfs in de zware romp van het schip voelen.
'Ik moet de pomp uit elkaar nemen want anders loopt de hele boel vast,' zei de machinist tegen Duncan Alexander. 'Dan zult u wel *moeten* stoppen en niet voor maar even. Het kost zeker twee dagen als we de lagers moeten vervangen.' De machinist was bleek en zijn lippen trilden want hij kende de reputatie van deze man. Hij dankte mensen af die hem kwaad maakten en men zei dat hij zo wraakzuchtig was dat hij niet rustte voordat diegenen totaal geruïneerd waren. De machinist was bang, maar zijn bezorgdheid voor het schip was zo groot dat die het won.
Duncan Alexander veranderde van strategie. 'Wat is de oorzaak van het falen van de pomp? Waarom is dat niet eerder opgemerkt? Het komt me voor dat dit een geval van verwaarlozing is.'
De machinist voelde zich nu in zijn eer getast en hij gooide eruit: 'Was er maar een reservepomp op dit schip, dan zouden we daarop hebben kunnen overschakelen en de pomp goed hebben kunnen onderhouden.'
Duncan Alexander kreeg een kleur en draaide zich om. De veranderingen die hij persoonlijk aan het ontwerp van de *Golden Dawn* had aangebracht kwamen er in de eerste plaats op neer dat hij alle vervangende systemen had geschrapt om de kosten maar te drukken.
'Hoeveel tijd heb je nodig?' Hij bleef midden in zijn kamer staan en wierp een woedende blik op zijn machinist.

'Vier uur,' antwoordde de Schot prompt.
'Je krijgt precies vier uur,' zei hij nors, 'als je dan niet klaar bent, zal dat je heugen, dat zweer ik je.'
In de tijd dat de motoren waren gestopt en de pomp gerepareerd werd, bleef Duncan op de brug bij de kapitein.
'We hebben tijd, veel te veel tijd verloren,' zei hij, 'dat moet goed gemaakt worden.'
'Dat betekent dat we de kruissnelheid moeten opgeven,' waarschuwde de kapitein Randle hem.
'Kapitein Randle, de waarde van onze lading is 85 dollar per ton. We vervoeren een miljoen ton. Ik wil dat de verloren gegane tijd wordt ingehaald.' Duncan veegde de bezwaren weg. 'Er is een tijdslimiet om op de rede van Galveston te komen. Dit schip, het hele concept voor het vervoer van ruwe olie beleeft een proefvaart, kapitein. Moet ik je daar dan steeds weer aan herinneren? De kosten kunnen verrekken, ik wil binnen de tijdslimiet over zijn.'
'Ja, mijnheer Alexander,' knikte Randle. 'We zullen de verloren gegane tijd zien in te halen.'
Drieëneenhalf uur later kwam de eerste machinist op de brug.
'En?' vroeg Duncan fel toen de man uit de lift stapte.
'De pomp is gerepareerd, maar –'
'Wat maar?'
'Ik heb zo'n gevoel dat we haar te lang achter elkaar hebben laten lopen. Het schroefaslager zit me niet lekker. Het lijkt me niet verstandig als we haar harder dan vijftig procent van haar vermogen laten varen, zeker niet zolang we de hele zaak nog niet uit elkaar hebben genomen.'
'Ik laat het toerental opvoeren voor een snelheid van vijfentwintig knopen,' zei Randle wat onzeker.
'Dat zou ik niet doen.' De machinist schudde verdrietig zijn hoofd.
'Je plaats is in de machinekamer,' zei Duncan kortaf en knikte tegen Randle die opdracht moest geven door te varen. Hij liep naar het open gedeelte van de brug en keek over de hoge ronde achtersteven naar de schuimende woestenij als gevolg van het weer aanslaan van de ene schroef. Hij bleef daar staan staren tot het donker was, toen ging hij naar beneden waar Chantelle op hem wachtte. 'We varen weer.'
'Ja, zei hij, 'het komt allemaal in orde.'

In de machinekamer werd om negen uur 's avonds alles op de automaat gezet. Het personeel ging eten en naar bed. Alleen de eerste machinist bleef achter. Hij hing er nog zeker twee uur rond terwijl hij zijn hoofd schudde over de massieve lagers in de lange nauwe schroefastunnel. Om de paar minuten legde hij zijn hand op de mantel om te voelen of die warmer was geworden en of er extra trillingen waren ontstaan die wezen op beschadiging.
Om elf uur spuwde hij op de regelmatig ronddraaiende schroefas. Die was zo dik als de stam van een eik en glansde in de felle witte lichten van de tunnel. Hij kwam wat stijf uit hurkzit overeind. In de machinekamer controleerde hij nog eens of inderdaad alle systemen van het schip aan de automaat waren overgedragen en of alle stroomkringen werkten en op het grote controlepaneel gevolgd konden worden. Ten slotte stapte hij in de lift en ging naar boven.
Vijfendertig minuten later knapte een van de transistors in het controlepaneel. Er verscheen een grijs rookwolkje en geen mens die het hoorde of zag. Er was geen duplicaat, er was geen ingebouwde controle die automatisch overschakelde zodat er ook geen impuls aan het alarmsysteem werd gegeven toen de temperatuur van de lagers weer begon op te lopen. Het automatisch stopzetten van de machines was in één keer onmogelijk gemaakt.
De zware as bleef draaien terwijl de warmgelopen lagers meer vat kregen op het al ruwe metaal dat door het te lang achter elkaar draaien al eerder schade had opgelopen. Een dunne metaalkrul maakte zich los van het oppervlak van de rondwentelende as en kurketrekkerde als een veer in elkaar. Hij werd gepakt door het lager en meegesleurd. Het hele geval begon rood aan te lopen, de oxide verf die aan de buitenkant van de lagers was aangebracht begon te bladderen en zwart te worden. Toch wist de enorme kracht van de motor de as rond te krijgen.
Er werd nog steeds wat olie tussen de gloeiende oppervlakten van de ronddraaiende as en de lagerschalen gepompt die door de hitte direct zo dun als water werd, zijn vlampunt bereikte en ontvlamde zodat er kleine brandende straaltjes langs de zware mantel van het schroefaslager liepen waardoor ook de verf vlam vatte. De schroeftunnel vulde zich met dikke, chemisch stinkende rookwolken en pas op dat ogenblik kwamen de brandmelders tot leven. Het alarm bereikte ook de navigatiebrug en de kwartieren van de kapitein, de eerste officier en de eerste machinist.

De machines draaiden nog steeds op zeventig procent van hun kracht en nog altijd bewoog de as in de uitgelopen lagers.
De eerste machinist was voor alle anderen in de machinecontrolekamer en zonder bevel van de brug hanteerde hij de noodstop van alle systemen.
Het duurde nog zeker een uur voordat een team onder leiding van de eerste machinist het vuur in de schroeftunnel onder controle had. Ze gebruikten koolzuurgas om de brandende verf en olie te blussen want koud water op het gloeiende metaal zou de reeds door de hitte aangebrachte schade nog vergroten. De lagers waren helemaal uitgelopen en de schroefas zelf was beschadigd en vol putten. Eventuele ontzetting zou niet met het blote oog kunnen worden waargenomen, maar een ontzetting van een duizendste millimeter zou al kritiek zijn.
Hij vloekte zachtjes in zichzelf en verwenste de makers van de oliepomp, degenen die hem hadden geïnstalleerd en getest, het beschadigde drukstuk en het ontbreken van een vervangend systeem, maar vooral de halsstarrigheid en onhandelbaarheid van de president van Christy Marine die dit prachtig functionerende onderdeel in zwart geblakerd verwrongen staal had veranderd.
Het was al halverwege de ochtend toen de eerste machinist de reservelagerschalen uit de voorraad in het magazijn had laten halen en uit de krullen in hun houten kisten te voorschijn had gehaald. Op het ogenblik van montage kwamen ze pas tot de ontdekking dat de kisten verkeerd waren gemerkt. De schalen die erin zaten waren ouderwetse niet metrieke types, vijf millimeter te klein voor de as van de *Golden Dawn*. Door hun te kleine maat waren ze volkomen onbruikbaar.
Pas toen verloor Duncan Alexander zijn beschaafde sterke zelfbeheersing. Twintig minuten lang raasde hij op de brug en deed geen enkele moeite een oplossing te vinden. Hij beschuldigde Randle en zijn machinist in niet mis te verstane harde termen. De woedeuitbarsting had een verlammend effect op alle officieren van de *Golden Dawn* die met bleke gezichten stilzwijgend de storm over zich heen lieten gaan.
Peter Berg had iets van de opwinding gevoeld en was onmerkbaar naderbij geslopen om hierbij tegenwoordig te zijn. De woede van zijn stiefvader fascineerde hem. Zo iets had hij nog nooit eerder meegemaakt en op een bepaald ogenblik hoopte hij dat Duncan

Alexanders oogballen inderdaad als overrijpe druiven uiteen zouden spatten. Hij hield zijn adem van spanning in en voelde zich teleurgesteld toen het niet werkelijk gebeurde.
Eindelijk dan was Duncan Alexander uitgeraasd.
'Wat is uw voorstel,' vroeg hij Randle en in de stilte die daarop volgde, klonk de hoge stem van Peter Berg: 'U zou nieuwe schalen uit Bermuda kunnen laten komen – dat is maar driehonderd mijl van hier. Dat hebben we vanmorgen uitgerekend.'
'Hoe kom jij hier?' viel Duncan woedend uit. 'Maak dat je bij je moeder komt.'
Peter ging ervandoor, geschrokken van zijn eigen impulsieve uitroep. Toen hij verdwenen was, zei de eerste machinist: 'We zouden reserve-onderdelen vanuit Londen naar Bermuda kunnen laten vliegen –'
'Misschien is er een boot –' viel Randle hem in de rede.
'Of een vliegtuig dat het ons hier kan brengen –'
'Of een helikopter –'
'Roep Christy Hoofdkantoor per telex op,' snauwde Duncan Alexander.

Wat is het goed weer een dek onder je voeten te hebben, dacht Nicholas enthousiast. Hij voelde zich helemaal in zijn element. 'Ik ben nu eenmaal een zeeman,' grinnikte hij hardop, 'maar dat vergeet ik steeds weer.'
Hij keek om naar het lage silhouet van Bermuda, de wijkende armen van de haven van Hamilton en de kleurige gebouwen tussen de ceders. Onmiddellijk daarop concentreerde hij zijn aandacht weer op de uitgespreide kaarten op de navigatietafel voor zich.
De *Warlock* voer nog steeds heel voorzichtig. Hoewel het kanaal breed was en de boeien duidelijk zichtbaar, waren toch de koraalriffen aan weerszijden scherp. David Allens volledige aandacht was gericht op het loodsen van de *Warlock* naar open zee. Toen ze de honderdvadem-lijn gepasseerd waren gaf hij de officier van de wacht door: 'Volle kracht', en haastte zich naar Nicholas toe.
'Ik heb nog geen gelegenheid gehad u welkom aan boord te heten, meneer.'

'Dank je, David, het is goed om weer aan boord te zijn.' Nicholas keek op en glimlachte tegen hem. 'Wil je haar op koers 240 magnetisch brengen en vaart vermeerderen tot 80 procent?'
Snel herhaalde David de bevelen voor de roerganger en stond toen schoorvoetend, rood onder zijn door zon en zeewind gebruinde huid naast Nicholas. 'Mijnheer Berg, mijn officieren maken me gek. Sinds we Kaapstad achter ons hebben gelaten zeuren ze maar aan mijn kop of dit een echt karwei is of een pleziertochtje?'
Nicholas lachte hardop. Hij voelde de opwinding van de jacht, een heel nadrukkelijke geur in zijn neusgaten en het vooruitzicht van een vette prijs. Nu hij het dek van de *Warlock* onder zijn voeten voelde, was zijn zorg voor Peters veiligheid wat afgenomen. Wat er ook ging gebeuren, nu kon hij dan tenminste zo vlug mogelijk ter plaatse zijn.
'We zijn op jacht, David,' zei hij. 'Het is allemaal nog wat onzeker –' hij wachtte even en vervolgde: 'Stuur Vin Baker naar mijn kajuit, zeg Angel dat hij zorgt voor een flinke pot koffie en een stapel sandwiches – ik ben mijn ontbijt misgelopen – en onder het genot van een hap en een slok zal ik jullie beiden inlichten.'
Vin Baker accepteerde een van Nicholas' kleine sigaartjes.
'Nog altijd de goedkoopste,' zei hij langs zijn neus weg en hield het vierdollarsigaartje onder zijn opgetrokken neus, maar in zijn ogen achter de vettige brilleglazen glinsterde er iets.
'Ter zake –' zei Nicholas en begon uitvoerig te vertellen.
De beide mannen luisterden zwijgend naar hem en pas toen hij zijn verhaal had beëindigd, begonnen ze hem te bombarderen met intelligente vragen die hij wel van hen had verwacht.
'Dat zou het anker van een dynamo kunnen zijn,' giste Baker over de inhoud van het houten krat dat was overgebracht naar de *Golden Dawn*. 'Ik kan me overigens niet voorstellen dat de *Golden Dawn* niet van alles reserve-onderdelen heeft.'
David Allen concentreerde zich op de problemen van plaatsbepaling. 'Wat is de reikwijdte van de helikopter? Is die al weer teruggekeerd op zijn basis? Met haar diepgang koerst ze vast door de Straat van Florida. Onze grootste kans is een koers naar Matanilla Reef aanhouden in de mond van de Straat.'
Er werd nadrukkelijk op de deur van de gastenkajuit geklopt en de Hol stak zijn gerimpeld schildpaddekopje om de hoek van de deur. Hij keek Nicholas aan, maar groette hem niet. 'Kapitein, Miami

waarschuwt opnieuw voor de wervelstorm. Lorna heeft een wending naar het noorden genomen, ze voorspellen een baan noord-noordwest met een snelheid van twintig knopen aan de voet.' Hij sloot de deur weer en de drie mannen staarden elkaar zwijgend aan.
Ten slotte verbrak Nicholas het zwijgen. 'Een ramp heeft altijd meer dan één oorzaak,' zei hij. 'Het is altijd het gevolg van een aantal samenvallende, maar op zichzelf weinig om het lijf hebbende fouten. Pech hoort daar ook bij en misschien is de wervelstorm "Lorna" net dat ontbrekende stukje pech.'
Hij stond op en ijsbeerde door de kleine kajuit. Toen hij zich weer naar David Allen en Vin Baker keerde, realiseerde hij zich dat ze hoopten op een ramp. Het waren allebei echte aasgieren, die de geur van hun prooi al roken. Hij voelde opeens tegen hen beiden antipathie in zich groeien. Ze hoopten op een ramp die zijn zoon zou treffen.
'Ik heb jullie één ding verzuimd te vertellen,' zei hij, 'mijn zoon is aan boord van de *Golden Dawn*.'

De ontzettende wervelstorm 'Lorna' naderde zijn volledige ontplooiing. Vijfhonderd kilometer er vooruit werden de witte ijsdeeltjes voortgestuwd in de troposfeer. De windkracht in het centrum van de voortrazende wervelstorm die nu wel vijfhonderd kilometer in doorsnee was, joeg het wateroppervlak met een snelheid van tweehonderdvijftig kilometer per uur omhoog waardoor een enorme neerslag werd veroorzaakt. De dichte wolkenbanken waren zozeer van waterdamp verzadigd dat er geen verschil was te zien tussen lucht en zee. Als een krankzinnig geworden monster woedde hij door de ingesloten watermassa van de Caribische Zee, ontwortelde bomen, vernielde huizen en woelde zelfs de aarde om op de eilandjes die in zijn baan lagen. Zolang er geen obstakels in de weg werden gelegd, bewoog de wervelstorm zich betrekkelijk systematisch voort volgens de gyroscopische wetten, maar zodra hij land voelde, draaide hij rond als een woedende stier en viel aan, ook alweer volgens een andere gyroscopische wet. Hij bleef ronddraaien en voortbewegen in de richting van de Straat van Florida zoals zovele wervelstormen voor hem hadden gedaan. Met een snelheid van ruim dertig kilometer per uur raasde deze ongelooflijke torenhoge massa wervelwinden en roerige wolkenmassa's naar het noordwesten.

Duncan Alexander stond onder de kopie van Degas' Balletdanseressen in de kapiteinshut. Hij wipte heen en weer op de bal van zijn voet, zijn handen op zijn rug, diepe voren in zijn voorhoofd en onder zijn ogen donkere wallen.
Op de bank en de imitatie Louis Quatorze stoelen om de haard zaten de officieren van de *Golden Dawn*, de kapitein, de stuurman en de eerste machinist en op de leren waaierfauteuil aan de andere kant van de kajuit zat Charles Gras, de ingenieur van Atlantique. Het leek wel of hij juist deze stoel had gekozen om zich te distantiëren van de eigenaar en de officieren van de verlamde supertanker. Hij sprak het Engels met een zwaar accent en moest af en toe op een Frans woord terugvallen dat Duncan dan snel vertaalde. De vier mannen luisterden gebiologeerd naar hem en lieten hun blikken niet van hem af.
'Mijn mensen zullen morgen omstreeks het middaguur het krukaslager weer in elkaar hebben gezet. Ik heb naar beste vermogen de hoofdas nagekeken en getest. Ik heb geen aanwijzingen gevonden dat er structurele schade is, maar ik moet met nadruk stellen dat het geenszins wil zeggen dat die dan ook niet bestaat. De reparaties moeten in het gunstigste geval als tijdelijk worden beschouwd.' Hij wachtte even en wendde zich toen speciaal tot kapitein Randle. 'Ik moet u dringend raden in de eerste de beste haven die u toelaat een en ander te laten nakijken en daarheen zo langzaam mogelijk te varen.'
Randle schoof wat ongemakkelijk op zijn stoel heen en weer en wierp een snelle blik op Duncan. De Fransman onderschepte de blik en er kwam een metaalklank in zijn stem. 'Als er inderdaad structurele mankementen in de hoofdas zitten, dan zou hoge snelheid leiden tot blijvende en onherroepelijke schade en volledige buitengebruikstelling. Ik moet u dit met de meeste nadruk vertellen.'
Duncan kwam vriendelijk tussenbeide. 'We varen met volle belasting en liggen zevenendertig meter onder de waterlijn. Er zijn geen veilige havens aan de oostkust van Amerika, gesteld dat we toestemming zouden krijgen de territoriale wateren met motorschade binnen te varen. Het is niet waarschijnlijk dat de Amerikanen ons

welkom zullen heten. De meest veilige plaats voor ons om voor anker te gaan is op de rede van Galveston, voor de kust van Texas in de Golf van Mexico – en dat nog alleen wanneer de sleepboten onze losse tanks hebben overgenomen buiten de 100 vadem lijn.'
De eerste stuurman van de supertanker was een nog jonge man van nog geen dertig, die zich tot op dit ogenblik onberispelijk had gedragen in de moeilijkheden waarmee het schip te kampen had gehad.
'Met uw welnemen, meneer,' alle hoofden keerden zich naar hem, 'Miami heeft een herziene wervelstormwaarschuwing uitgezonden, nu ook voor de Straat van Florida en Zuidelijk Florida. Wij zouden dan een koers varen die tegenovergesteld zou zijn aan die van de wervelstorm.'
'Zelfs met vijftien knopen zouden we al door de Straat en in de Golf zijn met nog vierentwintig uur speling,' stelde Duncan vast en keek om bevestiging ervan naar Randle.
'Bij de huidige snelheid van de naderende wervelstorm – ja,' preciseerde Randle voorzichtig. 'De omstandigheden kunnen natuurlijk veranderen –'
De eerste officier hield vol. 'Nogmaals, met uw welnemen, meneer, de meest nabije veilige ankerplaats is in de luwte van Bermuda –'
'Heb je wel enig idee van de waarde van onze lading?' sneed Duncans stem hem af. 'Nee, dat heb je niet. Dan zal ik je dat eens vertellen. Het gaat om $ 85 000 000. De rente van dat bedrag ligt in de orde van grootte van $ 25 000 per dag.' Zijn stem begon over te slaan. 'Bermuda heeft de mogelijkheden niet dergelijke grote reparaties uit te voeren –'
De deur van de kajuit ging geruisloos open en Chantelle Alexander stapte binnen. Ze droeg geen juwelen op haar eenvoudige zijden blouse en donkere wollen rok. Wel had ze haar donkere ogen wat extra opgemaakt zodat ze qua grootte en vorm in het gebruinde gezichtje opvielen. Haar schoonheid ontnam ieder de adem zodat ze in een doodse stilte naar Duncan toeliep en naast hem ging staan.
'Het is noodzakelijk dat dit schip en zijn lading rechtstreeks naar Galveston gaan,' zei ze zachtjes.
'Chantelle –' begon Duncan, maar ze legde hem met een felle handbeweging het zwijgen op.
'De bestemming en de weg erheen staan vast.'
Charles Gras keek naar kapitein Randle in de verwachting dat die

zijn door de wet opgelegde gezag zou laten gelden. Toen de jonge kapitein echter bleef zwijgen, lachte de Fransman wat duivels en haalde zijn schouders op alsof hij daarmee alle verdere belangstelling van zich afschoof. 'Dan rest mij slechts het verzoek ervoor te zorgen dat mijn twee assistenten en ikzelf dit schip kunnen verlaten onmiddellijk nadat we de tijdelijke reparaties hebben uitgevoerd.' Gras benadrukte het woord 'tijdelijke'.
Duncan knikte. 'Als we weer doorvaren op het ogenblik dat u vermoedt klaar te zullen zijn, zullen we, morgenochtend bij het aanbreken van de dageraad binnen het bereik van de kust van Florida zijn.'
Chantelle had gedurende dit gesprek haar blikken gericht gehouden op de officieren van de *Golden Dawn*. Ze zei op rustige toon: 'Ik ben graag bereid de ontslagaanvrage te aanvaarden van iedere officier hier aan boord die met de helikopter van boord wil.'
Duncan opende zijn mond om te protesteren tegen haar overname van zijn gezag, maar zij keerde zich met een iets naar voren gestoken kinnetje naar hem toe en iets in de uitdrukking van haar gezicht en de stand van haar hoofd op de schouders herinnerde hem nadrukkelijk aan de oude Arthur Christy. Gek dat hij dat nooit eerder had gezien. Misschien heb ik haar nooit zo goed opgenomen, dacht hij. Chantelle herkende het ogenblik van zijn capitulatie en rustig wendde ze zich weer tot de officieren. Eén voor één sloegen ze hun ogen neer. Randle stond als eerste op.
'Wilt u me excuseren, mevrouw Alexander, ik moet maatregelen treffen om weer door te varen.'
Charles Gras bleef nog even staan en keek naar haar om. Hij glimlachte zoals alleen maar een Fransman naar een knappe vrouw kan lachen.
'Magnifique!' mompelde hij en lichtte een hand op als een teken van bewondering voordat hij de kajuit verliet.
Toen Chantelle en Duncan alleen achterbleven, keerde ze zich langzaam naar hem toe en uit de uitdrukking op haar gezicht bleek minachting.
'Waarschuw me iedere keer als je het lef mist.'
'Chantelle –'
'Jij hebt me in deze situatie gebracht, mij en Christy Marine. Nu zorg je maar dat we er ook weer uitkomen zelfs als dat ten koste van jezelf gaat, als het je dood betekent.' Haar lippen werden tot

een smalle streep en in haar ogen kwam een wraakzuchtige glans toen ze er zachter op liet volgen: 'Dat laatste zou me een genoegen zijn!'

De piloot van de Beechcraft BARON nam gas terug en liet de propellers langzaam draaien terwijl hij voorzichtig begon te dalen naar het uitzonderlijke vaartuig dat snel te voorschijn kwam uit de ochtendmist die van de eilanden over de zee trok.
Dezelfde mist had ook het lage silhouet van de kust van Florida aan het oog onttrokken en zelfs het bleekgroene water en de beschutte riffen leken bleek in de nevelen, deels verhuld door de lagen stratocumuli op vierduizend voet.
De piloot van de BARON liet de neus van het vliegtuig onder een hoek van 20° dalen waardoor het zicht recht naar voren beter werd. Weldra kwamen ze uit de wolken in het warme zonlicht.
'Wat maak jij ervan?' vroeg hij zijn tweede piloot.
''t Is bepaald geen kleine jongen,' zei de tweede en tuurde door zijn kijker, 'maar ik kan de naam niet lezen.'
De groene dekken leken zo ver het oog reikte door te lopen en daar op te gaan in de hoge opbouw van de achtersteven.
'Grote goden,' zei de piloot hoofdschuddend, 'dat lijkt de lanceerbasis van Cape Kennedy wel.'
'Inderdaad,' zei de tweede. 'Ik zal haar op 16 oproepen.' Hij liet zijn kijker zakken en zette de microfoon open die hij naar zijn lippen bracht.
'Tanker koers zuid, hier is de Kustwacht N C O F N. Verstaat u mij?'
'Kustwacht O F N hier is de *Golden Dawn*, ontvangen u uitstekend. Schakelen over op kanaal 22.'
Ruim driehonderd kilometer verderop gooide de Hol zijn als asbak dienst doende granaathuls om in zijn haast van frequentie 16 op 22 over te schakelen zoals de marconist aan boord van de *Golden Dawn* had aangegeven, terwijl hij zowel het bandopnameapparaat als de radiorichtingzoeker in werking stelde.
Bovenin de brandwachttoren van de *Warlock* draaide de zware metalen ring van de richtingzoeker langzaam rond, registreerde de uitzendingen die duidelijk door de ether weerklonken en gaf de daarop betrekking hebbende peiling door op de afleesapparatuur

van de Hol in zijn radiokamer.
'Goedemorgen *Golden Dawn*, zoudt u zo vriendelijk willen zijn uw registratiehaven en uw lading op te geven.'
'Dit schip is geregistreerd in Venezuela.' De Hol stemde handig zuiver af, schreef de peiling op zijn blocnote, scheurde de pagina af en rende ermee naar de brug.
'De *Golden Dawn* komt duidelijk door,' piepte hij en de uitdrukking van zijn gezicht verried boosaardig plezier.
'Waarschuw de kapitein,' zei de dienstdoende officier en liet er bij nader inzien op volgen: ' – en vraag mijnheer Berg op de brug te komen.'
De conversatie tussen de Kustwacht en de supertanker was nog steeds aan de gang toen Nicholas in zijn kamerjas de radiohut binnenstormde.
'Dank u voor uw welwillendheid, meneer,' de piloot van de kustwacht liep over van vriendelijkheid omdat hij zich heel goed bewust was dat de *Golden Dawn* buiten de territoriale wateren van de Verenigde Staten voer en officieel dus ook buiten het rechtsgebied van zijn regering. 'U zoudt me ten zeerste verplichten als u uw bestemmingshaven zoudt willen opgeven.'
'We zijn onderweg naar Galveston waar we onze hele lading lossen.'
'Wederom dank. Bent u op de hoogte van het wervelstorm-alarm dat op dit ogenblik van kracht is?'
'Ja.'
David Allen verscheen in de deuropening van de radiokamer. Zijn gezicht zag er rood en ernstig uit. 'Dan moet ze weer varen,' zei hij en zijn teleurstelling daarover was zo duidelijk dat het Nicholas toch weer ergerde. 'Ze is al aardig dicht in de buurt.'
'Je zou me een plezier doen als je dit schip onmiddellijk koerst op de Straat en zo dicht mogelijk bij haar in de buurt ziet te komen,' snauwde Nicholas. David Allen keek hem even verwonderd aan en verdween toen weer naar de brug terwijl hij intussen de koersverandering doorgaf en beval de snelheid op te voeren.
De kustwacht bleef op kanaal 22 beleefd aanhouden. 'Hebt u ook het bijgewerkte wervelstorm-alarm gehoord waarin gezegd wordt dat hij morgen om ongeveer 12 uur plaatselijke tijd de Straat zal passeren?'
'Hebben we.' De antwoorden van de *Golden Dawn* klonken nu kortaf.

'Mag ik u in verband met uw kwetsbare lading en deze speciale weersomstandigheden, lastigvallen met een vraag: hoe laat verwacht u dwars van het Dry Tortugas Bank kustbaken te zijn en wanneer denkt u de engte door te zijn en een noordelijker koers aan te houden, weg van de voorspelde baan van de wervelstorm?'
'Wilt u even wachten!' Er klonk wat gezoem in de tijd dat de radiotelegrafist de dienstdoende officier inlichtingen vroeg. Even later was de *Golden Dawn* weer terug: 'Ons ETA Dry Tortugas Bank baken is morgen 0130.'
Het duurde nogal een tijdje voordat de kustwacht die zijn hoofdkantoor aan land via een andere frequentie om raad had gevraagd, doorkwam:
'Mij is verzocht uw aandacht te vestigen op het feit dat voor de wervelstorm uit zwaar weer wordt verwacht en dat uw huidige ETA Dry Tortugas Bank u maar een smalle marge van veiligheid laat.'
'Dank u, kustwacht O F N. Uw boodschap zal in het logboek van dit schip worden opgenomen. Hier is de *Golden Dawn*, over en uit.'
De teleurstelling van de kustwacht was zonder meer duidelijk. Hij zou graag de tanker opdracht hebben gegeven haar koers te wijzigen. 'We volgen uw voortgang aandachtig, *Golden Dawn*. Goede reis, hier is de kustwacht O F N, over en uit.'

Charles Gras hield zijn donkerblauwe Baskische petje met één hand vast en sleepte met zijn andere hand zijn koffertje mee. Hij holde naar de romp van de helikopter en vermeed voorovergebogen instinctief het oorverdovende geklepper van de rotoren. Hij gooide zijn koffertje door de open deur van de romp naar binnen, aarzelde even, draaide zich om en rende terug naar de plek waar de eerste machinist stond.
Charles greep de officier bij zijn bovenarm vast en bracht zijn mond bij diens oor om verstaan te worden. 'Denk er toch vooral aan, beste vriend, dat je haar als een baby behandelt – *moet* je snelheid vermeerderen, dan heel geleidelijk.' De machinist knikte, zijn spaarzame kleurloze haren wapperden door de wind van de rotorbladen.
'Succes!' riep de Fransman. '*Bonne chance!*' Hij sloeg de officier op zijn schouder. 'Ik hoop dat je het niet nodig zult hebben!'

Hij rende weer terug en kroop in de romp van de Sikorsky. Hij wuifde voor een van de raampjes. De lompe machine verhief zich langzaam van het dek, bleef er even boven hangen en verdween toen laag over het water naar het vasteland.

Samantha Silver strompelde in zware lieslaarzen, haar mouwen tot aan de ellebogen opgerold, voort met twee plastic emmers vol mosselen waarmee ze de achtertrap van het laboratorium beklom.
'Sam!' schreeuwde Sally-Anne over de volle lengte van de lange gang. 'We stonden op het punt zonder jou te vertrekken!'
'Hoezo?' Sam liet de zware emmers met een zucht zakken waardoor er zout water over de rand gutste.
'Johnny heeft gebeld – de anti-milieuverontreinigingspatrouille heeft een uur geleden contact gehad met de *Golden Dawn*. Ze voer ter hoogte van Matanilla Reef in de Straat van Florida en ze zal al wel gevorderd zijn tot bij Biskayne Key voordat we, als we nu onmiddellijk zee kiezen, bij haar zijn.
'Ik kom eraan.' Sam nam haar emmers weer op en trachtte op een sukkeldraf verder te komen. 'Ik zie je zo dadelijk op de kade – heb je de TV gebeld?'
'Er is een cameraploeg onderweg,' riep Sally-Anne achterom en rende naar de voordeur. 'Schiet op, Sam – kom zo gauw mogelijk!'
Samantha gooide de mosselen in een van haar tanks, zette de zuurstoftoevoer aan en rende het laboratorium uit.

De dienstdoende officier van de *Golden Dawn* bleef bij de radarscoop staan en wierp er onbewust een blik op. Opeens bukte hij zich en nam het beeld aandachtig in zich op. Hij peilde het speldeprikje groen licht dat duidelijk opgloeide binnen de actieradius.
Hij bromde wat voor zich uit, rechtte zijn rug weer en liep vlug naar de voorkant van de brug. Langzaam speurde hij over de groene door de wind gerimpelde zee voor de monumentale boeg van de tanker.
'Een vissersvaartuig,' zei hij tegen de roerganger, 'ze varen uit.'

Hij had het oplichten van de boeggolf gezien. 'Ze zitten midden in de vaargeul – ze moeten ons nu al wel hebben gezien want ze draaien iets bij om ons aan stuurboord te passeren'. Hij liet de kijker vallen die tegen zijn borst heen en weer bleef schommelen. 'Dank je,' zei hij tegen een steward en nam de kop chocola aan waarvan hij kleine slokjes nam terwijl hij naar de kaartentafel liep.
Een van de jonge officieren kwam uit de radiokamer achterop de brug. 'Nog steeds geen uitslag,' zei hij, 'en ze hebben alleen nog blessuretijd.' Ze verloren zich in een diepgaande discussie over de voetbalwedstrijd om de wereldbeker die in het Wembley-stadion aan de andere zijde van de Atlantische Oceaan werd gespeeld.
'Als ze gelijk spelen dan zal Frankrijk –'
Er klonk een opgewonden kreet uit de radiokamer. De jonge officier holde naar de deur en keerde met een grijns terug. 'Engeland heeft een doelpunt gemaakt!'
De dienstdoende officier lachte gelukkig. 'Dan is het beslist!' Met een schok van schrik keerde hij tot zijn plichten terug en schrok nog eens toen hij weer een blik op de radarscoop wierp.
'Wat voeren ze in godsnaam uit?' riep hij geïrriteerd en haastte zich naar voren om de zee vooruit te overzien.
De vissersboot was blijven draaien en voer nu op tegenkoers recht op hen af.
'Wel vervloekt, we zullen hen eens even laten schrikken.' Hij greep voor zich de hendel van de misthoorn en gaf drie lange stoten die droefgeestig werden weerkaatst over het groene water van de Straat. Er ontstond deining onder de officieren, die allemaal uit de voorste ramen van de brug wilden kijken.
'Die moeten daar half in slaap zijn.' De dienstdoende officier dacht er even over de kapitein naar de brug te roepen. Als het op manoeuvreren in deze nauwe wateren aankwam, liet hij een ander graag de verantwoordelijkheid. Zelfs met deze matige snelheid zou het de *Golden Dawn* een halfuur en twaalf kilometer kosten om tot stilstand te komen en zelfs een koerswending van 90° zou vele kilometers nemen. De gedachte alleen al deed de officier de schrik om het hart slaan – de vissersboot leek op een aanvaring aan te sturen, de afstand tussen de twee schepen werd snel kleiner door hun beider snelheid. Hij stak zijn hand al uit naar de knop van de intercom toen kapitein Randle de trap van zijn eigen kajuit naar de brug kwam opstuiven.

'Wat is er?' vroeg hij. 'Waarom gebruikte je de misthoorn?'
'Een vissersbootje dat in ons vaarwater zit, meneer.' De opluchting van de officier was overduidelijk.
'Het dek is bezaaid met mensen,' riep een van de officieren en liet zijn kijker zakken. 'Het lijkt wel of ze een filmploeg op het bovendek hebben.'
Randle keek gespannen naar de korte afstand tussen het scheepje en de tanker. Het was al te dichtbij om nog een kans te hebben de *Golden Dawn* op tijd te stoppen.'
'God zij dank,' riep iemand, 'ze draaien af.'
'Ze wapperen met een soort banier. Kan iemand lezen wat erop staat?'
'Ze draaien bij,' riep de dienstdoende officier opeens. 'Ze draaien vlak voor onze boeg bij.'

Samantha had niet verwacht dat de tanker zo groot zou zijn. Zo vlak van voren leek de boeg de horizon van de ene kant naar de andere te vullen en de boeggolf die ze veroorzaakte deed aan de lange branding bij Kaap St. Francis denken.
Achter die boeg torende de opbouw van de navigatiebrug zo hoog op dat die deed denken aan het silhouet van een van die reusachtige hotels aan het strand van Miami.
Ze voelde zich beslist niet op haar gemak met die naderende stalen lawine.
'Denk je dat ze ons hebben gezien?' vroeg Sally-Anne naast haar. Toen Samantha haar eigen angst door dit meisje naast haar verwoord hoorde, verhardde ze zich. 'Natuurlijk hebben ze dat,' verklaarde ze zo dapper dat iedereen in de stuurhut haar duidelijk kon horen, 'daarom bliezen ze op die misthoorn. We zullen op het allerlaatste ogenblik opzij gaan.'
'Ze minderen hun snelheid niet,' merkte Hank Petersen, de roerganger, op. Samantha zou er alles voor over hebben als Tom Parker nu bij hen aan boord zou zijn. Maar ja, Tom zat helemaal in Washington en zij hadden de *Dicky* met een ongeregelde bemanning meegepikt zonder de op schrift gestelde toestemming van Tom Parker. 'Wat wil je nu doen, Sam?' Ze keken allemaal naar haar.
'Ik weet dat een schuit van die omvang niet zomaar kan stoppen,

maar we zullen zien te bewerkstelligen dat zij vaart mindert.'
'Krijgen de jongens van de TV voldoende materiaal?' vroeg Samantha om het ogenblik van besluitvorming nog even uit te stellen. 'Ga naar boven, Sally-Anne en kijk eens even.' Tegen de anderen vervolgde ze: 'Zorgen jullie dat het spandoek klaar is, we zullen ervoor zorgen dat ze het daar goed kunnen lezen.'
'Luister eens, Sam,' zei Hank Petersen en zijn gebruinde, intelligente gezicht stond gespannen. Hij was een expert op het gebied van tonijn maar bepaald niet gewend een boot te sturen tenzij dan in kalm, rustig water. 'Dit bevalt me niet, we komen er zo te dicht bij. Dat geval kan ons gemakkelijk overvaren zonder dat ze daar iets van de botsing merken. Ik zou nu graag wegdraaien.' Zijn stem werd volkomen teniet gedaan door de plotselinge oorverdovende misthoornstoten.
'God bewaar me, Sam, ik speel dat spelletje wie het eerst bang is niet graag met iemand van die omvang.'
'Maak je geen zorgen, we gaan hen op het laatste ogenblik uit de weg. Mooi, 90 bakboord, Hank. Laten we nu de spandoeken vertonen, ik ga hen daar op het dek helpen.'
De wind rukte aan het dunne witte spandoek toen ze het in de lengte van het dekhuis trachtten te ontrollen. Het kleine scheepje slingerde heftig, terwijl de TV-regisseur onduidelijke aanwijzingen gaf vanaf de top van de stuurhut.
Samantha zou een lief ding hebben gegeven als iemand het bevel had kunnen overnemen, iemand als Nicholas Berg – het spandoek vertoonde neigingen zich om haar hoofd te wikkelen.
De *Dicky* draaide nu snel rond en Samantha wierp een blik op de naderende tanker. Ze schrok geweldig van de reusachtige omvang die nu griezelig dichtbij was, te nabij, realiseerde ze zich.
Uiteindelijk lukte het haar een slag te krijgen in het dunne touw dat het spandoek vastbond aan de reling op de achtersteven – maar het linnen was gedraaid zodat er maar één woord van de slagzin leesbaar was – VERGIFTIGER stond er in vurig rode letters gevolgd door een grijnzende doodskop en gekruiste beenderen.
Sally-Anne schreeuwde: 'Terug jij, terug!' en zwaaide met haar beide armen naar de tanker. 'Je vergiftigt onze oceanen!'
Het werd nu allemaal zo verward en onbeheerst. De *Dicky* ging recht tegen de wind in en stampte zwaar. Iemand naast Samantha verloor zijn evenwicht en viel tegen Samantha aan. Het deed haar

pijn en op datzelfde ogenblik hoorde ze geluidsverschil in het draaien van de motor.
De dieselmotor van de *Dicky* was heftig tekeer gegaan toen Hank volop gas gaf om het scheepje weg te krijgen uit de dreiging van die stalen boeg.
De geluiden uit de uitlaatpijp langs het dekhuis hadden alle gesprekken onder elkaar onmogelijk gemaakt – maar nu werd het opeens stil, afgezien dan van het ruisen van de wind.
Zelfs hun eigen geschreeuw verstomde en ze verstarden toen ze de *Golden Dawn* recht op zich zagen afkomen zonder ook maar een millimeter uit haar koers te gaan.
Samantha was de eerste die haar zelfbeheersing terugvond. Ze holde over het slingerende dek naar de stuurhut.
Hank Petersen lag op zijn knieën naast het schot en worstelde zonder resultaat met de bedieningsorganen naar de machinekamer op het benedendek.
'Waarom ben je gestopt?' gilde Samantha tegen hem. 'Het is de gastoevoer,' zei hij. 'Die is weer eens losgeraakt.'
'Kan je het niet goed krijgen?' het was een belachelijke vraag. Nog geen anderhalve kilometer van hen verwijderd kwam de *Golden Dawn* op hen af – zwijgend, dreigend en onafwendbaar.

Wel tien seconden lang stond Randle verstijfd met beide handen om de slecht-weer-reling onder de vensterbank van de ramen op de brug.
Op zijn bleke gezicht lag een strenge uitdrukking toen hij keek of onder de achtersteven van het dobberende vissersbootje het water weer in heftige beweging zou komen als de schroef aansloeg. Hij wist dat hij zijn schip niet kon laten stoppen of van koers veranderen om een aanvaring te vermijden. De enige kans lag in het onmiddellijk wegstomen van het bootje dat daar op volle kracht aan stuurboord uit hun vaarwater moest verdwijnen.
'Vervloekte wezens!' dacht hij verbitterd, ze waren volledig in overtreding. Hij had de wet en het goede gebruik op zee achter zich staan. Een aanvaring zou de *Golden Dawn* maar weinig schaden, misschien zou ze wat verf verliezen en op zijn allerergst een wat geblutste plaat in de versterkte boeg krijgen. Bovendien hadden die

anderen daar om gevraagd.
Hij twijfelde niet aan het doel van dit krankzinnige, onverantwoordelijke gedrag. Er was genoeg kritiek geweest voordat de *Golden Dawn* zee koos. Hij had de bezwaren gelezen en die psychopatische milieudeskundigen op de TV gezien.
Hij voelde woede in zich opstijgen. Dit soort mensen maakte hem altijd boos. Als het aan hen lag, zouden er geen tankers varen en nu dreigden ze hem opzettelijk, manoeuvreerden hem in een positie waardoor zijn eigen loopbaan geschaad zou kunnen worden, want hij moest zien het schip vóór de wervelstorm uit door de Straat van Florida te krijgen. De minuten telden – en nu kwam dit ertussen.
Hij zou het liefst koers en snelheid handhaven en over hen heenvaren. Ze daagden hem uit, probeerden hem zover te krijgen – en ze verdienden niet beter. Maar hij was een zeeman met die diep ingewortelde eerbied voor menselijk leven op zee. Het zou tegen zijn diepste ik ingaan als hij geen poging zou doen een aanvaring te vermijden, hoe kansloos en zinloos die inspanning ook mocht zijn.
Naast hem bracht een van zijn officieren hem tot handelen.
'Er zijn vrouwen aan boord – kijk daar eens! Dat zijn vrouwen!'
Dat was voldoende. Zonder bevestiging af te wachten, snauwde Randle tegen de roerganger naast zich 'Bakboord aan boord!'
Met twee snelle passen was hij bij de telegraaf en zette de verchroomde hendel op 'Volle kracht achteruit'.
Bijna onmiddellijk voelde hij aan zijn voetzolen de verandering in het ritme van de motor toen de grote machine zeven dekken lager dan de brug eensklaps denderde door deze onverwachte krachtsinspanning waarbij de schroefas opeens in tegenovergestelde richting moest draaien.
Randle kwam weer terughollen om naar voren uit te kijken. Bijna vijf minuten bleef de boeg gericht op hetzelfde punt van de horizon en reageerde niet zichtbaar op de roerstand. De trage massa van een miljoen ton ruwe olie, de geweldige weerstand van de romp in het water en de druk van de wind en de stroom hielden haar op koers. Hoewel de enkele mangaanbronzen schroef heftig en diep in het groene water te keer ging, kwam er nog totaal geen verandering in de snelheid waarmee de tanker voorwaarts gleed.
Randle hield zijn hand op de telegraaf en trok hem instinctief met al zijn kracht naar achteren gericht alsof dat effect zou sorteren op de voorwaartse beweging van het schip.

'Achteruit!' fluisterde hij smekend en staarde naar de vissersboot die nog altijd heftig slingerend in het vaarwater van de *Golden Dawn* lag. Hij zag dat die kleine menselijke figuurtjes langs de reling van de achtersteven hevig stonden te zwaaien en dat het spandoek met de bloedrode leuze aan één kant was losgescheurd en nu klapperde en ronddraaide over de hoofden van de bemanning.
'Keren!' fluisterde Randle weer en nu zag hij voor het eerst de reactie van de romp. De hoek tussen de boeg en de vissersboot veranderde. Hij wierp een snelle blik op het controlepaneel waarop inderdaad een verschil in de voorwaartse snelheid bleek. Hij voelde nu ook de invloed van de golfstroom op het schip, nu ze trachtte dwars op de golven te komen. Voor hen uit was het vissersbootje achter de hoge stompe boeg bijna geheel uit het gezicht verdwenen. Zeven minuten waren voorbijgegaan en nu opeens veranderde iets in de *Golden Dawn*. Het was iets dat hij nog niet eerder had meegemaakt.
Er schoot via het dek een felle, razende, trilling door hem heen. Hij realiseerde zich dat die beweging wel bijzonder heftig moest zijn toen de romp begon te schudden. Toch kon hij de telegraaf niet loslaten nu dat hulpeloze bootje in zijn vaarwater lag.
Maar opeens hield wonderbaarlijk genoeg alle beweging onder zijn voeten op. Het enige dat overbleef was de rustige voortgang van de romp door het water, niet langer dat dreunen van de machines en dat is een ervaring die een zeeman heel wat meer verontrust dan welke trillingen ook. Op dat zelfde ogenblik begonnen allerlei rode lichtjes op het controlepaneel waarschuwend te flikkeren en de gillende alarmsirenes maakten hen allemaal doof.
Toen pas duwde Randle de telegraaf op 'stop'. Hij stond te staren naar het vissersbootje dat uit het gezicht verdween achter een hoek van de brug die anderhalve kilometer achter de boeg lag.
Een van de officieren zette de sirene af. In de plotselinge stilte die daarop volgde bleef iedere officier als aan de grond genageld staan in afwachting van de schok die de aanvaring zou veroorzaken.

De eerste machinist van de *Golden Dawn* liep langzaam langs het controlepaneel in de machinekamer en liet geen oog af van de elektronische gegevens over alle mechanische en elektrische functies van het schip. Toen hij bij het alarmsysteem kwam, bleef hij even stilstaan en fronste zijn wenkbrauwen. Het uitvallen van die ene transistor die maar een paar dollar waard was, was de oorzaak geweest van die grove schade aan zijn dierbare uitrusting. Hij boog zich naar voren en drukte de testknop in en controleerde alle alarmsystemen, maar hij erkende inwendig het feit dat wat hij nu deed eigenlijk te laat was. Hij was doodvoorzichtig met het schip dat enige schade aan de machine en de schroefas had opgelopen. Een matige gang kon misschien nog redding brengen – maar er was daar voorbij de horizon in het zuiden een wervelstorm op komst en de eerste machinist kon alleen maar gissen in wat voor noodtoestand zijn kostbare machinerieën de komende dagen misschien terecht zouden komen.

Hij werd van dit piekeren zenuwachtig en kriebelig. De dienstdoende stokers en oliemannen namen hem steels op. Als hij zo uit het lood was, kon je maar beter niet zijn aandacht trekken.

'Dickson!' zei hij opeens, 'zet je helm op. We gaan weer in de schroefastunnel.'

De olieman zuchtte, wisselde een blik van verstandhouding met een van zijn collega's en zette zijn helm op. Een uur geleden waren ze ook al in die tunnel geweest. Het was een lawaaiïge en smerige onderneming.

De olieman sloot de waterdichte deuren van de tunnel achter zich en draaide de klampen onder het ijzige toezicht van de eerste machinist stevig aan. Beide mannen bukten zich in de beperkte ruimte en doken de stralend verlichte lichtgrijs geschilderde tunnel in.

De ronddraaiende schroefas verwekte een hoge jammertoon die in de stalen tunnel leek te resoneren alsof het de ombouw van een viool was. Het was verrassend dat het geluid nu geprononceerder klonk dan bij een hogere snelheid. Je kreeg het gevoel of een tandarts ergens achter in je kaak in een kies boorde, dacht de olieman. De eerste machinist scheen daar geen last van te hebben. Hij bleef zeker wel tien minuten bij het schroefaslager, voelde met zijn hand of het warm werd of trilde. Zijn gezicht stond somber en hij schudde meermalen zijn hoofd in een bang voorgevoel voordat hij verder de tunnel inging. Toen hij bij het pakkingblok kwam, ging hij opeens op zijn hurken zitten en bekeek het nauwkeurig. Een druppeltje zeewater kwam daar naar buiten en viel neer. De machinist raakte het met zijn vinger aan. Er was dus iets ontzet, de balans

was verstoord, de pakking was niet meer waterdicht – dergelijke kleine aanwijzingen, een paar liter zeewater, konden de eerste waarschuwingen zijn van belangrijke schade elders.
De eerste machinist keek om zich heen, nog altijd gehurkt naast de schroefas en bracht er zijn gezicht zo dichtbij dat hij slechts enkele centimeters van de draaiende hoofdas verwijderd was. Hij kneep één oog dicht, hield zijn hoofd schuin en probeerde nogmaals uit te maken of dat vage wijken van de buitenkant van de as werkelijkheid was of alleen maar in zijn verbeelding bestond. Tot zijn grote schrik en verrassing bleef de as opeens stilstaan. Het kwam zo onverwacht dat de machinist de torsie van de as zag verdwijnen. Hij hoorde de metalen wanden kraken en tikken van de spanning die ontstond.
Hij zakte achterover op zijn hielen en bijna op dat zelfde ogenblik begon de as weer te draaien, maar ditmaal in de tegenovergestelde richting. De hoge jammertoon versterkte tot een aanzwellend gegil. Ze hadden vanaf de brug deze noodmaatregel genomen, maar het was waanzin, waanzin die tot eigen ondergang leidde. De machinist greep de olieman bij zijn schouder en schreeuwde in zijn oor: 'Maak dat je in de controlekamer komt – en zie er achter te komen wat voor den donder ze daar op de brug uitspoken.'
De olieman verwijderde zich. Het zou hem zeker tien minuten kosten voordat hij er zou zijn en dan nog eens dezelfde tijd om terug te komen.
De eerste machinist overwoog even of hij hem ook maar zou volgen, maar hij had het gevoel dat hij de as niet alleen kon laten. Hij liet zijn hoofd weer zakken en nu zag hij duidelijk het lichte wrikken van de buitenkant van de as. Hij verbeeldde het zich niet, er was inderdaad een lichte beweging. Hij hield zijn handen tegen zijn oren om het gillen van het draaiende metaal buiten te sluiten, maar er was een nieuwe klank bijgekomen, het schuren van metaal tegen metaal en nu zag hij ook de uitslag van de as sterker worden, het trillen van een voorwerp dat uit balans is. De metalen schacht onder zijn voeten begon eveneens te denderen.
'Mijn God, ze helpen de hele boel naar de bliksem!' schreeuwde hij en sprong overeind. Het dek rammelde en schudde onder zijn voeten. Hij begon de tunnel terug te lopen, maar het hele geval trilde zo hevig dat hij zich aan de metalen waterdichte schotten moest vastklampen om op de been te blijven.

Voor hem uit zag hij het reusachtige metalen gietstuk van het schroefaslager draaien en schudden waardoor zijn tanden in zijn opeengeklemde kaken gingen klapperen. Tot zijn ontzetting zag hij nu de geweldige zilverkleurige as omhoog rijzen en verbuigen terwijl het lager losscheurde.

'Stopzetten!' schreeuwde hij, 'in godsnaam stoppen!' Zijn stem ging verloren in het gegil en gegier van het ontzette metaal dat zichzelf naar de knoppen hielp. Het schroefaslager explodeerde en de as sloeg tegen het waterdichte schot aan dat hoewel het uit stalen platen bestond als papier uiteenscheurde.

De as zelf begon te kronkelen en uit te slaan. De eerste machinist drukte zich tegen de grond, zijn rug tegen het waterdichte schot, zijn handen om zijn oren om die te beschermen tegen het onmenselijke geluidsvolume.

Een splinter gloeiend staal schoot los van het lager en sloeg tegen zijn gezicht, waardoor zijn bovenlip tot aan het bot werd gespleten, zijn neus in elkaar ramde en zijn voortanden bij het tandvlees afgesneden werden.

Hij viel naar voren en de zwiepende as greep hem als een razend roofdier en scheurde zijn lichaam in stukken en verpletterde alles tegen de lichtgrijze wanden.

De hoofdas knapte als een dode tak af op het punt waar die gloeiend was geworden en daardoor verzwakt. De uit zijn evenwicht gebrachte zware schroef scheurde de stomp los door de afsluiting heen.

De zee stroomde door die opening binnen, zette de tunnel onder water tot aan de waterdichte deuren – de reusachtige bronzen schroef met daaraan vast de stomp van de hoofdas, een gewicht van zeker honderdvijftig ton plonsde naar beneden door vierhonderd vadem zeewater om een graf te vinden in de zachte modder van de zeebodem. De *Golden Dawn*, bevrijd van haar verminkte as en schroef, was opeens doodstil. De dekken trilden niet meer en bewogen nauwelijks door de uitloop van haar reusachtige romp.

Samantha had even een afschuwelijk ogenblik van misselijk makende schuld. Ze zag duidelijk dat zij verantwoordelijk was voor het dodelijke gevaar waarin ze deze mensen had gebracht en ze staarde

over de zijreling van de boot naar de tanker. Deze kwam met onverminderde vaart op hen af, misschien was ze enkele graden van haar koers geweken want de boeg wees niet meer recht in hun richting, maar de snelheid bleef gelijk.
Ze was zich pijnlijk bewust van haar onervarenheid, van haar hulpeloosheid in deze benarde situatie. Ze trachtte rustig na te denken om uit deze wanhopige situatie te komen.
Reddingsvesten dacht ze en schreeuwde tegen Sally-Anne die op het dek stond: 'De reddingsvesten zitten in de kisten achter het stuurhuis.'
Samantha zag steeds meer angstige gezichten op haar gericht. Tot voor kort was het een glorieuze stoeipartij geweest, het oude spelletje duitendieven uitdagen, de gevestigde orde prikkelen, maar nu opeens was het een dodelijk gevaar geworden.
'Doe wat!' gilde Samantha tegen hen. Iedereen ging opeens over het dek hollen. Zelf trachtte ze haar gedachten te ordenen terwijl ze duidelijk de tanker dichterbij hoorde komen.
De smoorklepstang van de *Dicky* was al eens eerder gebroken, toen ze een jaar geleden in de buurt van Key West aan het werk waren geweest. Samantha had toen gezien hoe Tom Parker met de machine bezig was geweest want ze had hem bijgelicht in de kleine sombere machinekamer. Ze wist niet zeker meer wat hij had gedaan, maar wel herinnerde ze zich dat hij de omwentelingen van de motor met de hand had gecontroleerd – iets naast het motorblok, onder die geweldige bol van het luchtfilter.
Samantha draaide zich om en dook de ladder naar de machinekamer af. De dieselmotor draaide wel, maar gaf niet voldoende kracht af om het bootje door het water te stuwen. Ze gleed enige malen bijna uit op het vettige dek en schreeuwde het uit van de pijn toen haar hand in aanraking kwam met het roodgloeiende spruitstuk van de uitlaat. Aan de andere kant van het motorblok zocht ze met wanhopige vingers onder het luchtfilter en duwde en trok aan alles wat ze maar in handen kreeg. Ze vond een spiraalveer en viel op haar knieën om hem goed te bekijken. Ze deed verschrikkelijk haar best niet aan die reusachtige stalen romp te denken die recht op hen afkwam, niet aan het feit dat ze hier in dit hokje was dat naar dieselolie, uitlaatgassen en oude spanten rook, niet aan het feit dat ze geen reddingsvest aanhad of dat de tanker het bootje kon vermorzelen alsof het een lucifersdoosje was.

In plaats daarvan volgde ze de spiraalveer tot waar die vastzat aan een plat rechtopstaand hefboompje. Wanhopig drukte ze die hefboom tegen de veer en – onmiddellijk begon de dieselmotor oorverdovend te loeien. Ze schrok er zo van dat ze de hefboom losliet. De motor zakte weer af en ze verloor kostbare seconden met het opnieuw zoeken naar het hefboompje. De motor begon weer te brullen en ze voelde dat het bootje vaart kreeg. Ze begon te bidden. Ze kon zelf niet horen wat ze allemaal zei, maar ze hield de gastoevoer open en bleef bidden. Zo hoorde ze ook niet de kreten van afschuw op het dek. Ze wist ook niet hoe dichtbij de *Golden Dawn* was, ze wist niet of Hank Petersen nog in het stuurhuis zat en hun bootje wegkoerste uit het vaarwater van de tegemoetstormende tanker – maar ze hield de gastoevoer open en bad.
Toen de klap ten slotte kwam, had die een verpletterend effect. Het kraken en versplinteren van hout, een plotselinge slingering en het rollen van het dek. Samantha werd tegen het gloeiende staal van de motor gesmeten waarbij ze haar voorhoofd met zo'n kracht stootte dat ze alleen nog maar verblindend wit licht zag. Ze viel achterover, slap en ontspannen, met suizende oren in een inktzwarte duisternis.
Ze wist niet hoe lang ze buiten westen was geweest, maar het kon niet veel meer dan een paar seconden zijn geweest. IJskoud water op haar gezicht had haar doen bijkomen. Ze wist zich op haar knieën op te richten. Bij het licht van één enkel elektrisch peertje in de zoldering boven zich zag Samantha krachtige waterstralen door de gapende planken van het waterdichte schot naast haar spuiten. Haar T-shirt en broek waren in een oogwenk doorweekt, het zoute water verblindde haar en ze had het gevoel dat haar schedel was gebroken en dat iemand met het puntige eind van een priem een gat tussen haar ogen trachtte te maken. Ze was zich vaag bewust dat de dieselmotor draaide en dat op het dek water kletste. Ze vroeg zich af of het bootje overvaren was door de tanker. Even later realiseerde ze zich dat het de hekgolf van de reusachtige boot moest zijn die hen zo genadeloos heen en weer gooide, maar dat ze nog steeds dreven.
Op handen en voeten begon ze het op en neergaande dek af te kruipen. Ze wist waar de lenspomp was want Tom had hun die allemaal gewezen. Verbeten kroop ze daar naar toe.

Hank Petersen kwam gebukt uit het stuurhuis en wurmde zich met wild zwaaiende armen in een reddingsvest. Hij was er niet zeker van wat de beste oplossing zou zijn, overboord springen en wegzwemmen van de iets afbuigende koers van de tanker of aan boord blijven en het risico van de aanvaring nemen, die nog maar enkele seconden van hen verwijderd was. Iedereen stond dicht opeen aan de reling en staarde omhoog naar de mooi afgeronde stalen berg, die het grootste gedeelte van het luchtruim aan hun blikken onttrok. Alleen de TV-cameraman op het dak van het stuurhuis, een echte fanatiekeling die zich nooit bewust was van gevaar, liet zijn camera snorren. Zijn verrukte uitroepen en het zoemen van de motor van de camera vermengden zich met de sisklanken van de boeggolf van de *Golden Dawn*. Die golf was zo'n viereneenhalve meter hoog en maakte een geluid als brandend droog gras.
Opeens brulde de uitlaat van de dieselmotor boven Hanks hoofd fel, maar verviel even daarna weer tot een zacht gepruttel. Hij keek niet begrijpend op, maar daar begon de motor weer te razen en het dek slingerde onder hem. Onder de achtersteven hoorde hij het kolken van het water dat door de schroef werd opgezweept. De *Dicky* gooide haar loomheid van zich af en reed op de korte golfslag van de Golfstroom. Hank bleef nog even verbaasd staan, maar het volgende ogenblik dook hij weer het stuurhuis in en graaide naar de spaken van het wiel om een scherp zijwaartse koers in te slaan. De boeg van de tanker vulde nu hun hele uitzicht, maar het bootje schoot bliksemsnel weg en de boeg van de tanker deinde majestueus de andere kant uit. Nog enkele seconden en ze zouden het hebben gered. De boeggolf nam hen echter op en Hank werd tegen het stuurhuis gesmeten. Hij voelde iets in zijn borst knappen en het kraken van bot toen hij tegen de planken viel. Onmiddellijk daarop volgde een scheurend gekraak toen de twee boten elkaar raakten. Hij werd weer de andere kant uit geduwd zodat hij nu op het dek lag te spartelen. Hij trachtte overeind te krabbelen, maar het vissersbootje stampte en steigerde met zo'n overgave dat hij weer languit neerviel. Weer klonk er een scheurend geluid toen de *Dicky* omlaag werd gezogen tegen de zijkant van de tanker. Ze kwam weer vrij en slingerde, stampte en dobberde als een kurk in het roerige kielzog van het reusachtige schip.
Eindelijk kon hij overeind komen. Hij kromp ineen en greep naar zijn gekneusde ribben, maar staarde desondanks door het raam van het stuurhuis.

Nog geen kilometer verderop was de tanker traag bezig tegen de wind in te varen, maar er kwam geen schuimend kielzog vanonder haar achtersteven. Hank strompelde naar de deuropening en keek naar buiten. Het dek stond nog blank, maar het water spoelde weg door de spuigaten. De reling was vernield, het grootste gedeelte zelfs overboord geslagen en de dekplanken waren hier en daar vernield en opengereten. Achter hem kwam Samantha uit de machinekamer de ladder opklimmen. Ze had een vuurrode buil midden op haar voorhoofd, haar kleren waren doornat en haar handen zaten vol smeervlekken. Hij zag een venijnige brandwond op de rug van haar ene hand toen ze haar blonde haren uit haar gezicht streek.
'Hoe is het, Sam?'
'We maken water,' zei ze, 'ik weet niet hoelang de pomp het zal houden.'
'Heb jij de motor weer op gang gekregen?' vroeg hij.
Samantha knikte. 'Ik heb de smoorklep opengehouden,' zei ze en ze liet er nadrukkelijk op volgen: 'Maar dat doe ik van zijn levensdagen niet nog een keer. Laat een ander dat maar opknappen, ik heb mijn portie gehad.'
'Leer het mij maar,' zei Hank, 'dan neem jij het roer over. Hoe eerder we terug zijn op Key Biscane, hoe liever het me is.'
Samantha tuurde naar de van hen afvarende tanker. 'Mijn God!' Ze schudde verwonderd haar hoofd. 'God nog aan toe! Wat hebben we geboft!'

Schapewolkjes en windveren
Reef je zeilen, het kan keren

Nicholas Berg reciteerde in zichzelf het oude zeemansrijmpje en beschutte met één hand zijn ogen terwijl hij naar de lucht keek. De wolk deed denken aan prachtig kantwerk, hoog tegen de blauwe lucht vervluchtigden de wazige vlokken snel. Dan staat er een harde bovenwind, maakte hij daaruit op. De wolk zat ten minste op negen kilometer hoogte en eronder was de lucht helder en dun – alleen kwamen aan de westelijke horizon zilverkleurige en blauwe donderwolken opzetten, ontstaan tegen het vasteland van Florida dat van hier af nog niet te zien was.
Ze zaten nu al zes uur op de Golfstroom, die zo gemakkelijk te

herkennen is aan de korte felle golfslag en aan de schittering van het water dat eerst verwarmd wordt in het ondiepe tropische bekken van de Caribische Zee waarop de uitgezette hoeveelheid naar de Golf van Mexico stroomt en daar nog meer verhit wordt. Het volume wordt dan weer groter totdat een waterheuvel ontstaat die met kracht een uitweg zoekt door de nauwe Straat van Florida en dan in een brede zwaai naar het noorden en oosten uitwaaiert. Het klimaat in die landen die hun kust aan deze golfstroom hebben blijft door het warme water gematigd en de visgronden in de Noordatlantische oceaan ontlenen hieraan hun warmte. Midden in deze stroom was de *Golden Dawn*, niet ver voor de *Warlock* uit, moeizaam op weg naar het zuiden, recht tegen de stroom in, die zeker een honderd kilometer van haar dagelijks traject zou afknabbelen. Ze koerste recht aan op een van de verraderlijkste en gevaarlijkste stormen die op aarde voorkomen.
Nicholas merkte dat hij opnieuw piekerde over de mentaliteit van iemand die iets dergelijks onderneemt, een man die alles en alles op één kaart zet. Hij begreep het wel want hij had het eens zelf ook gedaan, maar hij verafschuwde die man nu om het genomen risico. Hij zette het leven van Nicholas' zoon op het spel en riskeerde het voortbestaan van een oceaan en de levens van miljoenen mensen die hun leven aan die oceanen hadden verbonden. Duncan Alexander gokte met fiches die hij niet mocht inzetten.
Nicholas wilde maar één ding, langszij de *Golden Dawn* komen en zijn zoon van boord halen. Hij zou dat doen, zelfs wanneer dat betekende dat hij als een piraat haar zou moeten enteren. In de kapiteinshut was een afgesloten en verzegelde wapenkast met daarin twee automatische geweren en zes pistolen. De *Warlock* was op iedere noodtoestand waaronder piraterij en muiterij aan boord van een te slepen vaartuig, voorbereid.
De *Warlock* racete op de korte golfslag van de Golfstroom, maar het ging Nicholas nog altijd te langzaam. Hij keerde zich ongeduldig af en liep de brug op.
David Allen keek naar hem met een rimpel op zijn gladde jongensachtige voorhoofd. 'De wind neemt af en gaat ruimen,' zei hij. Nicholas herinnerde zich nog een regel van het zeemansrijmpje.

Als de wind draait tegen de zon in
Vertrouw dat niet want ze loopt terug naar 't begin

Hij zei het niet op, knikte enkel en antwoordde: 'We komen nu in

de uiterste invloedssfeer van Lorna. De wind draait weer terug als we dichter bij het centrum ervan komen.'
Nicholas liep door naar de radiohut waar de Hol naar hem opkeek en zijn hoofd schudde. Sinds het gesprek met de kustwachtpatrouille, vroeg in de morgen, had de *Golden Dawn* het stilzwijgen bewaard.
Nicholas liep naar de radarscoop en tuurde even op het ronde scherm. Deze gewoonlijk druk bevaren route was opvallend stil. Kleine boten zochten vermoedelijk een goed heenkomen in de een of andere haven. Op alle eilanden en op het vasteland van Florida zouden nu wel uitgebreide voorzorgsmaatregelen in werking treden. Sinds kleine eilanden bij vakantiegangers in de mode waren gekomen waren zeker wel driehonderdduizend mensen naar de Florida Keys gekomen. Als de wervelstorm daar zou toeslaan zou het verlies aan mensenlevens en bezit enorm zijn want het was misschien wel de kwetsbaarste plek van de lange kustlijn. Nicholas trachtte zich voor te stellen wat er zou gebeuren als een miljoen ton giftige ruwe olie naar een kust wordt gedreven die al geteisterd wordt door een wervelstorm. Onrustig liep hij naar de voorkant van de brug en staarde naar de betrekkelijk smalle vaargeul voor het schip uit tot aan de horizon die nog alle verschrikkingen en wanhoopsituaties verborg die aan zijn geestesoog voorbijtrokken.
'Mayday! Mayday! Mayday! Hier is de bulk carrier *Golden Dawn*, onze positie is 79°50′ west en 25°43′ noord.'
De deur van de radiokamer stond open en het was stil op de brug zodat ze het allemaal duidelijk konden horen. Ze vingen zelfs de ademstoot op wanneer de spreker tussen de zinnen stopte en de gespannen klank van de stem werd niet door storingen van de radiogolf vervormd.
Nog voordat Nicholas bij de kaartentafel was, wist hij al dat ze nog een honderdvijftig kilometer van hen verwijderd was.
'We hebben onze schroef verloren en een deel van de hoofdas is afgebroken. We drijven af.'
Nicholas kromp ineen alsof hij een klap in zijn gezicht had gekregen. Hij kon zich geen gevaarlijker omstandigheid en positie voor een schip van die omvang voorstellen – en Peter was aan boord.
'Dit is de *Golden Dawn* die de kustwacht van de Verenigde Staten oproept of ieder ander schip dat in staat is assistentie te bieden –'
Nicholas was met drie lange passen in de radiokamer waar de Hol

hem de microfoon overhandigde en knikte.
'*Golden Dawn* hier is de zeesleper *Warlock*, ik kan binnen vier uur hulp verlenen –'
Wat kon het hem schelen dat stilzwijgen de voorkeur verdiende! Peter zat daar aan boord. '– Zeg Alexander dat ik Lloyd's Open Form aanbied en dat ik onmiddellijke aanvaarding eis.'
Hij liet de microfoon zakken en holde terug naar de brug. Zijn stem klonk rauw toen hij David Allen die hij bij de arm greep, grimmig beval: 'Zeg Vin Baker dat hij alles op alles zet!' Hij rende terug naar de radiokamer. 'Telex Levoisin op de *Seawitch*. Laat hem opgeven wanneer hij op topsnelheid de *Golden Dawn* kan bereiken.' Wel vroeg hij zich even af of zelfs twee zeeslepers in staat zouden zijn de kreupele en machteloze *Golden Dawn* te redden in een wervelstorm.

Jules antwoordde direct. Hij had in Charleston gebunkerd en was nu zes uur geleden de haven uitgevaren. Hij voer op topsnelheid en verwachtte de volgende dag tegen de middag bij de *Golden Dawn* te zijn. Dat was ook de voorspelde tijd van doorgang van wervelstorm Lorna in de Straat, volgens de meteorologische gegevens die ze twee uur eerder uit Miami hadden ontvangen, dacht Nicholas toen hij de telex las en zich tot David Allen keerde.
'David, er is hiervoor geen precedent voor zover ik weet – maar nu mijn zoon aan boord van die tanker is moet ik het commando over dit schip overnemen, tijdelijk natuurlijk.'
'Het zal me een eer zijn u als eerste officier te kunnen dienen, meneer,' zei David kalm en Nicholas voelde dat het gemeend was.
'Komt er een goed bergloon van, dan krijg je natuurlijk het kapiteinsdeel,' beloofde Nicholas hem. 'Wil je de voorbereidingen controleren voor het overbrengen van een lijn op de tanker?'
David draaide zich om en wilde de brug verlaten, maar Nicholas hield hem tegen. 'Tegen de tijd dat we in de buurt zijn, zullen we een weer hebben waarvan je in je ergste nachtmerries niet hebt kunnen dromen – vergeet dat niet!'
'Telex,' krijste de Hol. 'De *Golden Dawn* reageert op uw aanbod.'
Nicholas was met een paar grote passen in de radiokamer en las de eerste regels die uit het apparaat kwamen:

BIED HUURCONTRACT PER DAG AAN VOOR BERGING VAN SCHIP VAN HUIDIGE POSITIE TOT AAN REDE VAN GALVESTON

'De schoft!' gromde Nicholas. 'Hij probeert mij te bedonderen in het zicht van een wervelstorm en mijn zoon zit bij hem aan boord.' Woedend sloeg hij met zijn vuist in de palm van zijn andere hand. 'Goed dan!' riep hij uit, 'we zullen hem met gelijke munt betalen. Roep de directeur van de kustwacht van de Verenigde Staten voor me op in het hoofdkantoor te Fort Lauderdale – via de open alarmfrequentie, dan zal ik met hem spreken.'
De Hol grijnsde boosaardig en riep het hoofdkantoor van de kustwacht op.
'Kolonel Ramsden,' zei Nicholas, 'u spreekt met de kapitein van de *Warlock*. Ik heb het enige bergingsschip dat de *Golden Dawn* kan bereiken voordat Lorna passeert en vermoedelijk ben ik ook de enige zeesleper met een vermogen van 22 000 paardekrachten aan de oostkust van Amerika. Wanneer de kapitein van de *Golden Dawn* niet binnen een uur Lloyd's Open Form accepteert, zal ik genoodzaakt zijn de veiligheid van mijn schip en bemanning te laten prevaleren door zo snel mogelijk een ankerplaats op te zoeken – maar dan zult u een miljoen ton uiterst giftige ruwe olie over uw territoriale wateren verspreid krijgen, en dat nog wel tijdens een werlvelstorm.'
De directeur van de kustwacht had een zware, wat afgemeten stem, de rustige klank van een man die gewend is verantwoordelijkheid te dragen.
'Stand by, *Warlock*, ik neem rechtstreeks contact op met de *Golden Dawn* via kanaal 16.'
Nicholas gaf de Hol een teken kanaal 16 open te zetten en ze luisterden naar Ramsden in gesprek met Duncan Alexander.

'*Wanneer uw schip de territoriale wateren van de Verenigde Staten onbestuurbaar of zonder een begeleidende zeesleper die het schip in bedwang houdt, binnenvaart, zal ik me genoodzaakt zien van mijn bevoegdheid gebruik te maken en beslag te laten leggen op uw schip waarbij ik die maatregelen zal nemen die mij goeddunken om te voorkomen dat onze wateren bezoedeld worden. Ik waarschuw dat het voorgaande mogelijkerwijs kan inhouden dat ik uw lading moet vernietigen.*'

Tien minuten later kopieerde de Hol een telex van Duncan Alexander persoonlijk aan Nicholas Berg dat hij Lloyd's Open Form accepteerde en hem verzocht de *Golden Dawn* zo snel mogelijk op sleeptouw te nemen.
'Ik schat dat we binnen twee uur over de honderd-vademlijn zullen drijven en daarmee de territoriale wateren van de Verenigde Staten binnenvaren,' eindigde de boodschap.
Terwijl Nicholas dit op de vleugel van de brug las, kreeg de wind ineens vat op het papiertje in zijn hand en drukte zijn hemd tegen zijn borst. Hij keek vlug op en zag dat de wind naar het oosten was gekrompen en dat de toppen van de golven van de Golfstroom kruifden. De ondergaande zon kleurde de cirruswolken die de hemel bedekten bloedrood.
Nu kon Nicholas niets meer doen. De *Warlock* lag op topsnelheid en de bemanning maakte alles in gereedheid voor de sleep. Het enige dat hem restte was afwachten. Al vlug viel de duisternis. Nicholas kon nog net een donkere berggestalte zich als een gigantisch monster boven de zuidelijke horizon zien formeren. Hij staarde er gefascineerd naar totdat de nacht vol mededogen Lorna's afzichtelijk uiterlijk verhulde.

De wind joeg de Golfstroom op tot een opeens onrustige zee met onverwacht zware deining, niet constant, maar met vlagen. Het was een pikzwarte nacht zonder sterren en nergens een licht. De *Warlock* stampte en slingerde op de onrustige deining.
'De barometer vliegt omhoog,' riep David Allen opeens. 'Drie millibaren terug naar 1005.'
'De trog,' zei Nicholas bars. Het was een klassieke wervelstormformatie, die smalle gordel van hoge luchtdruk die de buitenste rand van die reusachtige rondwervelende luchtstroom begrensde. 'We komen er nu in.'
Terwijl hij dat zei verdween het duister, de lucht begon te gloeien als een smeulend vuur en de zee glansde met een rossige gloed alsof de deuren van een kolenfornuis wijd opengegooid waren.
Er werd geen woord gesproken op de brug van de *Warlock*. Iedereen lichtte zijn hoofd op en staarde met ontzetting naar de lucht. Laag hangende wolken vlogen over hen heen, allemaal verlicht door die

onheilspellende rode, dreigende gloed. Langzaam doofde het licht weer en veranderde in een ziekelijk groen, de kleur van bedorven vlees. Nicholas verbrak als eerste de stilte.
'Het Duivels Baken,' zei hij in een behoefte een en ander verstandelijk te verklaren waardoor hij de bijgelovige stemming die hen beving, wilde verdrijven. In feite waren het de stralen van de ondergaande zon weerkaatst tegen de bovenkant van de wervelstorm en gereflecteerd door de dunne wolken van de trog. Het griezelige licht verdween geleidelijk aan en het nachtelijk duister leek nu dieper en angstaanjagender dan voordien.
'Hebben we al radarcontact, David?' vroeg Nicholas om zijn officieren af te leiden. De nieuwe eerste stuurman maakte zich met zichtbare moeite los uit zijn verstarring en liep naar de scoop.
'Het is een erg onrustig beeld,' zei hij met wat verstikte stem. Nicholas liep eveneens naar het scherm. De ronddraaiende arm verlichtte een dwarrelende massa, vermoedelijk de onrustige zee en de vreemde spookachtige echo's die het gevolg waren van elektrische ontladingen in de aanstormende tropische cycloon. De silhouetten van Florida en van de Grand Bahama's waren duidelijk herkenbaar. Nicholas realiseerde zich eens te meer hoe weinig ruimte er was voor het manoeuvreren met zijn zeeslepers en hun monsterachtige sleep. Ineens onderscheidde zijn scherpe blik tussen alle waardeloze signalen een duidelijker echo, helemaal aan de buitenkant van het scherm. Hij bleef er gedurende zeker wel een dozijn wendingen gespannen naar staren en iedere keer zag hij het constanter en duidelijker.
'Radarcontact,' zei hij. 'Meld de *Golden Dawn* dat we op honderdtwintig kilometer zijn genaderd en dat we hen vóór middernacht op sleeptouw kunnen nemen.' Fluisterend liet hij er de oude zeemanszinsnede op volgen: 'Zo God en het weer het ons toestaan.'

De lichten op de brug van de *Warlock* waren tot een rossige gloed gedimd opdat de officieren voldoende uitzicht hadden. Ze staarden gevieren naar de plek waar de tanker zich moest bevinden. Op de radar was ze duidelijk zichtbaar maar met het blote oog hier vanaf de brug niet.
In de twee uur die voorbij waren gegaan sinds het eerste radar-

contact, was de barometer na de kleine piek tijdens het passeren van de trog plotseling diep gezakt, van 1005 naar 990, en viel nog steeds als een schietlood. De oostenwind bulderde en gierde en de slagregens beperkten het uitzicht tot een paar honderd meter. Zelfs de twee zoeklichten, ruim twintig meter boven het hoofddek op de top van de brandtoren konden niet door de zware regengordijnen heen schijnen.
Een geweldige windvlaag deed de *Warlock* zwaar overhellen en scheurde de regengordijnen open zodat Nicholas opeens de *Golden Dawn* in het vizier kreeg. Ze bevond zich precies op de plaats waar hij haar had verwacht. De wind had vat gekregen op de hoge navigatiebrug alsof het een grootzeil van een reusachtige zeilboot was, waardoor ze met een flinke vaart achteruit werd geduwd.
Alle dek- en bakboordlichten brandden en ze voerde de twee rode lichten aan de top van haar korte mast die aangaven dat het schip onbestuurbaar was. Zware golven sloegen over de tankdekken en bedekten die met wit schuim zodat ze aan blinde koraalriffen deden denken.
'Halve kracht vooruit,' droeg Nicholas de roerganger op. 'Koers op haar stuurboordzijde.'
David Allen keek vol verwachting op naar Nicholas nu ze de tanker zo dicht waren genaderd. Nicholas vroeg: 'Diepte?' zonder zijn ogen van het schip af te laten.
'Honderdzestien vadem, sterk glooiende bodem.'
'Ik ben van plan haar met de achtersteven naar voren op sleeptouw te nemen,' zei Nicholas en David begreep hoe verstandig dat was. Er kon geen sprake van zijn dat iemand kans zou zien in haar boeg te komen om de kabel vast te maken, huizenhoge golven braken over haar heen, spoten metershoog op.
'Ik ga nu naar achter –' begon David, maar Nicholas onderbrak hem. 'Nee, David, ik heb je hier nodig – want ik ga aan boord van de *Golden Dawn*.'
David Allen opende zijn mond om Nicholas te vertellen dat het gevaarlijk was het overbrengen van de kabel uit te stellen – zo dicht op de lagerwal, maar Nicholas voorkwam hem door te vervolgen: 'Dit is vermoedelijk onze laatste kans om passagiers van boord te krijgen voordat we midden in de wervelstorm zitten.' David zag dat protesteren geen zin had. Nicholas Berg was vastbesloten zijn zoon te gaan halen.

Vanaf de hoge navigatiebrug van de *Golden Dawn* konden ze neerkijken op het hoofddek van de zeesleper die langszij was gekomen. Peter Berg stond naast zijn moeder, een reddingsvest aan en een corduroy pet diep over zijn oren getrokken.
'Het komt allemaal goed,' troostte hij Chantelle. 'Pap is er nu. Dan komt alles in orde.' Hij nam haar hand beschermend in de zijne
De *Warlock* draaide bij zodra ze in de luwte van de tanker was gekomen.
Vergeleken bij de wilde bewegingen van de zeesleper slingerde de tanker trager, naar beneden gedrukt door de miljoen ton ruwe olie. De zee beukte woest op haar in alsof ze zich beledigd voelde door de schijnbare onverschilligheid.
Duncan Alexander kwam te voorschijn uit de radiokamer achterop de brug. Hij wist gemakkelijk zijn evenwicht te bewaren, maar zijn gezicht was opgezet en rood van kwaadheid.
'Berg komt aan boord,' barstte hij los. 'Hij verknoeit kostbare tijd. Ik heb hem gewaarschuwd dat we dieper water moeten opzoeken.'
Peter Berg schreeuwde ineens: 'Kijk eens!' en wees beneden naar de *Warlock*.
Tot dat ogenblik hadden de nacht en de storm het kleine groepje menselijke gedaantes op de hoge opbouw voorop de zeesleper verborgen. Ze droegen natte, glinsterende oliepakken en hun reddingsvesten deden hen op zwangere vrouwen lijken. Ze waren bezig de enterstellage in horizontale positie te brengen. 'Daar is pap!' schreeuwde Peter, 'daar, vooraan.'
De uiterste punt van de stellage raakte de reling van het achterdek van de tanker, een meter of drie boven het tankdek en de leidende figuur daar boven op de zeesleper liep katachtig snel over de enterladder, balanceerde een ogenblik hoog boven het kolkende, ziedende groene water en maakte de sprong van anderhalve meter over de open ruimte. Hij wist zich beet te grijpen en werkte zich over de reling van de *Golden Dawn*.
Onmiddellijk daarop verwijderde de zeesleper zich en nam een kleine vijftig meter afstand, half verborgen in de regengordijnen, vrij stabiel op de plaats ondanks de storm en diens kwaadaardige pogingen de twee schepen van elkaar te scheiden.
'Pap heeft een lijn aan boord gebracht,' zei Peter trots. Chantelle keek naar beneden en zag dat een dunne witte lijn door twee zeelui op het achterdek van de tanker werd ingehaald. Inmiddels werd

vanaf de zeesleper een canvas bootsmansstoeltje overgeheveld.
De deuren van de lift gingen open en Nicholas Berg stapte de brug van de tanker op. Het water stroomde van zijn oliepak af en spatte op het dek om zijn voeten.
'Pap!' Peter holde hem tegemoet. Nicholas bukte zich en omhelsde hem stevig voordat hij zich weer oprichtte. Met één arm om de schouders van zijn zoon ging hij naar Chantelle en Alexander toe.
'Ik hoop dat jullie je zin hebben,' zei hij kalm, 'ik schat de kansen dit schip te bergen niet zo hoog, vandaar dat ik ieder van boord laat gaan die voor het werk niet strikt nodig is.'
'Die zeesleper van je,' schreeuwde Duncan, 'heeft een vermogen van 22 000 pk en kan –'
'Er is een wervelstorm onderweg,' zei Nicholas ijzig en wierp een blik in de woeste nacht. 'Dit is nog maar het begin.' Hij keerde zich naar Randle toe. 'Hoeveel man wil je aan boord houden?'
Randle dacht even na. 'Behalve mijzelf, een roerganger en vijf man voor de kabels en dergelijke.' Hij wachtte even en ging door: 'En dan natuurlijk de mannen van de pompregelkamer om de lading te controleren.'
'Je kunt zelf als roerganger fungeren, ik zal de pompkamer wel beheren. Dan heb ik nog drie man nodig. Vraag vrijwilligers,' besloot Nicholas. 'Stuur alle anderen weg.'
'Maar meneer,' protesteerde Randle.
'Mag ik je er even aan herinneren, kapitein, dat ik de kapitein van de berging ben, mijn autoriteit is groter dan de jouwe.' Nicholas wachtte het antwoord niet af. 'Chantelle, neem Peter mee naar het achterdek. Jij gaat als eerste.'
'Luister nu eens, Berg,' Duncan kon zich niet langer beheersen. 'Ik sta erop dat je eerst de sleepkabel aanbrengt, dit schip loopt gevaar.'
'Maak dat je eveneens beneden komt,' snauwde Nicholas. 'Ik maak uit wat er gebeurt.'
'Doe maar wat hij zegt, lieve,' glimlachte Chantelle wraakzuchtig. 'Je hebt verloren. Nicholas is de enige winnaar.'
'Zwijg verdomme,' siste Duncan tegen haar.
'Maak dat je op het achterdek komt.' Nicholas' stem klonk kortaf.
'Ik blijf aan boord,' zei Duncan opeens. 'Dat is mijn verantwoordelijkheid. Ik heb gezegd dat ik op dit schip zou blijven en dat zal ik doen ook. Ik ben van plan hier te zijn om zeker te weten dat je je

werk goed doet, Berg.'
Nicholas wist zich te beheersen, keek hem een ogenblik strak aan en lachte vreugdeloos. 'Een lafaard hebben ze je nooit genoemd,' zei hij met tegenzin, 'je kreeg veel andere benamingen, maar niet die van lafaard. Blijf als je dat wilt, misschien kunnen we nog wel een paar handen gebruiken.' Tegen Peter vervolgde hij: 'Kom mee, jongen!' en samen liepen ze naar de lift.

Bij de reling op het achterdek omhelsde Nicholas zijn zoon, zijn armen stevig om hem heen. Ze rekten dat ogenblik samen terwijl de wind om hun oren gierde en brulde.
'Ik houd van je, pap.'
'Ik van jou Peter, meer dan ik je ooit kan zeggen – maar nu moet je gaan.'
Hij tilde de jongen in het zitje van het bootsmansstoeltje, deed een stap achteruit en zwaaide met zijn rechterhand. Onmiddellijk haalde de lier op het dek van de *Warlock* het vrachtje over het gat tussen de twee schepen. De nylonkabel leek breekbaar en dun als de draad van een spin. Nu eens viel het witte stoeltje door de heftige bewegingen van het schip tot aan de groene woeste zee, dan weer werd het zo hoog opgegooid dat de kabel te strak gespannen leek, maar ten slotte tilden vier paar sterke handen de jongen aan boord. Een ogenblik zwaaide hij naar Nicholas, maar onmiddellijk daarop werd hij weggeleid. Het stoeltje keerde leeg weer terug.
Pas op dat ogenblik werd Nicholas zich bewust dat Chantelle zich aan zijn arm had vastgeklampt. Hij keek neer op haar gezichtje. Haar wimpers waren vochtig en lagen dicht op elkaar tegen de striemende regen, die over haar gezicht stroomde. Ze leek zo klein en kinderlijk in haar te grote oliepak en zwemvest. Ze was nog altijd even mooi, maar haar ogen stonden angstig en zorgelijk.
'Nicholas, ik heb nooit zonder je gekund,' zei ze hees, 'maar nu kan ik je nooit meer missen. Ik heb niets anders meer dan jou en dit schip.'
'Nee, alleen het schip,' zei hij bruusk. Hij was zelf verwonderd dat de betovering verbroken was. Het zwakke punt in zijn ziel dat ze altijd zo feilloos had weten te vinden was nu gepantserd. In een hem opeens overstelpende opluchting realiseerde hij zich dat hij vrij

was, bevrijd van haar. Het was voorbij. Hier in deze storm wist hij zich dan eindelijk vrij.
Ze voelde het aan, want de angst in haar ogen veranderde in echte paniek.
'Nicholas, je kunt me nu niet in de steek laten. O Nicholas, wat moet er van me worden zonder jou en Christy Marine?'
'Dat weet ik niet,' zei hij onbewogen en greep het bootsmansstoeltje dat naar hen toekwam, tilde haar even gemakkelijk op als hij zijn zoon had gedaan en zette haar erin.
'Om je de waarheid te zeggen, Chantelle, het kan me eigenlijk niets schelen,' zei hij, deed een stap achteruit en maakte een radslag met zijn rechterarm. Het stoeltje zwiepte over het water. Chantelle riep nog wat, maar Nicholas had zich al omgedraaid en maakte dat hij zo snel mogelijk bij de drie vrijwilligers kwam die al op hem stonden te wachten.
In een oogopslag zag hij dat het grote, potige kerels waren. Nicholas controleerde vliegensvlug hun gereedschap, dikke leren werkhandschoenen, kabelschaar en grijpers.
'Goed zo,' zei hij. 'We zullen met de bootsmansstoel een kabelaring van de zeesleper laten aanvoeren – zodra de laatste man dit schip heeft verlaten.'

Met deze mensen die het vak niet verstonden duurde het mede als gevolg van verslechterde weersomstandigheden en een ruwe zee bijna een uur voordat ze de grote kabel die van de *Warlock* kwam met de stevige nylon veren hadden vastgemaakt aan de bolders op de achtersteven van de tanker. Toch was voor Nicholas de tijd zo snel voorbijgegaan dat hij schrok toen hij klaar was en op zijn horloge keek. Voor de wind werden ze met een behoorlijke snelheid naar de lagerwal gedreven. Hij haastte zich naar de achtersteven van het schip en liet een spoor zeewater achter zich in de gang op weg naar de lift.
Op de brug stond kapitein Randle met een grimmig gezicht aan het roer. Duncan Alexander viel tegen Nicholas uit: 'Dat is verdomme kantje boord.' Een enkele blik op de dieptemeter op het controlepaneel staafde deze redenering. Er was 38 vadem water onder hen en de dikke buik van de *Golden Dawn* stak 20 vadem onder de

waterlijn. Ze gingen met die storm uit het oosten verschrikkelijk hard. Het was inderdaad 'kantje boord' moest Nicholas toegeven, maar hij liet niets van opwinding of schrik merken toen hij naar Randle toeliep en de handmicrofoon van de haak nam.
'David,' zei hij rustig, 'klaar om te slepen?'
'Klaar meneer,' klonk Davids stem uit de luidspreker boven hun hoofden.
'Ik zal je vol bakboordroer geven om je te helpen door de wind te gaan,' zei Nicholas en knikte tegen Randle.
'Veertig graden bakboord roer,' gaf Randle door.
Ze voelden een lichte schok toen de sleepkabel strak trok. De *Warlock* begon heel voorzichtig aan haar delicate taak het reusachtige schip te zwaaien en haar vervolgens achterste voren te slepen naar het diepere water van de Straat waar ze de beste overlevingskans in een wervelstorm zou hebben.

Het was nu zonder meer duidelijk dat de *Golden Dawn* precies in de baan van Lorna lag. Overal elders kwam de zon op, maar hier was geen dageraad want er was geen horizon en geen hemel. Ze zaten in een razernij van wind en water. Een uur geleden had de storm zowel de windmeter als andere weermeetinstrumenten van de brug geslagen, zodat Nicholas geen idee had van de windkracht noch van de richting.
De wind rukte aan de toppen van de golven en smeet die als gordijnen schuimend water tegen de ramen van de brug zodat het zicht volkomen belemmerd werd. De tankdekken waren onzichtbaar in die razernij van wind en water, zelfs de reling van de brug, nog geen twee meter van de ramen, was niet meer te zien. Af en toe drong een onheilspellend loodkleurig licht door de opgezweepte lucht en om de paar minuten vonden elektrische ontladingen plaats in de vijf kilometer hoge wervelstorm waardoor oorverdovende donder afwisselde met oogverblindend witte bliksem.
Er was geen enkel visueel contact met de *Warlock*, want ook de radar was zo goed als uitgevallen, althans volkomen onbetrouwbaar. Radiocontact met de zeesleper werd ernstig bemoeilijkt door atmosferische storingen. Af en toe kwam een woord van David Allen zonder enig zinsverband door.

Nicholas moest machteloos toezien, gekooid in de trillende ruimte van de brug, verblind en verdoofd door de ontketende natuurkrachten.
Randle had het stuur laten vastzetten en samen met Duncan en de drie zeelui klampte hij zich met beide handen aan de kaartentafel vast. Hun lijkbleke gezichten leken uit kalksteen gehouwen. Nicholas was de enige die ijsbeerde van de achteruitramen, waardoor hij tevergeefs een glimp trachtte op te vangen van hetzij de sleepkabel, hetzij de zeesleper in de ziedende storm, naar voren waar hij op het controlepaneel de lichtjes bestudeerde die de gegevens van de tanks en de zeevaartkundige en mechanische functies van het schip weergaven.
Er was nog geen druppel ruwe olie verloren gegaan en de samenstelling van het gas bovenin de tanks bleef op peil, waaruit bleek dat er geen lucht was bijgekomen. Alles was dus nog intact. Een van de redenen dat Nicholas de tanker achterstevoren liet slepen was juist dat de navigatiebrug de grootste kracht van wind en zee zou breken waardoor de kwetsbare tanks wat beschermd werden.
Hij zou verschrikkelijk graag een blik op het tankdek werpen, alleen om zichzelf gerust te stellen. De mogelijkheid was niet uitgesloten dat er een fout in de controle was geslopen, de storm zou een van de losse tanks hebben kunnen openrijten zodat zelfs op dit ogenblik de *Golden Dawn* bezig kon zijn haar afschuwelijk vergif te verstrooien. De storm liet echter geen enkel zicht toe en Nick boog zich maar weer over de radarscoop. Het beeld flikkerde en trilde door allerlei spookachtige en irreële echo's – hij was er zelfs niet zeker van dat de *Warlock* er nog steeds was, af en toe leek het wel of de afstand tussen de schepen groter werd door een breuk van de sleepkabel. Dan kalmeerde hij zichzelf weer en lette op de trillingen in zijn voetzolen die hem verzekerden dat ze nog gesleept werden. Aan de manier waarop zee en wind werden getrotseerd voelde hij dat er niets aan de hand was.
Op geen enkele manier konden ze hun positie bepalen. Het navigatiesysteem via de satelliet was volledig uitgevallen doordat de radiogolven door de elektrische storm volledig werden vervormd en diezelfde krachten smoorden ook het kustradiobaken op het vasteland van Amerika.
De enige gegevens waren de snelheid op de elektronische snelheidsmeter en de dieptemeter die het water onder de kiel aangaf. Ge-

durende de eerste twee uren van de sleep had de *Warlock* kans gezien de tanker drieëneenhalve mijl naar de vaargeul te trekken waarbij het water geleidelijk ongeveer 150 vadem diep was geworden. Toen echter de kracht van de wind nog aanwakkerde had de opbouw van de *Golden Dawn* als een soort grootzeil gewerkt. Ondanks alle inspanningen van de *Warlock* werd zowel de tanker als de zeesleper weer teruggedreven naar de 100-vademlijn en het Amerikaanse vasteland.
Nicholas vroeg zich af waar de *Seawitch* bleef. Ze dreven met een snelheid van twee knopen af en de bodem van de zee liep steil op. De *Seawitch* zou de oplossing kunnen brengen. Als ze hen tenminste zou kunnen vinden in deze razernij van lucht en water, als ze de woeste winden en verraderlijke zeegang had kunnen trotseren.
Nicholas baande zich een weg naar de radiohut en greep de microfoon.
'*Seawitch*, *Seawitch*, hier is de *Warlock* die de *Seawitch* oproept.'
Hij luisterde ingespannen en trachtte uit de kakofonie van geluiden een menselijke stem te halen. Hij meende even dat het zo was, riep nog eens op, maar het was zo onduidelijk dat hij geen woord kon verstaan.
Boven zijn hoofd hoorde hij ineens het geluid van scheurend metaal. Hij liet de microfoon vallen en bereikte struikelend de brug. Weer een oorverdovend gedreun en gehamer. Ze stonden allemaal naar het dak van de brug te staren. Het boog wat door en schokte, nog een verschrikkelijke dreun en met een schrapend gescheur kwam een witwar van metaal en kabels over de voorkant van de brug tuimelen en slingerde in de wind.
Nicholas had wel een seconde nodig om zich te realiseren wat het was.
'De radarantenne!' schreeuwde hij. Hij zag hem even aan een kabel bungelen, maar al gauw werd het hele geval als een reusachtige vleermuis weggeslagen en verdween in de ondoordringbare witte gordijnen van de wervelstorm. Hij was met twee snelle passen bij de radarscoop en één blik vertelde hem genoeg. Het scherm was zwart en dood. Ze hadden nu dus hun ogen verloren en hoe ongelooflijk dat ook leek, de storm nam nog in kracht toe. Plotseling schreeuwde Duncan iets tegen Nicholas en wees naar het controlepaneel voor de kapitein. De bodemsnelheid was drastisch veran-

derd en opgelopen tot bijna acht knopen. De diepte was tweeennegentig vadem.
Nicholas voelde een ijzige wanhoop toeslaan. Het schip bewoog inderdaad anders onder hem, hij voelde dat het nu in dodelijk gevaar verkeerde. Die windvlaag die de radar had weggerukt, had nog meer schade toegebracht en hij wist ook welke. Die gedachte alleen al deed hem bijna overgeven, maar hij moest zekerheid hebben. Hij werkte zich met steun van de slecht-weer-reling naar de deuren van de lift. De anderen op de brug volgden hem aandachtig met hun blikken, maar zelfs op deze afstand van vijf meter kon hij zich onmogelijk verstaanbaar maken. Een van de zeelui scheen ineens te begrijpen wat Nicholas' plannen waren. Langs het waterdichte schot kroop hij naar hem toe.
'Geweldige kerel!' Nicholas greep diens arm om hem overeind te houden en samen vielen ze zowat in de lift toen de *Golden Dawn* weer aan een nieuwe zware rol begon en het dek onder hun voeten weggleed.
De tocht in de lift gooide hen heen en weer in de doodskistachtige ruimte en zelfs hier onderin het schip moesten ze tegen elkaar schreeuwen.
'De sleepkabel,' brulde Nicholas in het oor van zijn helper, 'controleer de sleepkabel.'
Van de lift liepen ze behoedzaam langs de hoofdgang naar de achtersteven en toen ze de dubbele deuren hadden bereikt, probeerde Nicholas de binnenste te openen, maar de winddruk hield hem tegen.
'Help eens!' riep hij tegen de maat en ze gooiden hun gemeenschappelijk gewicht ertegenaan. Op het ogenblik dat ze de stijl een kiertje open hadden, werd het drukvacuüm opgelost. De wind greep de zeveneneenhalve centimeter dikke deuren en rukte die moeiteloos uit hun scharnieren en zwiepte ze weg. Nicholas en zijn maat stonden vrij in de deuropening. De wind besprong hen en sloeg hen tegen het dek waar ze kennismaakten met het ijskoude water dat als gemalen glas hun gezichten schuurde. Nicholas rolde over het dek en sloeg met zo'n geweldige kracht tegen de reling van de achtersteven dat hij even dacht dat zijn longen dichtgeklapt waren. De wind liet niet toe dat hij overeind kwam en het zoute water verblindde hem. Hij lag er volkomen hulpeloos en hoorde als van verre de ander schreeuwen. Moeizaam wist hij op zijn knieën over-

eind te komen en greep de reling om de moordende wind te weerstaan. De man schreeuwde nog steeds zodat Nicholas op handen en voeten vooruit trachtte te komen, zich vastklemmend aan de reling. Een meter of twee verderop, het verste punt dat hij nog zien kon, was de reling weggeslagen en een groot gedeelte ervan hing buiten het schip te bungelen. Daaraan had de arme man zich vastgeklampt. Zijn gewicht had de reling met zo'n kracht geraakt dat die was losgerukt. Hij hing nu met één arm eroverheen, de andere hing verdraaid aan een verbrijzelde schouder en werd door de storm in een krankzinnige groet heen en weer bewogen. Op zijn buik schoof Nicholas naderbij en stak een arm uit, maar op dat ogenblik brak een nieuwe windvlaag het stuk reling af en samen met de man verdween die in de verblindende witte woeste razernij. Nicholas voelde dat hij naar die rand werd gejaagd. Hij greep zich met alle kracht aan de nog overeind staande reling vast, maar voelde ook die bewegen en gaan meegeven.
Op zijn knieën kroop hij weg van die fatale gapende opening terwijl de wind hem vlak in zijn gezicht sloeg en hem verblindde en de adem benam. Hij sleepte zich voort tot hij met zijn uitgestrekte arm de koude gietijzeren bolder van de achtersteven aan bakboord voelde. Hij sloeg er zijn beide armen omheen, proestend en kokhalzend door het zoute water dat via neus en mond in zijn keel was gedrongen.
Nog altijd verblind voelde hij het gevlochten staaldraad van de sleepkabel. Hij kon hem niet bewegen en hoop sprong op in zijn borst. De kabel zat dus nog goed vast. Hij had hem gekat en met wel een dozijn nylon stroppen vastgezet en dat hield nog steeds. Hij kroop verder langs de sleepkabel en toen realiseerde hij zich dat zijn opluchting voorbarig was geweest. Er stond geen spanning op de kabel en toen hij aan de rand van het dek kwam, zag hij hem recht naar beneden heen en weer bungelen. De storm was te sterk geweest, die had de stalen kabel als een katoenen draad doen afknappen. De *Golden Dawn* was los, stuurloos en deze woeste razende wind joeg haar snel naar het land. Nicholas voelde zich opeens doodmoe. Hij lag plat op het dek, sloot zijn ogen en klampte zich vast aan de kabel. De wind rukte en trok aan zijn oliepak. Het zou zo gemakkelijk zijn zich te laten gaan – hij had al zijn krachten nodig deze verleiding te weerstaan.
Langzaam begon hij aan de terugtocht, werkte zich door de ver-

splinterde deuren naar de grote gang in het achteruit, voortgejaagd door stortbuien en zoute golven die over het dek spoten en Nicholas dwongen zich overal aan vast te klampen.
Na de storm leek het hokje van de lift een oase van stilte. Hij bekeek zichzelf in de spiegel tegen de muur en zag dat zijn ogen rood omrand waren en pijnlijk aandeden als gevolg van wind en zout water. Zijn wangen en lippen waren rauw en gekwetst alsof de huid eraf geschaafd was. Hij raakte zijn gezicht aan, maar hij had geen gevoel in zijn neus en lippen.
De deuren van de lift gleden open en hij wankelde de brug op. De groep mannen bij de kaarttafel stond er nog net zo. Ze draaiden hun hoofden naar hem om. Nicholas wist de tafel te bereiken en greep zich eraan vast. Ze zwegen en namen hem aandachtig op.
'Man overboord,' zei hij en zijn stem klonk hees en schor door het zout en zijn vermoeidheid. 'Overboord geslagen door de wind.' Nog altijd zweeg iedereen en Nicholas hoestte. Toen hij weer adem had, vervolgde hij: 'De sleepkabel is losgeslagen. We drijven weg – de *Warlock* zal niet meer in staat zijn opnieuw vast te maken, niet in dit weer!'
Hun hoofden draaiden als op commando allemaal tegelijk naar voren, naar die ondoordringbare witte jacht achter het glas dat zo nu en dan van binnen uit door bliksemflitsen werd verlicht. Nicholas verbrak de betovering die hen allen in zijn ban hield. Hij greep in het kastje boven de kaarttafel en haalde er een kartonnen doos met noodfakkels uit. Hij verbrak het zegel en smeet de fakkels op tafel. Ze zagen eruit als staven dynamiet, rollen zwaar gelakt waterdicht papier. Ze konden worden aangestoken en spoten dan bloedrode vlammen uit, zelfs wanneer ze in het water lagen. Nicholas stopte een stuk of zes ervan in de binnenzakken van zijn oliepak.
'Luister,' schreeuwde hij, al stonden ze maar een paar decimeter van hem af, 'we lopen binnen de twee uur aan de grond. Het schip zal dan onmiddellijk in tweeën breken.' Hij zweeg en bestudeerde hun gezichten. Duncan was de enige die het blijkbaar niet begreep. Hij had ook een handjevol fakkels van de tafel gepakt en keek Nicholas onderzoekend aan. 'Ik zal het sein geven. Zodra we de twintig vademlijn bereiken en ze aan de grond loopt, spring je over boord. We zullen zien dat we een reddingsvlot uitgooien. Er is dan een kans dat je de kust bereikt.' Hij zweeg weer en hij zag dat

Randle en de twee andere zeelui zich realiseerden hoe gering die kans was.
'Ik zal jullie twintig minuten geven weg te komen. Tegen die tijd zullen de losse tanks wel barsten' – hij wilde niet al te melodramatisch worden, maar kon de juiste woorden niet vinden. 'Zodra de eerste tank breekt, zal ik de uitstromende ruwe olie met een fakkel aansteken.'
'Christus!' vloekte Randle binnensmonds en vervolgde met stemverheffing. 'Een miljoen ton ruwe olie. Dat wordt een vuurbal man!'
'Dat is altijd nog beter dan een miljoen ton ruwe olie in de Golfstroom,' reageerde Nicholas vermoeid.
'We hebben dan geen van allen een schijn van kans meer. Een miljoen ton, dat wordt zoiets als een atoombom.' Randle zag spierwit en trilde over zijn hele lichaam. 'Dat kunt u niet maken!'
'Bedenk maar wat beters,' zei Nicholas en trachtte de radiokamer te bereiken. Ze keken hem na, alleen Duncan bleef gefascineerd naar de noodfakkels staren en stak er een stuk of wat in zijn zak.
In de radiokamer riep Nicholas rustig in de microfoon: 'Kom erin, *Seawitch* – *Seawitch* hier is de *Golden Dawn*.' Het enige antwoord was het fluiten van de antenne.
'*Warlock*, kom erin, *Warlock*, hier is de *Golden Dawn*.'
De huilende wind had weer iets boven hun hoofden los weten te krijgen. De hele bovenbouw schokte en trilde. Het schip was bezig het te begeven, het was niet bestand tegen een dergelijk noodweer. Door de open deur van de radiokamer kon Nicholas het controlepaneel zien. Er stond nog tweeënzeventig vadem water onder het schip, dat snel naar de kust werd gedreven.
Nicholas bleef de beide zeeslepers oproepen. Hij zag Randle al slingerend de ramen aan de voorkant bereiken en daar vastgeklampt aan de noodreling de meters aflezen die de conditie van de lading aangaven. Hij denkt tenminste nog na, dacht Nicholas en keek naar de diepteaanduiding boven het hoofd van de kapitein, achtenzestig vadem.
Randle rechtte zijn rug en wilde teruggaan naar de kaarttafel, maar op dat ogenblik kwam er een moordende windstoot, die met een oorverdovend geluid de ramen boven het controlepaneel indrukte. De scherven werden met zo'n kracht naar binnen geslagen dat Nicholas vol afgrijzen zag hoe het hoofd van de kapitein van de romp werd gescheiden. De man viel neer op het dek waar het fel-

rode bloed tot roze vervloeide door het binnengutsende zee- en regenwater. Kaarten en boeken werden van de planken gerukt en door de ruimte gesmeten.
Nicholas was als eerste bij het lichaam van de kapitein. Hij beschermde zijn eigen gezicht met zijn gebogen arm, maar hij zag al gauw dat er geen hulp meer baatte. Hij liet hem liggen en riep tegen de anderen: 'Blijf uit de buurt van de ramen.'
Hij verzamelde hen achter op de brug bij het waterdichte schot waar ook de Decca stond. Ze bleven dicht bij elkaar alsof ze troost vonden in elkaars nabijheid. De wind bleef met ongekende hevigheid aanhouden.
Op het dek, waar wind en water nu vrij spel hadden, schoof het levenloze lichaam van Randle heen en weer. Nicholas verliet de twijfelachtige veiligheid van het waterdichte schot, tilde het ontzielde lichaam op en bracht het naar de radiokamer waar hij hem in de krib van de radiotelegrafist liet glijden. De smetteloos gesteven lakens kleurden onmiddellijk donkerrood. Nicholas gooide een deken over Randle heen en strompelde terug naar de brug.
En nog altijd nam de windkracht toe. Nicholas voelde zich als verdoofd door die kracht en vasthoudendheid.
Een los voorwerp, misschien een stukje aluminium van de bovenbouw of een brok pijp van het tankdek onder hen was losgerukt en sloeg als een kanonskogel tegen de brug. Er ontstond een scheur waardoor de wind vrij spel had. Nicholas realiseerde zich dat de opbouw van het schip het ging begeven. Als een reusachtige gier zou de wind al gauw het karkas van de boot tot op het bot afkluiven. Hij wist dat hij de vier overlevenden naar beneden moest zien te krijgen, dichter bij de waterlijn, zodat ze indien nodig makkelijker weg zouden kunnen komen, maar hij voelde zich zo versuft door al het helse lawaai dat hij stokstijf bleef staan. Hij had alle nog resterende krachten nodig om zich te weer te stellen tegen de razende wind en de woeste beweging van het schip. In de tijd dat er nog maar alleen zeilschepen bestonden, zou de bemanning zich nu onder deze wanhopige omstandigheden aan de mast vastbinden.
Suf registreerde hij dat er nog slechts zevenenvijftig vadem water onder het schip stond en dat de barometer op 955 millibaar stond. Nicholas had nog nooit zo'n lage stand gezien. Het kon niet lager, dacht hij. Ze moesten nu toch wel in het centrum van de wervelstorm zitten.

Met moeite bracht hij een arm naar zijn gezicht en zag hoe laat het was. Nog maar tien uur in de morgen, ze hadden slechts tweeëneenhalf uur wervelstorm achter de rug.
Een reusachtig licht scheen plotseling door het gescheurde dak, een zo verblindend licht dat ze hun handen voor hun ogen moesten houden. Nicholas begreep totaal niet wat er aan de hand was. Hij meende dat hij doof was geworden want plotseling was de verschrikkelijke heksenketel om hem heen verstild, weggeëbd.
Opeens begreep hij dat dit 'het oog' moest zijn. 'We zitten in het oog!' zei hij met overslaande stem en zijn eigen geluid kwam hem vreemd voor in zijn oren. Hij wankelde naar de voorkant van de brug. Hoewel de *Golden Dawn* nog zwaar rolde en zeker nog een uitslag van twintig graden naar weerszijden maakte, was de moordende kracht van de wind weggevallen en de zon straalde als een reusachtige schijnwerper door een donkere tunnel van dicht opeengepakte rondwentelende wolken. Die wolken liepen ononderbroken door tot aan het oppervlak van de zee rondom hen. Alleen direct boven hun hoofden was die opening en daar was de lucht vreemd venijnig onnatuurlijk purperkleurig, waarin dat stralende, meedogenloze oog, de zon.
De zee was nog altijd onrustig, hoge toppen, diepe dalen waarover een dikke schuimige nevel van opspattend zeewater, maar kalmeerde allengs in de totale rust van 'het oog'.
Nicholas draaide moeizaam zijn hoofd om en zag de muur van rondwervelende wolken wijken. Hoe lang zou de passage van 'het oog' duren? Hij was ervan overtuigd dat het hooguit een uur zou zijn, dan zou de storm weer net zo plotseling in alle hevigheid toeslaan, maar dan van de andere kant omdat ze dan door het centrum heen waren.
Nicholas maakte met moeite zijn blikken los van die oneindige wolkenmuur en keek naar het tankdek. De *Golden Dawn* had al onherstelbare schade opgelopen. De voorste losse tank aan bakboord was ten dele losgescheurd van de hydraulische koppeling en zat nog alleen maar aan de achterkant vast. De tank vertoonde zeker wel een afwijking van twintig graden ten opzichte van de andere drie. Het hele tankdek was verwrongen, de ene tank deinde en stampte anders dan de rest.
De ruggegraat van de *Golden Dawn* was gebroken, precies op het punt waar Duncan op het staal bezuinigd had. De opwaartse druk

van de ruwe olie in de vier tanks hield het geheel nog bij elkaar. Nicholas verwachtte de vette vloeistof eruit te zien vloeien en hij geloofde zijn ogen dan ook niet dat niet een van de vier scheuren vertoonde. Een snelle blik op de elektronische bewaking van de lading overtuigde hem echter. Ze hadden tot nu toe ongelooflijk geluk gehad, maar straks in het andere deel van de wervelstorm zou de verzwakte gebroken ruggegraat van de tanker het helemaal opgeven en zou de dunne huid van de tanks worden opengescheurd. Hij nam een besluit en ook al wist hij niet of het juist was, hij handelde ernaar.
'Duncan,' riep hij over de vernielde en overspoelde brug, 'ik stuur jou en de anderen weg met de reddingsvlotten. Nu is jullie enige kans die uit te zetten. Ik zal aan boord blijven om de lading in brand te steken zodra de storm weer toeslaat.'
'De wervelstorm is voorbij,' gilde Duncan als een krankzinnige tegen hem. 'Het schip is nu veilig. Jij wilt haar vernietigen – je probeert me opzettelijk kapot te maken.' Hij deed een uitval over de op en neer gaande brug. 'Dat doe je opzettelijk. Je weet dat ik heb gewonnen. Je wilt het schip te gronde richten, dat is de enige manier waarop je me kan tegenhouden.' Hij haalde onhandig met een gebogen arm uit. Nicholas dook weg en greep Duncan om zijn borst. 'Luister,' schreeuwde hij in een poging de man te kalmeren. 'Dit is alleen maar de passage van "het oog".'
'Je bent tot alles in staat alleen om mij tegen te houden. Je hebt gezworen dat je mij zult verhinderen –'
'Help eens even,' riep Nicholas tegen de twee zeelui, die onmiddellijk Duncans armen grepen. Hij verzette zich heftig en vocht als een waanzinnige. Hij schreeuwde met een van woede gezwollen en verwrongen gezicht: 'Jij zou alles doen om mij en mijn schip te vernietigen –'
'Neem hem mee naar het sloependek,' beval Nicholas. Hij wist dat er nu met Duncan niet te praten viel. Hij keerde zich om en bleef stokstijf staan. 'Wacht eens!' riep hij en voelde die verschrikkelijke last van vermoeidheid en wanhoop van zijn schouders glijden en nieuwe krachten, die moed en besluitvaardigheid opvijzelden, door zijn lichaam stromen omdat hij op korte afstand uit de terugwijkende somber grijze wolkenmuur de *Seawitch* in de zon te voorschijn zag komen. Ze voer dapper op hen toe terwijl de golven over haar boeg braken en opspatten tot aan de brug. 'Jules,' fluisterde Nicholas.

Hij voelde zijn keel dichtknijpen en de brandende tranen van opluchting en dankbaarheid verblindden hem – want anderhalve kilometer aan bakboord van de *Seawitch* en nauwelijks tweehonderd meter achter haar kwam ook de *Warlock* in hetzelfde tempo als haar zusterschip uit de stormbank te voorschijn. 'David,' zei Nicholas hardop, 'jij ook, David.'
Pas op dat ogenblik realiseerde hij zich dat ze in radarcontact met hem waren gebleven gedurende die woeste, onstuimige uren toen het voorste deel van de wervelstorm passeerde in afwachting van de eerste gelegenheid de verminkte *Golden Dawn* te hulp te snellen. Over het gehuil en gekraak van de antenne heen galmde Jules Levoisins stem uit de luidspreker boven zijn hoofd. '*Golden Dawn*, hier is de *Seawitch*, kom erin, *Golden Dawn*.' Nicholas greep de microfoon en antwoordde: 'Jules!' Hij verspilde geen tijd aan begroeting of gelukwensen. 'We gaan haar van de tanks ontdoen en laten het schip voor wat het is. Begrijp je me?'
'Ik begrijp dat we de tanks ophalen,' antwoordde Jules onmiddellijk. Nicholas kon weer helder en samenhangend denken. Hij zag precies hoe het karwei moest worden geklaard. 'De *Warlock* haalt eerst de bakboordtanks op – achter elkaar.'
Zodoende zouden de tanks als kralen in een snoer gesleept worden. Dat was destijds de bedoeling geweest bij de constructie. 'Dan neem jij de stuurboordtanks –'
'Je moet mijn schip bergen.' Duncan verzette zich nog steeds tegen de twee zeelui. 'Vervloekte, Berg, ik laat me niet door jou kapot maken.'
Nicholas negeerde al deze woedeuitbarstingen totdat hij klaar was met zijn bevelen aan de kapiteins van de twee sleepboten. Hij liet de microfoon zakken en greep Duncan bij zijn schouders. Het leek wel of de nabije redding Nicholas bovennatuurlijke kracht had gegeven. Hij schudde Alexander door elkaar alsof het een kind was. 'Vervloekte idioot,' schreeuwde hij in Duncans gezicht. 'Snap je dan niet dat de storm over enkele minuten opnieuw zal toeslaan?'
Hij rukte Duncan los uit de greep van de twee mannen en sleepte hem naar de voorkant van de brug vanwaar je het hele tankdek kon overzien.
'Zie je dan niet dat dit door jou gebouwde monster verleden tijd is, voorbij! De schroef is weg, de rug is gebroken, de opbouw zal worden weggevaagd zodra de storm weer opsteekt. Het is voorbij

Duncan. We mogen blij zijn als we het er levend afbrengen en nog blijer als we de lading weten te redden.'
'Je begrijpt het niet – we moeten het schip zelf redden – zodat het –' Duncan trachtte zich los te rukken en hij was sterk. Binnen enkele minuten zou hij een gevaar betekenen – en er was geen tijd. De *Warlock* draaide al bij aan bakboord om de tanks over te nemen.
'Ik laat niet toe dat die tanks worden losgekoppeld –' Duncan wrong zich los uit Nicholas greep en er lag een fanatieke, krankzinnige gloed in zijn ogen.
Nicholas draaide om zijn as. Hij richtte zich in zijn volle lengte op en mikte met een goedgerichte rechtse op Duncans kaak. Duncan wist door een zijwaartse beweging de klap te ontwijken. De *Golden Dawn* rolde naar de andere kant en Nicholas verloor zijn evenwicht. Hij viel achterover tegen het controlepaneel en Duncan kwam op hem af om hem met zijn rechterbeen een trap in zijn onderlijf te geven. 'Ik vermoord je, Berg,' schreeuwde hij. Nicholas zag kans zijwaarts weg te rollen en een scharende beweging met zijn benen te maken waardoor hij zijn kruis beschermde. De trap raakte hem boven in zijn dij. Een felle pijn scheurde door hem heen en verlamde het getroffen been. Hij wist echter zich met behulp van het controlepaneel en zijn goede been op te richten voor een tegenaanval en zag kans Duncan vlak onder zijn ribben te raken waardoor deze dubbelklapte. Nicholas herwon zijn evenwicht en haalde met zijn linkervuist uit naar Duncans gezicht. Duncan schoot achterover tegen het waterdichte schot en kon door de deining van het schip niet terugkomen. Nicholas hinkte pijnlijk met zijn getroffen been achter zijn tegenstander aan en raakte hem nog tweemaal. Duncan wankelde en Nicholas greep hem met zijn rechterhand bij de keel en keek in zijn ogen of er nog verdere tegenstand te wachten was. Toen hij zich overtuigd had van het tegendeel, liet hij hem los en liep naar de seinkast. Hij pakte drie walkie-talkies en gaf er aan elk van de zeelui één.
'Weten jullie hoe je de tanks moet loskrijgen om ze achter elkaar te laten wegslepen?'
'Dat hebben we geoefend,' antwoordde een van hen.
'Aan de slag dan,' zei Nicholas.

Het was een karwei dat bestemd was voor een dozijn zeelui en zij waren maar met zijn drieën. Duncan was tot niets meer in staat en Nicholas liet hem in de pompcontrolekamer achter op het laagste dek achteruit van de *Golden Dawn*, nadat hij de gaspompen had afgezet, de gasventielen had gesloten en de hydraulische ontspanners van de tanks in de stand 'ontdokken' had gezet.
Ze werkten af en toe tot aan hun hals in het hoogopspattende groene, witschuimende water dat over het dek van de supertanker spoelde. Ze brachten de sleepkabel van de *Warlock* aan, maakten de hydraulische klampen los die de voorste tank aan de romp vasthielden. Toen David Allen die vrij had van de kapotte romp, keerden ze terug en liepen moeizaam over de verwrongen en winderige loopbrug, geremd door de zware lieslaarzen en oliepakken en de woeste golven die om de paar minuten het dek belaagden.
Op de tweede tank moest dit hele energieverslindende karweitje worden herhaald, maar hierbij kwam dan nog de koppeling van de twee tanks achter elkaar. Met zijn walkie-talkie moest Nicholas de verrichtingen van de twee zeelui en die van David Allen coördineren want de beide tanks besloegen anderhalve kilometer. Toen de *Warlock* de beide schroeven aansloeg en uit de buurt van de deinende romp van de *Dawn* verdween, dreven de beide tanks, nauwelijks boven de wateroppervlakte uitstekend, achter haar aan. Ze zouden weinig houvast bieden aan de wervelwinden die nog werden verwacht.
Nicholas hield zich aan de reling van de verhoogde loopbrug vast en keek gedurende twee kostbare minuten met een goedkeurende blik naar dit ongelooflijke schouwspel: twee grote glanzende walvissen waarvan je de ruggen alleen in een golfdal kon zien en dat dappere in verhouding kleine scheepje dat vooropging. Nicholas' grootste angst was weggenomen. Hij vertrouwde het nog niet helemaal want er kwam nog een wervelstorm – maar in ieder geval was er weer hoop.
'*Seawitch*,' zei hij, 'klaar om de sleep op te halen?'
Jules Levoisin vuurde persoonlijk de sleeplijn over. Nicholas herkende zijn gedrongen, maar kwieke gestalte daar hoog boven op de brandtoren. Het dunne nylonkoord kwam met een grote boog over het dek van de tanker en viel een meter of drie van waar Nicholas op de loopbrug stond neer.
Ze werkten in een soort ingehouden razernij. Jules Levoisin bracht

de enorme slanke zeesleper zo dicht naast het verminkte schip dat Nicholas in een flits de goudvullingen in de kiezen van de Fransman kon zien. Hij richtte zijn blikken echter onmiddellijk weer op de naderende wervelstorm. De muur van wolken leek glad en grijs en glanzend als het lichaam van een reusachtige slak en onderaan glinsterde een wit slijmerig spoor waar de wind het oppervlaktewater tot schuim klopte. Hij schatte de afstand nog geen vijftien kilometer. Inmiddels was ook de zon verdwenen, weggevaagd door de wervelende loodgrijze wolken, maar zelf bevonden ze zich nog in de nauwe schacht waar het vreemd helder en rustig was tot hoog in de vreemd onheilspellende lucht.
De hydraulische druk op de klampen van de voorste tank aan stuurboord was weggevallen. Ergens in die beschadigde romp moest een kabel vernield zijn. Nicholas en een van de zeelui moesten de noodpomp hanteren om de klampen tergend langzaam open te krijgen. Het lukte niet volledig, want alles was ontzet.
'Trekken,' beval Nicholas Jules wanhopig. Het stormfront was nog slechts acht kilometer verwijderd. Hij hoorde al het fatale gefluister van de wind en hij voelde een koude vlaag tegen zijn opgeheven gezicht.
De zee kookte onder de achtersteven van de *Seawitch* en vormde een wit gekuifde hekgolf toen Jules beide schroeven op toeren bracht. De sleepkabel trok strak aan, maar zeker wel een halve minuut gebeurde er verder niets, bewoog de tank niet. Opeens schoten de klampen met een schril geluid los. De tank gleed plechtig uit zijn plaats in de romp van de *Golden Dawn*, die nu ontdaan van de spanning en het gewicht van haar tanks in elkaar dreigde te klappen.
De loopbrug begon te buigen en te hellen zodat Nicholas zich moest vastgrijpen en hij stond verstijfd en ontzet te staren naar de uiteindelijke ineenstorting van de reusachtige tanker.
Het hele tankdek dat eigenlijk nog slechts een leeggehaald skelet was, begon in het zwakke midden te buigen alsof een reusachtige notenkraker dichtklapte en tussen de twee kaken daarvan zat de tweede stuurboordtank als een noot maar dan wel een ter grootte van de kathedraal van Chartres met zachte vloeibare kern en een bast zo dun als de spanwijdte van een hand. Nicholas zette het op een lopen over de wrikkende en wringende loopbrug terwijl hij tegen de man die bijna een kilometer verderop bezig was in zijn walkie-talkie schreeuwde: 'kap de verbindingsketting.'

De twee stuurboordtanks zaten met een zware ketting aan elkaar vast, terwijl de voorste aan de sleepkabel van de *Seawitch* was vastgemaakt. Op deze wijze zaten de *Seawitch* en de ten ondergang gedoemde *Golden Dawn* onverbrekelijk aan elkaar gekoppeld tenzij ze de twee tanks zouden kunnen scheiden en de *Seawitch* zou kunnen ontsnappen met alleen maar de voorste tank, die ze juist had losgetrokken.
De kliefinstallatie zat halverwege het tankdek en op dat ogenblik was één van Nicks helpers er slechts een honderdtachtig meter van verwijderd. Nicholas zag hem zo goed en zo kwaad als dat ging terughollen over de buigende en schuddende loopbrug. Hij was zich ongetwijfeld van de gevaren bewust, maar zijn haast betekende zijn ondergang want toen hij van de loopbrug op het dek sprong weken daar de stalen platen juist uiteen en hij zakte er tot zijn middel tussen. Hij wrong zich in allerlei bochten om eruit te komen, maar de volgende deining van het schip duwde de platen weer met de beweging van een schaar over elkaar heen. Er klonk een gil en een aanstormende golf kletste over het dek en bedekte het gekliefde lichaam met ijskoud groen water. Even later was er op het dek geen spoor meer van de man te bekennen. Nicholas bereikte dezelfde plaats en berekende het open- en dichtgaan van de platen staal en van de eerstvolgende roller voordat hij over het verraderlijke gat sprong.
Hij wist de kliefinstallatie te bereiken en opende het rode deksel waarachter de kliefknop zat. Hij drukte met de muis van zijn hand het mechanisme in. De vier zware kettingen waarmee de tweede tank aan de eerste bevestigd was lagen tussen elektroden. Met een enorme stoot energie van de dynamo werden in een blauwe elektrische vlam de schakels doorgesneden. Een kleine kilometer verderop voelde de *Seawitch* de bevrijding en stampte op volle kracht vooruit, de eerste stuurboordtank aan haar sleepkabel.
Nicholas steunde vermoeid tegen het stalen hokje van de kliefinstallatie en keek neer op die ene achtergebleven tank die onuitwarbaar vastzat in de verwrongen romp van de *Golden Dawn*. Het leek wel of een onzichtbare reus de Eiffeltoren aan weerszijden had beetgepakt en hem op zijn knie in stukken brak. Opeens drong er een scherpe chemische lucht in Nicholas' neusgaten: de stank van ruwe olie die uit de gescheurde tank gutste.
'Nicholas! Nicholas!' De walkie-talkie die hij over zijn schouder

had geslingerd begon te piepen. Hij bracht de microfoon naar zijn lippen zonder zijn blik af te wenden van de verschrikkelijke doodsstuipen van de *Golden Dawn*. 'Zeg het maar, Jules.'
'Ik kom terug, Nicholas om je op te pikken.'
'Je kunt niet draaien met je sleep.'
'Ik zal mijn boeg tegen de reling van het stuurboordachterdek drukken, recht onder de vleugel van de brug. Zorg dat je daar klaarstaat om te springen.'
'Jules, je bent niet goed wijs.'
'Zo ben ik al vijftig jaar!' gaf Jules vriendelijk toe. 'Zorg dat je er bent!'
'Laat je sleep dan schieten, Jules,' pleitte Nicholas. Het zou al vrijwel onuitvoerbaar zijn de *Seawitch* te manoeuvreren met dat monsterachtige dode gewicht er achteraan. We kunnen de tank later weer oppikken.'
'Leer jij een grootmeester maar schaken,' babbelde Jules opgewekt.
'Luister, Jules, de vierde tank is gescheurd. Stel alles in op brandgevaar. Begrepen? Zodra ik aan boord ben, gooien we een fakkel naar de tank en verbranden de lading.'
'Ik hoor je, Nicholas, maar het bevalt me niet.'
Nicholas liep het dek over, sprong over de gapende dekplaten en klom het laddertje naar de loopbrug op. Een blik over zijn schouder leerde hem dat de dreigende stormwolken erg dichtbij waren gekomen. Hij struikelde bijna voordat hij het op een lopen zette over de loopbrug naar de bijna een kilometer meer naar achteren gelegen achtersteven van de tanker. De enige andere overlevende zeeman liep een honderd meter voor hem uit naar de plek waar ze zouden worden opgepikt. Hij had klaarblijkelijk Levoisins woorden gehoord.
De kapitein van de *Seawitch* was bezig haar rond te brengen. Bij welke andere gelegenheid dan ook zou Nicholas onder de indruk zijn gekomen van het volleerde vakmanschap waarmee de kleine Fransman zijn schip met sleep manoeuvreerde, maar nu had hij zijn tijd en energie voor maar één ding nodig.
Er heerste geleidelijk een ondraaglijke stank die diep in Nicholas' longen drong en zijn keel samenkneep. Hij hoestte en hijgde onder het voorthollen.
Onder de loopbrug lag de gehavende tank en lekte op wel honderd plaatsen waar ze was doorboord door de romp. Nicholas bereikte

eindelijk de opbouw van de achtersteven, schoot door de stormdeuren naar het laagste dek en stapte de pompregelkamer binnen. Duncan Alexander keerde zich met een gezwollen en verkleurd gezicht naar hem toe.
'We gaan van boord,' zei Nicholas. 'De *Seawitch* neemt ons over.'
'Ik haatte je vanaf de allereerste dag.' Duncan was erg kalm, erg beheerst en zijn stem klonk vlak en beschaafd. 'Wist je dat?'
'Daar hebben we nu geen tijd voor.' Nicholas greep hem bij de arm en Duncan volgde hem gewillig de gang in.
'Daar ging het allemaal om, hè Nicholas, macht, rijkdom en vrouwen – dat spel hebben we gespeeld.'
Nicholas luisterde nauwelijks. Ze stonden nu op het achterdek bij de stuurboordreling onder de brug, het punt dat Jules had aangewezen. De *Seawitch* kwam naderbij en lag zo'n vijfhonderd meter van hen af. Nicholas had nu volop tijd te zien hoe Jules zijn schip bijdraaide. Hij liet de zware sleepkabel vieren om zodoende de afstand tussen zijn schip en zijn enorme sleep te vergroten en gebruikte dat slaphangende deel om dicht bij de *Golden Dawn* te komen. Binnen een minuut zou hij zover zijn.
'Dat spelletje hebben jij en ik gespeeld,' zeurde Duncan rustig verder. 'Macht, rijkdom en vrouwen –' Onder hen liet het schip zijn lading in zee lopen. De golven die ertegenaan sloegen klopten de olie op tot een dikke vuile brij die zich over de zee spreidde en het dodelijke gif naar de Golfstroom stuwde om zo de oceanen te vervuilen.
'Ik heb gewonnen,' vervolgde Duncan, 'ik heb alles gewonnen, altijd –' Hij greep in zijn zak, maar Nicholas hoorde hem niet en keek ook niet wat hij deed. 'Altijd – tot op dit ogenblik.'
Duncan nam een van de noodfakkels uit zijn zak en hield die met beide handen tegen zijn borst terwijl hij zijn wijsvinger door de trekker van de ontsteking stak.
'Nu ga ik hier ook winnen, Nicholas,' zei hij. 'Pot voor meneer!'
Met een heftige ruk liet hij de fakkel ontbranden, deed een stap achteruit en hield het ding in de hoogte. Het sputterde even en ontvlamde toen met een schitterend rode gloed en fosforescerende rook die omhoogwolkte. Op dat ogenblik keerde Nicholas zich naar hem om en stond van ontzetting aan de grond genageld. Het volgende ogenblik deed hij een uitval naar Duncans opgeheven hand waarin de fakkel brandde. Duncan was hem echter te vlug af.

Hij gooide de fakkel met een wijde boog over het lekkende stinkende dek waar het de tank raakte, opsprong en de schuine kant afrolde. Nicholas stond verstijfd aan de reling het ding na te staren. Hij verwachtte een geweldige explosie, maar er gebeurde niets, de fakkel rolde heel onschuldig over het dek en brandde met een stralend rood licht.
'Het brandt niet!' gilde Duncan. 'Waarom brandt het niet?'
Het gas was natuurlijk alleen brandbaar in een besloten ruimte als er een vonk bijkwam, maar hier in de open lucht had de olie een hoog vlampunt, die eerst moest worden verwarmd om tot gas te vervluchtigen.
De fakkel werd door de spuigaten tegengehouden, ging als een nachtkaars uit en siste na in een zwarte plas olie. Maar op dat ogenblik ontbrandde het gas. Een trage rode vlam gleed vlug maar geruisloos over het hele dek en ogenblikkelijk stegen dikke zwarte rookwolken in een verstikkende wolk omhoog.
Onder de plek waar Nicholas stond, raakte de *Seawitch* met haar boeg de flank van de tanker. De zeeman naast Nicholas sprong en landde keurig op de boeg van de zeesleper. Hij holde weg langs het dek.
'Nicholas,' Jules' stem donderde door de luidspreker. 'Spring, Nicholas, spring!'
Nicholas rende naar de reling en maakte zich op voor de sprong. Duncan greep hem van achteren beet, kromde een arm om zijn keel en trok hem naar achteren. 'Nee,' schreeuwde Duncan, 'jij blijft hier vriend. Je gaat niet weg. Je blijft hier samen met mij.'
Een vettige wolk verstikkende rook omvatte hen en Jules' versterkte stem dreunde in Nicholas' oren. 'Nicholas, ik kan haar hier niet houden, vlug, spring!'
Duncan had hem uit zijn evenwicht gebracht en sleepte hem nu achteruit, weg van de reling. Nicholas wist ineens wat hem te doen stond.
In plaats van zich te verzetten tegen Duncans arm, gooide hij zich achterover zodat ze samen tegen de opbouw achter zich sloegen – Duncan met de dubbele last van beide lichamen. Zijn greep om Nicholas' keel verslapte. Nicholas duwde zijn elleboog met kracht in Duncans rubben en gooide zijn bovenlichaam naar voren. Hij greep tussen zijn benen en kreeg Duncans enkels te pakken. Toen hij zich oprichtte, trok hij Duncan onderuit en liet zich met zijn

volle gewicht boven op hem vallen. Duncan gaf een gil en liet los. Nicholas vloog overeind en sprong in de vettige rookwolken naar de reling. Onder hem werd het gat tussen de boeg van de *Seawitch* en de tanker geleidelijk aan groter. Nicholas steunde op de reling, zocht zijn evenwicht en sprong. Hij sloeg met zo'n geweld tegen het dek dat zijn kiezen op elkaar sloegen. Zijn pijnlijke been hield het niet en hij rolde over zijn hoofd, maar wist zich op handen en knieën overeind te werken. Hij keek omhoog naar de *Golden Dawn* die nu helemaal schuilging in de kolkende zwarte rook. Hoe warmer de olie werd door de vlammen, des te gemakkelijker ontbrandde ze. Door de wolken rook heen schoten nu rode duivelse vlammen omhoog. Toen de *Seawitch* maakte dat ze weg kwam, sloeg de wervelstorm opnieuw toe waardoor de rookwolken verwaaid werden en het achterdek van de tanker weer zichtbaar werd.
Duncan Alexander stond aan de reling boven het furieus brandende tankdek. Hij stond er met wijdgestrekte armen en ook hij brandde, zijn kleren en zelfs zijn haren leken brandende fakkels. Hij deed aan een kerkkruis denken dat rondom in brand stond. Langzaam leek hij ineen te schrompelen. Toen viel hij voorover in de kokende, brandende olie, de lading van het monsterschip dat hij had gebouwd – de zwarte rook omgaf hem als een lijkwade.

Door de uit de tank ontsnappende ruwe olie werden de vlammen gevoed waardoor de hitte snel toenam. Toch brandden nog alleen maar de vluchtige stoffen die minder dan de helft van de lading uitmaakten. De zware koolstofelementen waren nog onvoldoende op temperatuur om te ontbranden. Ze stegen op in die zware zwarte rookkolom en werden toen de wervelstorm opnieuw de *Golden Dawn* geselde in de smerige wolkensluier met lucht vermengd en in de wolkenbank van de tropische cycloon opgenomen, die eerst tot driehonderd meter, vervolgens tot drie kilometer en uiteindelijk tot ruim zes kilometer boven de oceaan uitsteeg.
En nog altijd brandde de *Golden Dawn* en de temperaturen van het gas en het oliemengsel dat in haar romp opgesloten zat, vlogen omhoog. Het staal gloeide vuurrood en vervolgens verblindend wit en stroomde als vloeibare was en dan als puur water weg en opeens werd het vlampunt van de zware koolstof met een mengsel van

lucht en waterdamp in het binnenste van deze reusachtige oven bereikt.
De *Golden Dawn* en haar volledige lading werd één reusachtige vuurbol.
Het staal, glas en metaal van haar romp verdwenen in een plotselinge explosieve verbranding waarin temperaturen vrijkwamen die ook op het zonneoppervlak gemeten kunnen worden. De lading, een kwart miljoen ton, brandde in één felle uitbarsting en schoot een witte, stralende, verticale kolom hitte zo fel omhoog dat die in de bovenste stratosfeer belandde en daar de golvende sluier koolwaterstof en rook ontmoette.
De lucht ontvlamde evenals de oppervlakte van de zee in die witte vuurbol en zelfs de rookwolken brandden toen de zuurstof en de koolwaterstof waaruit ze bestonden explodeerden.

'Kun je niet verder wegkomen?' schreeuwde Nicholas in Jules Levoisins oor boven het gedonder van de wervelstorm uit.
Ze stonden naast elkaar en hadden zich stevig vastgegrepen aan de reling boven hun hoofd om de zware deining van het schip te weerstaan.
'Als ik volle kracht geef, verspeel ik de sleep,' schreeuwde Jules.
De *Seawitch* stond nu eens op haar neus en dan weer op haar staart. Er was totaal geen zicht vooruit, slechts groene overkomende stortzeeën en wolken fijn verdeeld zeewater.
De volle kracht van de wervelstorm had hen weer te pakken en een blik op de radarscoop leerde dat de brandende *Golden Dawn* nog maar een kleine kilometer achter hen lag.
Opeens werden de ramen verduisterd door een ondoordringbare duisternis en het licht op de brug verminderde totdat alleen maar de brandlichtjes en de elektronische instrumenten van het controlepaneel zichtbaar waren.
Jules Levoisin keerde zijn gezicht naar Nicholas. Het was groenig verlicht.
'Een rookbank,' legde Nicholas uit. De stank van het vieze koolwaterstof drong niet door tot de brug want de *Seawitch* was door het brandalarm afgesloten, alle patrijspoorten en ventilatoren waren afgegrendeld en afgesteld op de interne luchtverversing binnen

het gesloten circuit, waarin de lucht geschoond werd en opnieuw van zuurstof voorzien. 'We liggen benedenwinds van de *Golden Dawn.*'
Een enorme vlaag van de wervelstorm legde de *Seawitch* op haar zij waardoor de reling aan die kant onder de woeste groene zee verdween. Zo bleef ze wel enige minuten schuin overhangen, niet in staat zich te weer te stellen tegen de overmacht van de storm. De bemanning hield zich vast aan ieder steunpunt dat ze maar grijpen kon. De schroeven vonden geen houvast in het water en de motoren gilden het uit. Toch was de *Seawitch* gebouwd om de zwaarste zeeën te doorstaan en toen de wind dan ook even minderde, vocht ze zich vrij uit de overslaande golven en zwaaide overeind.
'Waar is de *Warlock*?' bulderde Jules bezorgd. Het gevaar van een aanvaring lag voortdurend op de loer, twee schepen met hun logge slepen die vlak bij elkaar manoeuvreerden in een beperkt door wervelstormen geteisterd gebied was een ware nachtmerrie.
'Een vijftien kilometer oostelijk van ons.' Nicholas vond het beeld van de andere zeesleper op het radarscherm. 'Ze zijn weggevaren voordat de wind –'
Hij wilde nog wat zeggen, maar op dat ogenblik ontbrandde de ziedende wolkenbank van koolwaterstof rondom de *Seawitch* in schel wit licht, zo oogverblindend alsof ze stuk voor stuk het flitslicht van een fotoapparaat in hun ogen hadden gekregen.
'Vuurbal!' schreeuwde Nicholas en tastte volledig verblind naar de hendels van de waterkanonnen, eenentwintig meter boven de brug op de brandtoren. Enige minuten eerder had hij de kanonnen zo laag mogelijk gericht op het eigen schip opgesteld. Toen hij nu dan ook de vele trekkers openzette, bedolf de *Seawitch* zichzelf onder een kletterende zeewaterval.
De *Seawitch* bevond zich midden in een oven van brandende lucht en ondanks de stromen water die ze over zichzelf uitgoot, brandde de verf in één keer totaal weg waaraan zelfs geen rook te pas kwam en onmiddellijk daarop begon het naakte metaalwerk van haar opbouw te gloeien.
De hitte was zo groot dat die door de geïsoleerde romp en door de dubbele beglazing van het vijf centimeter dikke gewapende glas van de brugramen drong en Nicholas' wenkbrauwen en oogharen schroeide en verteerde en blaren op zijn lippen vormde toen hij zijn gezicht ophief.

Het glas van de ramen werd wazig toen het begon te smelten – maar op dat zelfde ogenblik was de zuurstof op. De vuurbal had zichzelf gedoofd, alles verbruikt in de twintig seconden van zijn bestaan, alles vanaf het oppervlak van de zee tot negen kilometer daar bovenuit, een kort en verwoestend orgasme van destructieve drift. Het liet een vacuüm achter, een zwakke plek in de dunne luchtlaag om de aarde en vormde in zichzelf een nieuw lagedruksysteem, intenser dan 'het oog' van wervelstorm Lorna.
Het zoog letterlijk de kracht weg uit die reusachtige wervelstorm, formeerde tegenwinden en een draaikolk in het bestaande systeem, waardoor dat uit elkaar werd gerukt. Nieuwe stormen staken op rondom het vacuüm die elk snel een eigen spiraal maakten. Op nog geen dertig kilometer van het vasteland van Florida stopte wervelstorm Lorna haar zinloze, woeste opmars, klapte in elkaar en verbrokkelde in wel vijftig verschillende vlagen en maalstromen die nu eens verenigd dan weer los van elkaar langzaam in het niet verdwenen.

Op een morgen in april liet de zeesleper *Seawitch* op de rede van Galveston haar sleep over aan vier kleine havensleepboten die de derde tank van de *Golden Dawn* de zeeëngte doorsleepten naar de losinstallatie van Orient Amex ten zuiden van Houston.
Haar zusterschip de *Warlock* had onder commando van kapitein David Allen zijn twee tanks al vierentwintig uur eerder aan dezelfde boten overgegeven.
De twee schepen hadden onder Lloyd's Open Form driekwart miljoen ton ruwe olie geborgen ter waarde van $85.50 per ton. Hierbij kwam dan nog de waarde van de drie tanks – niet minder dan vijfenzestig miljoen dollar bij elkaar, berekende Nicholas. Hij was eigenaar van beide schepen en kreeg dus de volledige bergingsprijs. Hij had nog niets aan de sjeiks verkocht, hoewel er gedurende de hele sleeptocht van de Straat van Florida naar Texas tot dol wordens toe boodschappen waren getelexed door James Teacher in Londen. De sjeiks wilden nu dolgraag tekenen, maar Nicholas liet hen nog wat wachten. Hij stond op de open vleugel van de brug en keek naar de vier kleine sleepbootjes die druk in de weer waren met hun lompe last.

Hij bracht voorzichtig het sigaartje naar zijn lippen die nog gevoelig waren van de hitte van de vuurbal – hij overdacht wat hij allemaal had bereikt, nog afgezien van de spectaculaire rijkdommen. Hij had de bezoedeling met ruwe cadmiumrijke olie van de oceanen teruggebracht van een miljoen ton tot een kwart daarvan en die dan nog in een vuurbal verbrand. Toch was er schade berokkend, de giftige dampen waren hoog boven de vuurbal uitgestegen. Ze waren verspreid door de wind en over Florida tot aan Tampa en Talahassee getrokken, waar de weiden vergiftigd waren en duizenden stuks vee vernietigd. De Amerikaanse autoriteiten waren er echter op tijd bij geweest om de noodtoestand als gevolg van de wervelstorm af te kondigen. Er waren geen mensenlevens te betreuren. Dat had hij dan toch maar bereikt.
Nu had hij de losse tanks bij Orient Amex afgeleverd. Het nieuwe kraakproces zou ten dienste van de hele mensheid staan en Nicholas zou nooit kunnen verhinderen dat de cadmiumrijke ruwe olie van El Barras over de oceanen zou worden vervoerd. Maar zou dat gebeuren op diezelfde verblinde, onverantwoordelijke manier als Duncan Alexander had getracht?
Op dat ogenblik wist hij met absolute zekerheid dat de roeping in zijn leven van nu af aan was ervoor te zorgen dat het zo *niet* gebeurde. Hij wist hoe hij dit werk moest klaren. Hij had het geld dat ervoor nodig was en Tom Parker had hem de andere instrumenten gegeven om een dergelijk karwei op te knappen.
Hij wist met even grote zekerheid wie naast hem zou staan in dit levenswerk – en hier op het verzengde dek van het dappere kleine schip zag hij een duidelijk beeld van een zonovergoten goudharig meisje dat zijn verdere leven vrolijk naast hem liep.
'Samantha.'
Hij sprak haar naam éénmaal hardop uit, en opeens verlangde hij heftig naar het nieuwe begin.

Van dezelfde schrijver:

De 'Ballantyne'-serie:

De klauw van de valk
De furie van de valk
De vloek van de hyena
Een luipaard jaagt 's nachts

De 'Courtney'-serie:

De Courtney-trilogie
Het goud van Natal
Vlammend veld, heftig hart
De jakhalzen van het paradijs

De tweede Courtney-trilogie
De wet van de jungle
De kracht van het zwaard
De band van het bloed

De macht van het kwaad
De greep van de angst

Titels zonder serieverband:

Geheim projekt Atlas
Als een adelaar in de lucht
Het oog van de tijger
Diamantjagers
Duel in de Delta
Het heetst van de strijd
De zonnevogel
Aasgier van de golven
De laatste trein
Goudmijn
De strijd om de tand
Vallei der koningen
Het koningsgraf